MÜNCHNER BEITRÄGE

ZUR VOR- UND FRÜHGESCHICHTE

Herausgegeben von Joachim Werner

BAND 28

VERÖFFENTLICHUNG DER KOMMISSION
ZUR ARCHÄOLOGISCHEN ERFORSCHUNG DES
SPÄTRÖMISCHEN RAETIEN

DER BAYERISCHEN AKADEMIE DER WISSENSCHAFTEN

C. H. BECK'SCHE VERLAGSBUCHHANDLUNG
MÜNCHEN

LUDWIG PAULI

KELTISCHER VOLKSGLAUBE

AMULETTE UND SONDERBESTATTUNGEN
AM DÜRRNBERG BEI HALLEIN
UND IM EISENZEITLICHEN MITTELEUROPA

C. H. BECK'SCHE VERLAGSBUCHHANDLUNG
MÜNCHEN

Mit 22 Abbildungen und 11 Tabellen

CIP-Kurztitelaufnahme der Deutschen Bibliothek
Pauli, Ludwig
Keltischer Volksglaube: Amulette und Sonder-
bestattungen am Dürrnberg bei Hallein und
im eisenzeitl. Mitteleuropa.
(Münchner Beiträge zur Vor- und Frühge-
schichte; Bd. 28)
ISBN 3 406 00498 9

ISBN 3 406 00498 9

Gedruckt mit Mitteln der Bayerischen Akademie der Wissenschaften
© C. H. Beck'sche Verlagsbuchhandlung (Oscar Beck) München, 1975
Satz und Druck: Gebr. Parcus KG München
Printed in Germany

INHALT

BESCHREIBUNG DER BEFUNDE

ZUSAMMENFASSUNG

INTERPRETATION

ERGEBNIS UND AUSBLICK

VERZEICHNISSE UND REGISTER

ABBILDUNGSNACHWEIS

Abb. 1–2: L. Pauli; Abb. 3–7: nach E. Penninger 1972 und F. Moosleitner – L. Pauli – E. Penninger 1974; Abb. 8–10: nach F. R. Hodson 1968; Abb. 11: nach A. Naef 1903; Abb. 12: nach H. Zürn 1970 und Fundbericht 1959a; Abb. 13, 1–7. 16–26: nach H. Zürn 1970; Abb. 13, 8–15: nach H. Zürn 1956; Abb. 13, 27–32: nach W. Drack 1967; Abb. 14, 1–13: nach H. Zürn 1970; Abb. 14, 14–21: nach E. Wagner 1908; Abb. 15: nach K. Spindler 1971–1973; Abb. 16, 1–19: nach W. Krämer 1964; Abb. 16, 20–30: nach F. Maier 1958; Abb. 17: nach J. Keller 1965; Abb. 18: nach J. de Baye 1891; Abb. 19: nach H. Neubauer 1942; Abb. 20: nach V. Moucha 1969; Abb. 21, 1: nach E. Penninger 1972; Abb. 21, 2: nach F. Moosleitner – L. Pauli – E. Penninger 1974; Abb. 21, 3: nach J. Gaisberger 1848; Abb. 22: L. Pauli.

Titelvignette: G. Sturm.

TECHNISCHE VORBEMERKUNGEN

Im beschreibenden Teil (S. 15–115) sind die im Text erwähnten oder nur in den Tabellen aufgeführten Fundorte mit den nötigen Literaturangaben abschnittsweise zusammengestellt, aber für die ganze Arbeit fortlaufend durchnumeriert. Damit können im auswertenden Teil durch die Angabe der Fundort-Nummer Querverweise und umständliche Zitate vermieden werden. Darüber hinaus sind die Nummern auch in die Kolumnentitel aufgenommen, um eine leichte Auffindbarkeit zu gewährleisten.

Ortsnamen und Kreiszugehörigkeit innerhalb der Bundesrepublik Deutschland entsprechen dem Stand vor den umfassenden, zum Teil noch gar nicht abgeschlossenen Gemeinde- und Gebietsreformen der letzten Jahre. Nur in Einzelfällen werden, wenn sie schon der Literatur entnommen werden konnten, die neuen Bezeichnungen verwendet.

VORWORT

Die vorliegende Arbeit entstand im Rahmen der Auswertung der Grabfunde vom Dürrnberg bei Hallein (Land Salzburg). Unter ihnen gibt es eine beträchtliche Anzahl von Gräbern mit Beigaben, deren Amulettcharakter offenkundig ist, oder mit abweichenden Bestattungssitten, die sich in einer ungewöhnlichen Behandlung des Toten dokumentieren. Dies verlockte dazu, den damit verbundenen religionsgeschichtlichen Problemen nachzugehen. Dabei stellte sich rasch heraus, daß das Dürrnberger Material für sich allein nicht ausreichen würde, die verschiedenen Interpretationsmöglichkeiten abzusichern. Dies konnte nur eine großräumige Untersuchung im gesamtmitteleuropäischen Rahmen leisten. Sie lenkte dann aber auch den Blick auf weitere Fragen, die sich am Dürrnberg selbst nicht gestellt hätten, aber nur in diesem Zusammenhang mit einleuchtenden Ergebnissen behandelt werden können.

Auf diese Weise entstand schließlich eine unvermutet umfangreiche Abhandlung, die nur mehr lose mit der Auswertung der Dürrnbergfunde verknüpft ist. Da zu hoffen ist, daß die folgenden Ausführungen nicht nur die Spezialisten für die vorrömische Eisenzeit Mitteleuropas interessieren, sondern Beachtung auch bei den Bearbeitern anderer Perioden und Regionen sowie Vertretern einiger Nachbarwissenschaften finden könnten, lag es dann nahe, diesen Themenkomplex aus seinem arbeitstechnisch gegebenen Rahmen zu lösen und separat zu veröffentlichen. Dem Herausgeber dieser Reihe und Initiator der Dürrnberg-Publikationen, Prof. Dr. Joachim Werner, habe ich sehr für sein Entgegenkommen zu danken, daß er ohne Zögern diesem Vorschlag zustimmte. Auch hat er durch manche Hinweise diese Untersuchung gefördert. Ebenso bin ich Prof. Dr. Laszlo Vajda für eine Durchsicht des Manuskripts verbunden. Die wie immer gedeihliche Zusammenarbeit mit der C. H. Beck'schen Verlagsbuchhandlung ermöglichte eine rasche und problemlose Drucklegung. Die Überarbeitung der Bildvorlagen besorgte G. Sturm, München.

Für bereitwillige Hilfe bei der Überprüfung einzelner Daten und auch für die Überlassung noch unpublizierten Materials bin ich folgenden Kollegen verpflichtet: Dr. B.-U. Abels und Prof. Dr. Chr. Pescheck (Würzburg), Dr. W. Czysz (Wiesbaden), Dr. W. Drack (Zürich), Dr. H.-J. Engels und Dr. L. Kilian (Speyer), Prof. Dr. O.-H. Frey (Hamburg), Dr. Chr. Liebschwager (Bochum), Dr. M. Rech (Bonn), Dr. V. Šaldová (Prag), Dr. P. Schröter (München), Prof. Dr. I. Schwidetzky (Mainz), Dr. K. Spindler (Regensburg), Dr. A. Stroh (Sinzing bei Regensburg), Dr. G. und L. Wamser (Nürnberg).

Schließlich sei auch noch mit Dank vermerkt, daß durch die Gewährung eines Stipendiums der Deutschen Forschungsgemeinschaft diese Arbeit, wie auch alle anderen im Rahmen des Dürrnberg-Projekts, wesentlich erleichtert wurde.

Im Juli 1975   Ludwig Pauli

EINLEITUNG

Zur Grabausstattung eines Toten zählt man gewöhnlich Gegenstände aus zwei Funktionsbereichen. Zum ersten gehören Trachtzubehör, Schmuck, Waffen und Gerät, also Gegenstände, die der Tote auch im Leben, zumindest gelegentlich, getragen oder verwendet hat. Zum anderen gehört vor allem die Beigabe von Keramik und Metall- oder Holzgefäßen, was man in Verbindung mit der gerade am Dürrnberg häufigen Fleischbeigabe als Ausstattung mit Nahrungsmitteln und Geschirr für das Jenseits interpretieren kann[1].

Es gibt in vielen Gräbern aber auch eine Kategorie von Beigaben, die in der Eisenzeitforschung bisher so gut wie keine Beachtung gefunden hat, weil ihre materielle und ideelle Abgrenzung gegenüber dem „Schmuck" in vielen Fällen nicht unmittelbar sichtbar ist. Es handelt sich um Beigaben mit Amulettcharakter. Gewiß blieb es nicht unbemerkt, daß etwa schuh- oder fußförmige Anhänger, menschen- oder tiergestalte Figürchen, Steinbeile, durchlochte Steine, Hirschhornstücke und Tierzähne nicht als profanes Trachtzubehör zu werten seien und, nach ihren Parallelen vor allem im volkskundlichen Bereich, einen schützenden, beschwörenden, abwehrenden Charakter besäßen. Außerdem kämen sie überwiegend in Frauengräbern vor. Trotz solcher Ansätze wurde jedoch bisher versäumt, über diese auf der Hand liegenden Feststellungen hinauszukommen und sie für eine genauere Analyse des mit Amuletten ausgestatteten Personenkreises auszuwerten. Die folgenden Ausführungen, die dieses Thema nicht erschöpfend behandeln können, aber wenigstens einen Rahmen abstecken wollen, werden zeigen, welche Einblicke in die geistigen, religiösen und sozialen Vorstellungen der mitteleuropäischen Bevölkerung um die Mitte des letzten vorchristlichen Jahrtausends dadurch möglich sind.

Wir sehen den erfolgversprechenden Weg nicht darin, „eindeutige" Amulette aufzuzählen, zu beschreiben und nach ihrem möglichen Sinngehalt zu fragen, sondern über eine Einbeziehung aller in Frage kommenden Gegenstände den Begriff des Amuletts in unserem Bereich genauer zu

---

[1] Eine Sonderstellung nimmt die Beigabe des vierrädrigen Wagens ein, auf dem der Tote zum Grab gefahren worden war (G. Kossack 1954a, 83; 1954b, 143 ff.; 1970, 166f.), weil hier wohl trotz des Hinweises auf einen entsprechenden Besitzstand hauptsächlich die Verwendung im Bestattungsritual für die Beigabe verantwortlich ist. Demgegenüber mag bei der Beigabe eines zweirädrigen Streitwagens tatsächlich dessen Rolle in der Kampftechnik mehr im Vordergrund gestanden haben.

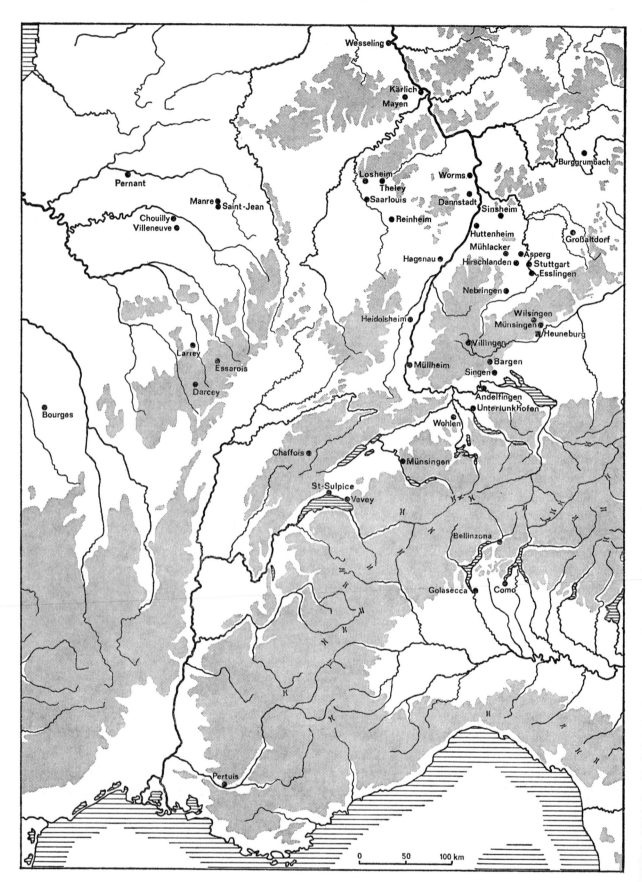

Abb. 1. Die wichtigsten im Text erwähnten Fundorte im westlichen Mitteleuropa.

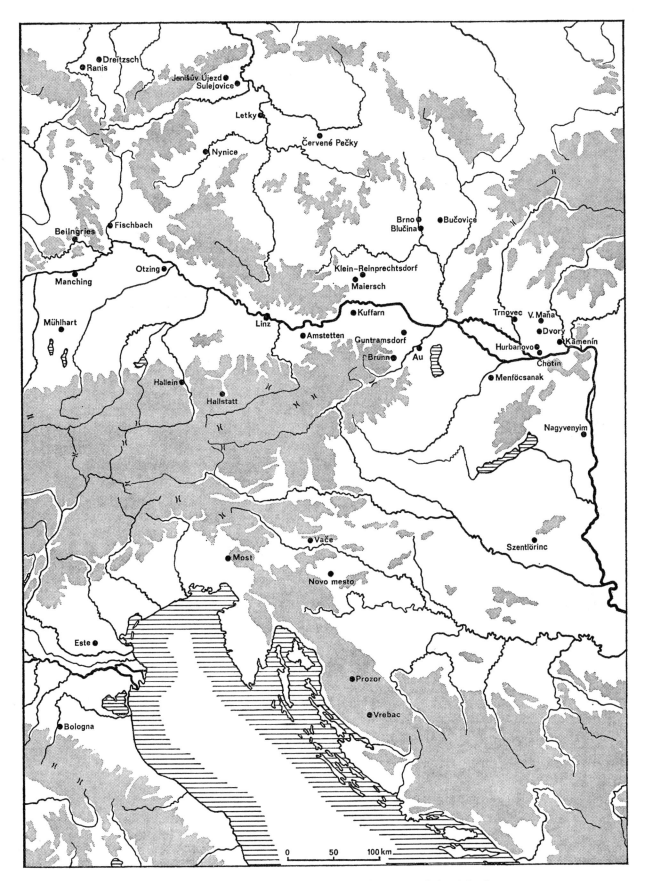

Abb. 2. Die wichtigsten im Text erwähnten Fundorte im östlichen Mitteleuropa.

umschreiben, dann seine Funktion im Grabritus und, wenn möglich, auch im Leben herauszufinden und zum Schluß erst den gedanklichen Hintergrund zu erforschen. Bei diesem Vorhaben muß uns die Anthropologie zu Hilfe kommen, indem sie uns genauere Aufschlüsse über Alter und Geschlecht der Individuen und sonstige Besonderheiten gibt, die nicht direkt aus dem archäologischen Material ablesbar sind[2].

Natürlich gibt es außer den Amuletten auch Schmuck oder Trachtzubehör, die sich aufgrund ihrer Verzierung oder Funktion als Träger mehr oder minder deutlich empfundener magischer Vorstellungen zu erkennen geben. Ich werde in diesem Rahmen nur sehr kurz darauf eingehen und Einzelaspekte vielleicht einmal an anderer Stelle behandeln.

Wenn im Titel vom „keltischen" Volksglauben gesprochen wird, so soll damit nur eine grobe Umschreibung des Materials nach Zeit und Raum geboten werden. Daß der Westhallstattkreis und die nachfolgende Frühlatènekultur mit dem Ethnikum in Verbindung zu bringen sind, das uns aus den antiken Quellen als „Kelten" bekannt ist, steht wohl außer Zweifel. Wie allerdings diese Verbindung genau beschaffen war, wie man sich die Entstehung eines keltischen Volkes vorzustellen hat, worauf sich eine adäquate Definition stützen kann, all das kann hier nicht behandelt, sondern erst im Rahmen der Auswertung der Dürrnbergfunde insgesamt weiter verfolgt werden. Nichtsdestoweniger vermag die vorliegende Untersuchung schon einige aufschlußreiche Details zu diesem Fragenkreis zu liefern.

Trotz ihrer etwas weitergehenden Zielsetzung ist diese Arbeit selbstverständlich primär eine archäologische Untersuchung. Daher muß, um die Überprüfbarkeit der Ausgangsbasis zu gewährleisten, die Beschreibung und Aufbereitung des archäologischen Materials einen breiteren Raum einnehmen, als es nötig gewesen wäre, wollte man nur die allgemein interessierenden Ergebnisse darstellen. Auf der anderen Seite ist keine Vollständigkeit in der Berücksichtigung aller Probleme angestrebt, die sich aus der Zusammenarbeit und Wechselwirkung mit den Nachbarwissenschaften ergeben müssen, da sich deren Rolle im Rahmen dieser Untersuchung darauf beschränkt, Interpretationsmodelle zu liefern. Eine Behandlung des ganzen Themenkreises unter universalhistorischen Gesichtspunkten liegt außerhalb der Kompetenz und Absicht des Autors.

[2] Die Gunst der Quellensituation (ein Gebiet mit relativ gleichmäßig durchforschten Regionalkulturen, deren Kenntnis sich auf Gräber stützt) erlaubt diesen Ansatz, der damit einen Schritt weiter geht als jener, den noch G. Kossack bei seinen „Studien zum Symbolgut der Urnenfelder- und Hallstattzeit Mitteleuropas" für vertretbar hielt. Er beschränkte sich darauf zu ermitteln, „in welchen Bereichen und in welcher Zeitspanne bestimmtes donauländisches Symbolgut eine Bedeutung im geistigen Leben jener Menschen einnahm, die Träger der mitteleuropäischen Peripherkulturen waren" (G. Kossack 1954a, 2 und 5 Anm. 2).

BESCHREIBUNG DER BEFUNDE

AMULETTBEIGABE AM DÜRRNBERG BEI HALLEIN

In *Tabelle 1* sind alle Gräber zusammengefaßt, die Gegenstände mit möglichem Amulettcharakter enthalten. Einige Dinge sind hier schon mit aufgeführt, obwohl sie am Dürrnberg bisher noch nicht vertreten sind. Dafür finden wir sie in benachbarten Regionen, so daß auf diese Weise die Tabellen nur vereinheitlicht und vergleichbar gemacht werden sollen. Bei anderen Objekten mag die Zugehörigkeit noch nicht einleuchten; hier werden erst großräumige Vergleiche die Begründung nachliefern.

Die Tabelle führt Grab 71/2 an, in dem die meisten Beigaben mit offensichtlichem Amulettcharakter vertreten sind *(Abb. 3; 4, 1–2)*: Klapperbleche, zwei dreieckige Rähmchen, ein Rädchen, ein Beil mit einer kleinen Öse und ein Schnabelschuh mit einer großen Öse zum Aufhängen. Diese Dinge gehören nach dem Grabungsbefund zu zwei Kolliers, die man einem Kind quer über den Körper gelegt hat. Darüber hinaus ist dieses Grab das am reichsten mit Glasperlen und Bernstein ausgestattete der Latènezeit am Dürrnberg überhaupt. Was wir aber sonst noch in der Gesellschaft der Amulette finden, erfordert ebenfalls unsere Aufmerksamkeit: gegossene Bronzeringchen verschiedener Größe, zu Ringchen zusammengebogene Bronzedrahtfragmente, ein zusammengebogenes Bruchstück eines Armringes (auf den Halsring gefädelt: *Abb. 4, 2b*) und schließlich die zwei großen Bernsteinringe mit den Einkerbungen. Wir kennen letztere, allerdings ohne Einkerbungen, als häufige Beigabe aus den späthallstättischen Frauengräbern. Jedoch wurden sie dort einzeln in der Halsgegend aufgefunden[3], während sie hier eindeutig auf dem oberen Kollier aufgefädelt waren. Es handelt sich demnach wohl um Altstücke, die in ihrer Form vielleicht etwas verändert (Einkerbungen, Bronzestifte, Zweiteiligkeit) und bei dem Kind nicht in der üblichen Funktion verwendet wurden.

Grab 77/3 *(Abb. 5)* erweitert das Spektrum um einen Eberzahn und eine Hirschhornrose, aber auch um eine Fibel mit abgebrochener Spirale und Nadel, kleine, massive Eisenringe und ein rundes Bronzeblechfragment. All dies war, wie in Grab 71/2, offensichtlich auf eine Schnur gefädelt und auf der Brust getragen worden. Auch hier sind auf den Halsring nicht nur Glasperlen gereiht, sondern dazu noch eine große Bernsteinperle *(Abb. 5, 2b)*, ein Dreiecksrähmchen *(Abb. 5, 2a)*, ein zusammengebogenes Armringfragment *(Abb. 5, 2c)* und ein Bronzehäkchen *(Abb. 5, 2d)*, das seine Parallelen anscheinend nur in Südwestdeutschland hat und dort zu getriebenen Gürtelblechen gehört[4].

Diese beiden Beispiele machen schon deutlich, daß die Kategorie der Amulette, wie sie durch die Lage im Grab erkennbar wird, um einige zunächst weniger auffällige Dinge erweitert werden

---

[3] F. Moosleitner – L. Pauli – E. Penninger 1974, Taf. 122, 5 mit Taf. 186 unten; Taf. 127, 5 mit Taf. 189 oben (schon Latène A); Taf. 132, 5 mit Taf. 190;

Taf. 148 B 2 mit Taf. 197; Taf. 152 B 5 mit Taf. 197.
[4] Vgl. etwa Salem, Kr. Überlingen: E. Wagner 1899, Taf. 8, 43; Heidenheim: H. Zürn 1957a, Taf. 3,9.

Tabelle 1. Die Amulette in den Gräbern vom Dürrnberg (1 A).

Zeichenerklärung:
- ? = keinerlei Angaben über das Skelett erhalten
- − = Grab gestört; Zusammengehörigkeit unsicher
- (Frau) = Geschlechtsbestimmung nach den Beigaben
- ● = 1–2 Exemplare
- ■ = 3 und mehr Ex.

Bemerkungen:
- 51: u. a. Reste einer Frau (20–30 J.)
- 96: u. a. Reste eines Jugendlichen.
- 32/3: nach Grabskizze Kind
- 65: Steinplatte auf dem Oberkörper
- 12: kein Skelett
- 70/2: abweichende Skelettlage
- 19: Schädelbestattung
- 28/1: Hände auf dem Bauch
- 108: Schädel disloziert

Grab	71/2	71/1	77/3	55/3	51	96	bei 78	39/3	52/2	77/4	52/3	52/5	32/1	32/2	32/3	32/4	65	12	70/2	2/3	37/1	37/2	20/2	19	28/1	108	67	50	10/3	15	42/1
Alter	7–10	9–11	6–12	6–12	−	−		30–40?	Kind	7–9	Kind	Kind	10–14	7–9	30–40?	Kind od. jugendl.	17–25	−	20–25		16–18	18–25	4–6	7–9	30–50		erwachsen		−	?	
Geschlecht								(Frau)							Frau?		Frau		Frau	(Frau)	Frau	Frau		Frau	(Frau)	Frau			(Frau)		(Frau?)
Hakenanhänger																															
Keulenanhänger																													●	●	●
Tonwirtel, Tonring			●			●												●													●
Bernstein	■	■	●				■	●									■							■	●		■				●
auffallendes Glas	■	■		■		●	●											●													
Glas	■	■	■				■	■										●	●												■
Bein-, Knochengegenstand			●														●				●										
Muschel, Schnecke																					■	■									
Hirschhorn		●	●																												
Tierzahn, -knochen		●																													
sonstiges Mineral								●	●	●	●	●				●									●						
Silex																															
durchlochter Stein													●																		
Steinbeil, Silexpfeilspitze			●																												
Alt- oder Fremdstück	●		●																												
unbestimmbares Metall, Abfall	●	●	●					?		●	●						●	■	●	●		■		●	■						
funktionsloses Metall, Curiosum		●				●											●				●		●				●				
Drahtringelchen, -fragmente	■		●	●				?											●					●							
Ringelchen, gegossen	■	■	■	●									●												■				■		
Ringschmuck mit Gußspuren																															
Ringchen mit Fortsatz																							●	●							
sonstige Anhänger						?																									
Körbchenanhänger							■																								
Dreipaß, Vierpaß																															
Ringwürfel, Bronzekubus							●																								
Figürchen, Tonidol																															
Beilanhänger	●		●																												
Schuhanhänger	●																														
Radanhänger	●			●		●																									
Rähmchen	●		●																												
Klapperblech, Rassel	●																														

Kinder und Frauen

Brandnester	24/2			zu Kind (6–8 J.) in entfernter Lt A-Bestattung?
	39/2			zu Krieger
	76			zu Krieger (25–35 J.)
	32/2			zu Kind (7–9 J.)
Männer	10/1			Krieger
	44/2		20–30	Krieger
	66/2		12–15	(Knabe)
Streufunde,	8		–	u. a. Reste einer jungen Frau
alte Gräber	24		–	Reste eines Kindes (6–8 J.)
	34		–	Reste zweier Männer
	39		–	
	44		–	
	74		–	
	102		–	aus dem Aushub
	107		–	
	110		–	

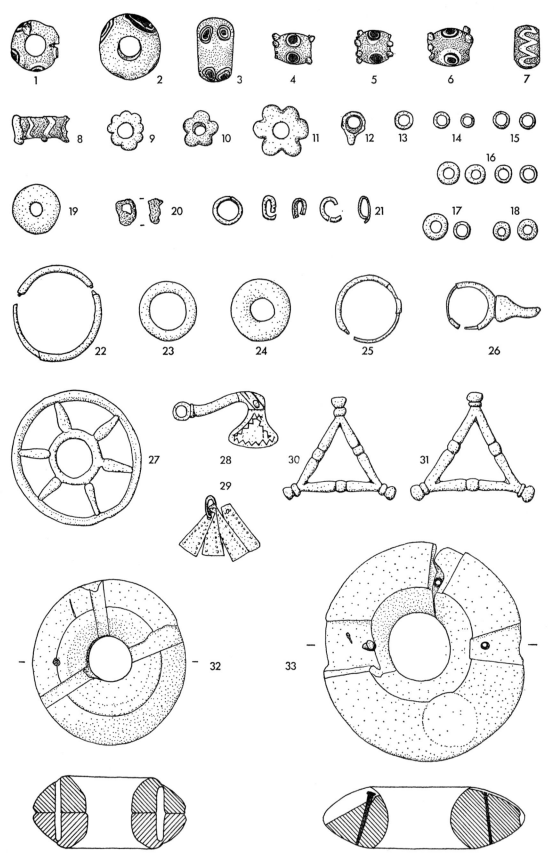

Abb. 3. Dürrnberg (1 A) Grab 71/2: Bestandteile der beiden Kolliers. – 1–20 Glas; 32–33 Bernstein; 21–31 Bronze.
M. 3 : 4.

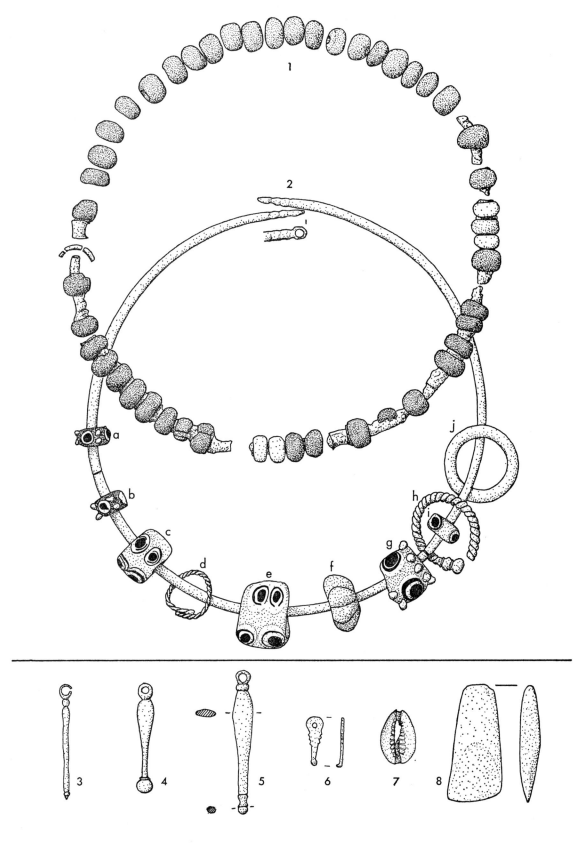

Abb. 4. Dürrnberg (1 A). 1–2 Halsringe aus Grab 71/2; 3 Grab 10/3; 4 Grab 42/1; 5 Grab 15; 6 Grab 34; 7 Grab 44/2; 8 Grab 39 (Streufund im Grab). – 1 Eisen mit Glas; 2 Bronze mit Glas; 7 Kaurimuschel; 8 Stein; 3–6 Bronze. M. 3 : 4.

kann: Bronze- und Eisenringchen ohne eindeutige Funktion in der Tracht, zusammengebogene Drahtfragmente, fragmentierte Gegenstände überhaupt *(Abb. 4, 2h; 5, 2c. 3)*, Altsachen oder Gegenstände, die ihren ursprünglichen Funktionszusammenhang verloren haben *(Abb. 3, 32–33; 5, 2d)*, undefinierbare Objekte *(Abb. 5, 8)* oder gar regelrechte Metallabfälle *(Abb. 3, 21)*. Außerdem ist zu fragen, ob nicht auch das Glas und vielleicht der Bernstein wenigstens teilweise unter diesem Aspekt betrachtet werden müssen. Th. E. Haevernick hat bei der Bearbeitung der Glasfunde schon entschieden darauf hingewiesen[5]; wir werden später noch einmal darauf zurückkommen. Aus diesem Grunde haben wir auch Glas und Bernstein mit in unsere Tabellen aufgenommen.

Nun waren die beiden beschriebenen Gräber Kindergräber. Da auch beim Glas der Zusammenhang mit dem Lebens- oder Sterbealter des Bestatteten evident ist[6], wollen wir zunächst einmal alle anderen Kindergräber darauf hin durchgehen, ob sich in ihnen ähnlich seltsame Dinge finden.

Grab 71/1 ist zwar im unteren Bereich wohl gestört, aber trotzdem lassen sich noch Anhaltspunkte finden: ein unsorgfältig zusammengebogenes Golddrähtchen oberhalb vom Kopf, zwei Glasperlen und eine Öse aus Bronzedraht neben der rechten Schulter, ein flacher Bronzering, der trotz seiner Lage kaum als Fingerring gedient haben kann, und schließlich in der Fußgegend eine Kette aus etwa 20 Glas-, zwei Bernsteinperlen und vier kleinen Eisenringen. Dazu kommt noch der reiche Glas- und Bernsteinbesatz des Halsringes.

Aus Grab 55/2 kennen wir wieder ein Kollier *(Abb. 6, 13–15.17.18.20)*. Es setzt sich zusammen aus einem Bronzeringelchen, sieben Glasperlen, einer Bernsteinperle und einem kleinen Eisenring. Mehr am Kopf dagegen lagen *(Abb. 6, 16.19.21)* eine Augenperle aus Glas, ein Bronzerädchen und eine durchlochte Scheibe aus Knochen.

Das nicht fachmännisch geborgene Grab 96, in dem aber ein jugendliches Individuum anthropologisch bestimmt werden konnte, lieferte ein Bronzerädchen, einen fischblasenverzierten Bronzewürfel, zwei auffallende Glasperlen und Fragmente eines perlenbesetzten Eisenhalsrings *(Abb. 6, 24–27)*. Der merkwürdige „Anhänger" *(Abb. 6, 28)*, nach Form, Funktion und Verzierung in der Frühlatènekultur ungewöhnlich, stammt dagegen am ehesten aus dem Frühmittelalter oder noch späterer Zeit.

Weniger auffällig sind die Beigaben der fünf Kinder in Grab 52. Zu Kind 1 (nur Unterschenkel erhalten) oder Kind 2 gehören ein Stück Bronzeband und ein kleiner Eisenring, zu Kind 3 außer den Glasperlen um den Hals zwei weitere mit einem durchgesteckten Bronzedraht neben dem linken Bein und ein Armringfragment am linken Arm. Merkwürdig ist auch der fragmentierte Zustand der Kleinfibeln bei den Kindern 3, 4 und 5, der wegen der Ungestörtheit des Grabes immerhin erwähnt werden soll, wenn er auch nicht sicher als Absicht erwiesen werden kann. Ferner ist bei dem Kind 2 ein Armring auffällig verbogen. Das Quarzitsteinchen in der Mundgegend von Kind 5 verbindet dieses wiederum mit den vier Bestattungen in Grab 32, unter denen sich mindestens drei Kinder befinden.

Am linken Unterarm trug das Kind in Grab 66/2 einen Bronzering mit nicht abgearbeiteten Gußresten; daneben lag ein dicker, gleichwohl zusammengebogener und wieder zerbrochener Bronzedraht mit abgeflachten Enden *(Abb. 6, 9)*.

Unter den reichen Beigaben des Kindes in Grab 19, von dem nur der Schädel und der oberste Wirbel gefunden wurden, fallen zwei achterförmige Glieder und ein Ring mit knopfartigem Fort-

---

[5] Th. E. Haevernick 1974a, 151f.   [6] Ebd. 151.

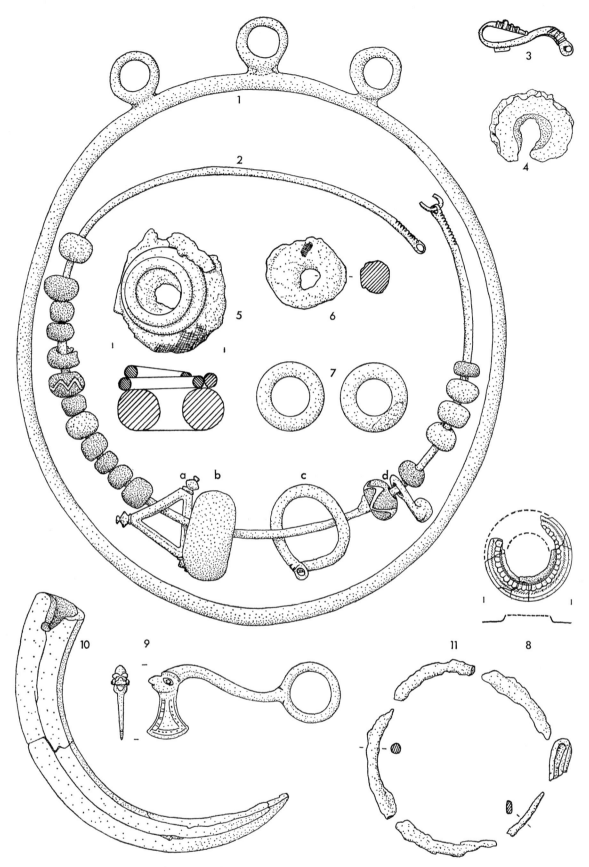

Abb. 5. Dürrnberg (1 A) Grab 77/3: Halsringe und Kollier. – 2 Bronze mit Glas und Bernstein; 4 Hirschhorn; 10 Tierzahn; 6.11 Eisen; 5 Eisen mit Bronze; sonst Bronze. M. 3 : 4.

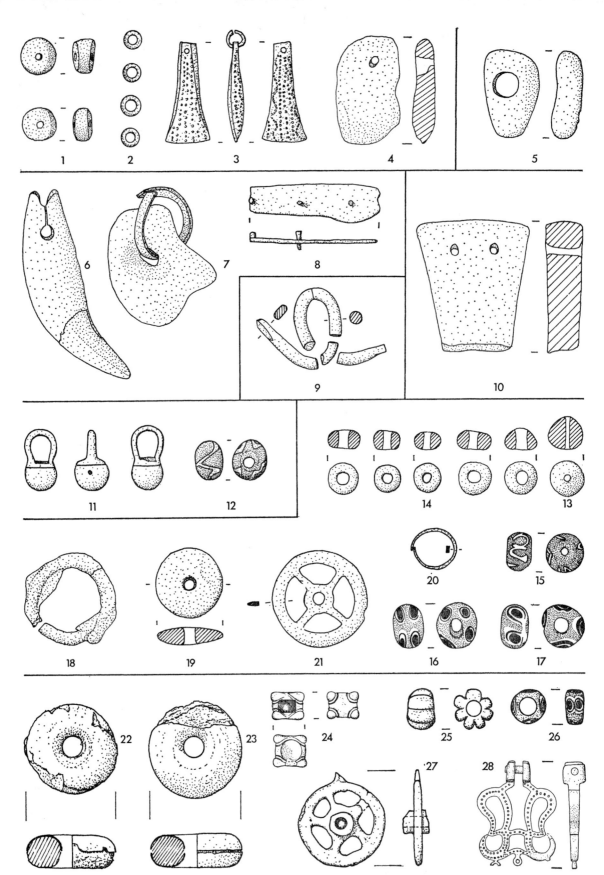

Abb. 6. Dürrnberg (1 A). 1–4 Grab 24/2 (Brandnest und Streufund); 5 Grab 8; 6–8 Grab 32/2 (Brandnest); 9 Grab 66/2; 10 Grab 44 (Streufund); 11–12 bei Grab 78; 13–21 Grab 55/2; 22–28 Grab 96. – 2.12.14–17.25.26 Glas; 1.13 Bernstein; 6 Tierzahn; 19 Knochen; 4.5.10 Stein; 7 Stein mit Bronze; 3 Bronze über Tonkern; 22.23 Bronze und Eisen mit Harzfüllung; 8.18 Eisen; sonst Bronze. M. 3 : 4.

satz auf, alle drei sehr unsorgfältig gegossen und nicht weiter bearbeitet, aber glattgeschliffen *(Abb. 7, 1–3)*. Dazu kommen zwei unregelmäßig zusammengebogene Drahtringchen *(Abb. 7, 4–5)*. Außerdem wurde im Grabraum eine Anhäufung von Schneckenhäusern entdeckt.

Das Kind in Grab 20/2 trug am Kopf eine Haarnadel aus der Fibula eines Hundes. Funktion und Material dieser Nadel sind in gleichzeitigen Frauengräbern unbekannt.

Auf Halsring und -kette in Grab 77/4 waren außer Glas- und Bernsteinperlen auch zwei fragmentierte Fibeln aufgefädelt. Auf dem Bauch fanden sich kleine Eisenfragmente, von denen nur ein Knopf nach Parallelen in anderen Gräbern eine echte Funktion gehabt zu haben scheint.

In dem nicht sachgemäß geborgenen Grab 108 waren eine Frau und ein Kind bestattet. Im Bereich des Ober- und Unterkörpers der Frau wurden neun Bronzeringchen aufgedeckt.

In der Brandschicht bei Grab 32/2 fanden sich ein Eberzahn, ein durchlochter Stein mit einem Bronzeband und ein eiserner Messergriff *(Abb. 6, 6–8)*.

Unter den Skelettresten des gestörten Grabes 51 (durchbohrtes Steinbeil, Hirschhornrose, zwei Tonringe; *Abb. 7, 14–17*) konnten ein 50- bis 60jähriger Mann und eine 20- bis 25jährige Frau identifiziert werden.

Nichts ist hingegen bekannt über die Individuen der Anlage bei Grab 78 (drei Körbchenanhänger, zwei Glasperlen; *Abb. 6, 11–12*) und in Grab 50, wo in einer Schale größere Eisendrahtfragmente lagen.

Solche absolut ungewöhnlichen Eisendrähte trug die Frau in Grab 28/1 auf der Brust *(Abb. 7, 13)*. Mit Grab 19 verbindet sie dann die Tatsache, daß über das Skelett etwa zehn Schneckenhäuser verstreut waren, außerdem die Beigabe von zwei kleinen Bronzeringen mit nicht abgearbeiteten Ansätzen *(Abb. 7, 11–12)*. Diese lagen zusammen mit weiteren kleinen Bronzefragmenten *(Abb. 7, 6–10)*, tatsächlich nur unbrauchbarem Abfall, neben dem linken Fuß.

Ähnliche Fragmente befanden sich rechts von den Beinen der Frau in Grab 39/3; allerdings war dieser Bereich wohl schon von der Störung erfaßt. *In situ* dürfte dagegen der durchlochte (verschollene) Stein über der linken Schulter gelegen haben.

Oberhalb vom Kopf der sehr jungen Frau aus Grab 37/1 entdeckte man eine bronzene Scheidenzwinge von einem Lateneschwert[7], deren Funktion in diesem Grab uneinsichtig ist. Denkbar wäre allenfalls, daß man damit ein Leichentuch zusammengehalten hätte. Allerdings fanden sich bei dem danebenliegenden Skelett 2 ebenfalls funktionslose Eisenfragmente, und zwar neben der linken Hüfte und dem linken Fuß. Darüber hinaus zeichnete sich diese junge Frau aber auch durch Schneckenhäuser an der linken Hand und zwischen den Unterschenkeln aus. Außerdem fand sich unter den Skelettresten ein einzelner Zahn, nach der Größe wohl von einem Mann, ohne daß weitere Indizien für eine ältere Männerbestattung vorlägen.

Die Frau in Grab 2/3 mit ihrer seltsamen Lage hatte (wohl auf dem Bauch) einige Eisenfragmente, die nicht alle zum Gürtel gehört haben können.

Genauere Anhaltspunkte bieten dann wieder die beiden Gräber junger Frauen 65 und 70/2. Bei ersterer fand man neben dem Kopf einen verschmolzenen Bronzeklumpen und einen Goldfingerring, bei letzterer unbestimmbare Eisenfragmente ebenfalls am Kopf und zwei kleine Eisenringe am rechten Ellbogen. Aus dem Aushub stammen zwei kleine Scheibchen: eine aus Knochen, die andere aus Zinn(?). Sie gehören sehr wahrscheinlich zu diesem Skelett 70/2, wenn auch die genaue Lage nicht rekonstruiert werden kann.

---

[7] Die beste Parallele an einem Schwert aus Hallstatt: P. Jacobsthal 1944, Taf. 61, Nr. 97.

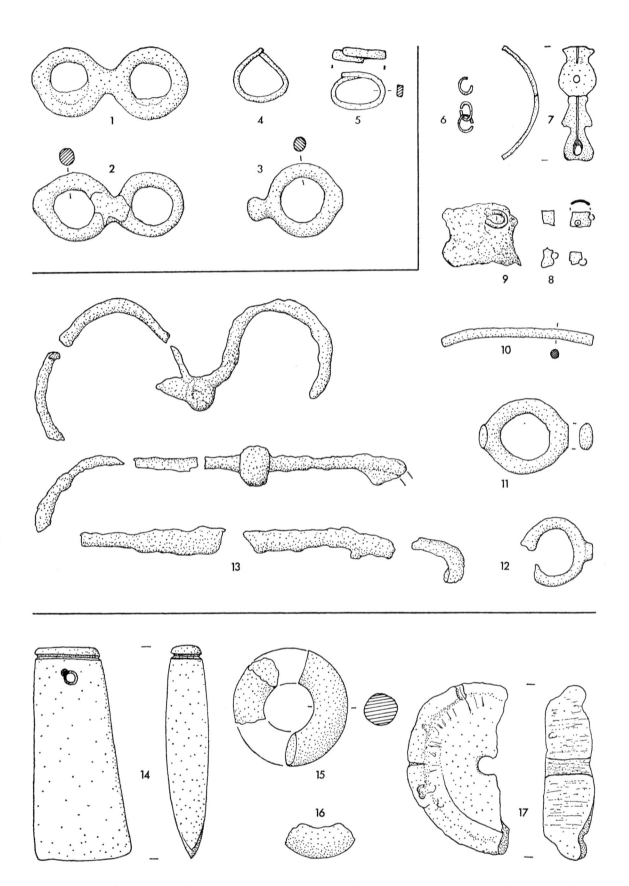

Abb. 7. Dürrnberg (1 A). 1–5 Grab 19; 6–13 Grab 28/1; 14–17 Grab 51. – 17 Hirschhorn; 14 Stein; 15–16 Ton; 13 Eisen; 9 Eisen mit Bronze; sonst Bronze. M. 3 : 4.

Anzuschließen wäre möglicherweise Grab 12 mit seinen Eisenfragmenten und dem Spinnwirtel, wenn man über die Art der Anlage und des Bestattungsritus genauer Bescheid wüßte. Eine Diskussion des Befundes soll in diesem Rahmen jedoch nicht erfolgen.

Nicht weiter eingehen wollen wir auf jene Funde, die verstreut ohne erkennbaren Zusammenhang mit einzelnen Skeletten in Gräbern vorkommen, weil sie für unsere Fragestellung nicht auswertbar sind. So ist etwa die Zugehörigkeit des Steinbeils *(Abb. 4, 8)* zu dem – nach der Skelettlänge – Grab eines Jugendlichen 39/1 aufgrund seiner Lage nicht eindeutig genug.

Überblicken wir die bisher aufgezählten Gräber, so wird unmittelbar deutlich, daß die Kinder weit in der Überzahl sind. Zehn Kinder sind sicher bezeugt, zwei weitere sind zu vermuten (Gräber 12 und 96). Von den Frauen sind vier als höchstens frühadult bestimmt; für die restlichen fünf liegen keine genauen Angaben vor, nur die in Grab 28/1 war schon etwas älter.

Eine Sonderstellung nehmen Anhänger von mehr oder minder ausgeprägt keulenförmiger Gestalt ein *(Abb. 4, 3–5)*. Sie lagen zwar an auffallenden Stellen (Grab 10/3: am rechten Knie; Grab 42/1: links vom Kopf), kommen aber nicht mit anderen Amuletten kombiniert vor, abgesehen von dem merkwürdigen Häkchen im gestörten Grab 102 (vgl. *Abb. 4, 6)*.

Amulette bei Männern sind sehr selten. Am eindeutigsten verhält es sich noch bei dem Wagengrab 44/2, wo neben dem Helm zu Füßen des Toten eine durchbohrte Kaurimuschel *(Abb. 4, 7)* gefunden wurde. Der Schwertkrieger in Grab 10/1 hatte hingegen neben dem linken Arm Eisenfragmente, im Becken einen Messergriff und am linken Oberschenkel einen kleinen Bronzering mit Fortsatz liegen; allerdings war diese Bestattung durch den Kabelgraben nicht ganz ungestört.

Interessant ist jedoch das Vorkommen von Brandnestern in der Fußgegend von Männergräbern, wobei die darin enthaltenen Funde wieder charakteristisch sind: in Grab 76 eine Fibelnadel und in Grab 39/1 drei Bronzeklammern, fünf Bronzescheiben mit rückseitiger Öse und eine fragmentierte Bronzefibel. Wegen dieser Fundlage könnten auch noch die fünf Bronzescheiben mit rückseitiger Öse oder Spange beim rechten Fuß von Grab 37/1 (ohne Brandnest) hier anzuschließen sein; allerdings handelt es sich dabei nach der anthropologischen Bestimmung um ein junges weibliches Individuum, wobei die Beigaben keine zwingend geschlechtsspezifischen Merkmale erkennen lassen. Das Brandnest zu Füßen des Mannes in Grab 24/2 enthielt einige Glas- und Bernsteinperlen und einen Anhänger von einer Hallstattfibel *(Abb. 6, 1–3)*. Möglicherweise gehört es aber schon zu einer entfernten Latène A-Kinderbestattung, die durch einige Funde und Skelettreste erschlossen werden kann.

Wir sehen also, daß die Amulette in Männergräbern erstens viel weniger zahlreich sind und zweitens bei weitem nicht die Vielfalt und Ausgeprägtheit jener bei Frauen und Kindern verwendeten aufweisen.

Die Datierung dieser Beigabensitte am Dürrnberg ist eindeutig. Die Fibelnadel in dem Brandnest von Grab 76 gehört in ein spätes Hallstatt D, alles andere aber schon in den Latènehorizont. Latène B 1 ist noch gut vertreten, während für B 2 nur das Kindergrab 19 vorliegt. Das späteste Zeugnis wäre das Brandnest im Latène C-Grab 24/2, wenn es nicht doch zu der ausgeräumten Latène A-Kinderbestattung gehört.

Für sich allein genommen reicht der Dürrnberg, trotz gewisser schon erkennbarer Tendenzen, jedoch nicht aus, eine befriedigende Antwort auf unsere Frage nach dem mit Amuletten ausgestatteten Personenkreis und dem gedanklichen Hintergrund zu geben. Wir müssen deshalb in andere Regionen ausgreifen, um die Regelhaftigkeiten absichern zu können.

1. Hallein (Salzburg). „Dürrnberg".
A. Gräber mit Amulettbeigabe.

Gräber 1–58: E. Penninger 1972. Gelegentliche Abweichungen und Ergänzungen zu den anthropologischen Angaben von N. Creel beruhen auf der umfassenden Bearbeitung der Skelettreste durch I. Schwidetzky. Sie wird in Dürrnberg III (1976) erscheinen.
Grab 2/3: 45 mit Taf. 3 B.
Grab 8: 47f. mit Taf. 5 B.
Grab 10/1: 49 mit Taf. 8 A.
Grab 10/3: 50 mit Taf. 10 A.
Grab 12: 51 mit Taf. 11 A.
Grab 15: 53f. mit Taf. 14.
Grab 19: 57 mit Taf. 19 A.
Grab 20/2: 58 mit Taf. 19 B.
Grab 24/2: 61 mit Taf. 24 B und C (Streufunde).
Grab 28/1: 63f. mit Taf. 26.
Grab 32: 66 mit Taf. 28 D–E; 29 A–B.
Grab 32/2 (Brandnest): 66 mit Taf. 29 C.
Grab 37/1 und 2: 69f. mit Taf. 33 A; 34; 35 A.
Grab 39/2 (Brandnest): 72 mit Taf. 37 B.
Grab 39/3: 72 mit Taf. 37 C.
Grab 39 (Streufunde): 72 mit Taf. 38 A.
Grab 42/1: 75 mit Taf. 40 A.
Grab 44/2: 76ff. mit Taf. 43,10 (Kaurimuschel).

Grab 44 (Streufunde): 80 mit Taf. 42 B.
Grab 50: 86f. mit Taf. 56.
Grab 51: 87f. mit Taf. 57 A.
Grab 52/2: 88 mit Taf. 58 A.
Grab 52/3: 89 mit Taf. 58 B.
Grab 55/3: 91 mit Taf. 62 B.

Gräber 59–114: F. Moosleitner – L. Pauli – E. Penninger 1974.
Grab 63: 25f. mit Taf. 121 C.
Grab 65: 27 mit Taf. 125 C.
Grab 66/2: 28 mit Taf. 128 B und 129.
Grab 67: 28f. mit Taf. 130–131.
Grab 70/2: 32f. mit Taf. 134 C; 135; 153 A 5–6.
Grab 71/1 und 2: 33ff. mit Taf. 136 E; 137–139.
Grab 74 (Aushub): 52 mit Taf. 153 A 10–11.
Grab 76 (Brandnest): 41 mit Taf. 144 A 8.
Grab 77/3: 42ff. mit Taf. 146.
Grab 77/4: 44 mit Taf. 145 B.
Funde nördlich von Grab 78: 45 mit Taf. 147 B.
Grab 96: 62ff. mit Taf. 159 B; 160; 161.
Grab 102: 68f. mit Taf. 167.
Grab 107: 72f. mit Taf. 170 und 171 A.
Grab 108: 73f. mit Taf. 171 B.
Grab 110: 75f. mit Taf. 174 und 175 A.

B. Gräber mit abweichenden Skelettlagen: siehe S. 112ff.

DAS GRÄBERFELD VON MÜNSINGEN

Hierzu empfiehlt es sich, zunächst wieder von einem gut dokumentierten Material auszugehen, um sich nicht in Einzelbeispielen ohne genügende Eindeutigkeit zu verlieren. Das Gräberfeld von Münsingen, Kt. Bern, bietet sich mit seinen über 200 Gräbern, die modern vorgelegt wurden, von selbst an. In *Tabelle 2* sind die Gräber, abweichend vom Dürrnberg, in ungefährer chronologischer Reihenfolge angeordnet, um gewisse Entwicklungstendenzen deutlicher hervortreten zu lassen. Außerdem wurden nicht nur die Gräber mit Amuletten berücksichtigt, sondern alle Gräber mit Glas und Bernstein überhaupt, ausgenommen diejenigen mit den mittel- und spätlatènezeitlichen Glasarmringen, die wegen ihrer Häufigkeit und in Anbetracht des damit ausgestatteten Personenkreises offenbar nicht in die Kategorie unseres Amulettschmucks fallen.

Das Ergebnis dieser Zusammenstellung bestätigt unsere Beobachtungen am Dürrnberg und kann sie in einigen Details sogar noch ergänzen. Als erstes fällt ins Auge, daß die Sitte der Beigabe von eindeutigen Amuletten auf die Phasen I a und I b beschränkt ist, also entsprechend Latène A und Latène B 1. Sie ist belegt in neun Kindergräbern (in Grab 13 c nur Glas) und zwei Gräbern von sehr jungen Frauen; zwei weitere Gräber dieser Kategorie sind altersmäßig nicht bestimmt. Ausnahmen bilden nur der Krieger in Grab 10 mit seinem Oberarmring, der nicht sauber bearbeitet ist, und die erwachsene Frau in Grab 48. Aber diese bestätigt wiederum den Dürrnberger Befund, daß nämlich die keulenförmigen Anhänger normalerweise nicht mit anderen kombiniert und dann offenbar überwiegend nicht bei Kindern vorkommen.

Tabelle 2. Die Gräber mit Amuletten, Glasperlen und Bernstein in Münsingen (2) „Rain".

Zeichenerklärung: ● 1–2 Exemplare; ■ 3 und mehr Ex.

Geschlechtsbestimmung nach den Beigaben: (Frau) ?; — Grab gestört, Zusammengehörigkeit unsicher; ? keinerlei Angaben über das Skelett erhalten. Krankheitsmerkmale.

	Phase Ia											Phase Ib				Phase Ic					Phase II		
Grab	7	8b	12	13a	13c	10	11	23	i	6	27	48	62	96	92	134	129b	142	149	161	167	211	212
Geschlecht	(Frau)				Krieger	Frau				Frau		Frau				(Frau)			Frau	Frau	(Frau)	(Frau)	Frau
Alter	7–14	7–14	1–7	Kind	14–40	14–20	Kind	Kleinkind	14–20	?		20–40	Kind	Kind	Kind	40–60	Kind	Kind	14–20	20–40			40–60
Hakenanhänger																							
Keulenanhänger												●											
Tonwirtel, Tonring	●									●													
Bernstein		●	■	●	●				■	●				■		●	●	■	●				●
auffallendes Glas	●	■	●		●	■								■			●	●			●	■	
Glas	■	■	●		●	●			■	■					●	●			■				
Bein-, Knochengegenstand																							
Muschel, Schnecke											●												
Hirschhorn				●						●													
Tierzahn, -knochen								●															
sonstiges Mineral																							
Silex																							
durchlochter Stein				●																			
Steinbeil, Silexpfeilspitze																							
Alt- oder Fremdstück									●														
unbestimmbares Metall, Abfall				●				■						●									
funktionsloses Metall, Curiosum				●				■							●								
Drahtringelchen, -fragmente			■	●	●																		
Ringelchen, gegossen	●								●						●								
Ringschmuck mit Gußspuren						●	●																
Ringchen mit Fortsatz																							
sonstige Anhänger																							
Körbchenanhänger																							
Dreipaß, Vierpaß	●																						
Ringwürfel, Bronzekubus																							
Figürchen, Tonidol																							
Beilanhänger																							
Schuhanhänger																							
Radanhänger											●												
Rähmchen		●																					
Klapperblech, Rassel					●																		

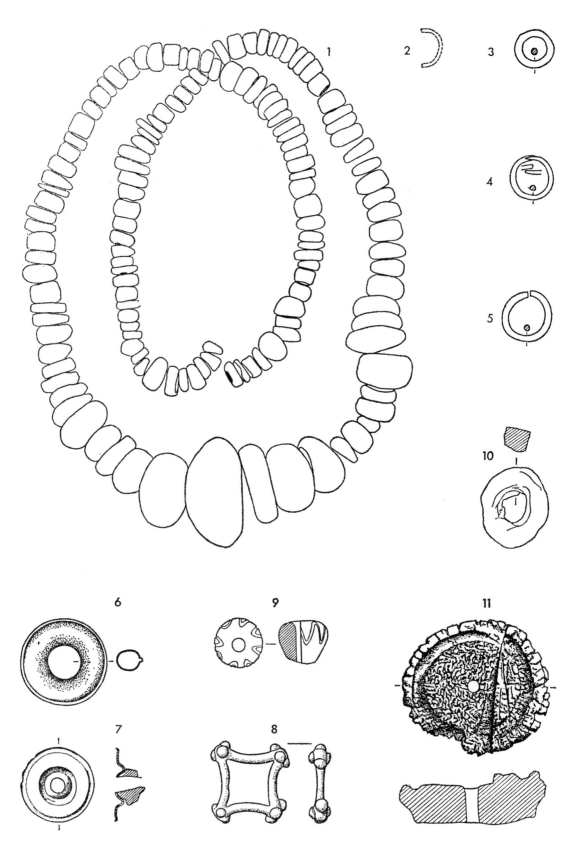

Abb. 8. Münsingen (2) Grab 12. – 9 Glas; 1 Bernstein; 11 Hirschhorn; 10 Stein; sonst Bronze. M. 3 : 4.

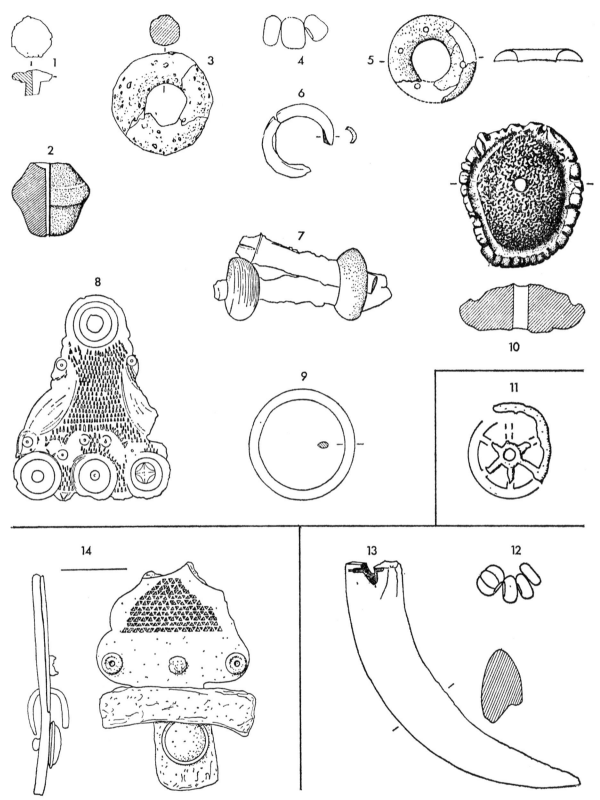

Abb. 9. 1–10 Münsingen (2) Grab 6; 11 Münsingen (2) Grab 27; 12–13 Münsingen (2) Grab i; 14 Ensérune (Hérault). – 4 Glas; 12 Glas und Bernstein; 6 Hirschhorn; 13 Tierzahn; 7 Eisen, Knochen und Bronze; 2.3 Ton; 1 Eisen; sonst Bronze. M. 3 : 4.

Wichtig ist ferner, daß in diesen Gräbern mit Amuletten gleichzeitig auch alles an Glas und Bernstein vertreten ist, was in die Phasen I a und I b zu datieren ist; nur das Kindergrab 13 c weist, wie schon erwähnt, keine eigentlichen Amulette auf. Mit seinem einen Armring ist es allerdings recht ärmlich ausgestattet. Auf diesem Hintergrund wird es dann verständlich, daß auch in den Phasen I c und II die Verwendung von Glas und Bernstein nicht willkürlich gehandhabt wurde. Das daran reichste Grab 149 ist das einer sonst ebenfalls gut ausgestatteten jugendlichen oder kaum erwachsenen Frau, deren Sonderstellung durch eine weitere Eigenheit unterstrichen wird. Die junge Frau trug als bisher einzige in der Schweiz nicht nur einen, sondern zwei Hohlbuckelringe, und zwar beide am rechten Unterarm[8]. Außer den beiden Kindergräbern 129b und 142 und den unbestimmten Gräbern 167 und 211 sind dann noch drei Gräber von erwachsenen Frauen in dieser späten Gruppe vertreten. Allerdings weisen zwei von ihnen (161 und 212) nur eine bzw. zwei Bernsteinperlen auf, die auf ein Bronzehalskettchen gefädelt waren. Allein Grab 134 mit einem ebensolchen Kettchen kann mit einer weiteren Bernsteinperle und zehn blauen Glasringerln aufwarten. Erwähnt sei nur noch, obwohl nicht in der Tabelle aufgeführt, Grab 182, wo die absolut ungewöhnliche Beigabe eines Beiles mit einer abweichenden Skelettlage (Seitenlage mit zum Kopf erhobenen Armen) zusammenfällt.

Außer der allgemeinen Beigabensitte liefert uns das Gräberfeld von Münsingen noch weitere Hinweise. Daß Glas- und Bernsteinperlen als Halsketten getragen wurden, ist zu erwarten. Auch die Sitte, sie durch Bronzeringchen oder eigentliche Amulette zu ergänzen oder diese auf Halsringe aufzufädeln *(Abb. 10, 1)*, ist uns vom Dürrnberg bekannt *(Abb. 3; 4, 1–2; 5, 2–11)*. Bemerkenswert ist jedoch die Beobachtung, daß gerade die eindeutigsten und umfassendsten Amulettkombinationen in oder neben dem rechten Becken aufgefunden wurden (Gräber 6, 12, 23) oder auch „am rechten Handgelenk" (Grab 27). Demnach können wir auch den einzelnen Tonwirtel rechts im Becken von Grab 7 dazuzählen *(Abb. 10, 2)*. S. Martin-Kilcher, die mit Recht schon auf den „ausgesprochenen Amulettcharakter" dieser Beigaben hinwies[9], schließt von deren charakteristischer Lage im Grab auf den Verwendungszweck und die Trageweise auch im Leben und folgert daraus, daß diese Dinge „entweder in einem Beutel(?) am Gürtel oder an einer langen Schnur um den Hals getragen" wurden. Auch hier wird ein großräumiger Vergleich zeigen, daß noch andere Möglichkeiten in Betracht kommen können.

Zum Charakter einzelner Objekte seien noch einige Bemerkungen angefügt. So finden die fragmentierten Bronzeblechbeschläge aus Grab 23 *(Abb. 10, 4)*, in denen noch Nägelchen steckten, eine gute Parallele in Dürrnberg Grab 28/1 *(Abb. 7, 7–8)*, wo der Amulettkomplex neben dem linken Fuß deponiert war. Anscheinend handelt es sich um Beschläge von Holzgefäßen. Grab 7 erweitert das bekannte Typenspektrum um einen Vierpaßanhänger *(Abb. 10, 1)*, Grab 23 um eine runde Tonrassel *(Abb. 10, 5)*, Grab 12 um einen (halben!) hohlen Bronzeblechring *(Abb. 9, 5)*. Daß es sich bei dem verzierten, dreieckigen Bronzegegenstand in Grab 6 *(Abb. 9, 8)* tatsächlich um einen Gürtelhaken handelt, ist zwar nach einer guten Parallele im südfranzösischen Ensérune *(Abb. 9, 14)* sicher, doch ist das Stück in seiner Umgebung so singulär und auch funktionsunfähig ins Grab mitgegeben worden, daß es wie die beiden durch Ringe verbundenen Eisenstäbe *(Abb. 9, 7)* eher unter die Rubrik „funktionsloses Metall, Curiosum" einzureihen ist.

Der leicht verbogene, stabförmige Anhänger der erwachsenen Frau in Grab 48 lag an deren rechtem Fuß ähnlich unmotiviert wie die beiden Exemplare vom Dürrnberg in Kopf- und Knie-

---

[8] U. Schaaff 1972, 155.   [9] S. Martin-Kilcher 1973, 29.

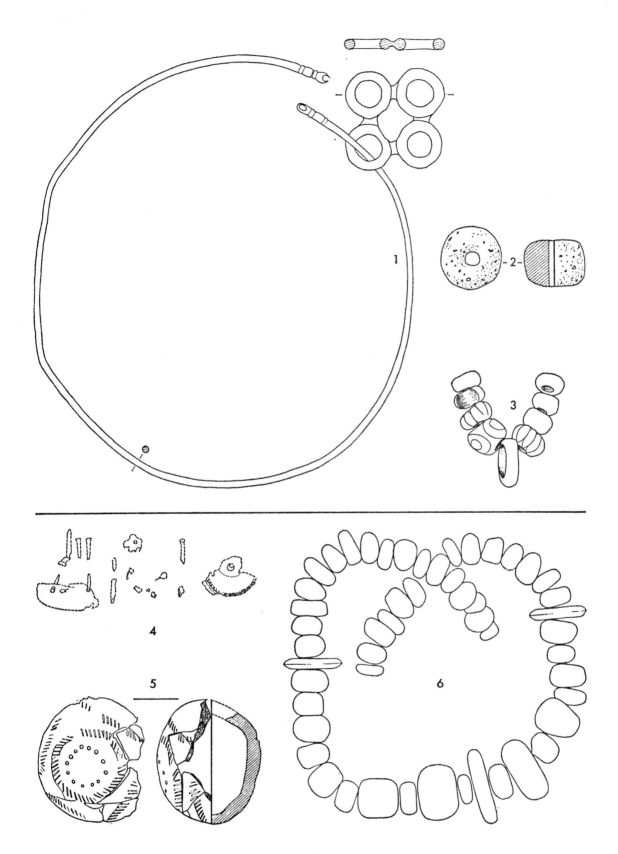

Abb. 10. Münsingen (2). 1–3 Grab 7; 4–6 Grab 23. – 3 Glas; 6 Glas und Bernstein; 2.5 Ton; 1.4 Bronze. M. 3 : 4.

höhe. F. R. Hodsons Vermutung, er könne zum Schuhwerk gehört haben[10], besitzt demnach nicht mehr viel Wahrscheinlichkeit.

Ein größeres Rätsel gibt der nach der Grabskizze mindestens 50 cm lange, spiralig mit gepunztem Bronzeblech umwickelte Holzstab neben dem Kind in Grab 96 auf. Ein Zusammenhang mit hier nicht weiter zu erörternden Parallelen in Italien[11] besteht ohne Zweifel. Doch wenn deren Sinn und Zweck schon dort nicht eindeutig klärbar ist, wie soll dies dann bei dem Grab eines Kindes möglich sein, in dem Fremdstücke und Curiosa Rückschlüsse auf ihre Funktion im ursprünglichen wie im fremden Milieu erst recht nicht zulassen?

2. Münsingen (Bern). „Rain": F. R. Hodson 1968.

Grab 6: 42 mit Taf. 1–2.
Grab 7: 42 mit Taf. 3.
Grab 8 b: 42 f. mit Taf. 5.
Grab 10: 43 mit Taf. 7.
Grab 11: 43 mit Taf. 7.
Grab 12: 43 mit Taf. 8–9.
Grab 13: 44 mit Taf. 10.
Grab 23: 44 mit Taf. 12.
Grab 27: 45 mit Taf. 13.
Grab 48: 47 mit Taf. 20–21.
Grab 62: 49 mit Taf. 28–29.

Grab 92: 53 mit Taf. 42.
Grab 96: 53 mit Taf. 43.
Grab 129 b: 56 mit Taf. 52.
Grab 134: 57 mit Taf. 56–57.
Grab 142: 58 mit Taf. 62.
Grab 149: 59 mit Taf. 64–66.
Grab 161: 60 mit Taf. 71–72.
Grab 167: 61 mit Taf. 75.
Grab 182: 62 f. mit Taf. 85.
Grab 211: 65 mit Taf. 90.
Grab 212: 65 mit Taf. 90–92.
Grab i: 66 mit Taf. 93.

ANDERE FLACHGRÄBERFELDER DER SCHWEIZ

Es scheint zweckmäßig, anschließend an Münsingen gleich noch die anderen Flachgräberfelder der Schweiz auf ähnliche Erscheinungen hin durchzugehen. Zur Verfügung stehen dafür hauptsächlich die drei Nekropolen von Saint-Sulpice (6), Vevey (8) und Andelfingen (3), für die einigermaßen vollständige Grabbeschreibungen vorliegen. Die anthropologischen Angaben sind jedoch nicht allzu ergiebig, weil man zwar nach den Längenmaßen der Skelette die Kinder und Jugendlichen aussondern kann, aber bei den Erwachsenen so gut wie keine genaueren Altersbestimmungen zur Verfügung stehen. Nichtsdestoweniger ist auch hier eine eindeutige Tendenz erkennbar.

In Saint-Sulpice (6) gibt es drei Gräber, die unsere Aufmerksamkeit auf sich ziehen. Das 1,45 m lange Skelett in Grab 22 trug am Hals eine kleine Latène B 1-Bronzefibel, eine grünliche Glasperle mit zusammengesetzten Augen, an den Schultern je eine kleine Glasmaske, dazu Fragmente eines feinen Bronzekettchens. Diese wohl noch jugendliche Person hat damit Glasgegenstände bei sich, die in Mitteleuropa von größter Seltenheit sind. Zu der Glasperle gibt es einige wenige Parallelen nur im Grab von Reinheim (96) und im Marnegebiet; ihre Verbreitung streut über Osteuropa bis hinüber nach China[12]. Die Glasmasken dagegen sind wohl phönikisch-kartha-

---

[10] F. R. Hodson 1968, 47.
[11] Vgl. G. Kossack 1954a, 75; O.-H. Frey 1969, Taf. 13, 50–51; 17, 16; A. Batchvarova – M. Wheeler

1970, 224 Abb. 25, 7.
[12] Th. E. Haevernick 1972.

Tabelle 3. Latèneflachgräber mit Amuletten, Glasperlen und Bernstein in der Schweiz.

Legende der Kopfspalten:

- **?** — keinerlei Angaben über das Skelett erhalten
- **—** — Grab gestört; Zusammengehörigkeit unsicher
- **(Frau)** — Geschlechtsbestimmung nach den Beigaben

Spalten: Alter — Geschlecht — Bemerkungen

Symbole:
- ● 1–2 Exemplare
- ■ 3 und mehr Ex.

Gräber nach Fundort:

Fundort	Grab	Alter	Geschlecht	Bemerkungen
Saint-Sulpice (6)	22	—	?	Les objets paraissaient déplacés.
	24	145 cm		
	26 bis	145 cm		Brandgrab
	36			
	40	Kind		
	43		(Frau)	
	44	140 cm		Doppelgrab
	45	150 + 160 cm		
	48	90 cm		
	50	140 cm		
	56	160 cm	(Frau)	
	58	160 cm	(Frau)	
	66	160 cm	(Frau)	
	70	160 cm	(Frau)	
		160 cm	(Frau)	
Vevey (8)	15	Kind	Mann	Teilbestattung
	20	Kind		
	28	Kleinkind		
	29			
Andelfingen (3)	10	Kind		Kiesel
	12	Kind		
	17	Kind		Steinsetzung
	19		(Frau)	
	23	Kind		Kiesel
	24		(Frau)	umgekehrt orientiert
	29		(Frau)	
	15		(Frau)	
Bern-Bümpliz (4)	96	Kind		Schädelverletzung?
Höchstetten (5)	2	Kind		
Stäfa (7)	2	Kind		

Objektarten (Zeilen):

- Hakenanhänger
- Keulenanhänger
- Tonwirtel, Tonring
- Bernstein
- auffallendes Glas
- Glas
- Bein-, Knochengegenstand
- Muschel, Schnecke
- Hirschhorn
- Tierzahn, -knochen
- sonstiges Mineral
- Silex
- durchlochter Stein
- Steinbeil, Silexpfeilspitze
- Alt- oder Fremdstück
- unbestimmbares Metall, Abfall
- funktionsloses Metall, Curiosum
- Drahtringelchen, -fragmente
- Ringelchen, gegossen
- Ringschmuck mit Gußspuren
- Ringchen mit Fortsatz
- sonstige Anhänger
- Körbchenanhänger
- Dreipaß, Vierpaß
- Ringwürfel, Bronzekubus
- Figürchen, Tonidol
- Beilanhänger
- Schuhanhänger
- Radanhänger
- Rähmchen
- Klapperblech, Rassel

gischen Ursprungs[13] und gehören damit gleichzeitig mehreren Amulettkategorien an: Glas, menschlich-figürliche Darstellung und schließlich Fremdstück.

Nur 1,40 m lang war das Skelett in Grab 48. Unter seiner reichen Ausstattung mit Ringen und Fibeln fanden sich auch ein profilierter Körbchenanhänger (in der Bauchgegend), ein massiver, kugeliger Anhänger, außerdem sehr viele Bernsteinperlen im Bereich des Oberkörpers.

Mit 1,60 m war das erste Skelett in Grab 44 etwas größer, aber die Tatsache des Doppelgrabes und die ungewöhnliche Lage des 1,50 m langen und beigabenlosen(?) oberen Skeletts (in Längsrichtung darüber, aber mit dem Kopf auf dem Bauch des unteren) deuten auf die Sonderstellung dieser beiden Individuen hin. Im Becken des unteren Skeletts lagen zahlreiche blaue Glasperlen und ein Anhänger aus einer Öse mit zwei kleinen, sichelförmigen Ansätzen (demnach Halsschmuck des oberen Skeletts?). Als „Funde, die uns überhaupt nicht mehr an ihrem Platz erschienen" werden erwähnt: ein Bronzeringchen, ein Bronzehäkchen, Fragmente von mindestens fünf eisernen und bronzenen Marzabottofibeln und ein fragmentierter Bernsteinschieber. Abgebildet, aber im Text nicht erwähnt, ist ferner ein unbestimmbares Eisenfragment (Lanzenschuh?).

Anzuschließen wäre noch das Kindergrab 36, aus dem ein Bronzering mit Gußknoten stammt. Der übrige Glas- und Bernsteinschmuck fand sich dann bei drei Kindern oder Jugendlichen und bei fünf mindestens 1,60 m großen Individuen, für die keine Altersbestimmungen vorliegen[14]. Zuletzt sind auch aus dem einzigen latènezeitlichen Brandgrab dieses Gräberfeldes (Grab 26 bis) blaue Glasperlen bekannt.

Alle erwähnten Gräber gehören in die Phasen Latène A und B 1, wie die ganz überwiegende Zahl der dortigen Bestattungen überhaupt.

Anders steht es mit dem nicht vollständig ausgegrabenen Gräberfeld von Vevey (8). Es setzt erst mit Latène B 1 ein und reicht bis nach Latène C hinein. Nach den Erfahrungen in Münsingen müßte demnach der Anteil von Bestattungen mit Amuletten relativ gering sein. Trotzdem können wir immerhin fünf Beispiele anführen.

Das Kind in Grab 28 (Latène B 1) hatte auf der Brust außer einer Eisenfibel einen Bronzeknopf und ein zusammengebogenes Bronzenadelfragment liegen. Das mit 0,85 m Länge noch kleinere Kind in Grab 29 (Latène B 1) trug am rechten Bein zwei kleine Bronzeringe (die einzigen Beinringe in Vevey überhaupt!) und am rechten Arm ein Wellenarmband. Die vier Bronzefibeln lagen dagegen neben dem rechten Arm, zusammen mit einem Kollier aus hell- und dunkelblauen Glasringerln, einer großen Bernsteinperle, fünf Bronzeringchen und einem dreieckigen Anhänger, den man mit A. Naef durchaus als Beilanhänger auffassen kann[15].

Auf den ersten Blick mysteriös, aber nichtsdestoweniger einwandfrei dokumentiert ist die Bestattung in Grab 15, wo nur Becken und Langknochen der Beine eines Erwachsenen (Mannes?) in einem entsprechend kleinen Holzsarg angetroffen wurden *(Abb. 11)*. Sie lieferte neben zwei Eisenfibeln noch einen größeren Bernsteinring und eine bunte Glasperle mit großen Noppen. All das lag zusammen rechts im Becken.

---

[13] J. Déchelette 1914, 1317 Abb. 574, 1–2. Nach freundlicher Mitteilung von Th. E. Haevernick finden sie sich ganz überwiegend in Karthago selbst, vereinzelt auch in dessen Kolonien auf Sardinien und vielleicht auch in Motya (Sizilien). – Daß die beiden Stücke „vielleicht im Zusammenhang mit dem kühnen Kriegszug Hannibals über die Westalpen nach Italien um 218 v. Chr. als Ableger an die Gestade des Genfer Sees gelangt sein" könnten (R. Wyss 1974, 130), ist angesichts der Konsequenzen, die sich daraus für die Datierung der Phase Latène B 1 ergäben, gänzlich unwahrscheinlich.

[14] Dabei werden in den Gräbern 44, 50 und 56 Perlen abgebildet, im Text jedoch nicht erwähnt.

[15] A. Naef 1903, 265.

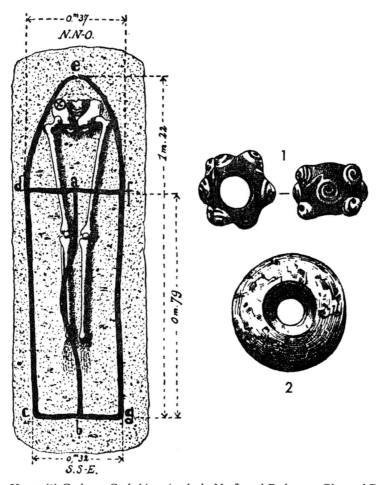

Abb. 11. Vevey (8) Grab 15. Grabskizze (nach A. Naef) und Perlen aus Glas und Bernstein.

Als Latène C-Grab ist das Kindergrab 20 anzuschließen, aus dem neben zwei Eisenfibeln (an der rechten Schulter und am linken Ellbogen) eine seltene, gelb-blaue Glasperle (über der linken Schulter) und ein nicht recht deutbarer Bronzebeschlag (neben dem rechten Oberschenkel) stammen. Erwähnt sei noch, daß das Kind in Grab 17 (Latène C) einen Glasarmring trug, wie er sonst Frauen vorbehalten ist.

So sind also in Vevey alle Befunde mit Amuletten und Glas auf Kindergräber und die Sonderbestattung in Grab 15 beschränkt.

Noch schmaler ist die Basis in dem kleinen Gräberfeld von Andelfingen (3), das erst in einem fortgeschrittenen Latène B 1 einsetzt[16]. Aber auch hier stehen einige kennzeichnende Befunde zur Verfügung.

Das Kind in Grab 10 hatte drei faustgroße Kiesel neben dem Kopf liegen und trug, obwohl sonst recht gut ausgestattet, einen Scheibenhalsring, der offensichtlich einmal im Verschlußstück gebrochen, danach dort verkürzt und zusammengebogen worden war[17]. Außerdem wurde das Verschlußstück neben dem rechten Oberarm gefunden, zu weit entfernt, als daß der Erddruck

---

[16] U. Schaaff 1966, 51.

[17] Dieser Sachverhalt geht aus der Originalpubli-

kation klar hervor und bestätigt eine entsprechende Vermutung von U. Schaaff 1974, 155 Anm. 8.

dafür verantwortlich sein könnte. Zwischen den Oberschenkeln hatte das Kind noch zwei Eisenhäkchen liegen.

Mit einem Dutzend Kiesel umgeben war das Kind in Grab 23, zu dem nur noch zwei Fibeln
und zwei Beinringe gehörten.

Neben dem jugendlichen Individuum in Grab 12 mit seinen zwei Beinringen und einer Fibel
entdeckte man ein größeres Eisenfragment (am ehesten ein Lanzenschuh), zu dem aber die Lanzenspitze fehlte[18]. Etwas über der Bauchgegend stieß man auf ein kleineres, gebogenes Eisenfragment.

Die einzige Steinsetzung im ganzen Gräberfeld wies das Kindergrab 17 auf. Außer mit Beinringen und drei Fibeln auf der Brust, einer vierten am linken Oberschenkel war das Kind mit
einem eisernen Halsring eines seltenen Typs[19] ausgestattet. Auf der Brust fand man ferner einen
Gagatring mit deutlichen Abnutzungsspuren, wohl von einer Schnur. In der Gegend des rechten
Unterarms lag ein Bronzering (Dm. 4,9 cm), dessen Gußnähte ringsum überhaupt nicht abgearbeitet waren. Da das Skelett fast völlig vergangen war, konnte man nicht mehr feststellen, ob
dieser Ring tatsächlich als Armring diente oder, wie D. Viollier gerade wegen der scharfen Gußnähte auch auf der Innenseite vermutete[20], zum Gürtel gehörte.

Ebenso eindeutig ist der Befund bei der reich ausgestatteten Frau in Grab 29. Unter den acht
Fibeln in Hals- und Schultergegend befand sich ein sehr seltener Typ mit langer Armbrust-
konstruktion, Endknöpfen auf der Spirale und vasenförmigem, aber nicht aufgebogenem Fuß[21].
Am linken Arm lag ein einfacher Armring mit Gußzapfen, mehr an der Taille eine eiserne Pinzette,
eine Augenperle und ein Bernsteinring (beide wieder mit Tragespuren), rechts an der Taille dagegen eine Knochenscheibe, in der Nähe der rechten Hand ein Eisenknopf.

Ein Fragment eines Armringes mit Gußzapfen fand sich am rechten Oberarm der Frau in
Grab 24, die zu den beiden Gräbern gehört, die im Gräberfeld die entgegengesetzte Orientierung
aufwiesen (Grab 14 ohne auffälligen Befund, Alter und Geschlecht unbestimmbar).

Auffällig ist schließlich der kleine Bronzehohlring genau in der Beckenmitte der sonst nur mit
Ringen ausgestatteten Frau in Grab 19. Er mag, wenngleich wenig wahrscheinlich, zum Gürtel
gehört haben (vgl. S. 125), doch erinnert er auch an einige andere Befunde, wo ebenfalls mitten im

---

[18] U. Schaaff 1966, 50f. und 55 Abb. 1 führt Grab 12
als Männergrab auf, anscheinend wegen des Lanzen-
schuhs. Die Parallele zu Saint-Sulpice Grab 44 und das
Vorhandensein von Beinringen lassen es jedoch sicher
scheinen, daß es sich um das Grab eines älteren Mädchens handelt. Auch das benachbarte Grab 14 mit
seinen Arm- und Beinringpaaren (vgl. U. Schaaff 1966,
51 Anm. 7) wird man eher als weiblich betrachten
wollen. Die Lage dieser beiden Gräber im Gräberfeld
widerspricht zunächst dennoch nicht den Ergebnissen
Schaaffs, läßt aber die Zahl der Männergräber noch
weiter zusammenschrumpfen. Hinzu kommt jedoch
noch, daß auch Grab 3 („Mann?") mit drei Beinringen
für ein Männergrab sehr ungewöhnlich ausgestattet
wäre. Die drei nach der Tracht weiblichen Gräber 11,
21 und 27, die nach dem Skelett als männlich bestimmt wurden, zeigen wieder einmal die Problematik
der anthropologischen Geschlechtsbestimmung älteren Datums auf. Wenn man dann aber noch bedenkt,
daß in diesem Gräberfeld – ganz im Gegensatz zu
Münsingen, Saint-Sulpice und Vevey – keine einzige
Waffe gefunden wurde, von einem ordnungsgemäß

ausgerüsteten Schwertkrieger ganz zu schweigen, muß
man sich fragen, ob hier überhaupt Männer bestattet
worden sind. Nachdem die Tendenz besteht, ältere
Frauen öfters als männlich zu bestimmen (vgl. Anm.
30), könnten sich hinter den verbliebenen vier „Männergräbern" 4 (mit Halskettchen!), 7 (gänzlich beigabenlos), 16 (1 Armring, 1 Fibel) und 28 (1 Fibel und
ein Bronzeblechröhrchen) in Wahrheit Gräber von
alten Frauen verbergen, die aus bestimmten Gründen
nicht in der vollständigen Tracht bestattet wurden.
Da auch für die anderen Frauengräber keine Altersangaben vorliegen, läßt sich diese Hypothese nicht
verifizieren.

[19] Vgl. etwa Dürrnberg Grab 64/1 (F. Moosleitner
– L. Pauli – E. Penninger 1974, Taf. 127, 4); Dalpe
(Ticino) Grab 1 (M. Primas 1970, Taf. 34, 5); Au a. L.,
NÖ., Grab 12 (S. Nebenhay 1973b, 60 Taf. 8, 4).

[20] D. Viollier 1912, 37.

[21] Vgl. Bargen, Kr. Konstanz, Hügel E, Grab 2
(Hinweis L. Wamser); Cama (Graubünden): Fundbericht 1952, Taf. 9, 2.

Becken durchlochte Gegenstände gefunden wurden, die nach ihrem Material (Ton, Stein) sicher anders zu erklären sind (S. 168 ff.).

Erwähnt sei noch das 10 m abseits gelegene Grab 13 mit seiner etwas abweichenden Orientierung. In ihm war, 1,4 m tief, eine Frau bestattet, die mit einer Lage aus größeren Steinen (den größten auf der Brust) bedeckt war. 20 cm darüber schloß sich eine zweite Steinlage mit Brandresten an, wobei zwar die Steine, nicht aber der umgebende Boden Brandspuren zeigten; das Feuer war also nicht im Grab selbst entfacht worden. Als einzige „Beigabe" konnte man neben dem rechten Knie eine weiß inkrustierte Randscherbe einer Schale bergen. Viollier datiert dieses Grab kurzerhand nach der Scherbe an das Ende der Urnenfelder- oder in die Hallstattzeit und bestreitet einen Zusammenhang mit dem Latènegräberfeld[22]. Nun ist aber die beobachtete Bestattungssitte für diese Perioden in der Schweiz noch ungewöhnlicher als zu den Zeiten der Latèneflachgräber, wo das Eintiefen der Bestattung gerade charakteristisch ist. Da auch die neben dem Gräberfeld befindliche Abschnittsbefestigung nach den allerdings sehr spärlichen Befunden eher in die Latènezeit zu datieren ist[23], müssen wir durchaus mit der Möglichkeit rechnen, daß wir in Grab 13 zwar eine Sonderbestattung, aber dennoch derselben Bevölkerungsgruppe vor uns haben, die auch die anderen Gräber anlegte. Die Scherbe ist ja nicht als übliche „Beigabe" zu werten, sondern muß, da sie gewiß nicht aus dem Einfüllmaterial stammt, ungeachtet ihrer primären Datierung immer eine spezielle Funktion und Bedeutung gehabt haben. Beobachtungen an anderen Gräberfeldern werden zeigen, daß diese Interpretation nicht von vornherein abwegig ist.

Ergänzend zu diesen drei Flachgräberfeldern sollen noch drei einzelne Flachgräber angeführt werden, in denen mit Sicherheit Kinder bestattet waren. Das erste ist Höchstetten (5) Grab 2 mit einem Kinderskelett, dessen Schädel ein Loch gehabt haben soll und auf einem Stein ruhte. Als Beigaben fanden sich nur eine Latène B 2-Fibel und eine große Ringperle aus Glas. Für das gewiß ältere und reicher mit Glasperlen ausgestattete Grab 1 von demselben Fundort liegen leider keine anthropologischen Angaben vor.

Etwa gleichzeitig mit Grab 2 hingegen ist ein Grab aus Stäfa (7), in dem ein junges Mädchen mit sieben Latène B 2-Fibeln auf der Brust, einem Arm- und einem Fingerring ausgestattet war und zusätzlich einen Bernsteinring am Hals nebst einem kleinen Eisenring und einem außergewöhnlich dick-massiven Bronzering unbekannter Lage aufwies.

Bei der Aufdeckung des Reihengräberfeldes von Bern-Bümpliz (4) stieß man auch auf drei dicht nebeneinanderliegende Latènegräber, von denen zwei Kinderbestattungen enthielten. Wichtig ist dabei der Befund im Kindergrab 96: „Eine Reihe kleine und zwei größere, blaue Glasperlen, vom linken Unterkiefer bis zur Brust. Vier Eisenfibeln auf der Brust, Reste von solchen. Bernsteinperle. Einige Schnecken."

Zusammenfassend läßt sich also sagen, daß die Amulettbeigabe in den schweizerischen Flachgräbern offenbar denselben Regeln folgt, wie wir sie am Dürrnberg beobachten konnten. Diese Sitte ist besonders auffällig in der Phase Latène A, auch noch in Latène B 1 gut vertreten, verschwindet aber mit Latène B 2 fast völlig. Nur vereinzelt lassen sich dann noch Besonderheiten in Kindergräbern nachweisen. Andererseits müssen wir auch hier wieder feststellen, daß die Amulettbeigabe mit Sicherheit nicht nur auf die Kindergräber beschränkt ist, sondern ebenso, wenn auch in weit geringerem Maße, bei Frauengräbern geübt wurde. Dabei sind allerdings, wo

---

[22] D. Viollier 1912, 35. U. Schaaff 1966, 49 ff. Abb. 1–4 übergeht dieses Grab völlig.   [23] D. Viollier 1912, 19.

genaue Altersbestimmungen vorliegen, junge Frauen in der Überzahl. Dieses Ergebnis zu überprüfen, bietet eine andere Region mit aussagekräftigem Material Gelegenheit.

3. Andelfingen (Zürich): D. Viollier 1912.
   Grab 10: 31f. mit Taf. 4, 1–11.
   Grab 12: 33 mit Taf. 5, 1–5.
   Grab 13: 34f. mit Taf. 5, 6.
   Grab 17: 37 mit Taf. 6, 1–6.
   Grab 19: 38f. mit Taf. 6, 13–18.
   Grab 23: 40 mit Taf. 7, 11–14.
   Grab 24: 40ff. mit Taf. 8, 1–9.
   Grab 29: 44ff. mit Taf. 9.
4. Bern-Bümpliz, Grab 96: O. Tschumi 1940, 114
   mit Taf. 5 links.
5. Höchstetten (Bern).
   Grab 1: Fundbericht 1904; D. Viollier 1916,
   108 mit Taf. 18, 50; 32, 1.9.26.
   Grab 2: D. Viollier 1916, 108 mit Taf. 32, 28.

6. Saint-Sulpice (Vaud): J. Gruaz 1914.
   Grab 22: 264.
   Grab 26 bis: 265.
   Grab 36: 266.
   Grab 44: 267f.
   Grab 48: 268f.
7. Stäfa (Zürich): J. Heierli 1891, 318; D. Viol-
   lier 1916, 139 mit Taf. 6, 246.257; 16, 16;
   20, 92; 28, 4; 31, 3; 32, 22.
8. Vevey (Vaud): A. Naef 1901 und 1903.
   Grab 13: 1903, 18f.
   Grab 15: 1903, 19ff.
   Grab 17: 1903, 28f.
   Grab 20: 1903, 30ff.
   Grab 28: 1903, 261f.
   Grab 29: 1903, 262ff.

SPÄTHALLSTATTGRÄBER IN NORDWÜRTTEMBERG

Die Ausgrabungen H. Zürns in Hirschlanden (15), Asperg (9) und Mühlacker (16)[24] haben der
Analyse auch von Grabhügelgruppen neue Möglichkeiten eröffnet. Ihre Ergebnisse wurden schon
an anderer Stelle veröffentlicht[25], so daß ich mich darauf beschränken kann, die mit der Amulettbeigabe zusammenhängenden Aspekte kurz zu rekapitulieren und um Einzelbeispiele zu vermehren, die damals zurückgestellt wurden, weil sie erst in größerem Rahmen verständlich gewesen
wären.

Betrachten wir dabei zunächst nur die Amulette selbst, so sehen wir das Typenspektrum um
einige neue Dinge erweitert. Erstmals finden wir hier menschliche *(Abb. 13, 1. 12–15)* und tieri-
sche *(Abb. 13, 8.9)* Figürchen und würfelförmige Gebilde, aus Drahtringchen zusammengesetzt
(Abb. 13, 10.11). In dieser Kombination stammen sie aus dem „Tannenschopf" bei Stuttgart-
Uhlbach (17), leider aus alten Ausgrabungen ohne weitere Beigaben (außer Bronzeringchen)
oder gar Angaben zum Skelett *(Abb. 13, 8–15)*.

Gut beobachtet ist dagegen das Grab einer reich mit Goldschmuck ausgestatteten frühadulten
Frau[26] aus Esslingen-Sirnau (11). Im Bereich des Unterkörpers waren neun verschieden große
Bronzeringchen *(Abb. 13, 4–7)* verstreut. Links am und neben dem Becken fand man einen Anhänger mit mondsichelförmigem Ansatz *(Abb. 13, 2)* und zwei Rücken an Rücken zusammen-
gegossene Bronzefigürchen (Mann und Frau) mit einer Öse zum Aufhängen *(Abb. 13, 1)*. Mitten
im Becken lag ein natürlich durchlochter Hornstein, auf der rechten Schulter ein bügelartig gebogener Bronzedraht mit einem Eisenrest in der Mitte *(Abb. 13, 3)*, der nicht einmal mehr seine
ursprüngliche Funktion erkennen läßt und in *Tabelle 4* unter „Curiosum" aufgeführt wird.

---

[24] H. Zürn 1970.
[25] L. Pauli 1972.
[26] Die Alters- und Geschlechtsbestimmungen dieses
und des folgenden Abschnittes stützen sich auf S. Ehrhardt – P. Simon 1971 sowie auf Angaben über Skelettlängen in den Originalveröffentlichungen. Durch
letztere können die Kindergräber ausgesondert werden.

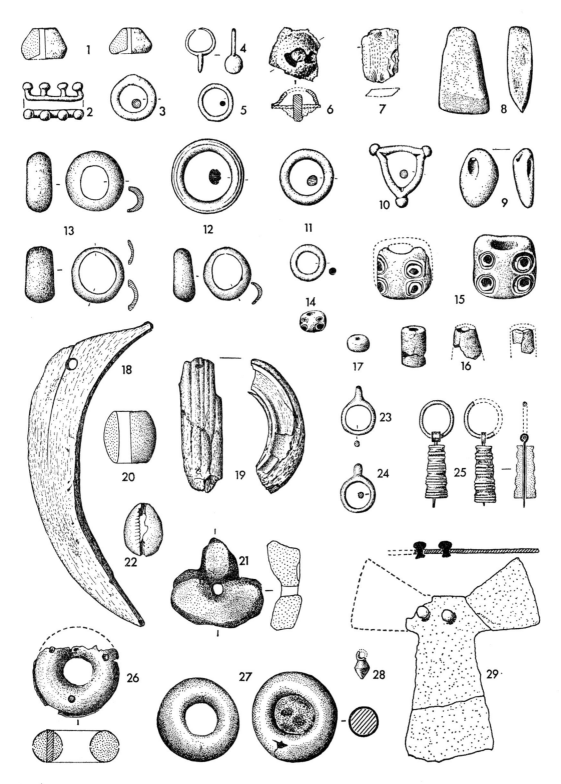

Abb. 12. 1–22 Asperg (9) (1–3 Grab 2; 4–5 Grab 8; 6 Grab 17; 7–22 Gräber 14/15); 23–25 Hirschlanden (15) (23 Grab 9; 24 Grab 10; 25 Grab 5); 26–28 Mühlacker (16) (26 Grab 5/3; 27 Grab 8/6; 28 Grab 11/2); 29 Gerlingen (12) Grab 3/1. – 14.15 Glas; 16.17 Bernstein; 25 Bernstein mit Bronze; 18.19 Tierzahn; 20.21 Knochen; 22 Kaurimuschel; 7 Silex; 8.9 Stein; 1 Ton; 6 Eisen; 29 Eisen mit Bronze; 27 Bronze über Eisenfüllung; 26 Bronze über Gagatfüllung; sonst Bronze. M. 2 : 3.

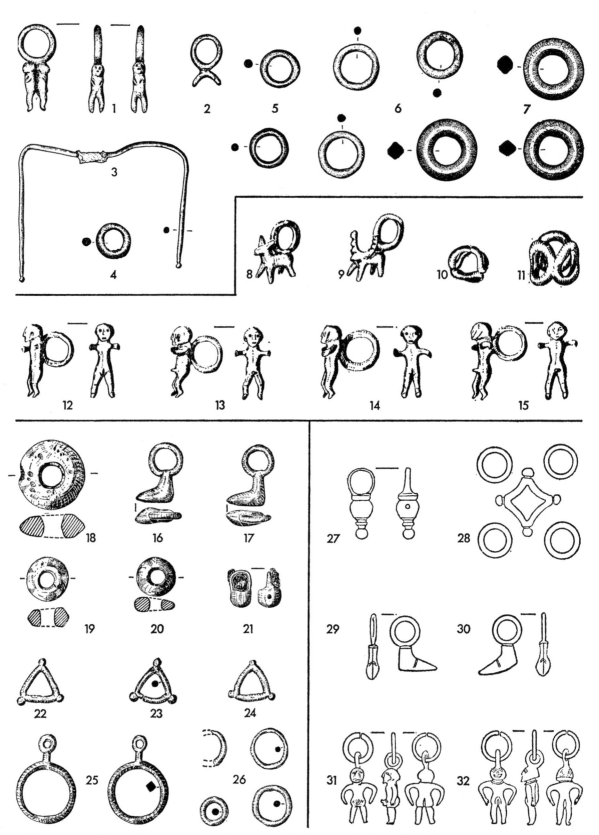

Abb. 13. 1–7 Esslingen-Sirnau (11); 8–15 Stuttgart-Uhlbach (17); 16–26 Großaltdorf (13); 27–32 Unterlunkhofen (67) (27 Hügel 63; 28–32 Hügel 62). – 18–20 Bernstein; sonst Bronze. M. 1 : 2.

Tabelle 4. Amulette in Späthallstattgräbern Nordwürttembergs.

Legende:
- ● 1–2 Exemplare
- ■ 3 und mehr Ex.

Spaltenerläuterungen:
- ? = keinerlei Angaben über das Skelett erhalten
- – = Grab gestört; Zusammengehörigkeit unsicher
- (Frau) = Geschlechtsbestimmung nach den Beigaben

Gräber (Alter / Geschlecht / Bemerkungen)

Grab	Alter	Geschlecht	Bemerkungen
3	infans I		Silberdrahtringchen
5	30–40	(Frau)	
8	infans I		
14	Anfang 20	(Frau)	Doppelgrab; Steinplatte auf der Brust. 15 leichter Hocker
15	18–20	(Frau)	
17/18	Kind und	Frau	(Ende 30)
1	jugendlich	Frau	
3/1	Anfang 20	(Frau)	
2	20–25	Frau	Silex über dem Skelett
5	10–12	(Knabe)	
9	erwachsen	(Frau)	
10	Kind		
5/3	110–120 cm		
5/4	Kind	Frau	Ring roh zusammengebogen
8/6	Ende 30		
11/2	110 cm		
„1/2"	–		
I	–		Brandnest
8	Kind		

Fundorte:
- Asperg (9): 3, 5, 8, 14, 15, 17/18
- Asperg (10): 1
- Esslingen (11): 3/1
- Getlingen (12): 2
- Großaltdorf (13): 5
- Hegnach (14): 9
- Hirschlanden (15): 10
- Mühlacker (16): 5/3, 5/4, 8/6
- Stuttgart-Uhlbach (17): 11/2, „1/2"
- Tailfingen (18): I, 8

Amulett-Matrix

Amulett	3	5	8	14	15	17/18	1	3/1	2	5	9	10	5/3	5/4	8/6	11/2	„1/2"	I	8
Hakenanhänger																			
Keulenanhänger																			
Tonwirtel, Tonring	●																		
Bernstein	■	●	●		■		■		●										
auffallendes Glas			●	●	■														
Glas	●					●													
Bein-, Knochengegenstand				●															
Muschel, Schnecke			●																
Hirschhorn																			
Tierzahn, -knochen				■															
sonstiges Mineral								■				●							
Silex				●					●										■
durchlochter Stein				●			●	●											
Steinbeil, Silexpfeilspitze				●			●								●				
Alt- oder Fremdstück																			
unbestimmbares Metall, Abfall						●							●	■		●		●	
funktionsloses Metall, Curiosum	●						●	●	●				●	●					
Drahtringelchen, -fragmente	●		●																
Ringelchen, gegossen	●	●	■		■	■	■		■			●							
Ringschmuck mit Gußspuren						●						●							
Ringchen mit Fortsatz											●	●							
sonstige Anhänger			●			●			●					●					
Körbchenanhänger							●												
Dreipaß, Vierpaß																			
Ringwürfel, Bronzekubus																	■		
Figürchen, Tonidol						●											■	●	
Beilanhänger																			
Schuhanhänger							●												
Radanhänger																			
Rähmchen			●				■												
Klapperblech, Rassel																			

Im Grab einer ebenfalls 20 bis 25 Jahre alten Frau aus Großaltdorf (13) ist zwar die Lage der Beigaben nicht bekannt, aber deren Kombination doch wieder eindeutig *(Abb. 13, 16–26)*: zwei Schuhanhänger, drei Dreiecksrähmchen, ein rundbodiger Körbchenanhänger, vier Bronzeringchen, zwei größere Bronzeringe mit gestielter Öse (Verwendung als Trachtzubehör unbekannt) und schließlich drei Ringperlen aus Bernstein.

Einen mehr organisch-mineralischen Charakter zeigen die Amulette im Doppelgrab 14/15 des Grafenbühl, Gde. Asperg (9). Sie fanden sich überwiegend als aufgefädelter Armschmuck bei zwei um 20 Jahre alten Frauen, auf deren Oberkörper eine schwere Steinplatte gelegt war. Es handelt sich dabei um ein Dreiecksrähmchen *(Abb. 12, 10)*, drei Bronzeblechringchen *(Abb. 12, 13)*, zwei kleinere und ein größeres, profiliertes Bronzeringchen *(Abb. 12, 11.12)*, das Spiralfragment einer Fibel, dann aber um eine durchbohrte Kaurimuschel *(Abb. 12, 22)*, ein kleines Steinbeil *(Abb. 12, 8)*, einen natürlich durchlochten Stein *(Abb. 12, 9)*, einen Silexabspliß *(Abb. 12, 7)*, zwei Eberhauer *(Abb. 12, 18.19)*, einen durchlochten Fußwurzelknochen eines Pferdes *(Abb. 12, 21)*, eine Knochenperle *(Abb. 12, 20)* sowie schließlich um mindestens vier Bernsteinperlen *(Abb. 12, 16.17)* und drei Augenperlen aus Glas *(Abb. 12, 14.15)*, von denen zwei eine beträchtliche Größe aufweisen.

Gut vergleichbar damit sind die Funde aus dem fast völlig ausgeraubten Schachtgrab im Hügel beim Kleinaspergle, Gde. Asperg (10), in dem auf jeden Fall mindestens ein jugendliches Individuum bestattet war. Aufgelesen werden konnten noch mindestens elf Bernsteinperlen, vier Bronzeringchen, drei Glasperlen, Fragmente von zwei Glasringen, ein Fragment einer Röhrenperle mit Noppen, ein großer Glaswirtel, Gagatbruchstücke, mehrere Quarz (Achat?)- und Bergkristallsplitter, eine Silexpfeilspitze, ein natürlich durchlochter Stein, zwei Kieselbatzen; dazu sechs Nietköpfe aus Bronze mit verlorenen Einlagen, ein Fingernagelschneider an einem Kettchen und einige Scherben. Dabei lagen die Funde, außer den weit verstreuten Bernsteinperlen, fast alle massiert etwas südöstlich der Grabmitte, als seien sie dort absichtlich zusammen deponiert gewesen.

Aus anderen Gräbern stammen dann Tonwirtel *(Abb. 12, 1)*, einfache Bronzeringchen *(Abb. 12, 3.5)* oder mit Fortsatz *(Abb. 12, 23.24)*, hohle Bronzeblechringe mit Eisen- oder Gagatfüllung *(Abb. 12, 26.27)*, Bernsteinanhänger *(Abb. 12, 25)*, kleine Bronzeanhänger *(Abb. 12, 4.28)* und endlich Eisen- und Bronzegegenstände unbekannter Funktion *(Abb. 12, 2.6.29)* an ungewöhnlichen Stellen im Grab. Möglicherweise sind auch die Sandsteinbrocken am Kopf des Skeletts im isolierten Hügel 12 von Mühlacker (16) dazuzuzählen.

Nach unseren Erfahrungen wird man jetzt nicht mehr zögern, nun auch das Ringchen mit Fortsatz aus Hirschlanden (15) Grab 9 *(Abb. 12, 23)*, mit unbekannter genauer Lage, und den Armschmuck aus Bronzeringchen, Glas- und Bernsteinperlen der Nachbestattung 5 im Grafenbühl (9) mit unter die Gegenstände mit Amulettfunktion zu rechnen. Hingegen haben wir die Arm- und Beinringe mit nicht abgearbeiteten Gußzapfen nicht weiter berücksichtigt, weil diese hier und vor allem weiter nördlich als Trachtzubehör allgemein üblich waren, ohne eine Beschränkung auf bestimmte Personengruppen erkennen zu lassen (vgl. S. 119f.).

Neben die Brandnester in Dürrnberger Körpergräbern ist wohl der Befund in Hügel 1 von Mühlacker (16) zu stellen. Dort lagen „in der NO-Ecke des Quadrat-Grabens ... auf der alten Oberfläche auf einem Fleck von 0,3 m Durchmesser verbrannte Knochen mit Holzkohlenresten", dicht daneben noch weitere Holzkohleflecken. An Funden wurden dabei geborgen ein Bruchstück eines abgenutzten Bronze(fuß?)rings, eine Gagatperle und ein kleines Steinbeil aus Hornblendenschiefer. Die Brandknochen konnten nicht bestimmt werden, doch auch Zürn vermutet, „daß es sich hierbei um Reste des Bestattungszeremoniells, vielleicht um ein kultisches Brandopfer handelt".

9. Asperg, Kr. Ludwigsburg. „Grafenbühl":
H. Zürn 1970, 7ff.
Grab 3: 41f. mit Taf. 22 B.
Grab 5: 42f. mit Taf. 22 C.
Grab 8: 43 mit Taf. 22 E.
Doppelgrab 14/15: 45ff. mit Taf. 25.
Doppelgrab 17/18: 47f. mit Taf. 24 B.
10. Asperg, Kr. Ludwigsburg. Hügel beim Kleinaspergle: H. Zürn 1965b.
11. Esslingen-Sirnau. Grab 1/1936: O. Paret 1936; H. Zürn 1970, 108 mit Taf. M, A.
12. Gerlingen, Kr. Leonberg. „Löhle" Hügel 3, Grab 1: Fundbericht 1959a, 155 mit Taf. 29, 12–16.
13. Großaltdorf, Kr. Schwäbisch Hall. Ortsteil Lorenzenzimmern „Lichse": H. Zürn 1957b; Fundbericht 1959b; H. Zürn 1970, 108 mit Taf. M, B.
14. Hegnach, Rems-Murr-Kreis. „Unter dem Eßlinger Weg", vier Gräber in einem Kreis-

graben: H. Zürn 1974.
Grab 2: 328ff. mit Abb. 6–8.
15. Hirschlanden, Kr. Leonberg. Hügel 1: H. Zürn 1970, 53ff.
Grab 5: 61f. mit Taf. 30 A.
Grab 9: 63 mit Taf. 31 B.
Grab 10: 63f. mit Taf. 32.
16. Mühlacker, Kr. Vaihingen. „Heidenwäldle": H. Zürn 1970, 73ff.
Hügel 1, Brandnest: 79f. mit Taf. 38 A.
Hügel 5, Grab 3: 87 mit Taf. 46 A.
Hügel 5, Grab 4: 88 mit Taf. 47.
Hügel 8, Grab 6: 92f. mit Taf. 48 D.
Hügel 11, Grab 2: 101 mit Taf. 54 B.
17. Stuttgart-Uhlbach. „Tannenschopf": H. Zürn 1956, 11f. mit Taf. 14, 2–19; 15, 14–22; O. Paret 1961, Taf. 31, 1.
18. Tailfingen, Kr. Böblingen. „Im hinteren Bühl" Gruppe I, Hügel 8: Fundbericht 1950b, 82.

Weitere Interpretationsmöglichkeiten können aus dem bislang dargestellten Material noch nicht schlüssig abgeleitet werden und sollen deshalb erst im zusammenfassenden Abschnitt erörtert werden. Zunächst wollen wir untersuchen, ob unsere Beobachtungen über den mit Amuletten ausgestatteten Personenkreis (Kinder, junge Frauen, nur vereinzelt ältere Frauen) auch in den anderen Regionen Mitteleuropas um die Mitte des ersten Jahrtausends v. Chr. nachvollziehbar sind. Die Materialbasis ist für diffizile Untersuchungen nur selten geeignet, so daß wir oft nur Einzelbefunde aufzählen können. Diese sind aber in ihrer Gesamtheit so bezeichnend, daß eine gewisse statistische Aussagekraft dennoch erzielt werden kann. Es wurden dazu alle aus der Literatur einigermaßen leicht erreichbaren Gräber mit Amulettbeigaben, bemerkenswertem Glas- und Bernsteinschmuck und auch abweichenden Bestattungssitten gesammelt und das jeweilige Individuum nach anthropologisch-soziologischen Kriterien bestimmt. Die Einbeziehung der abweichenden Skelettlagen oder ähnlicher Besonderheiten mag trotz gewisser schon erwähnter Befunde am Dürrnberg (Schädelbestattung Grab 19) zunächst unmotiviert erscheinen. Ihre Berechtigung wird sich im folgenden und vor allem bei der Auswertung von selbst erweisen. Vollständigkeit ist nicht angestrebt, auch gar nicht zu erreichen, doch wurde versucht, nach Möglichkeit auf Analysen ganzer Gräberfelder zurückzugreifen, weil Besonderheiten einzelner Gräber immer nur im Rahmen ihres Milieus richtig beurteilt werden können.

WEITERE GRÄBER AUS BADEN-WÜRTTEMBERG UND DER SCHWEIZ

In den *Tabellen 5 und 6* sind die Gräber mit Amulett- oder auffallender Glasbeigabe aus Hallstatthügeln des restlichen Baden-Württemberg und der Schweiz zusammengestellt, ergänzt durch *Tabelle 7* mit den Grabhügeln aus Nordbaden, die überwiegend schon zur Latènekultur gehören, und schließlich den südwestdeutschen Latèneflachgräbern.

Tabelle 5. Amulette und Kindergräber
in Hallstatthügeln in Südwürttemberg,
Südbaden und der Schweiz.

Legende:
- ? keinerlei Angaben über das Skelett erhalten
- — Grab gestört; Zusammengehörigkeit unsicher
- (Frau) Geschlechtsbestimmung nach den Beigaben
- ● 1–2 Exemplare
- ■ 3 und mehr Ex.

Spalten: Bemerkungen | Geschlecht | Alter

Angaben zu den Fundorten:

Nr.	Fundort	Alter	Geschlecht	Bemerkungen	Zusatz
19	Bargen				E, 3
20	Blumenfeld	Kind			
22	Deckenpfronn				
23	Ebingen	Kind	(Frau)		
27	Geisingen	Kind	(Frau)		
28	Geisingen	?			
30	Hochberg	Kind			
33	Leipferdingen	17–18	(Frau)		
35	Malterdingen	3–5	(Frau)	Hände auf der Brust	
36	Mauenheim	um 20		Brandgrab?	3
37	Meissenheim	„jugendlich"			4
38	Mörsingen	18–20	(Frau)	tödliche Schädelverletzung	
46	Rielasingen	(Kind)			
47	Singen	Embryo.			
50	Söllingen	?			
52	Tailfingen	Kind			
53	Trochtelfingen	unter 10			
57	Wilsingen	—			1884
58	Würtingen	14–16		Hockergrab	1968
59	Aarwangen	?			
60	Aubonne	?			
61	Gurzelen	?			
64	Jaberg	„jugendlich"			
65	Kaisten		„Kind und Frau"		
66	Trüllikon	—			
67	Unterlunkhofen	?	(Krieger?)		62
68	Valangin	?		„Stichwunde am Schädel"	63
69	Wohlen	senil?	Mann	Schädel disloziert, krankhaft verändert(?)	I, 10 / I, 3

Objekttypen (von oben nach unten):
- Hakenanhänger
- Keulenanhänger
- Tonwirtel, Tonring
- Bernstein
- auffallendes Glas
- Glas
- Bein-, Knochengegenstand
- Muschel, Schnecke
- Hirschhorn
- Tierzahn, -knochen
- sonstiges Mineral
- Silex
- durchlochter Stein
- Steinbeil, Silexpfeilspitze
- Alt- oder Fremdstück
- unbestimmbares Metall, Abfall
- funktionsloses Metall, Curiosum
- Drahtringelchen, -fragmente
- Ringelchen, gegossen
- Ringschmuck mit Gußspuren
- Ringchen mit Fortsatz
- sonstige Anhänger
- Körbchenanhänger
- Dreipaß, Vierpaß
- Ringwürfel, Bronzekubus
- Figürchen, Tonidol
- Beilanhänger
- Schuhanhänger
- Radanhänger
- Rähmchen
- Klapperblech, Rassel

Gerade in Südwürttemberg-Hohenzollern wird deutlich, daß so gut wie alle ins Auge fallenden Befunde mit Kindergräbern in Verbindung zu bringen sind. Herausgehoben sei nur das Grab eines Embryos in Singen (47), Kr. Konstanz, das die Vermutung bestärkt, daß die Beigabe von Amuletten im Grab nicht nur damit zusammenhängen muß, daß man diese gelegentlich auch im Leben trug. Aus diesem Grab stammen ein Fußring *(Abb. 16, 25)*, sicher der eines Erwachsenen, fünf Bronzeringchen *(Abb. 16, 20.21.24)*, ein rundbodiger Körbchenanhänger mit Korallenstiften *(Abb. 16, 23)* (dabei kleine Leinsamenkörner!), ein Bruchstück eines Sapropelitarmringes *(Abb. 16, 29)*, eine kleine Bernsteinperle *(Abb. 16, 26)*, zwei Eberhauer *(Abb. 16, 28.30)*, eine große, weiße Muschelschale *(Abb. 16, 27)* und schließlich einige Bronzeblechfragmente *(Abb. 16, 22)*, wohl z. T. von einem Gürtelblech. Dieses Grab bildete zusammen mit der Brandbestattung einer Frau (Grube 4) eine geschlossene Anlage; die Gruben 2 und 3 waren leer.

Bemerkenswert ist auch das Grab von Blumenfeld (20). Dort entdeckte man bei einem völlig vergangenen Skelett mit zwei Armringen „eine Häufung von kleinen Stücken, als hätten sie sich in einer Tasche oder sonst einem Behälter befunden": zwei Augenperlen, ein kleiner Feuerstein, zwei Bernsteinringperlen, sieben Tonwirtel, ein Vierknotenring, eine bronzene Stangengliederkette mit 14 kleinen Gliedern und eine Anzahl gebogener Eisenstücke.

Zur Frage der Verwendung in der Tracht, der Chronologie und Verbreitung von Fibeln in einem fremden Milieu sind die beiden Kindergräber von Ebingen (23) und Geisingen (27) wichtig. Aus Grab 3 des Hügels 3 von Ebingen stammen als alleinige Beigabe zwei große Drago-fibeln mit Rosetten, zweifellos italischer Herkunft[27]. Ebenso singulär in ihrer Umgebung ist die Bogenfibel mit aufgesetztem Vogel[28] aus Hügel VI, Grab 3 in Geisingen.

Von besonderem Interesse ist das sehr reich ausgestattete Grab von Mörsingen (38) *(Abb. 14, 1–13)*, zu dem leider kein genauer Fundbericht vorliegt. Obwohl schon in der Erstpublikation das Individuum als „junges Mädchen" und „um 20 Jahre" beschrieben wird, ist es bedauerlich, daß trotz einer Neubearbeitung der Skelettreste eine absolut sichere Zuweisung nicht mehr möglich ist. Hierbei wurde nämlich festgestellt, daß das frühadulte Individuum zweifellos an zwei Schwerthieben im Schädel gestorben, dafür aber mit großer Wahrscheinlichkeit männlichen Geschlechts sei[29]. Es hat keinen Sinn, schon wieder über die Fehlerquoten bei anthropologischen Bestimmungen zu handeln[30], doch möchten wir hier nur sehr ungern an einen mit weiblicher Tracht bestatteten Mann denken. Die an anderer Stelle[31] ausführlicher analysierten Gräber von Stuttgart-Bad Cannstatt, für die eine solche Möglichkeit erwogen wurde, weisen erstens eine andere Trachtkombination auf, sind zweitens mit Waffen und Wagen ausgestattet, gehören drittens einer anderen Bevölkerungsschicht an und ermangeln viertens der Amulette. Aus diesem Grund müssen

---

[27] G. Mansfeld 1973, 157 Fibel-Fundliste 16.

[28] Ebd. 187 Fibel-Fundliste 87.

[29] Aus den Grabungen in Mörsingen sind Überreste von vier Individuen erhalten (S. Ehrhardt – P. Simon 1971, 17f.): Nr. 42 recht gut erhalten, wahrscheinlich männlich, frühadult; Nr. 43 recht gut erhalten, adult (30–40 Jahre); Nr. 44a ein Bruchstück eines jugendlichen Kreuzbeines und 44b sehr kleine Bruchstücke eines kleinen kindlichen Skeletts. Da die Altersangabe in der Erstpublikation mit großer Bestimmtheit erfolgte, wäre Nr. 42 als das richtige zu identifizieren. Dr. P. Schröter, damals Tübingen, war so freundlich, auf meine Anfrage hin dieses Skelett auf Bronzepatinaspuren zur untersuchen, allerdings ohne

Erfolg. Zugleich bekräftigte er die Altersbestimmung (18–20 Jahre) und sprach sich noch entschiedener für männliches Geschlecht dieses Skeletts aus.

[30] Es besteht eine unzweifelhafte Tendenz, eher eine Frau anthropologisch als männlich zu bestimmen als umgekehrt, vor allem bei höherem Alter. Einige Bemerkungen dazu bei N. Creel 1966, 73ff.; A. Häusler 1968, 17ff.; S. Ehrhart – P. Simon 1971, 38; L. Pauli 1972, 148 Anm. 4. Selbst bei einer außerordentlich komplexen Methode mußten noch 3,2% Fehlbestimmungen festgestellt werden: G. Acsádi – J. Nemeskéri 1970, 91ff.

[31] L. Pauli 1972, 104ff. 130ff.

wir zunächst einen gemeinsamen gedanklichen Hintergrund der Befunde bezweifeln und das Problem offenlassen.

Im Zuge jüngster Grabungen wurde in Wilsingen (57) unter bronzezeitlichen Hügeln auch einer untersucht, der sich nach seinem inneren Aufbau als hallstattzeitlich zu erkennen gab. Die Zentralbestattung war schon im vorigen Jahrhundert ausgeräumt worden (daher der Fund mit den Rähmchen?), von den mindestens drei Nachbestattungen waren zwei schon sehr gestört und ohne Beigaben. Kaum gestört war dagegen Grab 2, in dem ein 14- bis 16jähriges Individuum mit angehockten Beinen bestattet war, diesmal mit Sicherheit ohne Metallbeigaben oder Keramik, aber „in der Gegend des Schädels fand sich eine auffällige Häufung von kleinen Schnecken".

Die übrigen Gräber in *Tabelle 5* bieten keine weiteren Besonderheiten. Sie fügen sich in den schon erarbeiteten Rahmen gut ein.

Weil das Material vom Magdalenenberg bei Villingen (54) für eine zeitliche Eingrenzung der behandelten Phänomene wichtig ist, sei noch kurz darauf eingegangen *(Tabelle 6)*. Von dort gibt

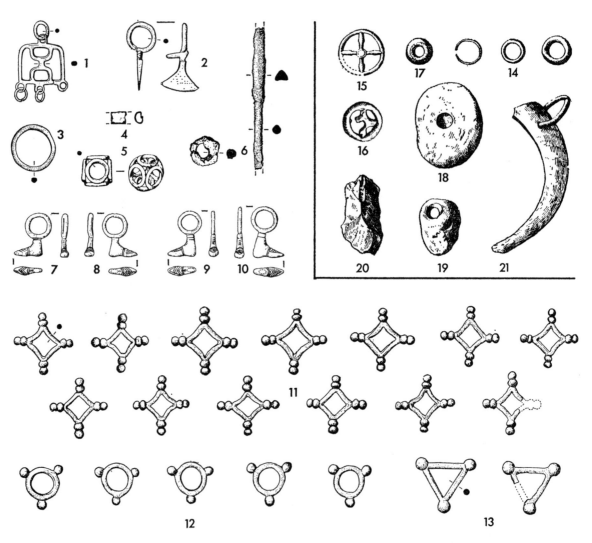

Abb. 14. 1–13 Mörsingen (38); 14–21 Müllheim (39). – 17 Bernstein; 21 Tierzahn; 20 Silex; 18–19 Stein; 6 Eisen; sonst Bronze. M. 1 : 2.

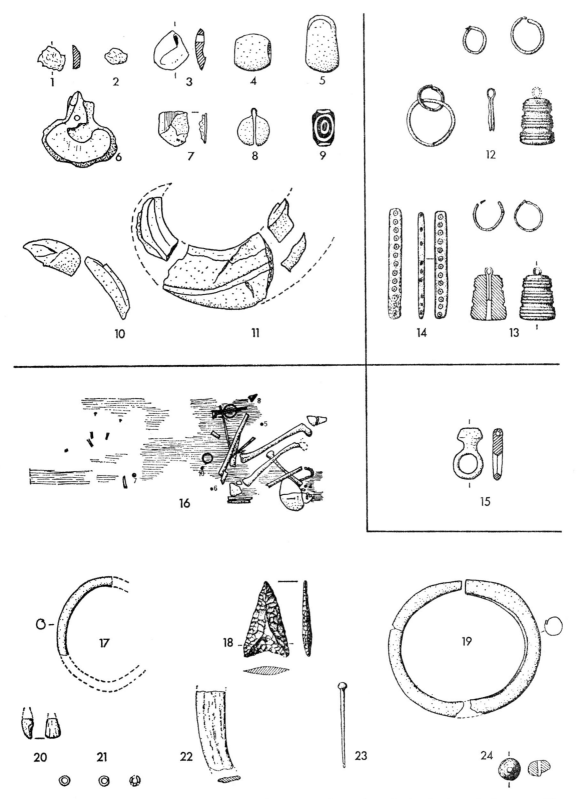

Abb. 15. Villingen (54) Magdalenenberg. 1–11 Grab 5; 12–14 Grab 56; 15 Grab 16; 16–24 Grab 30. – 9 Glas; 4.5.15 Bernstein; 12.13 Bernstein mit Bronze; 24 Gagat; 10.11.22 Tierzahn; 6.14 Tierknochen; 20 Menschenzahn; 18 Silex; 3 Stein; 7 unbestimmtes Metall; 1.2 unbestimmt; sonst Bronze. 16 M. 1 : 20; sonst M. 1 : 2.

es neun Gräber mit Ringen, deren Gußnähte oder -zapfen nicht abgearbeitet sind. In ihnen waren, abgesehen von einer erwachsenen Frau und einem Mann, Kinder bestattet, wobei sich außer der Rassel in Grab 9 und dem Glas- und Bernsteinschmuck in Grab 99 keine weiteren Amulette dazugesellten. Noch auffallender ist, daß es sich, wo die Fundlage beobachtet werden konnte, in allen Fällen (außer bei dem Mann in Grab 110) um Fußringe handelt, obwohl Fußringe am Magdalenenberg sonst nur noch bei der Frau in Grab 56 vorkommen. Diese wiederum hat aber weitere Besonderheiten aufzuweisen. Erstens ist der Kopf der Frau ungewöhnlich verdreht, zweitens fand man dort zwei Bernsteinanhänger *(Abb. 15, 12–13)* wie in Hirschlanden (15) Grab 5 *(Abb. 12, 25)*, dazu zwei Knochenschieber *(Abb. 15, 14)*, aber keine Perlen, und drittens war neben ihrem Oberkörper der Leichenbrand eines Kindes deponiert, zu dem offenbar Gürtelreste, ein Bronzeringchen und eine Haarnadel gehören.

Am augenfälligsten mit Amuletten ausgestattet waren zwei Gräber: Grab 30 *(Abb. 15, 16–24)* mit einem ungestörten, aber völlig dislozierten Skelett einer frühadulten Frau[32] und Grab 5 einer adulten Frau mit Halsring und Tonnenarmbändern. Bei ihr konzentrierten sich die Amulette rechts vom Kopf und beim rechten Unterarm. Außerdem besaß das Grab als eines von ganz wenigen eine abweichende Orientierung.

Sonst kommen Bernstein und Glas nicht allzu häufig vor, ohne daß bisher Näheres über die damit ausgestatteten Frauen gesagt werden kann. Die Auswertung aller Gräber durch K. Spindler wird sicher weiteren Aufschluß geben.

In dieselbe Zeit gehört das Wagengrab VI im Hohmichele (31a). Dort fand man zu Häupten der Frau auf einer Fläche von etwa 20 × 30 cm vier Eberhauer mit Bronzefassung und Ring, ein Gehänge aus zwei umwickelten Tierschneidezähnen, eine längliche, braune Glasperle, einen Korallenring mit Bronzeringchen, ein durchbohrtes Eisenerzklümpchen und einen tonnenförmigen Bronzeanhänger. Etwa 15 cm entfernt in Richtung Köcher des Mannes lag ein alt gebrochener Wetzstein, der wahrscheinlich tatsächlich zum Nachschärfen der Pfeile diente. Hingegen ließ G. Riek die Entscheidung offen, ob die genannten Amulette zum Pferdegeschirr gehörten, wobei ihre Lage aber nicht recht verständlich wäre, oder zum „Schmuck" der Frau, dessen übrige Bestandteile allerdings an anderer Stelle deponiert waren. Er neigt eher der ersten Möglichkeit zu; „denn der Unterschied zwischen dem eleganten Glas- und Bernsteinperlenschmuck der Frau und diesen grobgefaßten Tierzähnen ist zu augenscheinlich". Wir werden jedoch weiter unten sehen, daß dieses Argument nicht stichhaltig ist, weil der Begriff des „Schmucks" hier zu ungenau gefaßt ist.

Dürftig sind hingegen die an Schweizer Hügelgräbern möglichen Beobachtungen, da kaum neuere Grabungen zur Verfügung stehen. Immer wieder im Zusammenhang mit den südwestdeutschen Hallstatt D 3-Gräbern angeführt wird Hügel 62 von Unterlunkhofen (67), der ein Rähmchen, zwei Schuhanhänger, zwei menschliche Bronzefigürchen, Bronzeringchen *(Abb. 13, 28–32)* und Bernsteinperlen lieferte. Der Hügel war nicht mehr ungestört, die Amulette sollen „auf der Brust" eines nicht näher beschriebenen Skeletts gefunden worden sein. Unsicher ist der Charakter einer Bestattung in Hügel 63, zu der außer dem Körbchenanhänger *(Abb. 13, 27)* ein Eberzahn, eine Bernsteinperle und „drei Scherben roten Glases", aber auch eiserne Waffenreste gehört haben sollen.

---

[32] Bei dem in der Publikation als „Tierschneidezahn, wohl von Hirsch" aufgeführten Zahn handelt es sich nach der umfassenden Bestimmung aller Menschen- und Tierknochen vom Magdalenenberg mit Sicherheit um einen menschlichen Zahn eines anderen Individuums (Hinweis K. Spindler).

Tabelle 6. Amulette, Glas, Bernstein und Kindergräber im Magdalenenberg bei Villingen (54).

Legende:

? keinerlei Angaben über das Skelett erhalten
– Grab gestört; Zusammengehörigkeit unsicher
(Frau) Geschlechtsbestimmung nach den Beigaben

Spaltenüberschriften: Bemerkungen — Geschlecht — Alter

Bemerkungen (ausgewählt): Rötelspur bei den Füßen; bei adultem Mann; Brandbestattung bei adultem Mann; Brandbestattung bei adulter Frau; Schädel verdreht; Skelett disloziert; Menschenzahn; in Kopfnähe Kinderzahn; leichte Hockerlage; (versteinerter Ammonit)

Objektzeilen (von oben nach unten):

- Hakenanhänger
- Keulenanhänger
- Tonwirtel, Tonring
- Bernstein
- auffallendes Glas
- Glas
- Bein-, Knochengegenstand
- Muschel, Schnecke
- Hirschhorn
- Tierzahn, -knochen
- sonstiges Mineral
- Silex
- durchlochter Stein
- Steinbeil, Silexpfeilspitze
- Alt- oder Fremdstück
- unbestimmbares Metall, Abfall
- funktionsloses Metall, Curiosum
- Drahtringelchen, -fragmente
- Ringelchen, gegossen
- Ringschmuck mit Gußspuren
- Ringchen mit Fortsatz
- sonstige Anhänger
- Körbchenanhänger
- Dreipaß, Vierpaß
- Ringwürfel, Bronzekubus
- Figürchen, Tonidol
- Beilanhänger
- Schuhanhänger
- Radanhänger
- Rähmchen
- Klapperblech, Rassel

Legende Symbole:
● 1–2 Exemplare
■ 3 und mehr Ex.

Gräber (Spalten):

Kinder: 9, 12, 26, 33, 37, 93, 99, 106/2, 56/2
— Alter: infans I, Kind, infans I, Kind, Kind – jugendlich, Kind, infans I, infans I, infans II – frühjuv.

Frauen: 56/1, 30, 5, 10, 16, 20, 68, 79, 87, 88, 96, 97, 120
— Alter: adult, frühadult?, adult, mind. adult, adult, adult, adult?, adult, matur?, matur, matur
— Geschlecht: Frau, (Frau), Frau, (Frau), (Frau), (Frau), (Frau), (Frau), Frau, Frau, (Frau)

Männer: 50, 108, 110
— Alter: adult, matur?, adult
— Geschlecht: (Mann), Mann, (Mann)

Die anderen Beispiele zeigen zwar auch Kombinationen von Glas, Bernstein und Amuletten, doch sind nur im Falle von Gurzelen (61) („bei einem ziemlich gut erhaltenen, jugendlichen Gerippe") und Jaberg (64) (zwei Bestattungen, darunter ein Kind, aber die Beigaben nicht mehr sicher aufteilbar) genauere Angaben zu gewinnen. Die in der Westschweiz so beliebten Gehänge mit Rädchen und Rasseln[33] gehören zum regulären Frauenschmuck und werden deshalb hier nicht berücksichtigt.

Obwohl sie keinen weiteren Aufschluß geben, seien doch der Vollständigkeit halber zwei Gräber erwähnt, in denen das Vorhandensein von Schneckenhäusern im Grabhügel ausdrücklich erwähnt wird. Im Hügel P von Hemishofen-Sankert (62), der 1894 untersucht wurde, stieß man in 2 m Tiefe auf Schnecken und vereinzelte Tierknochen. Erst 0,4 bis 0,5 m tiefer lagen die Reste eines schlecht erhaltenen Skeletts, das außer zwei Tongefäßen keine weiteren Beigaben aufwies. Da die anderen Hügel in die Hallstattzeit gehören, liegt eine entsprechende Datierung auch für diesen Befund nahe.

Enger nach Hallstatt D einzugrenzen ist der Hügel von 1849 in Hermrigen (63). Er „enthielt sieben Körperbestattungen, von welchen drei von Nord nach Süd, vier dagegen von Ost nach West orientiert waren. Drei Bestattungen sollen innerhalb eines Kreises aus Heliciden-Schnecken-häuschen gelegen haben". Die nicht mehr trennbaren Beigaben enthalten auch Gegenstände aus Gold (Hals- und Ohrring), lassen also auf ein „Fürstengrab" schließen, das man wohl als die Zentralbestattung betrachten muß.

Schließlich sei ein zunächst kaum glaubhaft scheinender Befund vorgestellt, auf den wir später zurückkommen müssen. Es handelt sich um das nicht gestörte Grab 3 des Hügels I von Wohlen (69). Bei dem Skelett eines Mannes fand man in Kopfhöhe eine Lanzenspitze, bei der rechten Hand einen flachen Eisenring (verschollen) und eine eiserne Achskappe mit Achsnagel von einem Wagen. Der Schädel war um 0,5 m nach W verlagert, an seiner Stelle stand ein Kegelhalstopf, in dem man etliche Spitzmausschädel entdeckte. Der Schädel „scheint einem sehr alten oder pathologischen Menschen anzugehören".

Weniger seltsame Bestattungssitten können wir in den Grabhügeln Nordbadens beobachten *(Tabelle 7 oben)*. Am ältesten dürfte ein Grab aus Söllingen (50) sein. Ein bis auf den durch die Kupfersalze der Bronze erhaltenen rechten Unterarm völlig vergangenes Skelett trug an diesem einen großen, hohlen Bronzering mit Endknöpfen, einen stabförmigen Bronzering mit sechs Ösen und einen dicken Lignitring. An den Ösen des mittleren Ringes waren wohl befestigt „größere und kleinere Bronzeringchen" und zwei Bärenzähne, außerdem vielleicht auch ein natürlich durchlochter, schwarzer Stein, „der hart neben dem Armschmuck gefunden wurde". Zum linken Arm kann das Fragment eines weiteren Ösenrings mit zwei Bronzeringchen gehört haben.

Überwiegend in die Frühlatènezeit zu datieren sind die Kindergräber von Ehrstädt (24), Eppelheim (25), Eppingen (26), Gemmingen (29), Hoffenheim (31), Rappenau (45), Sinsheim (49) und Walldorf (56). Hier sind besonders die Amulette aus Stein und Tierknochen beliebt, aber auch reicher Glasschmuck, oft auf Halsringe gefädelt. Einige Befunde sind hier nicht mit aufgenommen worden, weil es sich um neolithische Hockergräber handeln kann, die wegen ungenügender Beschreibung nicht identifiziert werden können und wie sie in etlichen der dortigen Grabhügel aufgedeckt wurden. Offensichtlich lehnten sich einige Nekropolen bewußt an schon bestehende neolithische Hügel an.

---

[33] W. Drack 1967, 39 ff.

Tabelle 7. Amulette und Kindergräber in nordbadischen Grabhügeln und den übrigen Latènegräbern in Baden-Württemberg.

Legende:

? keinerlei Angaben über das Skelett erhalten
− Grab gestört; Zusammengehörigkeit unsicher
(Frau) Geschlechtsbestimmung nach den Beigaben

● 1–2 Exemplare
■ 3 und mehr Ex.

Spaltenköpfe (Bemerkungen · Geschlecht · Alter):

Fundstelle	Bemerkungen	Geschlecht	Alter
Ehrstädt (24) 2/1	über neolithischem Grab	(Frau)	−
Ehrstädt (24) 1			
Gemmingen (29)	in neolithischem Hügel		Kind
Hoffenheim (31) B			jugendlich
Hoffenheim (31) E	Skelett völlig vergangen		Kind?
Huttenheim (32) I, A, 2			„Mädchen"
Huttenheim (32) III, 12, 2			Kind
Rappenau (45) D 1		(Frau)	Kind
Rappenau (45) D 2			„Kind?"
Rappenau (45) L 1			
Rappenau (45) L 2		(Frau)	
Sinsheim (49) 8/6	Hasen, Nagetier, Vogelknochen		15–16
Sinsheim (49) 9/2			Kind
Sinsheim (49) 11/10	sehr gestört		?
Sinsheim (49) 11/13–14		(Frau)	Kind und
Sinsheim (49) 12/4		(Frau)	?
Walldorf (56) 3		Frau	18–20
Nebringen (42) 16			Säugling
Nebringen (42) 17			5–6
Nebringen (42) 20		Frau	14–15
Nebringen (42) 23	Tod durch Stirnhöhlenvereiterung	Frau	30–40
Nebringen (42) 24	Schwerthieb im Schädeldach		14–15
Nebringen (42) 25	einziges antik gestörtes Grab	Mann?	16–18
Brühl (21)		(Frau)	„jugendliche Frau"
Eppelheim (25)		(Frau)	„jugendlich"
Mahlberg (34)			135 cm
Müllheim (39)		(Frau)	„jugendlich"
Nagold (40)			
Nagold (41)	Hockergrab		14–16
Neckarhausen (43) 1954	zusammengebogener Armring	(Frau)	„jugendlich"
Singen (48)		(Frau)	Kind?
Stuttgart-C. (51) 1	Skelett völlig vergangen		16–17
Waldshut (55)	am Hals Gefäß mit Knochenbrand		

Zeilen (Objekttypen):

- Hakenanhänger
- Keulenanhänger
- Tonwirtel, Tonring
- Bernstein
- auffallendes Glas
- Glas
- Bein-, Knochengegenstand
- Muschel, Schnecke
- Hirschhorn
- Tierzahn, -knochen
- sonstiges Mineral
- Silex
- durchlochter Stein
- Steinbeil, Silexpfeilspitze
- Alt- oder Fremdstück
- unbestimmbares Metall, Abfall
- funktionsloses Metall, Curiosum
- Drahtringelchen, -fragmente
- Ringelchen, gegossen
- Ringschmuck mit Gußspuren
- Ringchen mit Fortsatz
- sonstige Anhänger
- Körbchenanhänger
- Dreipaß, Vierpaß
- Ringwürfel, Bronzekubus
- Figürchen, Tonidol
- Beilanhänger
- Schuhanhänger
- Radanhänger
- Rähmchen
- Klapperblech, Rassel

Aus den älteren Grabungen in Huttenheim (32) seien die Ausführungen von E. Wagner zu dem von ihm selbst aufgedeckten Skelett 2 in Hügel I der Gruppe I zitiert. Er fand dort „mit dem Kopf gegen Süden, ein zweites schlecht erhaltenes Skelett, vermutlich von einem Mädchen, ohne weitere Beigaben als den noch an seiner Stelle gefundenen merkwürdigen kleinen Halsring von Bronze (Diam. 12,5), welcher ziemlich roh gearbeitet, doch auf seinem äußeren Umkreis mit drei zierlich reliefierten Schlangen geschmückt ist. Nicht nur ist der Gußzapfen noch vorhanden, sondern der in zwei Stücke zerbrochene Ring mußte an beiden Bruchstellen am Halse der lebenden oder toten Person wieder zusammengefügt worden sein. Ein technisch Sachverständiger erklärt, die schlecht gearbeitete Zusammenfügung habe nur durch Löthen geschehen können; überdies sei der Ring, nach den Bruchstellen zu schließen, nicht zerbrochen, sondern geflissentlich zerhauen worden". In demselben Hügel lagen noch ein kräftiger Mann mit einem Tongefäß als Zentralbestattung und eine zweite „anscheinend jugendliche Leiche" ohne Beigaben. Auf dem gewachsenen Boden unter dem Hügel waren einige Flußmuschelschalen verstreut.

Der Halsring des Skelettes 2 ist einem im Elsaß geläufigen Typ zuzurechnen[34]. Er hat in Huttenheim als „Fremdstück" zu gelten, was durch seine mysteriöse Behandlung noch unterstrichen wird. Aufgrund von Wagners Beobachtungen dürfte die Lötung gewiß erst an der toten Person erfolgt sein. Wie aber ein solcher Halsring noch mit Gußzapfen aus einem anderen Gebiet hierhergekommen sein soll, ist doch ziemlich rätselhaft und sollte dazu anhalten, Verbreitungsbilder genau zu überprüfen und nicht unbesehen zur Aufstellung von „Trachtprovinzen" heranzuziehen. Es besteht nach alledem wohl kein Zweifel daran, daß dieser Ring nicht als „Ringschmuck" oder gar „Trachtzubehör" nach regionalen Regeln zu bewerten ist, sondern auf jeden Fall in unseren Komplex der Amulettbeigabe hineingehört.

Aus dieser Sicht wird man nun auch einen anderen Fall wieder diskutieren müssen. In Nebringen (42) Grab 17, dem Grab eines 5- bis 6jährigen Mädchens, fand man außer Arm- und Beinringen in Kindergrößen und sechs kleinen Latène B-Fibeln auch Amulette in der Halsgegend: drei Bronzeringchen *(Abb. 16, 6.9.10)*, ein zerbrochenes Eisenringchen *(Abb. 16, 8)*, eine Augenperle *(Abb. 16, 12)*, eine Gagatperle *(Abb. 16, 7)*, ein durchlochtes Kalksteinstückchen *(Abb. 16, 11)* und eine Öse (von einem Kettchen?) aus feinem Bronzedraht *(Abb. 16, 5)*. Außerdem trug das Mädchen um den Hals einen „schon etwas abgewetzten" Scheibenhalsring. An anderer Stelle[35] wurde schon entwickelt, daß das Kind diesen Halsring eigentlich von niemandem anderen aus dem kleinen Friedhof „geerbt" haben kann, weil alle Frauen, die dafür in Frage kämen, den ihren ins Grab mitbekommen haben. Als reines „Statussymbol", etwa einer Hoferbin[36], sei der Ring daher kaum zu werten. Nehmen wir jetzt noch den oben erläuterten Befund von Andelfingen (3) Grab 10 hinzu, wo einem Mädchen ein alter, beschädigter und zurechtgebogener Scheibenhalsring mitgegeben wurde, dann kommen wir nicht umhin, den Halsringen in diesen drei Kindergräbern wenigstens teilweise einen Amulettcharakter zuzubilligen.

Das Flachgräberfeld von Nebringen (42), das zu den Latène B-Befunden in Südwestdeutschland überleitet *(Tabelle 7 unten)*, hat noch andere Gräber mit Amuletten aufzuweisen. Am deutlichsten ist dies bei Grab 3, dem einer 18- bis 20jährigen Frau, aus dem eine blaue Glas- und zwei Bernsteinperlen *(Abb. 16, 13–15)*, ein flachkugeliger Gagatanhänger *(Abb. 16, 16)*, eine durchbohrte Hirschhornrose *(Abb. 16, 18)* und ein Feuerstein *(Abb. 16, 17)* stammen. Für den An-

---

[34] Vgl. F. A. Schaeffer 1930, 238 Abb. 174. Noch weiter entfernt, aber bezeichnenderweise in einem Hortfund, kam das Fragment von Steindorf, Kr. Wetzlar, zutage: W. Dehn 1967, Taf. 34, 3.

[35] L. Pauli 1972, 88 f.

[36] So W. Krämer 1964, 19.

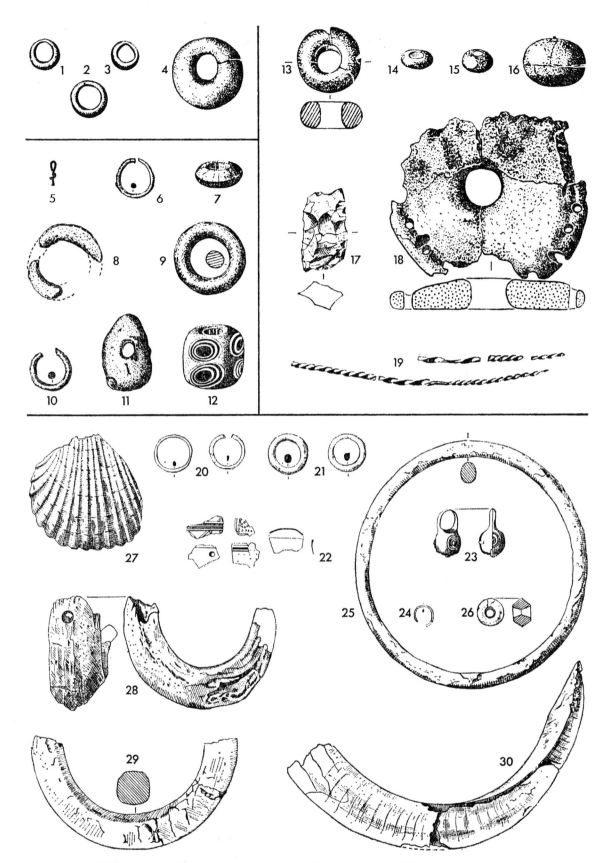

Abb. 16. 1–4 Nebringen (42) Grab 23; 5–12 Nebringen (42) Grab 17; 13–19 Nebringen (42) Grab 3; 20–30 Singen (47) Grab 53/6,1. – 12.15 Glas; 4.13.14.26 Bernstein; 2.3.7.16 Gagat; 29 Sapropelit; 27 Muschel; 18 Hirschhorn; 28.30 Tierzahn; 17 Silex; 11 Stein; 8 Eisen; 23 Bronze mit Koralle; sonst Bronze. 1–19 M. 3 : 4; 20–30 M. 1 : 2.

hänger und die Hirschhornrose ist die Lage im Grab bekannt: auf der linken Brustseite in Höhe des Ellbogens. Die Perlen scheinen mehr in der Halsgegend gelegen zu haben.

Ähnlich und für die „normale Trageweise" von solchen Gegenständen aufschlußreich ist die Situation im Frauengrab 23, wo links neben dem linken Ellbogen ein Bronze-, ein Bernstein- und zwei Gagatringchen gefunden wurden *(Abb. 16, 1–4)*. Alle vier sind deutlich auf der Innenseite vom langen Tragen, wohl an einer Schnur um den Hals, ausgewetzt. Es befremdet jedoch, daß sie dann nicht auf dem Oberkörper, sondern daneben lagen.

Vier weitere Gräber aus Nebringen gehören in unsere Kategorie: Das Säuglingsgrab 16 mit einer Flußmuschel, das Kindergrab 20 mit einem Pferdezahn am Fußende, das Grab 25 eines 16- bis 18jährigen Knaben(?) mit einem Bronzeringchen und das Kindergrab 24, wo zwischen den Beinen die Tibia eines jungen Wiederkäuers deponiert war. Es handelt sich bei diesen Tierresten selbstverständlich nicht um Speisebeigaben, wie die Zusammensetzung des Materials beweist.

Da sonst aus Südwestdeutschland keine Flachgräberfelder mehr veröffentlicht sind[37], können wir nur noch einige Einzelbefunde mit interessanten Einzelheiten anführen. Zuerst sei das Grab „einer Person jugendlichen Alters" aus Müllheim (39) genannt, deren linker Ober- und Unterarm von Bronzeschmuck grün gefärbt war. Außer mit zwei Hohlarmringen und wohl auch zwei Latène B-Fibeln war die Tote mit Amuletten ausgestattet: zwei Radanhänger *(Abb. 14, 15.16)*, mindestens drei Bronzeringchen *(Abb. 14, 14)*, ein Bernsteinringchen *(Abb. 14, 17)*, ein durchbohrter Eberzahn *(Abb. 14, 20)*, ein durchlochter *(Abb. 14, 19)* und ein angebohrter Kiesel *(Abb. 14, 18)*, mehrere Lamellen aus Feuerstein und Jaspis *(Abb. 14, 20)*.

Ähnlich eindeutig liegt der Fall bei Grab 1 aus Stuttgart-Bad Cannstatt (51), in dem – im Gegensatz zu den anderen dortigen Gräbern – vom Skelett „nur ein Knöchelchen" erhalten war, das also wohl als Kindergrab anzusprechen ist. Aus ihm stammen ein menschliches Bronzefigürchen, eine Augenperle und vier Bronzeringchen, dazu zehn Latène B-Fibeln.

Vom Schloßberg in Nagold (41) gibt es das Hockergrab eines 14- bis 16jährigen Mädchens mit 17 blauen Glasperlen und einem Beinplättchen, von einer anderen Stelle in Nagold (40) ein Grab mit Frauenschmuck und einem durchlochten Muschelkalkhornstein. In Brühl (20) hatte eine „jugendliche Frau von grazilem Körperbau" um den Hals eine Kette mit blauen Glasperlen. Ohne Altersangabe ist das Grab von 1954 in Neckarhausen (43) mit ebenfalls einer Halskette aus einfachen und Augenperlen, wobei das Skelett am rechten Arm einen zusammengebogenen Ösenring trug, dessen Weite allerdings auch für eine erwachsene Frau ausreichen würde.

Für Südbaden seien zwei Gräber mit jugendlichen Mädchen angeführt: Mahlberg (34) mit einem „Drahtgeschlinge" am linken Unterarm sowie drei Eisenhäkchen, wie im Kindergrab Andelfingen (3) Grab 10, und Eisenfragmenten an der rechten Hand, dann aber auch Waldshut (55) Grab 1 (aus einem Hügel). Dort ist die Zuweisung der Beigaben zu den beiden Skeletten nicht ganz vollständig zu rekonstruieren. Sicher ist jedoch, daß die auffallenden Beigaben zu dem Mädchen gehören. Der Befund sei nach E. Wagner wörtlich zitiert[38]: „... eine unregelmäßige Steinsetzung und in deren Mitte zwei Skelette, den Kopf gegen Süden, das östliche von einem Mädchen von 16–17 Jahren, mit noch gut erhaltenem Schädel. Auf dem Hals stand die Graburne, viele, zum Theil angebrannte, kleine Knochenreste (wovon?) enthaltend. Unter der Urne befand sich in der Halsgegend ein Bronzekettchen mit ... Glasperlen ... und einem ... Anhänger

---

[37] Leider harrt das wichtige, vor schon fast 50 Jahren aufgedeckte Gräberfeld von Singen a. H. aus unbekannten Gründen immer noch einer angemessenen Veröffentlichung.

[38] E. Wagner 1885, 19.

von Bronze, daneben einige Ringe von 17–20 mm äußerem Dm. aus 2 mm starkem Bronzedraht, und ein defekter hohler Halsring aus Bronze." Was es mit der „Urne" in der Halsgegend auf sich hat, läßt sich nicht mehr klären; möglich wäre immerhin, daß darin eine Brandbestattung eines kleineren Kindes vorgenommen worden war, wie etwa in Villingen – Magdalenenberg (54) Grab 56.

Nicht so eindeutig ist der Befund von Singen (48), Kr. Pforzheim, wo in Grab 3 in der Halsgegend „mehrere kleine Eisenreste, die jedoch keine Form mehr erkennen ließen", entdeckt wurden. Gar nicht in die *Tabelle 7* wurde Grab 2 aus Birkenfeld, Kr. Calw, aufgenommen[39]. Es konnte nur im Oberkörperbereich ausgegraben werden, wo man neben einer Fibel angeblich einen fingerhutförmigen Gegenstand aus Bronzeblech gefunden hatte, der jedoch so römisch aussieht, daß an der Zusammengehörigkeit gezweifelt werden muß.

Baden-Württemberg

19. Bargen, Kr. Konstanz. Hügel E, Gräber 3, 4 und 6: unveröffentlicht (Hinweise L. Wamser).
20. Blumenfeld, Kr. Konstanz. „Langholz" Hügel O, Grab 2: E. Wagner 1908, 4f.
21. Brühl, Kr. Mannheim. Wiesenstraße 20, Skelettgrab: F. Dember 1958, 253f. mit Taf. 74, 5–10.
22. Deckenpfronn, Kr. Calw. „Hohwiel" Grab 4: Fundbericht 1950a, 70 mit Taf. 6, 2–3.
23. Ebingen, Kr. Balingen, Hügel 3, Grab 3: H. Breeg 1938, 411 Abb. 14 oben; 413; O. Paret 1938, 48f. mit Taf. 14/3, 1–2.
24. Ehrstädt, Kr. Sinsheim: E. Wagner 1911, 337f.
25. Eppelheim, Kr. Heidelberg: E. Wagner 1911, 263.
26. Eppingen, Kr. Sinsheim. „Kopfrain" Hügel P, Brandgrab: E. Wagner 1911, 325f.
27. Geisingen, Kr. Münsingen. „Breite" Hügel 6, Grab 3: F. Sautter 1904, 54 mit Taf. 4, 22.
28. Geisingen, Kr. Münsingen. „Dürreschwang" Hügel 1, Grab 2: ebd. 52 mit Taf. 4, 12–16.
29. Gemmingen, Kr. Sinsheim. „Kuhbach" Hügel, Grab 1: E. Wagner 1885, 44; E. Wagner 1911, 326f. (mit Grabplan).
30. Hochberg, Kr. Sigmaringen. „Ghay" Grabhügel: F. Sautter 1904, 21f.
31. Hoffenheim, Kr. Sinsheim: E. Wagner 1911, 342ff.
   Hügel B: 343.
   Hügel E: 344.
31a. Hundersingen, Kr. Saulgau. „Hohmichele" Wagengrab VI: G. Riek – H.-J. Hundt 1962, 61ff. 86ff.
32. Huttenheim, Kr. Bruchsal.
   Gruppe I, Hügel A, Grab 2: E. Wagner 1885, 33; E. Wagner 1911, 170.
   Gruppe III, Hügel 12, Grab 2: A. Dauber 1939, 72f. Abb. 7; 8b–d.
33. Leipferdingen, Kr. Donaueschingen: E. Wagner 1908, 10f. Abb. 7, a–e; F. Maier 1958, 214f. mit Taf. 50, 1–17.

34. Mahlberg, Kr. Lahr: R. Giessler – G. Kraft 1942, 60f. Abb. 10–11; S. Unser – W. Kimmig 1947, 313 mit Taf. 83.
35. Malterdingen, Kr. Emmendingen. „Pfannenstiel": E. Wagner 1885, 26f.; E. Wagner 1908, 202f. Abb. 135, a–i.
36. Mauenheim, Kr. Donaueschingen. Hügel M, Grab 10: unveröffentlicht (Hinweis L. Wamser).
37. Meissenheim, Kr. Lahr. „Langenrod", Grabhügel, Gräber 3 und 4: E. Wagner 1908, 240.
38. Mörsingen, Kr. Saulgau: A. Rieth 1950; H. Zürn 1970, 108 mit Taf. Q–R.
39. Müllheim. „Reckenhag", Flachgrab: E. Wagner 1908, 170.
40. Nagold, Kr. Calw. „Vorderer Lehmberg", Flachgrab: P. Goeßler 1940; Fundbericht 1950c, 94f. Abb. 26.
41. Nagold, Kr. Calw. Schloßberg, Hockergrab: W. Wrede 1967, 73 mit Taf. 99 E.
42. Nebringen, Kr. Böblingen: W. Krämer 1964.
   Grab 3: 23f. mit Taf. 1 B.
   Grab 8: 26f. mit Taf. 3; 32.
   Grab 16: 28 mit Taf. 5 C.
   Grab 17: 28f. mit Taf. 6.
   Grab 20: 29f. mit Taf. 7 A.
   Grab 23: 30 mit Taf. 8.
   Grab 24: 30 mit Taf. 7 B.
   Grab 25: 30 mit Taf. 7 C.
43. Neckarhausen, Kr. Mannheim. „Bei den Kirchhofäckern".
   Grab 5/1933: W. Deecke 1934, 160f. Abb. 72 bis 73.
   Skelettgrab 1954: F. Gember – A. Dauber 1958, 254f. mit Taf. 74, 1–4.
44. Oberrimsingen, Ldkr. Freiburg. „Bernenbuck" Hügel 1: E. Wagner 1908, 195.
45. Rappenau, Kr. Sinsheim. „Im Heidenschlag": E. Wagner 1911, 350ff.
46. Rielasingen, Kr. Konstanz. Hügel E: E. Wagner 1908, 32f. Abb. 23, i–k.
47. Singen, Kr. Konstanz. „Russäcker" Grab 53/6.

[39] S. Schiek 1957, 192.

Grube 1: F. Maier 1957, 254f. Abb. 3 B
1–5.7–14; F. Maier 1958, 228f. mit Taf. 59 B
1–5.7–14.
Grube 4: Ebd. mit Abb. 3 A; B 6, bzw. Taf.
59 A; B 6.

48. Singen, Kr. Pforzheim. Grab 3/1949: F. Garscha – A. Dauber 1951, 173f. mit Taf. 36 A.

49. Sinsheim. „Die drei Bückel": E. Wagner 1911,
353ff.
Hügel 8, Grab 6: 359.
Hügel 9, Grab 2: 359f.
Hügel 11, Grab 10: 361 mit Abb. 291, h und
292, d.k.
Hügel 11, Doppelgrab 13/14: 361 mit Abb.
290, g.
Hügel 12, Grab 4: 362 mit Abb. 290, h und
292, e.

50. Söllingen, Kr. Rastatt. „Bannwald" Hügel 2,
Grab 1: E. Wagner 1885, 32 mit Taf. 5, 1–7
(hier noch unter „Hügelsheim"); E. Wagner
1911, 58f.

51. Stuttgart-Bad Cannstatt. „Altenburger Feld"
Grab 1: E. Kapff 1900, 75f.; A. Schliz 1905,
41 Abb. 3; K. Bittel 1934, 12f. mit Taf. 2 B.

52. Tailfingen, Kr. Balingen. „Degenfeld" Hügel
2: Fundbericht 1891, 26.

53. Trochtelfingen, Kr. Sigmaringen: L. Lindenschmit 1860, 209 mit Taf. 14, 6–13.

54. Villingen, Kr. Donaueschingen - Villingen.
„Magdalenenberg": K. Spindler 1971, 1972,
1973, 1975.
Gräber 1–24: K. Spindler 1971.
Grab 5: 86f. mit Taf. 17; 18; 19, 1–2.
Grab 9: 90f. mit Taf. 23.
Grab 10: 91f. mit Taf. 24–25.
Grab 12: 93 mit Taf. 26, 4; 27, 1–6.
Grab 16: 96f. mit Taf. 32–33.
Grab 20: 99f. mit Taf. 37, 3–8; 38.
Gräber 25–54: K. Spindler 1972.
Grab 26: 20ff. mit Taf. 2.
Grab 30: 26f. mit Taf. 8.
Grab 33: 29 mit Taf. 12.
Grab 37: 32 mit Taf. 16.
Grab 42: 37f. mit Taf. 22.
Grab 50: 45f. mit Taf. 29–30.
Gräber 55–82: K. Spindler 1973.
Grab 56: 18ff. mit Taf. 2–4.
Grab 68: 35f. mit Taf. 21–23.
Grab 79: 53ff. mit Taf. 45, 3–4; 46; 47.
Gräber 83–127: K. Spindler 1975 (im Satz).
Grab 87: Taf. 6.
Grab 88: Taf. 7–8.
Grab 93, Kind: Taf. 16, 3–6.8.9.
Grab 96: Taf. 21–22.
Grab 97: Taf. 23–29.

Grab 99: Taf. 32.
Grab 106: Taf. 42–43.
Grab 108: Taf. 45–46.
Grab 110: Taf. 47–48.
Grab 120: Taf. 61–64.

55. Waldshut. „Spitalwald" Grab 1: E. Wagner
1885, 19; E. Wagner 1908, 144; E. Gersbach
1969/70, 164 mit Taf. 122, 1.3–7.19.21.24.

56. Walldorf, Kr. Heidelberg. „Bei den drei Bergl-
en" Hügel 1/1881: E. Wagner 1911, 317.

57. Wilsingen, Kr. Münsingen. „Birkach".
Hügel 1/1884: A. Rieth 1938, 109 Abb. 46, 6;
weitere Funde im Württ. Landesmus. Stuttgart.
Hügel 1/1968, Grab 2: A. Beck – J. Biel 1974,
183.

58. Würtingen, Kr. Reutlingen. „Eulenwiese"
Hügel 3: A. Rieth 1938, 142 Abb. 92 A 1.2.4;
240.

Schweiz

59. Aarwangen (Bern). „Zopfen" Hügel 3:
W. Drack 1960, 2ff.

60. Aubonne (Vaud): W. Drack 1964, 42 mit
Taf. 16, 17–23; 17, 1.

61. Gurzelen (Bern): J. Wiedmer 1908, 94;
W. Drack 1959, 14 mit Taf. 6, 1–5.

62. Hemishofen (Schaffhausen). „Sankert" Hügel
P: W. U. Guyan 1951, 20.

63. Hermrigen (Bern): W. Drack 1958a, 5f.

64. Jaberg (Bern). „Kirchdorfwald" Hügel 2:
W. Drack 1959, 14f. mit Taf. 6, 7–16.

65. Kaisten (Aargau): W. Drack 1967, 49 Abb.
20, 3.

66. Trüllikon (Zürich). „Hattlebuck" Hügel 3:
R. Ulrich 1890, 180; W. Drack 1970, 87
Abb. 77, 2.

67. Unterlunkhofen (Aargau). „Bärhau".
Hügel 62: R. Ulrich 1890, 191f.; J. Heierli
1906, 91ff.; W. Drack 1967, 52 Abb. 24.
Hügel 63: J. Heierli 1906, 93ff.; W. Drack
1967, 51 Abb. 22, 1 (dort im Gegensatz zum
Katalog fälschlich als aus Hügel 62 stammend
bezeichnet).

68. Valangin (Neuchâtel), Ortsteil Bussy. Hügel 5,
Grab 3: W. Drack 1964, 24 mit Taf. 9, 3–11.
Zum Material „Glas" der Perlen: W. Drack
1967, 59.

69. Wohlen (Aargau). „Hochbühl".
Hügel 1, Grab 3: E. Suter 1925, 65 mit Taf. 2, 3
(Lanzenspitze und Tongefäß); W. Drack
1958b, 31 Abb. 2, 1a (Achskappe); 64 (Spitzmausschädel).
Hügel 1, Grab 10: W. Drack 1967, 49 Abb.
20, 4–6.

ELSASS

Grundlage aller Untersuchungen in dieser Region bildet das reiche, von F. A. Schaeffer veröffentlichte Material aus den Grabhügeln des Hagenauer Forstes. Es liegen zwar durchweg keine genauen anthropologischen Angaben vor, und auch die Bestimmung von Kindergräbern beruht offensichtlich meist nur auf den geringen Ringweiten, doch ist auch hier eine Tendenz in der Amulettbeigabe gut erkennbar. Wir wollen deshalb nicht jedes Grab einzeln besprechen, sondern nur besonders wichtige Befunde aus der *Tabelle 8* eigens aufführen. Auf die besondere Rolle der Kindergräber bei der Beurteilung des Problems der Latènisierung dieser Region wurde schon an anderer Stelle[40] hingewiesen. Da diese chronologischen Feinheiten für unsere Fragestellung nicht von Belang sind, brauchen wir nicht weiter darauf einzugehen.

Aus Grab 2 des Hügels 14 von K ö n i g s b r ü c k (74), wahrscheinlich dem eines Mädchens, stammt ein Halsring, in dessen unmittelbarer Nähe ein Bronzeringchen mit einer zweischaligen Bronzekugel, dazu zwei Eisen- und zwei Bronzeringchen lagen. Laut X. Nessel fand sich in dem Grab außerdem „une grenaille de bronze fondue", also eine Art Bronzeschrot.

K u r z g e l ä n d (75) Hügel 19, Grab 6 („Frau oder Mädchen") enthielt außer einem Halsring, zwei Spiral(ohr?)ringen, zwei Tonnenarmbändern und einem Gürtel mit Bronzebesatz, aber ohne eigentliches Gürtelblech, eine Reihe von Beigaben unserer Kategorie: mehrere blaue Glasperlen, zwei gelbe Glasringerl, zwei dreieckige Bronzeanhänger (verschollen) und einen durchlochten Stein, darin eine Eisenspirale mit einer bläulichen Glasperle.

Der Gürtelhaken aus Kurzgeländ (75) Hügel 41, Grab 4 bei einem Mädchen wurde als Fremdstück gewertet, weil er zu einem Typ gehört, der in der Westschweiz beheimatet ist[41]. Das Kind in Hügel 42, Grab 1 derselben Hügelgruppe trug neben einem dünnen Bronzearmring nur noch zwei Armringe aus Ton. Bei dem Kind in Hügel 61, Grab 2 handelt es sich vermutlich um eine Hockerbestattung (enfant enseveli assis) mit vier Ringen an nur einem Arm, aber ohne sonstige auffällige Beigaben.

Ein reiches Frühlatène-Inventar bietet das Kindergrab 1 in Hügel 10 vom S c h i r r h e i n e r w e g (78), ergänzt durch eine stempelverzierte Tonrassel in Gestalt einer Ente und eine kleine Glasperle (auf der Brust). Eine ganz ähnliche und eine zweite, bikonische Rassel lieferte Grab 3 in Hügel 5 von M a e g s t u b (76); doch müßte es sich wegen des Zylinderhalsgefäßes mit Deckschale um ein Grab der Urnenfelderkultur handeln. Nessel erwähnt allerdings nicht, daß hier ein Brandgrab vorgelegen habe, und die Deutung als Kindergrab durch Schaeffer beruht offenbar wiederum nur auf der Beigabe der Rasseln. Dabei gleichen sich die beiden Vogelrasseln so sehr, daß man diese chronologische Diskrepanz nicht recht erklären konnte. Möglich wäre es immerhin, wie das Grab von Nierstein (94) lehrt, daß eine urnenfelderzeitliche Tonrassel unversehrt aufgefunden und in ein Frühlatènegrab gelegt worden ist[42].

Aufschlußreich für die Trageweise der Halsringe mit aufgesetzten Ösen ist Hügel 3, Grab 2 von O h l u n g e n (77), wo an den neun Ösen nach ihrer Lage acht kleine Glasringe, zwei Bernsteinperlen, eine Meeresschnecke, zwei gelochte Kiesel und unbestimmte organische Substanzen befestigt gewesen sein können. Sonst war die Frau mit zwei Goldhaarringen, je einem Arm- und Beinringpaar, zwei Armketten aus zahlreichen Gagatperlen und einem Gürtelblech ausgestattet.

[40] L. Pauli 1972, 70ff.
[41] W. Drack 1969, 13ff.; zur Gürteltracht im

Hagenauer Forst allgemein L. Pauli 1972, 36.
[42] Noch etwas ratlos F. A. Schaeffer 1930, 296f.

Tabelle 8. Amulette, Glas und Bernstein im Elsaß.

Legende (Kopf):

- ? keinerlei Angaben über das Skelett erhalten
- – Grab gestört; Zusammengehörigkeit unsicher
- (Frau) Geschlechtsbestimmung nach den Beigaben

Spalten: Bemerkungen · Geschlecht · Alter

Legende (Fuß):

- ● 1–2 Exemplare
- ■ 3 und mehr Ex.

Merkmale (Zeilen):

- Hakenanhänger
- Keulenanhänger
- Tonwirtel, Tonring
- Bernstein
- auffallendes Glas
- Glas
- Bein-, Knochengegenstand
- Muschel, Schnecke
- Hirschhorn
- Tierzahn, -knochen
- sonstiges Mineral
- Silex
- durchlochter Stein
- Steinbeil, Silexpfeilspitze
- Alt- oder Fremdstück
- unbestimmbares Metall, Abfall
- funktionsloses Metall, Curiosum
- Drahtringelchen, -fragmente
- Ringelchen, gegossen
- Ringschmuck mit Gußspuren
- Ringchen mit Fortsatz
- sonstige Anhänger
- Körbchenanhänger
- Dreipaß, Vierpaß
- Ringwürfel, Bronzekubus
- Figürchen, Tonidol
- Beilanhänger
- Schuhanhänger
- Radanhänger
- Rähmchen
- Klapperblech, Rassel

Gräber / Alter / Geschlecht / Bemerkungen:

Fundstelle	Nr.	Alter	Geschlecht	Bemerkungen
Brumath (70)	6,6	Kind		
Donauberg (72)	1,1	–	(Frau)	
Harthouse (73)	6,6	–		
Königsbrück (74)	14,2		(Frau)	verstreuter Bronzeschrot
Kurgeländ (75)	2,2	„Mädchen"	(Frau)	
	5,1		(Frau)	
	5,4	Kind	(Frau)	(nach Ringgröße)
	7,4			
	19,6	„Mädchen?"		
	41,1	Kind		Tonarmringe
	41,4	7–8		„enseveli assis"
	42,1	Kind		(nach Ringgröße)
	61,2	Kind		Urnenfelderkultur?
	88,1	Kind		
Maegstub (76)	5,3	Kind	(Frau)	
	8,1	Kind	(Frau)	
	13,4	Kind	(Frau)	
	21,1	Kind	(Frau)	
	25,1	Kind		
	27,3	Kind		
	28,1	Kind		
Ohlungen (77)	3,2	Kind	(Frau)	
	3,10	Kind	(Frau)	
	3,16	Kind		
	3,18	Kind		
Schirrheinerweg (78)	8,4	Kind	(Mann?)	Unterarm an Oberarm gewinkelt
Uhlwiller (79)	10,1	Kind	(Frau)	
	4,1	Kind		(nach Ringgröße)
	4,2	8		Nüsse
	7,1	?		
Heidolsheim (80)		Kind		Rückenlage, aber Beine angezogen
Schelmenhofstadt (82)				

Keine näheren Angaben gibt es zur Körperbestattung in Hügel 8, Grab 1 von Maegstub (76), an deren Hals eine große, blau-gelb gebänderte Glasperle, weitere, aber verschollene Glasperlen, ein Anhänger mit einem halbmondförmigen Fortsatz (ähnlich *Abb. 13, 2*) und zwei Bogenfibeln gefunden wurden. Die Ausstattung vervollständigten zwei Armketten aus schwärzlichen Glasperlen und ein einfaches Gürtelblech.

Wegen des Hohlhalsringes, den zwei Armringen mit Stempelenden und den zwei Eisenfibeln ist Hügel 25, Grab 1 von Maegstub (76) wohl schon nach Latène B zu datieren. Offenbar an einer Schnur um den Hals wurden dazu noch mehrere Glasperlen (acht blau, eine blau-weiß, eine blau-gelb), eine Bernsteinperle und ein Gagatringchen getragen. Eine Silexpfeilspitze lag ebenfalls in der Halsgegend und wies noch Rostspuren, vielleicht von Fibeln, auf.

Wohl kein geschlossenes Grab bilden die nur zusammen inventarisierten Funde von Obermodern (81): ein Antennendolch, Fragmente eines Halsringes mit Gußnähten, zwei Bogenfibeln, ein Feuersteinkratzer und ein großer Bernsteinring. Immerhin gehört dazu der Unterkiefer eines noch ziemlich jungen Individuums, bei dem gerade der Weisheitszahn am Durchbrechen war. Zu ihm würden die Funde, außer dem Dolch, gut passen.

Nur drei weitere Befunde aus dem Elsaß seien angeführt. Der erste stammt aus Brumath (70) Hügel 31. In Grab B lag ein nach seiner Körpergröße sicher nicht erwachsenes Individuum mit drei Doppelpaukenfibeln und Ringpaaren an Armen und Beinen. Etwa 0,5 m neben der linken Schulter und 0,2 m höher fand sich im Grabschacht eine bronzezeitliche Nadel, die sicherlich mit Absicht dort deponiert worden war, weil der Hügel erst in der Hallstattzeit angelegt wurde[43].

Der andere wird aus Heidolsheim (80) berichtet. Als Nachbestattung in einem Hügel mit Grabkammer fand sich ein schlecht erhaltenes Skelett, das auf dem Rücken, etwas zur Seite gedreht, lag und die Beine in den Knien nach oben seitwärts angezogen hatte. Am linken Arm trug es einen Stempelring aus Bronze. Unter den Kniekehlen entdeckte man einen dicken Ring aus Ton (Dm. 7,6 cm), der wegen seiner Weite von nur 3,5 cm keinesfalls als Arm- oder gar Beinring gedacht gewesen sein kann.

Ohne nähere Erläuterung steht die Angabe, daß in einem Kindergrab von Schelmenhofstadt (82) ein flaches, männliches Bronzefigürchen mit gespreizten Beinen gefunden worden sei.

Die angeführten Beispiele fügen sich also gut in den schon erarbeiteten Rahmen ein. Sie setzen in der Stufe Hallstatt D 1 ein (etwa Maegstub Hügel 8, Grab 1) und sind noch in den spätesten Bestattungen der Hügel (etwa Maegstub Hügel 25, Grab 1) anzutreffen. Die Beigabe von Glas ist nur sparsam geübt worden, um so mehr fällt ihre Konzentrierung auf Gräber von Kindern oder mit anderen Amulettbeigaben auf. Hingegen sind Ringe mit deutlichen Gußzapfen oder -knoten recht häufig. Allerdings befinden wir uns hier, wie sich schon in Nordwürttemberg andeutete, am Südrand eines Gebietes, das solche Ringe ganz allgemein bevorzugte und sich vom nordhessischen Mittelgebirge bis südlich des unteren Maines erstreckte. Aus diesem Grunde haben wir auch im Elsaß diese Ringe nur in besonders deutlichen Einzelfällen noch berücksichtigt.

70. Brumath (Bas-Rhin). Hügel 31, Grab B: J.-J. Hatt – H. Ulrich 1947, 42f.; 46 Abb. 4.
71. Dachstein (Bas-Rhin). Grab in Siedlungsgrube: A. Stieber 1962.

72–79. Hagenauer Forst (Bas-Rhin): F. A. Schaeffer 1930.
72. Donauberg Hügel 6, Grab 6: 21ff. Abb. 15, g–m.

[43] B. Normand 1973, 79f. zweifelt an der Intentionalität der Beigabe, allerdings ohne Begründung.

73. Harthouse Hügel 1, Grab 1: 103 f.; 106 Abb. 93.
74. Königsbrück.
 Hügel 6, Grab 6: 28 f.; 31 Abb. 25.
 Hügel 14, Grab 2: 38 Abb. 32, o–r; 40.
75. Kurzgeländ.
 Hügel 2, Grab 2: 51 ff. Abb. 47, a–l.
 Hügel 5, Grab 1: 55 f. Abb. 50, l–o.
 Hügel 5, Grab 4: 55 f. Abb. 50, p–q.
 Hügel 7, Grab 4: 57 f. Abb. 51.
 Hügel 19, Grab 6: 64; 67 Abb. 60, a–c. n–p.
 Hügel 41, Grab 1: 65 ff. Abb. 58, n–p.
 Hügel 41, Grab 4: 67 f. Abb. 60, e–h.
 Hügel 42, Grab 1: 68 f. Abb. 62, p–q.
 Hügel 61, Grab 2: 69 f. Abb. 62, t.
 Hügel 88, Grab 1: 69 Abb. 62, v; 72 f.
76. Maegstub.
 Hügel 5, Grab 3: 151 f. Abb. 134.
 Hügel 8, Grab 1: 144 Abb. 127; 152 f. Abb. 136, x.
 Hügel 13, Grab 4: 153 Abb. 136, f–l; 155 f.
 Hügel 21, Grab 1: 159 Abb. 142, i–m; 166 f.

Hügel 25, Grab 1: 159 Abb. 142, a–h; 167 f.
Hügel 27, Grab 3: 157 Abb. 141, a–d; 168.
Hügel 28, Grab 1: 157 Abb. 141, n–t; 169 f.
77. Ohlungen.
 Hügel 3, Grab 2: 119 f. Abb. 106, a–n.
 Hügel 3, Grab 10: 123 f. Abb. 109, i–l.
 Hügel 3, Grab 16: 126; 128 Abb. 112, a–g.
 Hügel 3, Grab 18: 128 Abb. 112, i–m.
78. Schirrheinerweg.
 Hügel 8, Grab 4: 79 f. Abb. 71, g–k.
 Hügel 10, Grab 1: 82 ff. Abb. 74.
79. Uhlwiller.
 Hügel 4, Grab 1: 130 f. Abb. 114, e–l.
 Hügel 4, Grab 2: 130; 133 Abb. 116, r–s.
 Hügel 7, Grab 1: 131; 133 Abb. 116, k–o.
80. Heidolsheim (Bas-Rhin). „Eisenfresser" Grab E: R. Forrer 1912, 321 ff.
81. Obermodern (Bas-Rhin): F. A. Schaeffer 1930, 179 ff. Abb. 153, O–R; 302 (dort irrtümlich unter „Ohlungen").
82. Schelmenhofstadt (Bas-Rhin). Hügel 1: B. Normand 1973, 111 mit Taf. 18 F.

Hunsrück-Eifel-Kultur und angrenzende Gebiete

Im Norden schließt sich an das Elsaß ein Gebiet an, das an Rhein und Mosel von der Hunsrück-Eifel-Kultur eingenommen wird und weiter südlich in eine Zone übergeht, die zur eigentlichen südwestdeutschen Hallstattkultur überleitet. A. Haffner hat für sie die Bezeichnung „saarländisch-pfälzisch-lothringische Hallstattgruppe" vorgeschlagen[44] und die Unterschiede zur Hunsrück-Eifel-Kultur herausgestellt. Diese Differenzierungen brauchen uns hier weiter nicht zu beschäftigen, weil für unsere Fragestellung das ganze Gebiet von Lothringen bis zu den Ostabhängen des Pfälzer Waldes, vom Bienwald bis an den Rand der Kölner Bucht offenbar eine Einheit bildet. Zwei Charakteristika sind dafür zu nennen: erstens die Tatsache, daß die Skelette durch die Ungunst der Bodenverhältnisse nicht oder so schlecht erhalten sind, daß anthropologische Bestimmungen aufgrund des Skelettmaterials praktisch überhaupt nicht vorliegen, und zweitens die Beobachtung, daß die Beigabe von Amuletten und auch Glas oder Bernstein ohnehin ausgesprochen selten geübt wird. So können wir uns darauf beschränken, anhand modern gegrabener Gräberfelder allgemein das Problem der Kindergräber zu beleuchten und dann einige herausragende Einzelbefunde aufzuzählen, deren Sonderstellung gerade im Vergleich mit den üblichen Verhältnissen um so deutlicher wird.

Aus den beiden Grabhügelgruppen von Losheim (90) sind 43 Gräber der jüngeren Hunsrück-Eifel-Kultur bekannt. Nach den Beigaben sind zwölf Frauen- und acht Männergräber, nach der Lage der Ringe im Grab drei Kindergräber (Hügel 2, Grab 2; Hügel 4, Grab 2; Hügel 12, Grab 4) zu identifizieren. Da diese drei Kinder auch kleinere Ringe getragen haben, lassen sich unter den restlichen Gräbern drei weitere Kinderbestattungen wahrscheinlich machen: Hügel 3, „Grab" 4;

---

[44] A. Haffner 1965, 21.

Hügel 6; Hügel 13, Grab 3. Über das Alter der Kinder weiß man nichts, allein in Hügel 12, Grab 4 waren einige Zähne durch die Kupfersalze konserviert. Sie ließen eine Altersbestimmung (8 Jahre) zu. Die Beigaben dieser Kinder unterscheiden sich im allgemeinen durch nichts von denen der Erwachsenen. Als Besonderheiten sind nur anzumerken: der Halsring aus Hügel 13, Grab 3 mit seinem extrem langen Gußzapfen und der eiserne Halsring in Hügel 2, Grab 2. Zu letzterem Grab gehörte auch eine Schale, um die einige wenige kalzinierte Knochen (unbestimmt) verstreut waren.

Ähnlich steht es mit dem etwa gleichzeitigen Gräberfeld von Theley (98). Unter etwa 37 nach-weisbaren Bestattungen lassen sich nach der Ringlage oder der Grabgrubenlänge nur drei Kinder erschließen. Grab 2 in Hügel 9 war als einziges Grab außer mit Halsring und Armringen auch noch mit Beinringen ausgestattet[45]. Grab 6 in Hügel 18 war völlig beigabenlos und konnte nur aufgrund der Länge der Sargspuren erschlossen werden. Aus Grab 5 des Hügels 18 werden außer dem Halsring und zwei Stempelarmringen noch „mit Bronze umgossene Eisenstücke und Bronze-nadelschaft" (verschollen) erwähnt. Da sie in der Nähe des Halsringes gelegen haben sollen, kann es sich um Reste eines eisernen Halsringes mit aufgeschobenen Bronzehülsen (statt Glasperlen) gehandelt haben. Ein solcher Halsring mit aufgeschobenen Glasperlen ist auch in Grab 3 des Hügels 18 gefunden worden; dazu nur noch das Fragment einer eisernen Drahtfibel, ein Eisen-messer und ein glättverzierter Topf mit einer kleinen Schale. Hier fällt also das Fehlen der sonst üblichen Armringe auf, doch kann wegen des fast völlig vergangenen Skeletts nichts weiter über dieses Individuum ausgesagt werden.

Erst jüngst wiederentdeckt und, soweit möglich, vollständig ausgegraben wurde das Grab-hügelfeld von Saarlouis-Fraulautern „Steinrausch" (97). In sechs Hügeln konnten etwa 89 Gräber identifiziert werden. Darunter befinden sich aber nur acht Kinder, die aus der Größe der meist gut erkennbaren Grabgrube erschlossen werden können. Vier von ihnen (Hügel 3, Grab 5; Hügel 6, Gräber 9 und 18; Hügel 7, Grab 9) wurden überhaupt beigabenlos bestattet, in je einer Grube fand sich nur eine Scherbe (Hügel 6, Grab 5) oder ein einzelner Armring (Hügel 6, Grab 8). In den letzten zwei Gräbern (Hügel 1, Grab 4; Hügel 3, Grab 1) wird der einzelne Armring noch durch die zweifellos intentionelle Beigabe einer grauen Kieswacke ergänzt. Außerdem scheint der Armring in Hügel 3, Grab 1 ein Fehlguß zu sein.

Interessant sind die vier Fälle, wo die kleinen Gruben offenbar gleichzeitig mit Grabgruben für einen Erwachsenen und mit ihnen in konstruktiver Verbindung angelegt wurden. Während in Hügel 6, Grab 18 beide Gräber beigabenlos sind und auch außerhalb des Kreisgrabens lagen, sind in den anderen drei Gräbern (Hügel 6, Gräber 5, 8 und 9) die Kinder zusammen mit Individuen bestattet, die durch ihre Ringsätze als weiblich ausgewiesen werden. Dabei waren bei Hügel 6, Grab 8 die beiden Gräber durch eine Grauwacke getrennt. Nun sind die Grabgruben der Kinder in diesen Fällen so klein, daß H. Maisant daran denkt, „daß hier Mutter und Kind (Säugling?) zur gleichen Zeit gestorben waren und zusammen bestattet wurden. Es ist denkbar, daß Mutter und Kind bei der Geburt des Kindes, also im Kindbett, verstorben sind"[46].

Ganz so eindeutig scheint der Sachverhalt aber nicht zu sein. Erstens wäre das Individuum in der größeren Grube von Hügel 6, Grab 18 wegen seiner Beigabenlosigkeit eher ein Mann[47]. Zweitens stellt man bei einer Betrachtung der Ringweiten fest, daß – unter Berücksichtigung der

---

[45] Bei dem Ring aus Hügel 18, Grab 4 (A. Haffner 1964, 129 Abb. 6,5) kann es sich wegen seiner Weite von nur 4,5 cm (damit noch geringer als die der Arm-ringe dieses Grabes!) keinesfalls um einen Beinring handeln, auch wenn er im gestörten Fußbereich des

Grabes bei den Gefäßen zutage kam.

[46] H. Maisant 1973, 83.

[47] H. Maisant erklärt alle Gräber ohne Ring-schmuck zu Männergräbern, hat aber trotzdem ein Defizit von 34 Männern zu 45 Frauen.

verschiedenen Konstruktion und damit Verbiegbarkeit – vier Ringe oder Ringpaare wegen ihrer geringen Weite aus der allgemeinen Streubreite herausfallen:

> Hügel 5, Grab 19: geschlossener Armring, W. 4,8 cm. Grabgrube auffallend schmal, Länge wegen Störung am Fußende nicht zu ermitteln.
> Hügel 6, Grab 5: geschlossener(?), massiver Armring, W. 4,6 cm. Beinringe normal; „Frau" mit Kleinkind.
> Hügel 6, Grab 8: Armringe normal; zwei geschlossene Beinringe, W. 7,7–7,9 cm. Dazu ein Bronzelöffel(?); „Frau" mit Kleinkind.
> Hügel 6, Grab 14: Hohlarmringe normal; zwei massive Beinringe, W. 8,0 cm. Keine Grabgrube erkennbar, aber nach der Lage der Ringe eher ein erwachsenes Individuum.

Wir sehen also, daß es sich in zweien dieser vier Fälle um Gräber handelt, die mit dem Grab eines Kleinkindes kombiniert sind, wobei sich Hügel 6, Grab 8 noch durch die Beigabe des absolut ungewöhnlichen Löffels(?) besonders heraushebt. Man sollte deshalb erwägen, ob in diesen Gräbern statt Frauen nicht größere Kinder oder Jugendliche bestattet sind, weil auch Hügel 5, Grab 19 mit seiner schmalen Grabgrube in diese Richtung deuten könnte. Allerdings weist das letzte „kombinierte" Grab 9 in Hügel 6 keine Besonderheiten auf; die Ringweiten entsprechen der üblichen Norm.

Drei Gräber dieser Gruppe verdienen noch unsere Aufmerksamkeit. Aus Hügel 3, Grab 3 stammen vier große Glasperlen und zwei Hohlarmringe, dazu größere Bronzeblechfragmente etwa in Hüfthöhe, die aber nicht quer zur Skelettrichtung lagen, sondern längs der rechten Körperseite[48]. Die Grabgrube gehört zwar zu den schmäleren, ist aber normal lang. In Hügel 6, Grab 1 wurde in der Brustgegend eine einzelne dunkelgrüne Glasperle geborgen. Einer der beiden recht massiven Armringe war auffallenderweise verbogen, wobei nach der Tiefe der Funde eine rezente Einwirkung ausgeschlossen werden darf. Noch seltsamer ist der Befund in Hügel 5, Grab 15. Dort fand man in der Mitte der normal großen Grabgrube ein Spiralfragment einer Bronzefibel und undefinierbare Bronzereste. In einer Ecke stand eine rillenverzierte Schale, um die herum etwa 65 blaue Glasperlen verstreut waren. Fünf weitere Perlen lagen schließlich in der Halsgegend der gut mit Ringen ausgestatteten Frau in Hügel 6, Grab 12.

Wir können diese Befunde nur konstatieren und darauf verweisen, daß ähnlich auffallende Erscheinungen in anderen Gegenden mit besseren Beobachtungsmöglichkeiten normalerweise auf eine Sonderstellung des betreffenden Individuums hindeuten. Ihr Vorkommen auch in dieser Region läßt erkennen, daß das damit verbundene Gedankengut offenbar hier ebenfalls nicht unbekannt war, wenngleich die Schlüssigkeit der Ergebnisse teils durch das Fehlen anthropologischer Bestimmungen, teils durch die Beigabensitte selbst (Kindergräber wegen Beigabenarmut oder -losigkeit kaum zu identifizieren) noch zu wünschen übrig läßt.

Ähnlich dürftig sind die Befunde in der östlichen Hunsrück-Eifel-Kultur. Im Gräberfeld von Wesseling (101) liegen zwar anthropologische Bestimmungen vor, aber nach diesen befindet sich unter den 25 Gräbern kein einziges Kind. Erwähnenswert sind nur das Hockergrab 4 einer Frau mit stark abgenutzten Armringen und das beigabenlose Männergrab 15, in dem das Skelett mit angewinkelten linken Gliedmaßen auf dem Bauche lag. Zeitlich gehört dieses Gräberfeld in die Stufe Latène B.

Unter den 28 geschlossenen Grabinventaren aus Kärlich (88) gibt es immerhin fünf sichere Kindergräber. Zwei sind beigabenlos (Gräber 8 und 19), Grab 25 mit einer Tonflasche, Grab 23

---

[48] Daß Gürtel nicht in Trachtlage, sondern neben dem Skelett gefunden werden, ist häufiger zu beobachten. Vgl. etwa A. Haffner 1969, 52 Abb. 3, 1 (Riegelsberg); H. Polenz 1973, 123.

mit zwei Latène B-Bronzefibeln und schließlich Grab 10 mit zwei Kinderarmringen, einer Drahtfibel und einer kleinen Tonflasche ausgestattet. Bemerkenswert ist dabei, daß trotz des nicht seltenen Ringschmuckes in diesem Gräberfeld alle Fibeln (bis auf möglicherweise eine eiserne in dem
Männergrab 18) bei Kindern gefunden wurden, was doch etwas zur Vorsicht bei Trachtrekonstruk-
tionen aufgrund der Grabbeigaben mahnt.

Dasselbe läßt sich nämlich an den zwölf Hügelgräbern von Mayen (92) beobachten, wo die
einzigen beiden Fibeln (Hallstatt D 3) zusammen mit drei Kinderringen und den einzigen Bern-

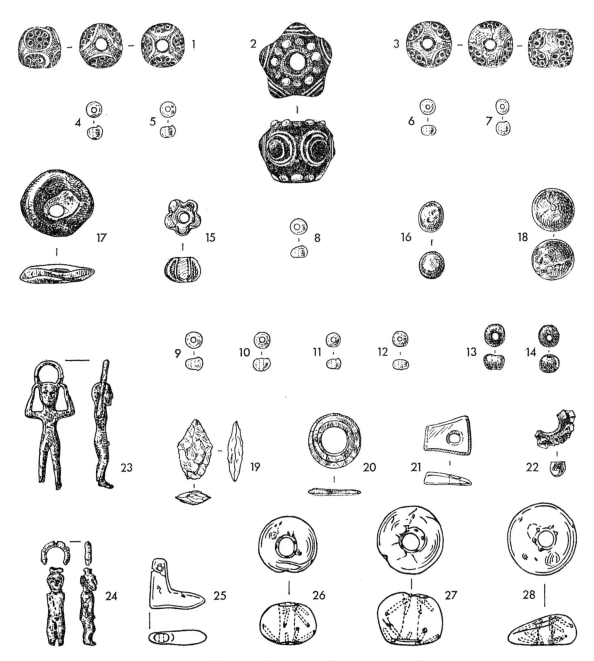

Abb. 17. Reinheim (96). – 1–15.20.22 Glas; 25–28 Bernstein; 16 Hornstein?; 17 Quarzit; 18 Jaspis; 19 Chalzedon;
23.24 Bronze. M. 1 : 2.

steinringchen aus dem Kindergrab 6 stammen. Aus dem wahrscheinlichen Kindergrab 7 kennen wir nur ein bauchiges Gefäß, aus Grab 12 einen Topf und einen kleinen Armring.

Gerade bei der geringen Anzahl wirklich eindeutiger Befunde zeigt jedoch ein Grab, wie sehr solche Untersuchungen von der Art der Überlieferung abhängen: das „Fürstengrab" von Reinheim (96). In diesem so reich mit Goldschmuck und Trinkgeschirr ausgestatteten Grab (nach dem Ringschmuck: einer Frau) fand man links neben dem Kopf eine Anhäufung von Bernstein, Glas und sonstigen merkwürdigen Gegenständen, so daß der Ausgräber einen Behälter, wohl aus Holz, postulierte[49], eine „Schatulle", einen „Schmuckkasten". Die ganze Vielfalt der dort versammelten Gegenstände ist aus der Publikation nur mit Mühe zu ersehen, zumal etliche Dinge gar nicht abgebildet werden. Deshalb wird der Inhalt des Behältnisses hier nach etwas anderen Kategorien zusammengestellt:

Augenfällige Amulette: zwei menschengestaltige Bronzefigürchen als Anhänger *(Abb. 17, 23–24)*; ein flacher, durchlochter Quarzitstein *(Abb. 17, 17)*; ein trapezförmiger Anhänger aus olivgrauem Stein *(Abb. 17, 21)*; eine Pfeilspitze aus Chalcedon *(Abb. 17, 19)*; ein fußförmiger Anhänger aus Bernstein *(Abb. 17, 25)*.

Unbearbeitete Mineralien: Kugel aus Jaspis *(Abb. 17, 18)*; Kugel aus Hornstein *(Abb. 17, 16)*; ein halber Ammonit; Feuersteinabschlag; zwei Stücke Roteisenerz(?); zwei Bruchstücke Gagat.

Curiosa und Altstücke: mindestens 16 Bronzeringchen; kleines Eisenmesser; kleine Eisenbüchse; eiserne Stangengliederkette von mindestens 1,6 m Länge; vier gestielte Ringe aus Eisen; weitere Eisenfragmente; Handgriff aus Bernsteinsegmenten; Bruchstück eines Ringes aus Ölschiefer; Bruchstück eines Lignitringes.

Glas: große, schwarz-gelbe Buckelperle *(Abb. 17, 2)*; zwei Augenperlen, eine zerbrochen *(Abb. 17, 1.3)*; blaue Ringperle *(Abb. 17, 22)*; eine hellgrüne *(Abb. 17, 20)* und eine hellblaue Scheibenperle; grüne, melonig gerippte Perle *(Abb. 17, 15)*; zwei blaue Perlen *(Abb. 17, 13–14)*; neun milchweiße Perlen *(Abb. 17, 4–12)*; klares Bruchstück (rezent?).

Bernstein: fünf Schieber; fünf große Ringe; vier mittelgroße, kompliziert durchbohrte Perlen *(Abb. 17, 26–28)*; 53 größere Perlen; 55 kleine Perlen; fünf kleine, profilierte Perlen.

Leider war vom Skelett überhaupt nichts erhalten. Offenbar hatte die Tote, nach der Lage der Armringe zu urteilen, die Hände auf dem Becken oder Bauch zusammengelegt. Rekonstruiert man dann mit Hilfe des Halsringes die ungefähre Skelettlänge, kann es sich durchaus um ein erwachsenes Individuum gehandelt haben. Es liegt auf der Hand, daß der Inhalt dieses Behältnisses die ähnlichen Befunde, etwa von Blumenfeld (20) oder im Hügel neben dem Kleinaspergle (10), ins fast Unglaubhafte übersteigert. Um so weniger werden bei einer Interpretation des Grabes von Reinheim diese Funde nur als Zeichen des Reichtums der darin bestatteten Person gewertet werden dürfen.

Aus dieser Sicht kann man vielleicht auch dem immer etwas umstrittenen Fund von Wallerfangen (99) neue Aspekte abgewinnen. Dort machte man bei Ausschachtungsarbeiten für einen Weiher im Sommer 1854

„*einen Fund, der sich von den bis dahin gemachten auszeichnete und besonders darauf schließen läßt, daß es eine Begräbnisstätte war, die man ausgrub. Ungefähr 1,4 m unter der Oberfläche der Erde in sandigem Kiesbeton fanden sich c. fünf 1,26–1,57 m lange Stücke Holz, die unregelmäßig zum Theil aufeinander lagen, von der Zeit aber derart vernagt waren, daß ihre ursprüngliche Form und respective Stellung nicht mehr ermittelt werden konnte. Auf und um das eine Stück, das ein Brettchen von flachem Eichenholz gewesen sein mochte und ziemlich eben, zum Theil von den anderen Stücken gedeckt, im Boden lag ..., befinden sich einzelne Stellen, die mit einem groben Gewebe von wollenem Zeug bedeckt sind. Stellenweise liegt das Gewebe so dicht aufeinander, daß die Schicht 2,6 cm dick erscheint. Von diesem Stoffe zum Theil umhüllt, zum Theil darauf liegend wurden folgende Gegenstände gefunden:*"
Zwei Bronzeblechhalsringe mit Goldblechüberzug; Enden ineinandergesteckt. W. 13,2 cm.
Zwei Goldblecharmringe, Enden ineinandergesteckt. W. 5,0 cm.

[49] J. Keller 1965, 16 Abb. 4; 18.

Ein in drei Teile zerbrochener, massiver Bronzering. Dm. ca. 6,5 cm.
Würfel aus vier Bronzeringen. Ringe Dm. 1,2 cm.
Drei Bernsteinringchen. Dm. 1,76–3,49 cm.
Blaugrünliche Glasperle mit vier Noppen. Dm. 1,98 cm.

„und endlich die ganzen Haare eines Schädels, sehr fein, ziemlich lang, zum Theil als Locken gewunden und von dunkelrother Farbe. Diese Haare waren leider beim Ausgraben nicht bemerkt worden und wurden erst gefunden, als der ausgeworfene Boden weggeführt wurde … Da die aufgefundenen Gegenstände auf einer sehr geringen Fläche zusammenlagen, so ist, wenn man annimmt, daß die Kleinodien Arm oder Hand schmückten, zu vermuthen, daß die Leiche in der Art bestattet wurde, daß ihr die Arme über die Brust zusammengelegt waren …; es sei denn, daß man der Ansicht wäre, sie sei sitzend beerdigt worden“.

Aufgrund der bisher dargelegten Zusammenhänge zwischen Amulettbeigabe und Kinderbestattungen scheint es sich nach der Lage der Beigaben bei dem Fund von Wallerfangen am ehesten um das Grab eines kleinen Kindes zu handeln. Da die großen Ringe als offene Hohlringe verbiegbar sind, sind sie sehr wohl als Halsringe[50], zumindest eines Kindes, denkbar, zumal in der westlichen Hunsrück-Eifel-Kultur „Brustringe" kaum belegt sind. Allerdings gehört dann die Familie des Kindes, nach den Goldringen zu urteilen, wohl in die Reihe derer, denen man auch die anderen goldführenden Frühlatènegräber dieser Gegend zuschreibt.

Gegenüber diesen beiden so herausragenden Befunden fallen natürlich andere Gräber deutlich ab. Dazu zählt etwa das Kindergrab aus Farschweiler (85). Das Kind trug zwei zusammengebogene Knotenringe, zwei drahtförmige Bronzefibeln, einen Bronzehalsring mit leicht verbreiterten Enden, einen Eisenhalsring mit aufgeschobenen Glasperlen und einen großen Bernsteinring.

Aus Lothringen kennt man das Grab von Domèvre-en-Haye (105). Bei einer nicht näher bestimmten Körperbestattung fand man außer reichem Latène B 2-Ringschmuck, einer Fibel und einem Gürtelhaken mehrere Beigaben (offenbar in der Brustgegend) mit Amulettcharakter: 23 Bronzeringchen, in die zuweilen Perlen aus Glas und Ton eingehängt sind, ein Radanhänger, ein fragmentierter Anhänger (am ehesten ein Fuß oder Schuh), ein menschengestaltiges Bronzefigürchen, das an einem Eisenringchen aufgehängt war, und das Fragment eines Eisenstiftes (Nadel?).

Aus dem östlichen Randgebiet der hier behandelten Region sind mehrere Gräber erwähnenswert. Zunächst ein Kind aus Ingelheim-Elsheim (87), das neben einem Hohlhalsring noch einen Bronzedrahthalsring mit einzelnen Schleifen und „aufgereihten Perlen aus Bernstein, blauem Glas und Knochen" trug; dazu drei Arm- und zwei Beinringe. Dann gibt es aus Nierstein (94) ein latènezeitliches Hockergrab mit zwei Stempelarmringen, einem Drahtfingerring und einer Eisenfibel, an dessen Fußende sich ein Henkelkrügchen der frühesten Bronzezeit fand, „das wohl schon als ‚Altertum' mit ins Grab gegeben wurde". In unmittelbarer Nähe dieses und noch anderer Latènegräber fanden sich zwar dort noch neolithische und bronzezeitliche Gräber, so daß das Altstück zumindest erklärlich ist. Trotzdem sei darauf hingewiesen, daß gerade das Vorkommen in einer – durch die Fibel und Ringe zweifelsfrei datierten – Hockerbestattung auf eine Sonderstellung dieses Individuums deutet.

Ähnliche Überlegungen müssen für Grab 1 in Hügel 25 von Dannstadt (84) gelten. Es enthielt ein in rechter Hockerlage bestattetes Skelett ohne Beigaben, „nur 2–3 Dutzend Schneckenhäuser unserer großen, weißen Weinbergschnecken umgaben es". Da die beiden anderen Gräber dieses Hügels nach Hallstatt D 3 zu datieren sind[51], wird man vorerst auch diesen Befund in etwa

---

[50] Hingegen hält H. Maisant 1971, 56. 256 die großen Goldblechringe als Oberarmringe für zu groß, als Halsringe für zu klein, daher „können sie mit großer Wahrscheinlichkeit als Brustringe gedeutet werden". Ähnlich R. Schindler 1968, 64 mit Anm. 134.

[51] H.-J. Engels 1967, Taf. 16 E; 18 C.

dieselbe Zeit setzen dürfen. Noch Merkwürdigeres förderte die Ausgrabung des Hügels 133 zutage. Hier war in einem mit Hirschgeweih (oder -knochen) belegten Holzsarg ein erwachsenes Individuum bestattet, das nach dem paarigen Ringschmuck an Armen und Beinen eine Frau gewesen sein dürfte. Die Hände waren in den Schoß gelegt und berührten dort einen dicken Tonring. Neben dem linken Fuß entdeckte man ferner einen Sandstein.

Erst durch die Aufmerksamkeit von U. Schaaff wurde das Grab mit einer Schnabelkanne von Worms-Herrnsheim (104) in seiner Bedeutung erkannt und gänzlich freigelegt. Allerdings sind bei der Veröffentlichung wegen der Konzentrierung auf chronologische Probleme andere bedenkenswerte Dinge zu kurz gekommen. Da vom Skelett so gut wie nichts erhalten war (bestimmbar nur ein Rippenfragment beim Gürtelhaken als „erwachsen"), ist dessen Lage nur durch die Beigaben zu rekonstruieren[52]. Während Schaaff nach B. Stümpel das Skelett mit dem Kopf im Norden liegen läßt, deutet doch eine Betrachtung der Ringe auf das Gegenteil. Ist schon die Richtung aus dem Verhältnis der Arm- zu den Fingerringen eindeutig zu erschließen, so widerspricht dem auch nicht der Sapropelitring, der als Beinring angesprochen wird. Ein einzelner Sapropelitring ist für diese Zeit nämlich niemals als Beinring belegt, sondern allenfalls als Oberarmring, wozu seine Lage auch ausgezeichnet paßt. Er wäre demnach am (etwas ausgewinkelten?) linken Oberarm getragen worden. Dazu trug das doch wohl weibliche Individuum einen bronzenen Leibring und eine Latène A-Fibel; diese aber offenbar nicht in der Brustgegend, sondern eher an der rechten Hüfte. Demnach hätte auch die Schnabelkanne nicht am Kopf-, sondern am Fußende der Bestattung gestanden.

Unser Interesse verdient dieses Grab wegen einiger Beigaben, die sich beim linken Armring, also etwa an der Hüfte, befanden. Es handelt sich dabei um eine eng zusammengelegte Stangengliederkette, ein Stück Bergkristall und zwei mit Holz gefüllte würfelförmige Bronzebeschläge (oder besser: -aufsätze). Der eiserne, durchbrochene Gürtelhaken daneben kann immerhin zu einem tatsächlich getragenen Ledergürtel gehört haben[53]. Zwischen den Oberschenkeln entdeckte man Leder(?)reste, dabei zwei Bronze- und ein Eisenringchen.

Mit Recht weist Schaaff auf den Amulettcharakter des Bergkristalls und sein Vorkommen gerade in den von uns schon besprochenen Gräbern von Reinheim (96) und Blumenfeld (20) hin. Diese drei Gräber sind aber auch dadurch miteinander verbunden, daß in ihnen die Stangengliederketten nicht getragen, sondern zusammengelegt und in Verbindung mit den Amuletten beigegeben wurden. Für die würfelförmigen Beschläge hingegen scheint es keine direkten Parallelen zu geben.

Noch weiter östlich liegt Ober-Ramstadt (95). Dort wurde bei einer Ausgrabung in einem Hügel eine Ansammlung von Beigaben aufgedeckt, bei der kein Skelett mehr erhalten war. Nach der Lage der Beigaben läßt sich jedoch mit Sicherheit erschließen, daß hier das Grab eines Kindes von etwa 1,1–1,2 m Körperlänge vorliegt. Das Kind war mit einem Stempelhalsring, zwei Arm-, zwei Beinringen und einer Bronzefibel bestattet. Als zweiten Halsring trug es einen aus Eisen, auf den hell- und dunkelblaue Glasperlen sowie Bronzeblechhülsen aufgeschoben waren.

Reste eines ähnlichen Eisenhalsringes mit Glasperlen könnten sich auch im Kindergrab 2 von Niederwalluf (93) befunden haben, aus dem auch ein Stück Silex stammt. Allerdings sind, obwohl das Grab ungestört gewesen sein soll, nur ein kurzes Eisenringfragment und eine halbe blaue Perle gefunden worden; dazu ein bronzener Hohlhalsring und zwei Stempelarmringe (einer absichtlich verbogen?). Ebenfalls ein Kindergrab war das von Winkel (103) mit einem tordierten

---

[52] U. Schaaff 1971, 52 Abb. 1.
[53] Vgl. Hirschlanden (15) Grab 11 mit zwei Leib-

ringen und einem Gürtelblech: H. Zürn 1970, 64 Abb. 32.

Halsring, auf dem mehrere blaue Glasperlen saßen. Wichtig ist in diesem Zusammenhang, daß diese beiden Gräber die einzigen Glasbeigaben in H. Behaghels Latène-I-Südwestgruppe enthielten[54].

Es versteht sich von selbst, daß gerade in dem Gebiet zwischen Mosel und unterem Main die hier ausgeführten Befunde nur eine zufällige Auswahl darstellen, da Quellensituation wie Publikationsstand etliche Wünsche offen lassen. Trotzdem läßt sich an den in den letzten Jahren ergrabenen Gräberfeldern ablesen, daß hier ohnehin nicht mit einer großen Anzahl von Kinder- und Amulettgräbern gerechnet werden darf. Gerade im Vergleich etwa zu Münsingen oder Nordwürttemberg, ja selbst zum Elsaß, wird der Unterschied doch recht deutlich.

83. Dalheim, Kr. Mainz-Bingen: B. Stümpel 1967, 181 (Datierung fraglich).
84. Dannstadt, Kr. Ludwigshafen. „Im Anlehrer".
  Hügel 25, Grab 1: L. Grünenwald 1900, 379.
  Hügel 72: L. Kilian 1974, 49.
  Hügel 104: L. Kilian 1974, 49.
  Hügel 114: L. Kilian 1974, 46f.
  Hügel 133: L. Kilian 1974, 37f. mit Abb. 29–30.
85. Farschweiler, Kr. Trier-Saarburg. „Kühonner" Hügel 1: Fundbericht 1936.
86. Flörsheim, Main-Taunus-Kreis. Gräber 1 und 2: H. Schoppa 1954, 45.
87. Ingelheim–Elsheim, Kr. Mainz-Bingen: L. Lindenschmit 1902, 428 mit Taf. 8, 5–12; G. Behrens 1927, 51 Nr. 183.
88. Kärlich, Ldkr. Koblenz: H.-E. Joachim 1971, 86ff.
  Grab 8: 90.
  Grab 10: 88 Abb. 15, 2–5; 90.
  Grab 19: 90.
  Grab 23: 89f. Abb. 16, 5–6.
  Grab 25: 91f. Abb. 17, 5.
89. Langen, Ldkr. Offenbach. „Hanauer Koberstadt": A. Schumacher 1974, 103ff.
  Hügel 2, Grab 2: 103.
  Hügel 23, Grab 3: 106.
90. Losheim, Kr. Merzig-Wadern: N. Groß – A. Haffner 1969.
  Hügel 2, Grab 2: 68ff. Abb. 7, 3–5.
  Hügel 3, Grab? 4: 71f. Abb. 9, 8–9.
  Hügel 4, Grab 2: 74f. Abb. 12, 1–7.
  Hügel 6: 76ff. Abb. 13, 6–10.
  Hügel 12, Grab 4: 88 Abb. 22, 4–5; 90.
  Hügel 13, Grab 3: 91f. Abb. 24, 7–10.
91. Mainz-Hechtsheim: B. Stümpel 1957, 107.
92. Mayen: P. Hörter 1918, 231ff.; H.-E. Joachim 1971, 76ff.
  Grab 6: Hörter 233; 235 Abb. 3, a–b; Joachim 79 Abb. 10, 3–9.
  Grab 7: Hörter 233f. Abb. 2, 5; Joachim 79

Abb. 10, 12.
  Grab 12: Hörter 236; 234 Abb. 2, 8; Joachim 81 Abb. 11, 2–3.
93. Niederwalluf, Rheingaukreis. Grab 2: H. Schermer 1953, 2f. mit Abb. 1, 3–7.
94. Nierstein, Kr. Mainz-Bingen: L. Lindenschmit 1891, 398 mit Taf. 5, 1; K. Schumacher 1911, 172; G. Behrens 1927, 54 Nr. 193.
95. Ober-Ramstadt, Kr. Darmstadt. „An der Ludwigseiche" Hügel 1, Grab 2: C. Ankel 1970, 71ff. mit Taf. 19, 1–7.
96. Reinheim, Kr. St. Ingbert. „Katzenbuckel" Grab A: J. Keller 1965, 16 Abb. 4 (Plan); Taf. 26, 1–20; 22–25; 30–34 (Amulette, Glas, Bernstein).
97. Saarlouis–Fraulautern. „Steinrausch".
  Hügel 1–4: H. Maisant 1972.
  Hügel 1, Grab 4: 47f.; 58 Abb. 5, 2–3.
  Hügel 3, Grab 1: 55; 60 Abb. 7, 8.
  Hügel 3, Grab 3: 55; 60 Abb. 7, 1–7.
  Hügel 3, Grab 5: 56.
  Hügel 5–7: H. Maisant 1973.
  Hügel 5, Grab 15: 68; 93 Abb. 8, 11–13.
  Hügel 5, Grab 19: 69; 92 Abb. 7, 4.
  Hügel 6, Grab 1: 72; 96 Abb. 11, 1–3.
  Hügel 6, Grab 5: 73f.; 98 Abb. 13, 1–4.
  Hügel 6, Grab 8: 75; 99 Abb. 14, 5–9.
  Hügel 6, Grab 9: 75; 100 Abb. 15, 1–5.
  Hügel 6, Grab 14: 77; 104 Abb. 19, 1–4.
  Hügel 6, Grab 18: 78.
  Hügel 7, Grab 19: 82.
98. Theley, Kr. St. Wendel: A. Haffner 1964.
  Hügel 1, Grab 5: 132f. Abb. 8, 3–4.
  Hügel 9, Grab 2: 140f. Abb. 12, 4–7.
  Hügel 18, Grab 3: 124ff. Abb. 5, 1–5.
  Hügel 18, Grab 6: 128.
99. Wallerfangen, Kr. Saarlouis: R. Schindler 1968, 62ff. Abb. 17, 1–7; H. Maisant 1971, 255f. mit Taf. 60, 7–13.
100. Wallertheim, Kr. Alzey: B. Stümpel 1970, 141ff.

[54] H. Schermer 1953, 6.

101. Wesseling, Ldkr. Köln: Chr. Müller – A. Herrnbrodt 1959, 26ff.; Ergänzungen bei H.-E. Joachim 1971, 95 ff.
Grab 4: Müller und Herrnbrodt 30f. Abb. 4, 8–9; Joachim 97 Abb. 20, 11–12.
Grab 15: Müller und Herrnbrodt 33.
102. Wiesbaden–Erbenheim. Skelett 2: H. Schoppa 1963, 169.

103. Winkel, Rheingaukreis: H. Behaghel 1943, 47.51.
104. Worms-Herrnsheim: U. Schaaff 1971.
Frankreich
105. Domèvre-en-Haye (Meurthe-et-Moselle): F. Barthélemy 1889, 266f. mit Taf. 30; J.-P. Millotte 1965, 76 mit Taf. 17, 1–9 (hier der Schuh?-Anhänger nicht erwähnt).

BURGUND UND CHAMPAGNE

Als westlichste Region wollen wir nun Burgund und die Champagne betrachten, ergänzt durch einige Einzelbefunde der weiteren Umgebung. Mit dem Publikationsstand ist es zwar – angesichts der kaum übersehbaren Masse des Materials – nicht allzu gut bestellt, doch gibt es immerhin durch die rührige Tätigkeit des Museums in Épernay einige vollständig ausgegrabene und auch mit ausreichenden anthropologischen Daten veröffentlichte Gräberfelder der Latènezeit, die jüngst durch das Gräberfeld von Pernant (121) eine willkommene Ergänzung erfuhren. Für das end-hallstättische Gräberfeld von Chouilly (109) „Les Jogasses" liegen nur dürftige anthropologische Angaben vor. Weiter südlich hat dann R. Joffroy die Grabungen in einigen Hügeln mit zahlreichen Nachbestattungen veröffentlicht, die wenigstens eine Identifizierung der Kindergräber ermöglichen. Da diese Grabhügel bei Châtillon-sur-Seine (Côte-d'Or) noch zur ostfranzösisch-burgundischen Späthallstattkultur gehören, wenn sie auch noch eindeutig in die Latènekultur hineinreichen, sei mit ihnen der Anfang gemacht.

In Hügel 1 von Darcey (110) waren die Skelette stark vergangen, doch ließen oftmals die Zähne noch eine Altersbestimmung zu. Allerdings war dadurch kein genauer Überblick über die tatsächliche Anzahl der Gräber und abweichende Skelettlagen zu gewinnen. Von zwei Kindergräbern wird berichtet: Eines (c 3) war gänzlich beigabenlos, das andere (d 1: très jeune enfant) enthielt in der Kopfgegend ein bearbeitetes Stück Silex und in der Bauchgegend Reste eines roten Gefäßes. Unter den anderen Bestattungen waren keine Auffälligkeiten zu bemerken.

Der Hügel von Essarois (111) enthielt 26 Bestattungen, von denen 15 überhaupt beigabenlos waren. Anthropologische Angaben liegen nicht vor, so daß nur vermutet werden kann, daß es sich bei Grab 8 mit dem kleinen Armring und der Latène B-Eisenfibel um ein Kindergrab handelt. Aus Grab 5 stammt als einzige Beigabe eine große, gelb-opake Augenperle. Auch das Zentralgrab 1 war nicht reicher ausgestattet. An der rechten Schulter lag neben einer burgundischen Fußpaukenfibel ein spitzovales, punzverziertes und der Länge nach gefaltetes Bronzeblech unbekannter Funktion. Zum Gürtel gehörten vielleicht fünf Ringe aus stark zinnhaltiger Bronze in der Bauchgegend[55]. Nach dem gut erhaltenen Schädel und den wenig abgenutzten Zähnen soll es sich um ein „ziemlich junges Individuum" gehandelt haben.

Kaum ergiebiger ist der Befund in dem Hügel von Larrey (116). Unter den 29 Skeletten befanden sich nur drei Kinder. Bei dem etwa 10jährigen Kind in Grab 2 lagen auf dem Kopf und

---

[55] Vgl. etwa Marson (Marne) Grab 6 (S. 122); Normée (120) Gräber 13, 19 und 25: A. Brisson – J.-J. Hatt 1969, Taf. 2, 13 A.B; 2, 19 A.B; 5, 25 C; Brno-Maloměřice (162) Grab 67: J. Poulík 1942, 77; vielleicht auch Münsingen (2) Grab 81: F. R. Hodson 1968, 51 mit Taf. 110, 81.

Tabelle 9. Amulette und Glas in Gräbern in Burgund und der Champagne.

Zeichenerklärung

- ● 1–2 Exemplare
- ■ 3 und mehr Ex.
- ? keinerlei Angaben über das Skelett erhalten
- – Grab gestört; Zusammengehörigkeit unsicher
- (Frau) Geschlechtsbestimmung nach den Beigaben

Gräber (Alter, Geschlecht, Bemerkungen)

Fundort (Grab)	Alter	Geschlecht	Bemerkungen
Chaffois (108)	165 cm	(Mann)	
Chouilly (109) 22		(Frau)	
Chouilly 42		(Frau)	
Chouilly 101		(Frau)	
Chouilly 123		(Frau)	
Chouilly 138		(Frau)	
Chouilly 141		(Frau)	Hals- und Armringe auf den Knien
Chouilly 46	Kind		
Chouilly 72	Kind		
Chouilly 139	Kind		
Chouilly 168	Kind		
Chouilly 179	Kind		
Chouilly 202	Kind		(unregelmäßige, durchlochte Tonplatte)
Chouilly 203	Kind		
Heiltz-l'Ev. (115) 20	7		
Heiltz-l'Ev. 27	–		
Saint-Jean-s.-T. (122)	16–20	(Frau)	Schädeldeformation
Bourges (107)		(Frau)	Brandgrab
Fère-Champ. (112) 6 bis	Kleinkind		
Fère-Champ. 62	Säugling		
Gravon (113) 25		(Frau)	
Gravon 28	–		
Hauviné (114)		Frau	
Manre (117) 153		(Frau?)	Hockergrab
Mesnil-les-H. (119)		(Frau)	
Normée (120) 24		Frau	
Villeneuve (123) 4	Kind und Frau	Frau	
Villeneuve 25	15–16		
Villeneuve 35	25–30		
Villeneuve 36	5		
Villeneuve 49	30		Steinwirtel
Villeneuve 56	jugendlich		
Villeneuve 58	adult	Mann	
Villeneuve 39	40–50	Frau	

Vorkommen der Gegenstände (● = 1–2 Ex., ■ = 3 u. mehr, ○)

Gegenstand	Gräber mit Markierung
Hakenanhänger	—
Keulenanhänger	—
Tonwirtel, Tonring	Chouilly 22 ●; Chouilly 72 ●; Villeneuve 49 ○
Bernstein	Chaffois ■; Chouilly 42 ■; Chouilly 72 ■; Chouilly 139 ●; Chouilly 202 ●; Chouilly 203 ■; Saint-Jean ■; Hauviné ●; Manre 153 ●; Mesnil ■; Villeneuve 49 ●
auffallendes Glas	Chouilly 72 ●; Hauviné ●; Mesnil ●; Normée 24 ●; Villeneuve 4 ■; Villeneuve 25 ●; Villeneuve 35 ●
Glas	Chouilly 202 ●; Bourges ■; Fère 6 bis ■; Gravon 25 ●; Gravon 28 ●; Hauviné ●; Manre 153 ●; Mesnil ●; Normée 24 ●; Villeneuve 4 ●; Villeneuve 25 ●; Villeneuve 35 ●; Villeneuve 49 ■
Bein-, Knochengegenstand	Saint-Jean ●; Manre 153 ●
Muschel, Schnecke	Saint-Jean ●
Hirschhorn	—
Tierzahn, -knochen	Chouilly 42 ●; Chouilly 101 ●; Chouilly 141 ●; Chouilly 139 ●; Saint-Jean ●; Manre 153 ●
sonstiges Mineral	Chaffois ●; Manre 153 ■; Mesnil ●
Silex	Chouilly 123 ●; Chouilly 138 ●; Chouilly 168 ●; Chouilly 202 ●
durchlochter Stein	Chouilly 179 ●; Chouilly 203 ○; Heiltz 20 ○; Saint-Jean ■
Steinbeil, Silexpfeilspitze	Saint-Jean ●
Alt- oder Fremdstück	Saint-Jean ●; Manre 153 ●; Villeneuve ○
unbestimmbares Metall, Abfall	Chaffois ●
funktionsloses Metall, Curiosum	Manre 153 ●; Villeneuve 58 ●
Drahtringelchen, -fragmente	Mesnil ●
Ringelchen, gegossen	Chouilly 72 ●; Bourges ●; Fère 6 bis ■; Fère 62 ■
Ringschmuck mit Gußspuren	Chouilly 46 ●; Chouilly 168 ●; Chouilly 179 ●; Chouilly 202 ●; Chouilly 203 ●; Villeneuve 56 ●
Ringchen mit Fortsatz	—
sonstige Anhänger	—
Körbchenanhänger	Bourges ■; Hauviné ●
Dreipaß, Vierpaß	Chouilly 22 ●; Chouilly 141 ●; Villeneuve 56 ●
Ringwürfel, Bronzekubus	—
Figürchen, Tonidol	Saint-Jean ● ●
Beilanhänger	—
Schuhanhänger	—
Radanhänger	Chaffois ■
Rähmchen	—
Klapperblech, Rassel	—

in Kniehöhe je eine Eisenfibel; außerdem trug es zwei zusammengebogene und stark abgewetzte Armringe. Das etwa gleichaltrige Kind in Grab 12 besaß nur einen einfachen Drahtarmring aus Bronze. Bei dem sehr hoch gelegenen und deshalb schlecht erhaltenen Kind in Grab 18 konnte man nur eine halbe blaue Glasperle, eine Bernsteinperle und ein Eisenfragment (Fibelbügel?) bergen. Als Streufund entdeckte man schließlich einen zerbrochenen Dreipaßanhänger.

Bemerkenswert sind die Beigaben eines 1,65 m langen Individuums im Zentrum eines Hügels bei Chaffois (108). In der Kopfgegend fand man gut 30 Bernsteinperlen und Reste einer Perle aus Goldblech, an den Handgelenken je einen schmalen Lignitring, am Fußende eine Tonschale. Neben dem rechten Unterarm, etwa in Gürtelhöhe, lagen ferner ein Bronzestäbchen mit sechs Queröffnungen und acht Radanhänger mit vier Speichen[55a].

Das große Gräberfeld von Chouilly (109) „Les Jogasses" besteht aus 176 Gräbern mit etwa 195 Individuen, darunter 36 Kindern. Da sich die Neubearbeitung des Materials durch M. Babeş völlig auf die Gewinnung einer relativen Chronologie beschränkte, müssen wir zur Beurteilung der uns interessierenden Fragen wieder auf die unzureichend illustrierte Erstpublikation von P.-M. Favret zurückgreifen. Wie die Kindergräber offenbar nur anhand der Skelettlängen ausgesondert wurden, so ist auch über das Sterbealter ausgewachsener Individuen nichts zu erfahren. Es muß daher offenbleiben, ob sich hinter den doch relativ vielen Frauen mit Amulettbeigabe *(Tabelle 9)* vor allem solche jüngeren Alters verbergen, wie es sich an anderen Fundplätzen nachweisen ließ.

Die vielfältigsten Amulette finden wir in dem Kindergrab 72: den Kinnbacken einer Katze in der Brustgegend und einen Armschmuck aus einem Ring mit Steckverschluß, darauf gefädelt 16 Perlen und Ringe aus verschiedenem Material: acht aus Bernstein, eine aus Ton, eine aus Bronze, eine aus Knochen oder Elfenbein, eine aus Eisenstein(?) und schließlich eine aus grünem Glas mit gelbem Wellenband.

Beachtenswert sind auch die Frauengräber 42 (Pferdezahn, Hundezahn, Tonperle, Dreipaß und undefinierbare Bronzeobjekte in der Brustgegend) und 141 (zwei Hundezähne, ein Dreipaß und ein durchlochter Stein an der linken Schulter). Eindeutig ist ferner die Korrelation zwischen Kindergräbern und Ringen mit auffallenden Gußzapfen (Gräber 46, 168, 179, 203).

Diese Beobachtung läßt sich auch an dem gleichzeitigen Gräberfeld von Heiltz-l'Évêque (115) „Charvais" machen, das leider nicht als Katalog veröffentlicht ist. Immerhin geht aus der kurzen typologischen Behandlung der Funde so viel hervor, daß in Grab 20, einem der vier Kindergräber, ein 7jähriges Kind mit einer Bernsteinperle, einem Halsring mit kräftigem, dreieckigem Gußzapfen und einem Armring mit Gußzapfen, den einzigen des Gräberfeldes, ausgestattet war. Über die anderen Individuen, zu denen Bernstein- oder Korallenschmuck oder Silex, darunter eine Pfeilspitze[56], gehören, ist nichts bekannt.

Wegen seiner Knopffibel *(Abb. 18, 1)* vom Weidacher Typ in denselben Horizont zu stellen ist ein Grab von Saint-Jean-sur-Tourbe (122), das als das mit Abstand am reichsten mit Amuletten ausgestattete der französischen Eisenzeit zu gelten hat. Zur Tracht gehörten außerdem zwei bronzene Ohrringe, ein einfacher Bronzehalsring und zwei Bronzearmringe. In den Halsring *(Abb. 18, 2–8)* eingehängt war ein Bronzering, auf den aufgefädelt waren: ein ithyphallisches Bronzefigürchen, ein Eberzahn, zwei durchbohrte Steine und drei kleine Schneckenhäuser, von denen mindestens zwei fossilen Ursprungs sind. Auf einen der beiden Armringe waren aufgereiht

---

[55a] Vgl. J.-P. Millotte 1963, Taf. 58,5.　　　　[56] L. Lepage 1966, 86 Abb. 7, 8.

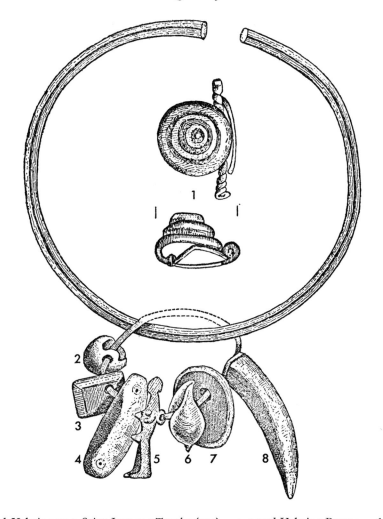

Abb. 18. Fibel und Halsring von Saint-Jean-sur-Tourbe (122). – 1. 5 und Halsring Bronze; 2.6 Schneckenhäuser; 8 Tierzahn; 3.4.7 wohl Stein. 1 M. 1 : 1; 2–8 wohl M. 1 : 2.

neun Bernsteinperlen, ein natürlich durchlochter Stein, ein Bronzeringchen und eine Knochenscheibe. Nach A. Thenot sollen weitere Bernsteinperlen auf einem Eisendraht sowie ein Fragment eines Eisenschwerts mit Scheide gefunden worden sein, welch letzteres J. de Baye „sans doute en raison de son manque d'interêt esthétique" nicht erwähnt habe.

Das damit bestattete Individuum, nach den Ringen wohl weiblich, war „un sujet ... âgé de 16 à 20 ans au plus. Le crâne brachycéphale présente une conformation irrégulière. La norma verticalis décrit un triangle dont la base est formée par l'occipital. Les nombreux os wormiens de grande dimension attestent un développement maladif du cerveau. La mâchoire inférieure est irrégulièrement conformée". Nach dieser detaillierten Beschreibung des Befundes haben wir hier also eine noch nicht ganz erwachsene Frau mit pathologischer Schädeldeformation[57] vor uns.

Auch die Art der Bestattung ist ungewöhnlich. Diese junge Frau wurde nämlich unter einer Vierfachbestattung gefunden, und zwar mit umgekehrter Orientierung: S–N statt N–S. Das erste

[57] Künstliche Schädeldeformation, wie sie als Modeerscheinung in frühmittelalterlichem Zusammenhang bekannt ist, ist für diese Periode und Region mit Sicherheit auszuschließen.

Skelett war beigabenlos, ihm fehlten einige Knochen. Das zweite Skelett trug einen dünnen Hals-ring und zwei zusammengebogene Armringe. Das dritte war wieder beigabenlos, während das vierte mit einer eisernen Lanzenspitze und drei kleinen Bronzeringchen ausgerüstet war.

Vielleicht etwas älter ist ein Befund von Aulney-aux-Planches (106). Zu einem in mehreren Perioden belegten Gräberfeld gehört eine Reihe Hügel mit Kreisgräben, deren zentrale Brand-bestattung nach Hallstatt B/C zu datieren ist. Nur bei Hügel D ließen sich spätere Bestattungen eindeutig nachweisen. Drei Komplexe ließen sich dabei unterscheiden, die alle beim Ausheben des Kreisgrabens gefunden wurden. Der erste umfaßte Scherben und verschobene Skelettreste von drei Individuen, von denen vermutet wird, daß sie zu verlagerten Nachbestattungen in dem durch Landwirtschaft stark verflachten Hügel gehören könnten. Als zweites fand sich ein schon etwas bejahrtes Individuum in rechter Hockerlage mit stark angezogenen Beinen und ohne Beigaben. Schließlich entdeckte man ein 4- bis 5jähriges Kind in gestreckter Rückenlage, das einen zusammen-gebogenen Drahtarmring trug. Über die Lage eines gelochten Tiereckzahnes, eines Knochen-anhängers und einiger Fischwirbel fehlen leider nähere Angaben. Der drahtförmige Armring legt eine Datierung nach Hallstatt D nahe, ohne jedoch eine nähere Eingrenzung zu erlauben.

Die Analyse der Latènegräberfelder im Marnegebiet wollen wir mit dem erst jüngst veröffentlich-ten von Villeneuve-Renneville (123) „Mont-Gravet" beginnen. Durch die in vielen Fällen möglichen genaueren Altersangaben ist dieses Material besonders aussagekräftig. Unter den 67 Gräbern (darunter das berühmte Hirschgrab[58]) befinden sich nur zehn von Kindern. Fünf sind beigabenlos (Gräber 16 und 42) oder enthalten nur Keramik (Grab 17b), einen einfachen Draht-armring (Grab 45) oder eine Fibel (Grab 5b). In Grab 15 (15–16 Jahre) fehlte der Kopf des Skeletts, doch lassen Patinaspuren an Unterkiefer und Schlüsselbeinen einen entfernten Halsring erschließen. An den Armen trug die Jugendliche zwei zusammengebogene Ringe mit Stempel-enden, auf der Brust lag ein Bronzeringchen. Etwa gleich alt war das Mädchen in Grab 25 mit seinem deutlich abgewetzten Halsring und zwei stark abgewetzten (einer sogar zerbrochen!) Arm-ringen. Bei der linken Hand fand sich eine blaue Glasperle. Leider durch Maulwürfe gestört war Grab 36, das eines 5jährigen Mädchens. Man konnte Reste eines Eisenhalsringes mit angegossenem Dreipaß aus Bronze, einen einfachen Armring, ein Bronzedrahtringchen mit einer Koralle, eine grüne Glasperle und eine grüne Augenperle bergen. Noch reicher ausgestattet ist Grab 56, das eines heranwachsenden Individuums: tordierter Halsring, ein völlig singulärer Halsring aus zwei umlaufenden Bronzefalzen mit dazwischen eingelegtem Wellenband aus Bronzedraht[59], Fragmente eines Eisenhalsrings mit mindestens 23 aufgeschobenen blauen Glasperlen, ein Bronzedreipaß mit Resten eines durchgezogenen Kettchens, ein Bronzedraht mit drei blauen Glasperlen, zwei tor-dierte Ohrringe, zwei tordierte Armringe und zwei Drahtfibeln, dazu fünf Tongefäße.

Nicht genau zuweisen lassen sich die acht Glasperlen (blau, davon drei mit weißen Augen) mit Drahtresten in Grab 4. Dort war der Oberkörper einer schon älteren Frau durch die Nachbestattung eines Kindes mit Milchzähnen gestört, wobei die Perlen genau in dem gestörten Bereich zutage kamen.

Die übrigen Glas- und Bernsteinfunde stammen dann nur noch aus zwei Frauengräbern. Die 25- bis 30jährige Frau in Grab 35 trug außer einem Halsring, einem Silberohrring, zwei Armringen

---

[58] A. Brisson 1957.

[59] In der Konstruktion ganz ähnlich den Vorrich-tungen an den Spiralen der Fibeln aus Dürrnberg

Gräber 59 und 68/2: F. Moosleitner – L. Pauli – E. Penninger 1974, Taf. 122, 3; 132, 1–2; 211, 3–5.

und zwei Bronzefibeln in der Halsgegend noch eine Kette aus elf Perlen: drei aus Koralle, zwei aus Bernstein, vier blaue mit weißem Zickzack und zwei Augenperlen aus Glas. Ungefähr 30 Jahre alt war die Frau in Grab 49, auf deren tordierten Halsring ein Bronzeringchen mit einer blauen Glasperle mit weißem Zickzack und ein kleiner Ring aus weißem Stein gefädelt waren. Außer mit einem Ohrring war sie nur noch mit zwei tordierten Armringen ausgestattet.

Die *Tabelle 9* ergänzen dann noch das Grab 58, in dem ein Lanzenkrieger am linken Ellbogen einen Bronzering mit Gußknoten trug, und das Grab 39 einer 40- bis 50jährigen Frau mit einem abgewetzten Halsring und zwei Armringen, in deren Becken ein 5,1 cm langer Tonzylinder gefunden wurde, außerdem rechts vom Kopf zwei Eisenfragmente, am ehesten eine Pinzette und ein Griff eines kleinen Gerätes. Eine bemerkenswerte Bestattungssitte zeigt Grab 42: Über dem jüngsten Kind des Gräberfeldes (2–3 Jahre), bei dem nur zwei faustgroße Steine gefunden wurden, lag ein älteres Individuum in Hockerstellung und gänzlich beigabenlos.

Die Beobachtung in anderen Regionen, daß im Laufe von Latène B die bevorzugte Behandlung von Kindern im Grabbrauch und die sonstige Amulettbeigabe merklich zurückgeht, bestätigt sich auch im Marnegebiet. Unter den Latène B 2- und C-zeitlichen Gräbern von Fère-Champenoise (112) sind die Kinder überwiegend schon beigabenlos und so wegen der langen Belegungszeit des Gräberfeldes teilweise auch gar nicht genau zu datieren. Nichtsdestoweniger kommen die ohnehin sehr wenigen Glasperlen nur in zwei Kindergräbern vor: Grab 6 bis mit einer Latène C-Fibel, zwei Bronzeringchen und drei blauen Glasperlen; Grab 62, ein Säugling, mit einer Eisenfibel auf der Brust, drei Bronzeringchen und acht blauen und gelben Glasperlen am Kopf.

Gerade dieser und der nachfolgend erwähnte Friedhof mit ihren quadratischen Einfriedungen der Grabbezirke und den vielfältigen Bestattungsriten böten einen guten Ansatzpunkt für genauere Untersuchungen zu Totenbrauchtum und vielleicht auch Sozialstruktur von den letzten vorchristlichen Jahrhunderten bis in die frührömische Zeit hinein. Dafür ist hier allerdings nicht der Ort, zumal dafür gewiß eine Materialaufnahme an Ort und Stelle nötig wäre. Immerhin sei darauf hingewiesen, daß Hockerbestattungen durchaus nichts Ungewöhnliches sind, wobei etwa in Fère-Champenoise (111) drei der vier so begrabenen Individuen sehr alt gewesen sind (Gräber 21, 66, 70), das vierte (Grab 16) hingegen um 20 Jahre, aber zusammen mit einem Kleinkind in demselben Grab.

Auch in Normée (120) sind alle fünf Kinder schon beigabenlos, das in Grab 4 (etwa 10 Jahre) allerdings in Hockerlage. Die einzige Glasperle fand sich in Grab 24 bei einer Frau an deren linker Schulter. Sie trug dazu noch zwei Latène B 1-Fibeln auf der Brust und am linken Arm einen Arm- und Fingerring.

Ebenso dürftig ist der Befund im gleichzeitigen Gräberfeld I von Gravon (113), das sich ganz allgemein schon durch Beigabenarmut auszeichnet. Die sieben Kinder und Jugendlichen (Gräber 3, 11, 12, 14, 18, 19, 25b) sind alle beigabenlos, das in Grab 12 lag auf der rechten Körperseite mit angewinkelten Armen, aber gestreckten Beinen. Die einzige Glasbeigabe in Form von zwei blauen Perlen mit weißem Zickzack fand sich bei dem sehr schlecht erhaltenen Skelett in Grab 28, das nur noch ein Bronzekettchen und eine Eisenfibel auf der Brust aufwies. Bemerkenswert ist allenfalls noch Grab 25, nach dem Halsring das einer Frau, die zwei Eisenfibeln an der rechten Schulter und auf der Brust trug. Ebenfalls auf der Brust lagen drei kleine, zweiteilige Bronzehohlringe und ein Bronzeringchen, rechts von den Füßen ein größeres, unbestimmbares Eisenfragment.

Schon am Nordwestrand der eigentlichen Marnekultur liegt das Gräberfeld von Pernant (121), für dessen Gräber die genauen Skelettlängen und in vielen Fällen auch nähere Altersangaben vorliegen. Wir haben deshalb eine Liste *(Tabelle 10)* angelegt, in der einerseits sämtliche Kinder aufgeführt sind (Skelettlänge bis 145 cm[60]), andererseits alle anderen Gräber mit Amulettbeigabe. Da in der Marnekultur, wie auch etwa am Dürrnberg, die Sitte, in den Halsring ein kleines Bronze-ringchen einzuhängen, nicht unüblich ist[61], wurden die Gräber 58 und 62, die nur dieses Merkmal aufweisen, nicht aufgenommen.

Grab	Skelett	Alter	
1	145 cm		Gefäß, Schale.
4	130 cm		Halsring, 2 Armringe; Gefäß.
11 A	110 cm		Eisenarmring rechts; Schale über dem Kopf.
21	114 cm	7 J.	Unterschenkel gekreuzt; Gefäß, Schale.
28	128 cm	8– 9 J.	Gefäß, Schale; Fleisch (gestört).
35	80 cm		2 Bronzeringchen mit Fortsatz am Schädel; 2 Gefäße, Becher.
37	100 cm		Eisenarmring rechts; 2 Gefäße.
40	131 cm		Gefäß.
50	76 cm		Gefäß, Schale; Fleisch.
59	118 cm		Halsring, Armring links; Gefäß, Schale.
61	131 cm		Bronzearmring; Gefäß.
63	—	4– 6 J.	Knochenperle; Fleisch (? gestört).
o. Nr.	„Mädchen"		Eisenhalsring, Bronzearmring, Bronzeringelchen.
16	165 cm		Füße aufeinander; im Mund Tonperle und tordiertes Ringchen, 2 Armringe, kleines Eisenfragment; Gefäß, Schale.
32	161 cm	30–40 J.	Halsring, 2 Armringe; am Hals: Augenperle, Bernsteinperle, Kalk-stein (durchlocht), Kiesel (durchlocht), Bronzeringchen; am linken Oberarm: Tonperle; Gefäß, Schale.
34	159 cm	20–25 J.	Beine gekreuzt; Bronzeohrring, Tonring auf dem Kiefer; Gefäß, Schale.
57	153 cm		Füße übereinander; Halskette: 2 Hundezähne, Tonring, Wellen-bandperle, 2 Bernsteinringchen, Bronzeringchen, 4 Eisenfragmente; 4 Gefäße, 3 Schalen; Fleisch.

Tabelle 10. Kindergräber und Gräber mit Amuletten in Pernant (121).

Von den 13 Kindern sind nur drei mit umfangreicherem Trachtzubehör ausgestattet (Gräber 4, 59 und o. Nr.), in drei Gräbern (Gräber 11 A, 37, 61) trugen die Kinder nur am rechten Unterarm einen Ring (zweimal aus Eisen!). Das Kind in Grab 35 hatte am Kopf zwei Bronzeringelchen liegen, während die Zugehörigkeit der Knochenperle in dem gestörten Grab 63 nicht ganz ge-sichert ist. In den anderen Gräbern fand sich nur Keramik, manchmal auch eine Fleischbeigabe, kenntlich an den Knochen.

Von den vier Frauen mit Amulettbeigaben gehören drei eng zusammen (Gräber 16, 34, 57). Sie haben die Beine oder Füße gekreuzt und sind gar nicht oder nur sehr unvollkommen mit Trachtzubehör ausgestattet. Ob der eine Armring in Grab 16 schon zerbrochen ins Grab gelangte, kann nicht entschieden werden. Gekreuzte Beine oder Füße kommen zwar nicht selten vor (zwölf-mal), so daß der Anteil von vier Fällen (mit dem Kindergrab 21) unter den hier aufgeführten 17 Gräbern nicht allzu signifikant erscheinen mag. Daß aber doch drei der vier durch Amulette auffallenden Erwachsenen dieses Merkmal aufweisen, dürfte wiederum kein Zufall sein. Die Er-klärung von G. Lobjois, man habe damit die Grabgrube möglichst schmal halten wollen, wird der dahinterstehenden Intention wohl kaum gerecht[62], obwohl etwa in Villeneuve-Renneville (123) bei den entsprechenden Gräbern keine Korrelation mit Amulettbeigabe zu beobachten ist. Allein

---

[60] Ab 150 cm muß man schon mit Erwachsenen rechnen: Grab 30: 151,5 cm = 60 Jahre; Grab 51: 151 cm = 25–30 Jahre.

[61] D. Bretz-Mahler 1971, Taf. 23, 4; 33, 3.

[62] Vgl. dazu A. Brisson – P. Roualet – J.-J. Hatt 1972, 43 f.

Grab 32 in Pernant weist unter ihnen eine komplette Ausstattung mit Hals- und zwei Armringen auf, wobei aber die Armringe mit ihren vier Knöpfen in dieser Funktion ungewöhnlich sind und sonst nur in kleinerer Ausführung als Anhänger in Gebrauch waren[63]. Dazu trug die Frau eine Halskette mit eindeutigen Amuletten, wobei jedoch weder die Lage des Skeletts noch dessen anthropologische Begutachtung[64] Anhaltspunkte für ihre Sonderstellung liefern können.

So können wir also feststellen, daß in Pernant die Kinder offenbar keinen durch Beigaben ausgedrückten Sonderstatus genießen. Charakteristisch ist für sie vor allem die ärmliche Trachtausstattung, wobei die zwei eisernen Armringe (Gräber 11A und 37) und der eiserne Halsring (Mädchengrab o. Nr.) bemerkenswert sind. Auffallende Amulette finden sich hingegen nur bei Erwachsenen, von denen mindestens die Gräber 16, 32 und 57 als Frauen anzusprechen sein dürften, doch verdient auch hier Aufmerksamkeit, daß sogar Grab 32 wegen der fehlenden Fibeln nicht in die Reihe der Gräber mit kompletter Tracht zu stellen ist.

Unseren kursorischen Überblick über die Verhältnisse zwischen Paris und den Vogesen wollen wir mit einigen Einzelbefunden abschließen.

In Grab 7 von Hauviné (114) fanden sich bei einem „squelette de femme" zwei mittelbreite Lignitarmbänder und am Kopf eine Bernsteinperle, eine Lignit(Gagat?)perle und ein leicht spitzbodiger Körbchenanhänger[65].

Bisher leider nur in Andeutungen bekannt sind die Ergebnisse der Grabungen in Manre (117) „Mont-Troté". So würde man gern etwas über die Beigaben jener Gräber erfahren, in denen der Schädel fehlt (32 von 89 Gräbern!) oder verschoben ist (fünfmal)[66]. Wichtige Aufschlüsse kann dagegen schon Grab 153 bieten. Es handelt sich dabei um das einzige Hockergrab des Gräberfeldes. In ihm war ein offenbar erwachsenes Individuum bestattet. Es trug einen ritzverzierten Hohlhalsring und einen hohlen Bronzeohrring. Rechts am Schädel hatte es einen einzelnen Rinderzahn und einen Bronzedrahtring liegen, auf den 14 große Perlen aus Bronze, Lignit (Gagat?) und vor allem Bernstein gefädelt waren. In der Bauch- und Unterarmgegend, vereinzelt auch an anderen Stellen, fand man etwa 60 Perlen, drei aus Glas, der Rest etwa zu gleichen Teilen aus Bronze und Koralle. An Keramik wurden nur einige verstreute Scherben geborgen.

Wegen der Hockerlage des Skeletts sei auch ein Latène I-Flachgrab von Mantoche (118) angeführt, das mit drei Armringen und zwei Fibeln keine weiteren Besonderheiten aufweist.

Schließlich ist noch ein Grab von Bourges (107) erwähnenswert, das zwar schon weit außerhalb des bisher behandelten Bereiches liegt, aber wegen der Ähnlichkeiten mit den Latène-„Fürstengräbern" Beachtung verdient. Dort entdeckte man 1849 in der Rue de Dun ein Brandgrab mit folgenden Beigaben aus Bronze: ein großer, punzverzierter Hals(?)ring (Dm. 26,7 cm), zwei kleinere Halsringe (Dm. 15,2 und 18 cm), ein großer Armring, zwei kleine Draht(ohr?)ringe, ein menschengestaltiges Figürchen, drei (oder sechs?) profilierte Körbchenanhänger, eine Stamnos-Situla (darin der Leichenbrand) und eine kleine Schnabelkanne. Unbekannter Verwendung ist ein hohles Widderköpfchen mit einer kleinen Öse am Maul und Befestigungslöchern an der Halsöffnung. Es könnte als bloßer Anhänger gedient haben, aber auch als Endbeschlag eines Trinkhorns[67].

[63] Etwa H. Hubert 1902, 189 Abb. 16, 3; 199 Abb. 30, 10; 201 Abb. 33, 10; 1906, 367 Abb. 69, 2; 369 Abb. 72, 2.

[64] J.-L. Demetz in G. Lobjois 1969, 216f.

[65] Bei L. Pauli 1971b, 55 Nr. 29 irrtümlich unter der Nachbargemeinde Aussonce geführt.

[66] J. G. Rozoy u. a. 1970, 7. Nach dem Vorbericht von J. G. Rozoy 1965 heben sich die Gräber ohne Schädel nicht durch Besonderheiten von den anderen ab.

[67] Vgl. etwa die Trinkhornenden aus dem Kleinaspergle: P. Jacobsthal 1944, Taf. 16–17.

106. Aulnay-aux-Planches (Marne). Hügel D: A. Brisson – J.-J. Hatt 1953, 220 ff.
107. Bourges (Cher). Rue de Dun: H. Breuil – P. de Goy 1903.
108. Chaffois (Doubs). „La Censure" Zentralgrab: L. Lerat 1968, 440 f. Abb. 9 und 10 oben.
109. Chouilly (Marne). „Les Jogasses": P.-M. Favret 1927 (abgekürzt: RA; aus den Seitenzahlen ist ohne weiteres ersichtlich, ob Band 25 oder 26 gemeint ist); P.-M. Favret 1936 (abgekürzt: Pr.); M. Babeş 1974 (nur für Abbildungen zitiert).
    Grab 22: RA 338.
    Grab 42: RA 339; 129 Abb. 17; Pr. 96 Abb. 38, 1; Babeş Taf. 5, 6.
    Grab 46: RA 339; Pr. 75 Abb. 23; Babeş Taf. 3, 3.
    Grab 72: RA 341; 113 Abb. 11; Pr. 78 Abb. 25 oben; 96 Abb. 38, 3.
    Grab 101: RA 343; Pr. 96 Abb. 38, 4; Babeş Taf. 5, 2–3.
    Grab 123: RA 344.
    Grab 138: RA 346.
    Grab 139: RA 346.
    Grab 141: RA 346; 112 Abb. 10; Pr. 73 Abb. 22; Babeş Taf. 5, 4–5.
    Grab 168: RA 347; Pr. 72 Abb. 21.
    Grab 179: RA 348; Pr. 75 Abb. 23; 82 Abb. 28; 96 Abb. 38, 8; 103 Abb. 44.
    Grab 202: RA 348.
    Grab 203: RA 348; Babeş Taf. 1, 5.
110. Darcey (Côte-d'Or). „Combe Barré" Hügel 1: J. Joly 1953, 126 f.
111. Essarois (Côte-d'Or). „Bas de Comet": R. Joffroy 1957.
112. Fère-Champenoise (Marne). „Faubourg de Connantre": A. Brisson – J.-J. Hatt – P. Roualet 1970.
    Grab 6 bis: 10 mit Taf. 1, 6 bis.
    Grab 16: 20.
    Grab 21: 25 mit Taf. 12, 21.
    Grab 62: 19 mit Taf. 7, 62.
    Grab 66: 25.
    Grab 70: 16.
113. Gravon (Seine-et-Marne). Gräberfeld I: J. Scherer – C. et D. Mordant 1972.
    Grab 12: 375.
    Grab 25: 368 Abb. 25 A–B; 369 Abb. 6, 25 A–C; 371 Abb. 7, 25; 376.
    Grab 28: 371 Abb. 7, 28 A–B; 377.
114. Hauviné (Ardennes). „La Motelle" Grab 7: L. Simonnet 1938, 74 Abb. 2.
115. Heiltz-l'Évêque (Marne). „Charvais": L. Lepage 1966.

Grab 15: 72.
    Grab 20: 79; 84; 78 Abb. 4, 5; 80 Abb. 5, 5.
116. Larrey (Côte-d'Or): R. Joffroy 1965.
117. Manre (Ardennes). „Mont-Troté": J. G. Rozoy 1965; E. Will 1965, 287 ff.; J. G. Rozoy u. a. 1970.
    Grab 153: J. G. Rozoy u. a. 1970, 44 f.
118. Mantoche (Haute-Saône). „Champ-Rouget" Grab 1: J.-P. Millotte 1963, 314.
119. Mesnil-les-Hurlus (Marne): L. Morel 1898, Taf. 40, 1.
120. Normée (Marne). „La Tempête": A. Brisson – J.-J. Hatt 1969.
    Grab 4: 24.
    Grab 24: 26 mit Taf. 5, 24.
121. Pernant (Aisne): G. Lobjois 1969.
    Grab 1: 20.
    Grab 4: 22.
    Grab 11 A: 34.
    Grab 16: 38; 40.
    Grab 21: 44; 37 Abb. 22.
    Grab 28: 60; 54 Abb. 41; 57 Abb. 42.
    Grab 32: 66; 65 Abb. 53; 165 Abb. 132.
    Grab 34: 72; 75 f. Abb. 60–61.
    Grab 35: 74; 77 Abb. 62–63.
    Grab 37: 78.
    Grab 40: 80; 85 Abb. 68–69.
    Grab 50: 92; 90 Abb. 76.
    Grab 57: 98 ff. Abb. 81–83.
    Grab 59: 102.
    Grab 61: 104.
    Grab 63: 103 ff. Abb. 87–88 a.
    Grab o. Nr.: 155.
122. Saint-Jean-sur-Tourbe (Marne). „Le Jardinet": J. de Baye 1891; Ergänzungen bei A. Thenot 1971, 50 f.
123. Villeneuve-Renneville (Marne). „Mont-Gravet": A. Brisson – P. Roualet – J.-J. Hatt 1971/72.
    Grab 4: 10 mit Taf. 3, 4.
    Grab 5: 10 mit Taf. 3, 5.
    Grab 7: 10 mit Taf. 3, 7.
    Grab 15: 12 mit Taf. 6, 15.
    Grab 16: 13.
    Grab 17: 13.
    Grab 25: 15 mit Taf. 10, 25.
    Grab 35: 20 mit Taf. 15, 35; 16.
    Grab 36: 21 mit Taf. 17, 36.
    Grab 39: 21 f. mit Taf. 18–19.
    Grab 42: 23.
    Grab 45: 23 f. mit Taf. 21, 45.
    Grab 49: 24 f. mit Taf. 23.
    Grab 56: 27 f. mit Taf. 27; 28, 56.
    Grab 58: 29 mit Taf. 30.

MITTELDEUTSCHLAND

Um von Frankreich wieder in das östliche Mitteleuropa zu gelangen, damit der Kreis der vergleichenden Untersuchungen um den Dürrnberg geschlossen werde, sind nun die Verhältnisse in der deutschen Mittelgebirgszone zu überprüfen, soweit sie nicht zum Gebiet der schon behandelten Hunsrück-Eifel-Kultur gehören oder unmittelbar benachbart liegen.

Bei einer Durchsicht der leichter erreichbaren Literatur muß man jedoch feststellen, daß in dieser Region die Materialbasis ungemein dürftig ist. Das liegt teils an der Beigabensitte, teils am Forschungsstand, teils aber auch am Publikationsstand. Selbst in den jüngsten Publikationen kann man über unsere Fragestellung wenig Förderliches finden, weil entweder überhaupt noch kein detaillierter Fundkatalog vorliegt oder, wie in älteren Ausgrabungen und Arbeiten, die Angaben nicht ausreichen[68].

Erst in Thüringen sind die Verhältnisse besser beurteilbar, weil in den Gräberfeldern von Dreitzsch (125) (hallstättische Urnengräber) und Ranis (127) (frühlatènezeitliche Skelettgräber) Komplexe zur Verfügung stehen, die wenigstens die Eigenheiten der Kindergräber erkennen lassen. Genauere anthropologische Daten fehlen auch hier wegen der schon weit zurückliegenden Grabung (Ranis) oder der eingeschränkten Aussagekraft der Leichenbrände (Dreitzsch). Obwohl das Urnengräberfeld von Dreitzsch wegen seines Bestattungsritus nicht zum eigentlichen Hallstattkreis gehört und wohl auch nicht im weiteren Sinne als „keltisch" zu bezeichnen ist, wird es wegen seiner geographischen Nähe zum Frühlatènegräberfeld von Ranis hier gleich mitanalysiert.

Aus dem Gräberfeld von D r e i t z s c h (125) sind gut 100 Urnengräber aus den Perioden Hallstatt B 3 bis D bekannt. Für 76 von ihnen liegt eine anthropologische Untersuchung des Leichenbrandes vor, so daß eine ausreichende Basis für statistische Überprüfungen gegeben ist. Als erstes fällt die häufig geübte Beigabe von jeweils einer Flußmuschelschale auf, die zuweilen noch so gut erhalten ist, daß sie eine Durchbohrung oder rote Ockerbemalung erkennen läßt. Sie findet sich bei 5 von 32 Kindern oder Jugendlichen und 13 von 44 Erwachsenen, wobei in die letzte Zahl auch zwei Doppelgräber mit einem Erwachsenen und einem Kind (Gräber 65 und 80) eingeschlossen sind, weil dort die Muschel als Beigabe des Erwachsenen nachweisbar war. Wir sehen daraus, daß in diesem Punkt die Kinder keine bevorzugte Rolle spielen, sondern eher sogar noch unterrepräsentiert sind. Daher haben wir diese Muscheln in unserer *Tabelle 11* nicht weiter berücksichtigt.

Anders steht es mit den übrigen Beigaben, denen wir nach unseren Erfahrungen einen Amulettcharakter zubilligen können. Glas kommt nur in zwei Gräbern vor: Grab 71, eine noch nicht erwachsene Frau mit drei Glasperlen und einer durchbohrten Hirschgrandel; Grab 70, eine adulte Frau, aber vielleicht dabei ein Kleinkind, mit neun Glasringerln. Eine zweite Hirschgrandel wurde zusammen mit einem Knochenanhänger (aus dem Zungenbein eines Rindes) in dem Kindergrab 13 gefunden. Bei dem etwas älteren Kind in Grab 62 lagen hingegen drei Tonperlen. Eindeutig sind auch die Kombinationen in Grab 83 (Feuersteinsplitter und Dreipaß) und Grab 88 (sechs Feuersteinstücke und eine Bärenkralle), wobei es sich hier um zwei erwachsene Individuen handelt. Schließlich gibt es noch je ein Bronzeringchen mit Fortsatz (Gußzapfen?) im Männergrab 40 und Grab 56, dem einer noch nicht erwachsenen Frau.

---

[68] W. Jorns 1939; M. Claus 1942; A. Schumacher 1972 und 1974; H. Polenz 1973.

Angefügt sei noch die Beobachtung, daß bei den Kindergräbern die Amphore als Leichenbrandbehälter besonders beliebt war (11 von 32 Kindern, aber nur 8 von 44 Erwachsenen), doch kann dies auch eine andere Ursache haben. Diese Amphoren sind nämlich gegenüber den anderen Urnen (Töpfe und Terrinen) im Durchschnitt deutlich kleiner. Da bei den Kindern auch andere Formen in kleinerer Ausführung vorkommen, kann sich in der Bevorzugung der Amphoren einfach nur die Verwendung eines kleineren Gefäßes für die bei Kindern geringere Menge des Leichenbrandes manifestieren[69].

Das zweite auswertbare Gräberfeld ist das von Ranis (127) mit seinen etwa 150 Gräbern, von denen allerdings nur gut 100 verwendbar sind. Auch liegen keine genauen anthropologischen Angaben vor. Als sichere Kindergräber sind nur zwölf Bestattungen auszumachen[70]; die Geschlechtszugehörigkeit ist nur für etwa ein Drittel aller Gräber angegeben. Es ist dabei jedoch nicht deutlich gemacht, ob sie sich auf skelettmorphologische Beobachtungen oder aber vor allem auf geschlechtsspezifische Beigaben (Waffen, Ringschmuck) stützt.

Die wenigen Kindergräber bieten kaum Besonderheiten. Fünf sind überhaupt beigabenlos (Gräber 51, 58, 60, 92, 118). Zwei stammen aus nicht mehr trennbaren Gräbern (Komplex 88–91). In anderen Gräbern fanden sich nur einzelne Trachtbestandteile (Grab 23: rechts ein Armring; Grab 37: eine Fibel, dazu eine Schale mit Vogelknochen; Grab 102, juv.: zwei Armringe, Eisenfibel, Gefäß), und bei der jungen Frau rechts in Grab 23 lagen nur einige Scherben. Am interessantesten ist noch Grab 17 „mit Kinderskelett, daneben ein Haufen Schneckenhäuschen".

Diese Schneckenhäuschen kommen nämlich in drei weiteren Gräbern vor, die nahe beisammen lagen (Gräber 26, 27 und 28). Es empfiehlt sich hier, die Beschreibungen wörtlich zu zitieren:

> Grab 26: Von mehreren Skeletten „nur das eines Mannes erhalten. Es lag auf der rechten Seite mit dem Blick nach W, Schädel oval, Gebiß noch tadellos. Am Schulterblatt zwei große Bronzefibeln, auf der Brust ein Halsring mit Petschaftenden. Der linke Arm gestreckt anliegend, der rechte, mit einem geschlossenen Bronzering, nach einem umgebogenen Eisenschwert ausgestreckt. Zwischen den Beinen Bruchstücke eines verzierten, schwarzen Gefäßes. Am rechten Fuß eine kleine Bronzefibel, zu Füßen neun Schneckenhäuser".
>
> Grab 27: „Skelett morsch, Gesicht nach W. Am Schulterblatt große Bronzefibel, unter der rechten Achsel Reste eines Eisenschwertes, zur Rechten Scherben, an den Armen zwei Bronzeringe, am linken Fußknöchel kleine Bronzefibel, zu Füßen sechs Schneckenhäuser."
>
> Grab 28: „Ein Skelett in Rückenlage, Gesicht nach W. An den Armen zwei Bronzeringe, neben dem rechten Arm ein eiserner Dolch. Dabei Scherben und Schneckenhäuser."

Bei oberflächlicher Betrachtung würde man diese Gräber aufgrund der Waffenbeigabe ohne weiteres als Männergräber ansprechen. Doch schon die Beigabe der Hals- und paarigen Armringe gibt zu Zweifeln Anlaß, viel mehr noch die Schneckenhäuser, die wir bisher nur bei Kindern und (jungen) Frauen kennengelernt haben. Da die Beschreibungen einigermaßen glaubwürdig klingen, wollen wir sie als gegeben voraussetzen und die Einzelheiten dieser drei Gräber im Rahmen des ganzen Gräberfeldes betrachten, um vielleicht dadurch weitere Aufschlüsse zu erhalten.

> Schwerter wurden in sieben Gräbern (24, 26, 27, 42, 61, 85, 119) gefunden, allein in unseren Gräbern 26 und 27 sind sie mit Arm- und Halsringen vergesellschaftet; bei Grab 85 handelt es sich um zwei Skelette, deren Inventare nicht getrennt wurden. Anderseits ist der verborgene Zustand des Schwertes in Grab 26 auch aus Grab 42 bekannt, das nur noch eine Stempelschale lieferte.
>
> Einen Dolch gibt es außer in Grab 28 noch in Grab 62, in dem nur weitere Eisenfragmente gefunden wurden. Überdies ist es fraglich, ob es sich bei diesem Objekt wirklich um einen für die östliche Frühlatènekultur absolut ungewöhnlichen Dolch handelt. Ganz ähnliche Griffangeln kennt man natürlich von den Schwertern, doch ist das Stück für ein Schwert zu klein.

[69] Ähnliche Beobachtungen an bronzezeitlichen Gräberfeldern bei R. Hachmann 1968, 369 und L.

Pauli 1971a, 19f.
[70] H. Kaufmann 1963, 108.

Tabelle 11. Amulette und Kindergräber in den Gräberfeldern von Dreitzsch (125) und Ranis (127).

Zeichenerklärung:
- **?** keinerlei Angaben über das Skelett erhalten
- **–** Grab gestört; Zusammengehörigkeit unsicher
- **(Frau)** Geschlechtsbestimmung nach den Beigaben
- ● 1–2 Exemplare
- ■ 3 und mehr Ex.
- △ übliche Muschelbeigabe

Dreitzsch (125)

	13	40	56	62	70	71	83	88
Alter	infans I	adult	juvenil	infans II	(infans I und ?)	juvenil	adult	adult
Geschlecht		Mann	Frau?		Frau	Frau	Frau	Mann
Hakenanhänger								
Keulenanhänger								
Tonwirtel, Tonring			●					
Bernstein								
auffallendes Glas								
Glas					■	■		
Bein-, Knochengegenstand	●							
Muschel, Schnecke			△			△	△	
Hirschhorn								
Tierzahn, -knochen	●					●	●	
sonstiges Mineral								
Silex						●	■	
durchlochter Stein								
Steinbeil, Silexpfeilspitze								
Alt- oder Fremdstück								
unbestimmbares Metall, Abfall								
funktionsloses Metall, Curiosum								
Drahtringelchen, -fragmente								
Ringelchen, gegossen								
Ringschmuck mit Gußspuren								
Ringchen mit Fortsatz	●	●						
sonstige Anhänger								
Körbchenanhänger								
Dreipaß, Vierpaß							●	
Ringwürfel, Bronzekubus								
Figürchen, Tonidol								
Beilanhänger								
Schuhanhänger								
Radanhänger								
Rähmchen								
Klapperblech, Rassel								

Ranis (127)

	12	10	24	20	21	22	31	32	34	39	54	59	17	26	27	28
Alter	?	?							?		?		Kind			
Geschlecht			„Frau"	„Frau"	„Männer"	„Männer"	„Frau"	„Frau"	„Frau"	„Frau"		„Frau"		(Krieger oder Frau)	(Krieger oder Frau)	(Mann oder Frau)
Bemerkungen	mehrere Skelette, u. a. Kind(?)	zwei Hocker	Hocker in Doppelgrab	Hocker in Dreifachgrab	zwei Hocker, einmal Bauchlage	zwei Hocker			Arme auf der Brust gekreuzt		Arme und Beine gekreuzt			Seitenlage		
Hakenanhänger																
Keulenanhänger																
Tonwirtel, Tonring					■			●	●							
Bernstein							●		■	■						
auffallendes Glas								■	●							
Glas					■		■		■		■					
Bein-, Knochengegenstand																
Muschel, Schnecke													■	■	■	■
Hirschhorn																
Tierzahn, -knochen																
sonstiges Mineral					■	■										
Silex																
durchlochter Stein																
Steinbeil, Silexpfeilspitze																
Alt- oder Fremdstück											●					
unbestimmbares Metall, Abfall																
funktionsloses Metall, Curiosum	●	●							●							
Drahtringelchen, -fragmente																
Ringelchen, gegossen									●							
Ringschmuck mit Gußspuren																
Ringchen mit Fortsatz																
sonstige Anhänger																
Körbchenanhänger																
Dreipaß, Vierpaß	●															
Ringwürfel, Bronzekubus																
Figürchen, Tonidol																
Beilanhänger																
Schuhanhänger																
Radanhänger																
Rähmchen																
Klapperblech, Rassel					■											

Ringkombinationen mit Halsringen sind an zehn Gräbern zu überprüfen. Halsringe als einzige Beigabe kommen überhaupt nicht vor, in sieben Fällen spricht paariger Armschmuck für Frauengräber (Gräber 34, 39, 40, 44, 49, 86; 59 noch mit Beinringen), wobei in Grab 39 der zusätzliche Armring eher unter die Kategorie der Amulette einzureihen ist. Das Skelett in Grab 54 trug einen verbogenen und zerbrochenen Pufferhalsring mit einem eingehängten Armringfragment und einen Armring (Lage?), bei der rechten Hand lag eine eiserne Paukenfibel. Ein „weibliches Skelett" in dem „Massengrab" 118 war mit je einem Hals-, Arm-, Finger- und Beinring ausgerüstet, dazu vielleicht auch mit einer Fibel. Es fand sich als oberstes von sechs Skeletten und „in sitzender Stellung, aber mit ausgestreckten Beinen".

Fibeln, die nicht im Bereich des Oberkörpers lagen, sind aus vier Gräbern bekannt. In unseren beiden Gräbern 26 und 27 sowie in Grab 25 fanden sie sich bei den Füßen. Grab 25 war ein Doppelgrab mit einem männlichen Skelett, das am linken Arm einen Bronzering trug und den rechten nach einem pyramidenförmigen Stein ausstreckte, während das andere Skelett seine Arme auf der Brust hatte und „am Schulterblatt eine große, am Fuß eine kleine Bronzefibel" aufwies. Der vierte Fall ist das schon erwähnte Grab 54 mit der eisernen Paukenfibel bei der rechten Hand.

Nun gibt es außer den Waffen offenbar keine für Männer spezifischen Beigaben, so daß wir eine Gegenprobe nicht durchführen können. Trotzdem dürfte klar geworden sein, daß wir in unseren drei Gräbern 26, 27 und 28 Bestattungen erblicken müssen, die sich nicht in das allgemeine Beigabenschema einfügen. Merkwürdigerweise führt auch H. Kaufmann die beiden Gräber 27 und 28 mit den Armringpaaren kommentarlos auf[71], ohne sie bei der Behauptung, daß Frauen mit Paaren und Männer mit Einzelringen ausgestattet seien, weiter zu berücksichtigen.

Wenn nicht gerade bei diesen drei herausfallenden Gräbern auch noch die Beigabe von Schneckenhäusern hinzukäme, wäre man geneigt, den Befund achselzuckend abzutun. So aber wird man ihn kaum als Zufälligkeit werten dürfen. Allerdings müssen wir vorläufig die Frage offenlassen, wer nun tatsächlich in diesen Gräbern bestattet ist: Frauen, denen aus irgendwelchen Gründen ein Schwert oder ein „Dolch" mitgegeben wurde, oder Männer mit weiblicher Ringtracht. Die Sonderstellung dieser Individuen ist jedenfalls durch die Beigabe der Schneckenhäuser nicht zu bezweifeln.

Eine weitere Kategorie, die es verdient, näher betrachtet zu werden, bilden die Hockergräber. Etwas unklar ist die Beschreibung des „Massengrabes" 118, wo anscheinend alle sechs Skelette nicht in gestreckter Rückenlage bestattet waren. Die oben beschriebene Frau mit dem Ringschmuck lag über vier nebeneinander gefundenen Skeletten, denen unter einer Steinschicht ein sechstes wiederum allein folgte. Als zu diesen fünf Bestattungen gehörig werden nur ein Tongefäß und ein rohes Bronzegußstück erwähnt.

Die anderen fünf Gräber scheinen besser dokumentiert zu sein. In Grab 10 lagen wahrscheinlich zwei Hocker nebeneinander; die einzige Beigabe bildete eine Eisenscheibe mit 3,7 cm Durchmesser, zwei gegenständigen, flachen Fortsätzen und einer plastischen Emailauflage, also ein Fibelfuß[72]. Für die restlichen Gräber empfiehlt sich wieder ein genaues Zitat der verfügbaren Angaben:

Grab 20: „Zwei männliche und ein weibliches Skelett, wohl in Hockstellung, mit dem Gesicht nach O. Der rechte Arm des einen Mannes ausgestreckt (nach einem Kieselstein), der linke im Schoß. Auf der Brust der Frau acht Spinnwirtel": einer aus Bergkristall, drei aus Kalkstein, vier aus Ton. Scherben eines Tongefäßes im Hügelaufbau sind verschollen.

Grab 21: „Kleiner Hügel. 0,35 m tief im gewachsenen Boden unter einer Steinplatte zwei männliche Skelette nebeneinander, ebenso gelegen und orientiert wie die aus Grab 20. Bei den unteren Extremitäten ein drittes Skelett querab in Bauchlage. Die Knochen sehr morsch. An der ausgestreckten Rechten eines der beiden nebeneinander liegenden Skelette drei schwarze Näpfchen mit je einer grauen Tonkugel (Verbleib unbekannt)."

---

[71] Ebd. 110.
[72] Alle erkennbaren Details sprechen gegen das Fragment eines Scheibenhalsringes; für die beträcht- liche Größe des Fibelfußes vgl. F. R. Hodson 1968, Taf. 68, 279.

Grab 22: „Kleiner Hügel. Im gewachsenen Boden, unter einer Steinplatte, zwei sehr morsche männliche Skelette in derselben Lage und Blickrichtung wie die aus Grab 20. Auf der Brust drei Kalksteinwirtel (Verbleib unbekannt)."

Grab 24: „Kleiner Hügel. 1,30 m von Grab 23 entfernt und wie dieses aufgebaut. Die Steinsetzung besitzt hier noch eine Unterlagplatte, darauf zwei Skelette. Eines männlich, in gestreckter Rückenlage, Gesicht nach N ... Neben dem rechten Arm Reste eines eisernen Schwertes. – Das andere Skelett weiblich, etwas zusammengedrückt, Schädel gut erhalten. Der rechte Arm auf der Brust, dabei 15 grüne und blaue Glasperlen. Verbleib der Beigaben unbekannt." Daß die Frau in Hockerstellung begraben war, geht genauer aus dem auswertenden Text[73] hervor.

Diese Befunde passen zwar hervorragend in unser Schema, doch sei nicht verschwiegen, daß H. Kaufmann für etliche der erwähnten Wirtel so gute mittelalterliche Parallelen zu kennen scheint[74], daß er der Zuschreibung des Ausgräbers „besondere Skepsis entgegenbringen möchte". Daß einige von ihnen gedreht sind, ist allerdings kein Argument für spätere Zeitstellung, da in der Frühlatènezeit der Gebrauch einer Drehbank für diffizile Arbeiten auch kleinen Formats nachgewiesen ist[75]. Auch scheint angesichts des mehrmaligen Vorkommens dieser Befunde eine Datierung in die Latènezeit doch nicht von vornherein abwegig zu sein.

Es fällt nämlich noch mancherlei anderes auf. Erstens stammen alle diese Gräber, außer 10 und 17, aus den Grabungen Dr. Adlers, wohl 1826. Zweitens liegen mindestens vier der fünf Hockergräber in engster Nachbarschaft (Gräber 20, 21, 22, 24 an der Südwestecke und Südseite des Schießhausgartens). Dasselbe gilt aber auch für mindestens drei der vier Gräber mit Schneckenhäusern (Gräber 26, 27, 28: am Nordrand des nachmaligen Vereinsgartens). Für die Gräber 10 und 17 fehlen entsprechende genaue Angaben. Drittens läßt sich in der Tat keines der vier letzten Hockergräber mit Sicherheit in die Frühlatènezeit datieren, wenngleich das Schwert bei dem Mann in Grab 24 sehr dafür spräche. Umgekehrt gibt es aber auch keine spätere Periode, in der solche Bestattungs- und Beigabensitten wahrscheinlicher wären. So wird man sich wohl oder übel an den einzig sicheren Punkt halten müssen, nämlich den topographischen Zusammenhang mit den anderen Frühlatènegräbern. Zwar sind auch mindestens zwei bronzezeitliche Gräber bekannt (Gräber 35: gestört, mit Latènebeigaben vermischt; „Grab 82"; Grab 83)[76], doch wären in so alten Gräbern ein Eisenschwert und gedrehte Steinwirtel undenkbar. Nachdem wir aber eine Übereinstimmung mit den Beobachtungen in anderen Regionen feststellen konnten, daß nämlich abweichende Skelettlage, auffällige Beigaben und ungewöhnliche Beigabenkombinationen häufig zusammen auftreten, wird man diese seltsamen Befunde von Ranis wohl als frühlatènezeitlich anerkennen müssen, will man nicht alles der blühenden Phantasie Adlers zuschreiben.

Selbstverständlich gibt es in Ranis noch weitere Gräber mit Glas- und Amulettbeigabe. Drei dieser Gräber wurden schon im Zusammenhang mit den Halsringen erwähnt; sie zeichnen sich durch reiches Trachtzubehör aus. Die Ausstattung wird durch folgende auffällige Beigaben ergänzt: Grab 34 (Arme auf der Brust gekreuzt): in der Halsgegend ein Bronzekettchen, eine blaue Glasperle, eine blaue Augenperle und eine Tonkugel; Grab 39: in der Halsgegend eine blaue Augenperle, vier Bernsteinperlen, ein Bronzeringchen, ein zweiteiliges Ringchen aus Bronzeblech mit schwärzlicher Füllung („Pech oder Harz"[77]), bei der Schulter ein zerbrochener Bronzering

[73] H. Kaufmann 1963, 109.

[74] Ebd. 117 Anm. 857.

[75] So sind etwa die Rundeln in den beiden Armringen aus Dürrnberg Grab 71/1 (F. Moosleitner – L. Pauli – E. Penninger 1974, Taf. 137, 17–18) innen zumindest nachgedreht worden, ebenso die Ziernieten zur Befestigung der Mittelscheibe des Standgefäßes

aus Grab 44/2 (E. Penninger 1972, 110 Abb. 7, 2; Taf. 46, 34). Drehspuren weisen auch Fibeln auf: F. Moosleitner – L. Pauli – E. Penninger 1974, Taf. 122, 1–3; 124, 1.

[76] H. Kaufmann 1963, 52.

[77] Ph. Kropp 1911, 24.

und an dem linken Arm zusätzlich ein Bronzering aus zusammengebogenem Draht (für Unterarm-
ring zu groß!) mit eingehängtem Ringchen; Grab 59 (Arme unter dem Rücken verschränkt, Beine
übereinandergelegt): in der Halsgegend sieben Bernstein- und drei blaue Glasperlen sowie ein
Bronzekettchen, oben auf der Brust ein großer Bronzeblechhohlring (nach der Größe Oberarm-
oder Beinring), darin eine große Bernsteinperle und ein Bronzeringchen.

In Grab 12 wurden mehrere schwer auseinander zu haltende Skelette gefunden, unter den Beigaben eine dreifach durchlochte Knochenscheibe („vom Dornfortsatz eines Wirbels vom Auer-
ochsen o. ä. großen Huftieren") und ein längliches, an einer Stelle durchlochtes Eisenstück[78]. Einer
der Ringe besitzt einen sehr kleinen Durchmesser, so daß sich möglicherweise ein Kind unter den
Bestatteten befand[79].

Das weibliche Skelett in Grab 31 trug am Hals eine Kette aus einer Bernstein- und 18 blauen
Glasperlen. Im rechten Arm hielt es einen tönernen Siebheber, der, da andere Keramik in diesem
Grab nicht vorhanden war, aus der Flüssigkeit hätte entnommen werden können, hier ohne eigent-
liche Funktion mitgegeben worden war[80]. Schließlich ist noch Grab 32 zu nennen, in dem ein
„Miniaturwebstuhlgewicht" aus Ton und ein einzelner, nicht mehr mit Sicherheit zu identifizieren-
der Armring gefunden wurden.

Mit diesen beiden Gräberfeldern sind die Befunde gewiß noch nicht erschöpft. Es wäre jedoch
Aufgabe der regionalen Forschung, gerade in diesem Randgebiet der Hallstatt- und Latènekultur
durch eine genaue Analyse der Bestattungssitten und Trachtregeln zu einer methodisch verfeinerten
Abgrenzung und Untersuchung der Wechselwirkungen mit den weiter nördlich gelegenen Kulturprovinzen zu gelangen. Die Ansätze früherer Jahre[81] müssen anhand neuer Materialien und Metho-
den überprüft werden. Es ging uns hier nur darum, zu zeigen, daß zum ersten in dem Latène-
gräberfeld von Ranis (127) ebenfalls jene Regeln zu erkennen sind, die wir in südlich und westlich
gelegenen Regionen abgeleitet haben, daß aber zum zweiten auch schon in vorhergehenden
Perioden ähnliches festzustellen ist, wie etwa in dem hallstättischen Urnengräberfeld von Dreitzsch
(125), ohne daß wir derzeit in der Lage wären, weitergehende Schlüsse daraus zu ziehen.

So wäre etwa zu überprüfen, wie sich die häufigen Hockerbestattungen von gut ausgestatteten
Frauen in Halle-Trotha (126) in das allgemeine Kulturmilieu einfügen. Oder was es mit Grab 1
vom Galgenberg bei Wöhlsdorf (130) auf sich hat, das 1827 durch Adler ausgegraben wurde.
Unter einer großen Kalksteinplatte fand sich „ein nach W blickendes, schlecht erhaltenes männliches Skelett ‚in zusammengeschobener Lage' mit an den Schenkeln liegenden Armen (wohl
Hocker). Auf der Brust ein Halsreif mit Anhänger, in dem ein Wolfszahn gesteckt haben soll, am
rechten Schulterblatt eine Fibel, neben dem linken Arm zwei Armringe aus Bronze. Beim rechten
Arm ein eisernes Schwert in der Scheide. ‚An der östlichen Ecke der Platte' schwarze, strichver-
zierte Scherben". Hier sprächen das (wieder verbogene) Schwert und die beiden Armringe am
linken Arm für ein Männergrab, wobei der Halsring immerhin denkbar wäre. Für den Anhänger
gibt es einige Parallelen in Frankreich[82], dort allerdings in Frauengräbern. Nicht recht passen will
jedoch die gegossene Paukenfibel der Phase Hallstatt D 2, will man sie nicht als neuerlichen Beweis
für die beträchtliche Überschneidung von Hallstatt- und Latènekultur in Anspruch nehmen. Dies
sollte aber für Thüringen nicht auf diesem einzigen Grabfund basieren, obwohl es nach den Ver-

---

[78] Ebd. 18 Abb. 15.

[79] H. Kaufmann 1959, Taf. 46, 10; so auch H.
Kaufmann 1963, 111.

[80] Zu diesen Gegenständen H. Kaufmann 1969 und

F. Schwappach 1971.

[81] Ph. Kropp 1911; F. Holter 1933; M. Claus 1942.

[82] J. Déchelette 1914, 1309ff. Abb. 571; D. Bretz-
Mahler 1971, Taf. 79, 1–4.

hältnissen in anderen Regionen durchaus denkbar wäre. Es sei an Ranis (127) Grab 54 mit seiner eisernen Paukenfibel erinnert!

Vielleicht kann man dann auch die Befunde von 1829 aus dem Fuchshügel I von Wernburg (129) besser einordnen, wo in einem eisenbeschlagenen Holzdaubeneimer ein halbjähriges Kind ohne Beigaben bestattet war (Grab 2) und für einen zweiten Eimer dieser Art bei Grab 5 dasselbe zu vermuten ist. Die Funde des Hügels gehören, bis auf eine Spätlatènefibel Beltz Var. J und ein mittelalterliches Grab auf der Hügelkuppe, in die Stufen Latène A und B, so daß auch für diese beiden Gräber eine entsprechende Datierung naheliegt. Hingewiesen sei ferner darauf, daß gerade Grab 5 eine frühe Latène B-Fibel und zwölf Glasperlen bei einem weiblichen Skelett enthielt.

Aufschlußreich ist ein Grab von Tarthun (128). In ihm waren zwei beigabenlose Männer und ein 14- bis 16jähriges Mädchen bestattet; außerdem fand sich noch der Unterkiefer eines kleineren Kindes. Beigaben hatte nur das Mädchen: 14 Armringe und einen Wendelhalsring, der auf der Unterseite schon ziemlich abgewetzt war und dessen einer Schließhaken fehlt, weswegen man den Ring etwas stärker zusammengebogen hatte.

Am Südrande des Harzes liegt Hasenburg bei Buhla (124). Dort war eine Frau mit W-O-Orientierung bestattet, darüber mit N-S-Orientierung ein Kind. Die Beigaben sind nicht mehr alle aufteilbar. Man weiß nur, daß beide Personen je einen Halsring getragen haben, die Frau dazu einen goldenen Ring am rechten Arm. An weiteren Funden sind 22 Bronzearmringe und ein dünner Eisenarmring mit vier aufgeschobenen Bernsteinperlen erhalten.

Abschließend sei noch erwähnt, daß das am reichsten mit Beigaben ausgestattete älterlatènezeitliche Grab des Elster-Mulde-Gebietes das Kindergrab 1 von Zwenkau (131) ist. Es enthielt in einer Urne mit Deckschale drei Fibeln, zwei zusammengebogene Drahtarmringe (keine Kindergröße!), ein eisernes Kettchen, einen eisernen Gürtelhaken und ein singuläres Näpfchen mit Kreuzfuß.

124. Buhla, Kr. Nordhausen. „Hasenburg": A. Goetze - P. Höfer - P. Zschiesche 1909, 184f.

125. Dreitzsch, Ldkr. Pößneck: K. Simon 1972, 21ff.
  Grab 13: 23 mit Taf. 10, 13-16.
  Grab 40: 26 mit Taf. 13, 5-7.
  Grab 56: 27f. mit Taf. 15, 9-13.
  Grab 62: 28 mit Taf. 16, 4-7.
  Grab 70: 29 mit Taf. 17, 10-17.
  Grab 71: 29f. mit Taf. 17, 18-22.
  Grab 83: 31 mit Taf. 19, 13-19.
  Grab 88: 32 mit Taf. 20, 1-10.

126. Halle-Trotha: F. Holter 1933, 23ff.

127. Ranis, Ldkr. Pößneck: A. Auerbach 1930, 228ff.; H. Kaufmann 1959, 112ff. (Im folgenden werden nur diese Angaben genannt.)
  Grab 10: 113f. mit Taf. 47, 6.
  Grab 12: 114f. mit Taf. 46, 10-12.14.18-21.
  Grab 17: 116.
  Grab 19: 116f.
  Grab 20: 117 mit Taf. 46, 1-7.16.
  Grab 21: 117.
  Grab 22: 118.
  Grab 23: 118f. mit Taf. 46, 22; 47, 1.3.
  Grab 24: 119.
  Grab 26: 119f. mit Taf. 47, 17-18.

  Grab 27: 120.
  Grab 28: 120f.
  Grab 31: 121f. mit Taf. 47, 4-5.
  Grab 32: 122 mit Taf. 47, 13; 55, 2.
  Grab 34: 122f. mit Taf. 47, 7-10.14.15.
  Grab 37: 124.
  Grab 39: 124ff. mit Taf. 48, 2-13.
  Grab 52: 129.
  Grab 54: 130 mit Taf. 49/50, 8-11.
  Grab 58: 132.
  Grab 59: 132ff. mit Taf. 51, 1-16.
  Grab 60: 135.
  Grab 92: 139.
  Grab 102: 139f. mit Taf. 52, 6-8.
  Grab 118: 144f. mit Taf. 53/54, 1-6.

128. Tarthun, Kr. Wanzleben: O. Förtsch 1904, 46ff. mit Taf. 4, 26-27.

129. Wernburg, Ldkr. Pößneck. „Fuchshügel I": W. Radig 1963; H. Kaufmann 1959, 181ff.
  Grab 2: 182.
  Grab 5: 183 mit Taf. 60/61, 6-7; 186.

130. Wöhlsdorf, Ldkr. Pößneck. „Galgenberg" Grab 1: A. Auerbach 1930, 255; H. Kaufmann 1959, 196 mit Taf. 57/58, 1-3.

131. Zwenkau, Ldkr. Leipzig. „Harth" Grab 1: V. Geupel - H. Kaufmann 1967, 214ff. Abb. 4-5; 236 mit Anm. 7.

BAYERN

Obwohl es in Bayern an hallstatt- und latènezeitlichen Funden wahrlich nicht mangelt, sind die Voraussetzungen für unsere Untersuchungen doch sehr ungünstig. Zum ersten wurde der weitaus größte Teil der Grabhügel schon im letzten Jahrhundert oder zu Anfang dieses Jahrhunderts ausgegraben. Dabei handelte es sich vorwiegend um groß angelegte Aktionen von Leuten wie J. Naue und H. Scheidemandel, um nur die bekanntesten zu nennen, deren wissenschaftsgeschichtlicher Standort hart an der Grenze zum Raubgräbertum liegt. Beobachtungen über die Lage von Beigaben oder besondere Skelettlagen sind kaum vorhanden oder mit größter Vorsicht aufzunehmen, weil die Ausgrabungen selbst oftmals sogar nur von Hilfskräften, denen es auf die Gewinnung von schönen Funden ankam, ausgeführt wurden. Demgemäß sind auch Angaben zu Alter und Geschlecht von Skeletten kaum vorhanden. Zum zweiten scheinen in der Oberpfalz und in Franken zur Frühlatènezeit Bestattungssitten geherrscht zu haben, die zu mehrfacher und dichter Belegung von Grabhügeln führten, so daß auch bei modernen Grabungen die einzelnen Skelette oft nicht mehr nach ihren Beigaben auseinanderzuhalten sind[83]. Aus Südbayern gibt es ohnehin nur wenige Nachbestattungen dieser Zeit. Für die Stufen Latène B und C kennt man nur die beiden Gräberfelder von Manching (137), die immer noch einer angemessenen Veröffentlichung harren. Von anderen Orten sind nur zufällig entdeckte Einzelgräber oder kleine Gruppen bekannt. So kann es nicht erstaunen, daß wir für dieses Gebiet nur einige wenige Einzelbefunde anführen können, die von den tatsächlich zu vermutenden Verhältnissen nichts als eine schwache Ahnung vermitteln können.

Beginnen wir ganz im Westen, mit zwei Gräbern aus Ederheim (134), ausgegraben von dem Apotheker E. Frickhinger, dessen anthropologische Angaben wohl zutreffen dürften. Als Nachbestattung 2 in Hügel 16 fand er ein etwa 7jähriges Kind mit einem stark oval zusammengebogenen Ösenhalsring, zwei Ringchen an den Schläfen und zwei kleinen, massiven Armringen. Auf den Halsring war eine große Augenperle gefädelt. Nachbestattung 5 in einem Hügelanbau war eine junge Frau. Sie trug an der linken Schulter eine Tierkopffibel eines seltenen Typs, an der rechten eine Vogelkopffibel, um den Hals einen Ösenring mit einem kleinen, aufgeschobenen, zweiteiligen Bronzeblechhohlring, eine Kette aus 34 kobaltblauen Glasperlen und zwei massive Armringpaare. Zu ihren Füßen stand eine schwarze Schale.

An südwestdeutsche Befunde erinnert das obere Grab in Hügel 2 im Raitenbucher Forst (142). Dort war ein Skelett, von dem nichts Auffälliges erwähnt wird, mit einem Stangengliedergürtel um die Hüften[84] ausgestattet, neben dem „noch ein paar Ringe und drei gleichseitige Dreiecke" lagen. Außerdem trug die Frau noch zwei Hohlohrringe, zwei Hohlarmringe und drei(?) Fußzierfibeln. Die Ösen und Zwischenringe des Gürtels sind stark ausgewetzt.

In Hügel 7 von Süßberg (145) waren eine Frau und ein Kind bestattet, deren Beigaben nicht mehr auseinanderzuhalten sind. Zum Kind dürfte aber ein fragmentierter und dann zusammengebogener Ösenring gehören, vielleicht auch der Eisenhalsring mit aufgeschobenen Perlen aus blauem Glas und Bernstein sowie Bronzeblechhülsen nebst -ringchen.

Aus dem Staatsforst Mühlhart (139) sind zwei Gräber zu nennen. Zunächst die Nachbestattung

---

[83] Wesentlich aussagekräftigere Materialien wird die noch nicht abgeschlossene Grabung in Fischbach, Ldkr. Burglengenfeld, liefern; dazu vorerst nur A. Stroh 1964–1971; 1970; 1973; 1975.

[84] Trotz der unmißverständlichen Beschreibung der Fundlage wird er von W. Torbrügge – H. P. Uenze 1968, 198 als Halskette angesprochen.

eines Kindes in Hügel 56 mit einem geschlossenen Halsring (mit zwei Gußknoten; Kopfring?), einem Armring und zwei Knopffibeln, darunter die bisher einzig bekannte aus Eisen. In Hügel 14 fanden sich „bei einem weiblichen Skelett in ursprünglicher Lage" eine Marzabottofibel, ein Bronzearmring, ein Fragment eines Eisen(arm?)rings, zwei kräftig gerippte (Bein?)Ringe und zwei verschiedene Knebel oder Kettenglieder unbestimmter Funktion.

Der Bericht über das Grab eines etwa 14jährigen Knaben in einem schon stark angegrabenen Hügel mit mehreren Skeletten bei Höfen (136) ist nicht klar genug, als daß die Lage der Beigaben (Eisenmesser auf der Brust, kleiner Bronzering links vom Körper, Vierknotenring zwischen den Oberschenkeln) und die Angabe, daß dem Skelett die Rückenwirbel, Rippen, Hand- und Fuß-knochen fehlten, für gesichert genommen werden könnten.

Trotz der nicht allzu genauen Dokumentation wollen wir doch noch kurz einige Befunde aus Manching (137) „Steinbichl" anführen. In Grab 5 von 1893 war das Skelett einer Frau „stark nach rechts geneigt". Im Gegensatz zu den anderen reichen Frauengräbern enthielt dieses zwar umfangreichen Ringschmuck, aber keine Fibeln. Eine Gürtelkette war um den Bauch geschlungen, wobei das sonst freihängende Ende über die linke Schulter auf den Rücken geführt war. Zu einem Kollier gehörten zahlreiche Glasperlen (73 kobaltblau, 5 gelb, 2 größere mit Noppen) und eine aus Bernstein. In Grab 6 war das Individuum (eher Frau) „sitzend beerdigt worden; das ergibt sich aus der Lage der Unterarme, welche über den Oberschenkeln lagen". Es trug nur am linken Arm einen Bronzespiralring. In Grab 7 von 1903 war ein „fragiles und zartes" Individuum von nur 150 cm Skelettlänge bestattet, dessen linker Unterarm an die Brust geführt war. Außer zwei Latène C-Fibeln, einer Gürtelkette und zwei Ringen am linken Arm fand sich an Kopf und Hals eine Fülle von Glas- und Bernsteinperlen.

Dubioser sind die Verhältnisse bei den Grabungen des Medizinalrates Th. Thenn in Beilngries (132). Seine medizinischen Kenntnisse ließen ihn immerhin das Augenmerk auf Besonderheiten der Skelettlage richten, wie er auch mehrere Fälle für verheilte Knochenbrüche anführt. Hier kann nur, wie W. Torbrügge mit Recht bemerkt[85], im Vergleich mit den anderen Befunden der Oberpfalz entschieden werden, welche der nachstehend aufgeführten Besonderheiten als einigermaßen sicher beobachtet gelten können.

Ausdrücklich genannte Kindergräber sind nur wenige vorhanden. Das Grab Im Ried-Ost 9 enthielt wohl die Reste eines alten Mannes und eines Kindes, dazu eine Schlingenkopfnadel, einen halben Spinnwirtel, Eisenplättchen, ein kerbverziertes Bronzestäbchen und zehn Tonvögelchen. In zwei weiteren Kindergräbern (Im Ried-Ost 29 und 50) ist als Auffälligkeit je ein tönerner Tüllenlöffel gefunden worden, dessen Vorkommen in sicheren Erwachsenengräbern nicht nach-gewiesen ist. Bei dem Grab Im Ried-West 20, zu dem noch zwei Tonrasseln gehören, mag es sich wegen der kleinen Ringweite ebenfalls um ein Kindergrab handeln. Solche Tonrasseln sind aller-dings auch in Gräbern von Erwachsenen, vielleicht sogar in einem Wagengrab belegt.

Der Befund dieses Wagengrabes (Im Ried-West 89) ist leider nicht recht verwertbar, weil gerade die Gegenstände mit Amulettcharakter in den alten Notizen nicht erwähnt werden. Dazu zählen ein Tonring mit gewölbtem Mittelbügel, eine Tonrassel, ein Spinnwirtel und eine verzierte, durch-lochte Tonscheibe. Das Skelett soll die Knie leicht angezogen gehabt haben. Unter den Eisen-resten, die zum Pferdegeschirr gehört haben können, befinden sich ein größerer Eisenring mit Resten von Klapperblechen und ein stäbchenförmiger Anhänger, wie er uns in latènezeitlichen Zusammenhängen schon öfters begegnet ist (ähnlich *Abb. 4, 3*).

---

[85] W. Torbrügge 1965, 31.

Die Beispiele für ungewöhnliche Skelettbehandlung wollen wir jetzt nicht einzeln und ausführlich aufzählen, sondern bei dem Stand der Dokumentation reicht es aus, wenn wir später bei Bedarf auf gewisse Befunde zurückkommen werden (S. 146f. 149). Die Hockerlage ist für drei Gräber belegt: Im Ried-Ost 93 (Doppelbestattung mit verbrannten Schädeln, ein Skelett in Hockerlage), Im Ried-West 17 (nur einige Scherben) und Im Grund-Ost 19 („jugendliche, wahrscheinlich weibliche Person", beigabenlos, mit seltener N-S-Orientierung).

Wegen der ähnlichen Altersangabe interessant ist eine Latène-Nachbestattung in Hügel 9 von Rehling-Au (143), wo „der anscheinend einer jugendlichen Frauensperson angehörige Körper" in ausgeprägter Hockerlage gefunden wurde. Beigaben waren eine Fibel, ein Drahtarmring (links), kleine Eisenfragmente und Scherben.

Hockerlage wird – abgesehen von dem nicht ganz klar beschriebenen Grab von Mirsdorf (138) – auch von einer Bestattung innerhalb des innersten Walles der Anlage von Weltenburg (146) berichtet. Es fand sich „ein jugendliches Hockerskelett der Frühlatènezeit, das NW–SO orientiert war. Es trug am Hals einen Halsreif aus Bronzedraht mit Ösenverschluß und am rechten Unterarm einen Bronzereif mit übereinandergreifenden Enden. Die Bestattung lag auf dem Boden einer Grube, die mit Siedlungsschutt zugefüllt war".

Sogar in Bauchlage war ein Individuum in einem Flachgrab bei Senkofen (144) bestattet. Einzige Beigabe war eine Latènefibel an der linken Schulter.

Wir wollen unseren Streifzug durch Bayern mit zwei Befunden beschließen, die eine eingehende Diskussion verdienen, damit der Grad ihrer Gesichertheit abgeschätzt werden kann.

Beim Kiesabbau in Otzing (141) stieß man zuerst auf Reihengräber, dann in etwa 10 m Entfernung auf eine Siedlungsgrube (wohl Hallstatt C) und davon wiederum 20 m entfernt auf ein Grab der Stufe Latène A. Eine Grabgrube war nur in Andeutungen zu erkennen; das Skelett lag etwa 0,85 m in den Löß eingetieft. Es war in ausgeprägter Hockerstellung bestattet *(Abb. 19)*. „Merkwürdigerweise fehlten jedoch der Schädel, sämtliche Armknochen, die oberen Rückenwirbel und Rippen ... Die Knochen und Beigaben lagen sehr innig mit dem reinen Löß verbunden. Die Grabanlage muß also mit größter Sorgfalt wieder eingefüllt worden sein. An Beigaben wurden gehoben: in Höhe des Brustkorbes und in 65 cm Tiefe zwei massive Bronzeringe mit gekerbtem Mittelgrat ..., etwa 0,2 m von den Rippen entfernt. In gleicher Höhe lag" ein kästchenförmiger Gürtelhaken. „Auf und neben dem Becken lagen in 84 cm Tiefe acht dunkelblaue Glasperlen".

Zu diesem von H. Neubauer klar geschilderten Befund lassen sich nach unseren bisherigen Erfahrungen einige ergänzende Aussagen machen. Erstens ist sicher, daß das Individuum schon als Hocker bestattet wurde, wie die ungestörte Lage des Unterkörpers und der Beine sowie die geringe Größe der Grabgrube anzeigen. Zweitens deutet aber die höhere Lage von Gürtelringen und -haken darauf hin, daß die Bestattung offenbar nachträglich im Oberkörperbereich gestört wurde. Umgekehrt geht aber drittens daraus hervor, daß das Gürtelzubehör auch schon ursprünglich nicht in der zu erwartenden Trachtlage mitgegeben worden sein kann, weil das Becken ungestört war und sich dort, also an sehr ungewöhnlicher Stelle, die Glasperlen fanden. Eine rezente Störung hat, da das Grab obertägig nicht sichtbar war, auszuscheiden. Daraus müssen wir viertens schließen, daß die Störung durch jemanden erfolgte, der die Lage des Grabes noch kannte. Die geläufige Erklärung wäre Grabraub. Aber warum hätte man dann Schädel, Arme und Teile des Oberkörpers fein säuberlich entfernt und das Gürtelzubehör liegen lassen? Wir möchten daher einer anderen Interpretation den Vorzug geben: Offenbar wurde das Individuum schon aus bestimmten Gründen in der beschriebenen abweichenden Weise bestattet. Genau dieselben Gründe, die später noch zu

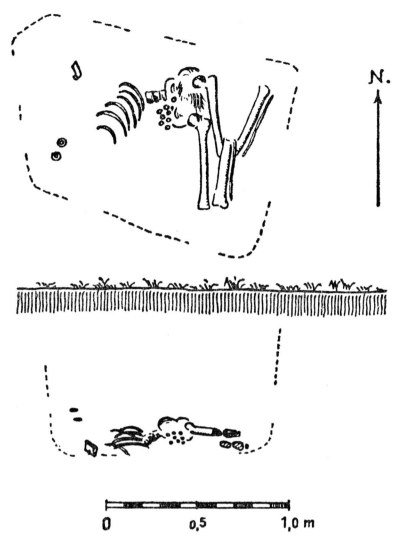

N.

Abb. 19. Grabplan (nach H. Neubauer) von Otzing (141). M. 1 : 20.

erörtern sein werden, waren es aber auch, die dann dazu führten, daß man das Grab sicher nicht viel später noch einmal öffnete und darin Veränderungen vornahm.

Wir haben diesen Befund etwas ausführlicher besprochen, weil dadurch der folgende verständlicher wird. Hier müssen wir ebenfalls den Grabungsbericht (nach P. Endrich) ausführlich zitieren, um klarzustellen, wie genau das Grab beobachtet wurde.

Bei Burggrumbach (133) „erbrachte der Aushub eines Rübenloches einen menschlichen Schädel. Er hatte dicht neben einem großen Kalksteinblock gelegen (vielleicht auch auf ihm). Dem Block folgte in nördlicher Richtung ein zweiter, begleitet in 0,90 m Tiefe von Skelettresten; dabei Bronzespuren (von einem Armring?) und einige Gefäßscherben, neben schwarzen vorgeschichtlichen eine gelbglasierte neuzeitliche ... Als die Steinblöcke herausgeräumt waren und noch etwas tiefer gegraben wurde", stieß man auf sehr gut erhaltene „Spuren einer Sargkiste aus Holzbohlen (L. etwa 1,80 m, Br. am Kopfende etwa 65 cm, am Fußende etwa 50 cm, H. etwa 45 cm) ... In der bis zur Ausgrabung ungestörten Kiste waren die Skeletteile sehr unterschiedlich erhalten, auch irgendwie durcheinander gebracht und unvollständig geworden; so fehlte der Schädel, während sich der Unterkiefer in gutem Zustand vorfand. Doch war an der Süd-Nord-Richtung der Beisetzung kein Zweifel. Zum Fußende hin ... lag ein flacher Bernsteinring (Dm. 2,5 cm); leichte Bronzespuren ließen sich nicht deuten; die meisten Beigaben steckten zwischen einem Gewirre von Rippen- und Wirbelknochen im südlichen Sargteil": eine Latène B-Bronzefibel, über hundert winzige, blaue Glasringerl, eine blaue Augenperle, eine Tonperle, mehrere Bernsteinperlen, Reste eines Bronzekettchens und eines einfachen, eisernen Gürtelhakens.

Dieser seltsame Befund blieb bisher in der Literatur unkommentiert. In der Veröffentlichung werden die höher gelegenen Knochen als Überreste einer gestörten Nachbestattung angesprochen. Des Rätsels Lösung brachte eine genaue Durchmusterung des glücklicherweise erhaltenen Skelettmaterials[86]. Dabei stellte sich nämlich heraus, daß erstens sowohl die höher gelegenen Knochen wie auch der Inhalt des Sarges von einer 30- bis 35jährigen Frau mit einer errechneten Körpergröße von 168 cm stammen, zweitens aber oben diejenigen Knochen gefunden wurden, die im Sarg fehlten. Die Schlußfolgerung der anthropologischen Analyse lautet demgemäß: „Bei beiden Individuen stimmen Alter, Geschlecht, Körpergröße und das Fehlen von Zahnkrankheiten überein. Da genau die Knochen bei der oberen Bestattung vorhanden sind, die bei der unteren fehlen und umgekehrt, also beide Skelettgruppen zusammen beinahe ein vollständiges Skelett ergeben ..., möchte ich doch annehmen, daß es sich hier um ein und dasselbe Individuum handelt." Interessant ist dabei, welche Knochen aus dem Sarg fehlen. In höherer Lage wurden gefunden der Schädel (Unterkiefer im Sarg!), die beiden Schienbeine und ein Wadenbein (die Fußknochen im Sarg!). Nicht vorhanden sind nur das zweite Wadenbein, die linke Speiche und das linke Schlüsselbein. Diese Knochen können also auch bei dem oberen Komplex gelegen haben, der, wie durch die mittelalterliche Scherbe nachgewiesen, durch Rübenmieten in Mitleidenschaft gezogen war.

Da nach dem Bericht der sehr gut erhaltene Sarg mit Sicherheit ungestört war, muß die Aufteilung der Knochen entweder schon vor oder bei der Beisetzung geschehen sein oder aber so kurz danach, daß man den Sarg noch öffnen und wieder schließen konnte, ohne dabei sichtbare Spuren in Planum und Profil zu hinterlassen. Vom Skelett getrennt waren auf jeden Fall der Schädel und die Unterschenkel. Da am Fußende des Sarges wie bei den oberen Knochen noch leichte Bronzespuren zu beobachten waren, kann die Frau Beinringe (aus Bronzeblech?) getragen haben. Dann aber wäre in der Tat das Skelett zunächst vollständig beigesetzt und erst später die Unterschenkel mitsamt den Ringen und der Schädel entfernt worden.

Für nachträgliche Manipulation spräche auch, daß das Skelett im Sarg „irgendwie durcheinander gebracht" war. Der Sargboden befand sich noch bei der Ausgrabung 1,8 m tief unter der Oberfläche. Man mußte also entweder in einem engen, tiefen Schacht arbeiten oder den Sarg wieder herausnehmen. Da dann aber das Skelett, vielleicht schon zum Teil verwest, nicht mehr in seinem Verband war, konnte es beim neuerlichen Hinunterlassen des Sarges sehr wohl etwas durcheinandergeraten sein.

Inwieweit die Deponierung der entfernten Knochen bei zwei großen Kalksteinblöcken als intentionell zu betrachten ist, kann aufgrund der fehlenden Angaben über die (Hügel?)Konstruktion allgemein und das Vorkommen eventueller weiterer Blöcke nicht beurteilt werden. Nichtsdestoweniger müssen wir zu dem Schluß kommen, daß hier, wie schon in Otzing (141), ein Individuum, das sich durch – für die Verhältnisse in Latène B – überreichen Glas- und Bernsteinschmuck auszeichnet und damit eine gewisse Sonderstellung dokumentiert, nur kurze Zeit nach seiner Beisetzung wieder aufgedeckt wurde, wobei man einzelne Skeletteile entfernte. Daß dafür gerade der

---

[86] B.-U. Abels, Würzburg, bin ich für seine Hilfsbereitschaft sehr zu Dank verpflichtet.

Schädel und die Unterschenkel ausgewählt wurden, unterstreicht angesichts mancher Parallelen (S. 145 ff.) die Intentionalität dieser Manipulation.

Es sei gerne zugegeben, daß gerade die beiden zuletzt besprochenen Gräber und die aus dem Befund weiter erschließbaren Maßnahmen an den Toten etwas makaber wirken mögen. Sie werden aber vielleicht verständlicher, wenn im auswertenden Kapitel auf die geistigen Hintergründe und Parallelen aus Ethnographie und Volkskunde solcher Bestattungssitten eingegangen wird. Immerhin sind diese Gräber offenbar so gut beobachtet, daß man es wagen kann, solche weitreichenden Überlegungen daran zu knüpfen. Vor allem wird hierbei deutlich, wie wichtig, ja geradezu unentbehrlich die genaue anthropologische Untersuchung des Skelettmaterials für eine Interpretation des archäologischen Befundes ist.

132. Beilngries: W. Torbrügge 1965.
   Im Ried-Ost:
   Grab 9: 45 mit Taf. 19, 3–4.
   Grab 29: 49 f. mit Taf. 21, 3–12.
   Grab 50: 53 mit Taf. 19, 1–2.
   Grab 93: 59 mit Taf. 22, 14–17.
   Grab 105, Skelett C: 61 mit Taf. 87, 2.
   Grab 132: 66 mit Taf. 7.
   Grab 140: 67.
   Im Ried-West:
   Grab 11: 70 f. mit Taf. 47, 1–6.
   Grab 17: 71 f.
   Grab 20: 72 mit Taf. 47, 13–16.
   Grab 22: 73 mit Taf. 50, 25–33.
   Grab 48: 77 f. mit Taf. 88–89.
   Grab 89: 88 f. mit Taf. 35.
   Im Grund-Ost, Grab 19, Stelle 1: 94.
133. Burggrumbach, Ldkr. Würzburg: P. Endrich 1952, 310 f.; O. Kunkel 1952; Chr. Pescheck 1959, 5 Abb. 2, 1.11–17 (Fibel und Perlen).
134. Ederheim, Ldkr. Nördlingen. „Blankenstein" Hügel 16: E. Frickhinger 1930, 156 ff.
135. Fischbach, Ldkr. Burglengenfeld.
   Hügel I, Grab 2: Fundbericht 1958 mit Abb. 18, 7–8; 19, 4.
   Hügel 2, 13 und 36: A. Stroh 1973.
136. Höfen, Ldkr. Pegnitz: A. Stuhlfauth 1936; A. Stuhlfauth 1937, 62 ff.
137. Manching, Ldkr. Ingolstadt. „Steinbichl".
   Grab 5/1893: J. Fink 1895, 36.40 mit Taf. 1/2, 3–6.8.

Grab 6/1893: J. Fink 1895, 36.41.
   Grab 7/1903: F. Weber 1907, 36 ff.
138. Mirsdorf, Ldkr. Coburg. Grab 2: W. Schönweiß 1972, 278 f. mit Abb. 1, 9.24.25.31.37.38; 6, 2.5; 8, 13.
139. Mühlhart (Staatsforst) b. Oberalting, Ldkr. Fürstenfeldbruck.
   Hügel 14: J. Naue 1896, 55; H. Knöll 1950, 237 Abb. 1, 8–10.12–14.16.
   Hügel 56, Nachbestattung: J. Naue 1896, 52 mit Taf. 5, 9; 6, 1; G. Kossack 1959, 202 mit Taf. 67, 9–11.13; H. P. Uenze 1964, 98 Abb. 9.
   Hügel 59: J. Naue 1896, 55 mit Taf. 6, 7–8.
   Hügel 76, dislozierte Bestattung: J. Naue 1896, 56 f. mit Taf. 6, 10.
140. Neuburg a. D. „Neufeld": M. Eckstein 1952.
141. Otzing, Ldkr. Deggendorf: H. Neubauer 1942.
142. Raitenbucher Forst, Ldkr. Weißenburg. Hügel 2: G. Hager – J. A. Mayer 1892, 43 ff. mit Taf. 3, 11.17–19.
143. Rehling-Au, Ldkr. Aichach. Ortsflur Au, Hügel 9: F. Weber 1898, 43 mit Taf. 3, 4.
144. Senkofen, Ldkr. Regensburg: Fundbericht 1962.
145. Süßberg, Gde. Eitelbrunn, Ldkr. Regensburg. Hügel 7: H. P. Uenze 1964, 87 ff. Abb. 4, 6–9; 5–6.
146. Weltenburg, Ldkr. Kelheim. Hockergrab innerhalb des Ringwalles: W. Krämer 1942.

TSCHECHOSLOWAKEI UND UNGARN

Da es uns hier noch nicht um kulturelle Differenzierungen im Grabbrauch geht, haben wir in diesem Kapitel nach den Landschaften sowohl die west- und südböhmischen Hügelgräber der ausgehenden Hallstattkultur als auch die Flachgräberfelder ab der Stufe Latène B zusammengefaßt. An die Befunde in der Slowakei lassen sich dann ohne weiteres noch kurz zwei Gräberfelder in Ungarn anschließen.

Böhmen

Der Auswertung des hallstättischen Materials in Böhmen sind sehr enge Grenzen gesetzt, weil – abgesehen von der Bylaner Kultur in Mittelböhmen – fast durchweg die Brandbestattung geübt wurde. Allein an zwei Komplexen scheint eine genauere Analyse lohnenswert. Davon ist der eine, das Gräberfeld von Manětín, okr. Plzeň-sever, bisher nur in Andeutungen veröffentlicht[87], so daß man erst die Gesamtpublikation abwarten muß. Hingegen ist das Material aus dem Gräberfeld von Nynice (155), okr. Plzeň-sever, schon vorgelegt. Es wurde von Hallstatt B 3 bis Latène A belegt: 64 Gräber sind nach Hallstatt B, 22 nach Hallstatt C und 114 nach Hallstatt D – Latène A zu datieren. Die anthropologischen Bestimmungen des Leichenbrandes sind zwar nie im Zusammenhang veröffentlicht worden, doch die mir zugänglichen Einzeldaten reichen aus, um auch hier wieder gewisse Tendenzen erkennen zu lassen.

Unter den Hallstatt C-zeitlichen Gräbern ließen sich vier Kindergräber ausmachen. Die Gräber 17 und 26 zeigen keine Besonderheiten. Dafür zeichnet sich Grab 34 durch sein tönernes Pferdchen aus, ferner durch die Beigabe einer Lanzenspitze und – sonst nicht üblich – durch das Vorhandensein von Tierknochen unter dem Leichenbrand. Der einzige Glasgegenstand dieser Periode, eine große, längliche, schwarz-weiß gebänderte Perle, stammt aus dem Kindergrab 84.

In der Endphase der Belegungszeit, die noch weit nach Latène A hineinreicht, nimmt die Beigabe von Glas beträchtlich zu. Es handelt sich dabei vor allem um gelb-opake Augenperlen, Perlen mit Zickzack und melonig gerippte Formen. Mit mindestens 34 Perlen am reichsten ausgestattet war Grab 47, das eines kleinen Kindes. Etwa 30 stammen aus Grab 138 A („erwachsen"). Drei Perlen wurden in Grab 26 B gefunden, in dem „kein Kind" beigesetzt war. Für Grab 119 mit seinen zwei Perlen liegen überhaupt keine Angaben vor, während das Vorkommen von Tierknochen in Grab 82 mit acht Perlen analog zu Grab 34 vielleicht auf ein Kindergrab deuten könnte. Wenn wir dann noch Grab 83 C von Žákava-Sváreč (159) nennen, in dem zwei Augenperlen, zwei Miniaturgefäße und ein zusammengebogener Bronzering ein Kindergrab nicht ausschließen, haben wir alle derzeit zur Verfügung stehenden Aussagemöglichkeiten der westböhmischen Hallstattkultur zu unseren Problemen ausgeschöpft. Für die mittelböhmische Skelettgräbergruppe stehen leider überhaupt keine verwertbaren Daten zur Verfügung, da bisher die reichen Kammergräber mit Wagen und Pferdegeschirr im Vordergrund des Interesses der Forschung standen. Genau so wenig Anhaltspunkte gibt es in der südböhmischen Hügelgräberkultur mit ihren Brandgräbern, für die keine modernen Grabungen größeren Umfangs vorliegen.

So müssen wir uns jetzt den Flachgräbern zuwenden, die mit der Stufe Latène B einsetzen und durch die Körperbestattung auch dort, wo keine genauen anthropologischen Daten bekannt sind, wenigstens die Kindergräber und die Bestattungen mit abweichender Skelettlage erkennen lassen.

Das Gräberfeld von Jenišův Újezd (Langugest) (150) umfaßt mindestens 120 Gräber, von denen mir 95 für die Auswertung zugänglich sind. Darunter befinden sich nur acht Kindergräber. Vier (Gräber 23, 37, 42, 55) sind überhaupt beigabenlos. Drei Gräber (70, 85, 88) waren mit einzelnen Ringen (aus Eisen, einer aus Sapropelit) und Eisenfibelresten ausgestattet. Ein vollständiges Inventar lieferte nur Grab 11 mit zwei eisernen Oberarmringen, zwei bronzenen Unterarmringen und je einer kleinen Perle aus blauem Glas, Bernstein und Gold. Die beiden letzten Materialien treten, abgesehen von Bernsteinfragmenten bei einem zerstörten Skelett über Grab 18, im ganzen Gräberfeld nur in diesem einen Kindergrab auf. Auch Glasperlen stammen sonst nur noch aus dem Kindergrab 101.

---

[87] Vorbericht: E. Soudská 1972.

Die Bevorzugung eiserner Armringe bei Kindern fällt noch mehr ins Auge, wenn man dagegenhält, daß es trotz der viel größeren Anzahl von Frauengräbern darunter ebenfalls nur drei (Gräber 5, 29, 80), vielleicht vier (Grab 21, nur am linken Unterarm) mit Eisenringen gibt.

Normalerweise sind die Gräber N-S-orientiert. Die einzige sichere Umkehrung bietet das beigabenlose Grab 26 einer jungen Frau in leichter linksseitiger Hockerstellung. Möglich wäre es aber auch bei den beigabenlosen Kindergräbern 37, 42 und 55, wo die geringen Skelettreste die Orientierung nur erahnen ließen[88]. Von W nach O sind hingegen sechs Gräber orientiert: Gräber 33 und 47 (beigabenlos), Grab 29 (normal ausgestattete Frau, mit eisernem Oberarmring), Grab 41 (nur Eisenfibel), Grab 63 (Kriegergrab; einzige Bestattung mit Asche- und Holzkohleschichten) und schließlich das Doppelgrab 53/54, in dem zwei nur mit je einer Fibel versehene Individuen direkt aufeinander und mit entgegengesetzter Orientierung (O–W) lagen. Das seicht angelegte Grab 93, noch dazu ohne Grabschacht und die übliche Mulmschicht um das Skelett, dürfte dagegen neolithisch sein, da beim Schädel ein Silex gefunden wurde. Dies allein würde als Argument zwar nicht ausreichen, doch sind auch sonst noch Spuren neolithischer Besiedlung belegt. Grab 80 hat offensichtlich ein neolithisches Grab zerstört, dessen Beigaben sich dann am Nordende des Latènegrabes fanden. Außerdem wurden an einigen Stellen steinzeitliche Einzelfunde aufgelesen[89].

Erst 1912 wurde ein Kinderskelett mit drei Bronzearmringen, einem Fingerring und einem Bernsteinamulett mit Pferdekopf auf der Vorderseite und einer figürlichen Verzierung auf der Rückseite (wohl die Nachahmung einer Münze) gefunden; dazu ein Tonwirtel.

Ein weiteres Beispiel latènezeitlicher Hockerbestattungen in Nordwestböhmen gibt es, außer dem von Moravěves (154), in Sulejovice (158), Grab 4 *(Abb. 20)*: „In der Grabgrube ruhte

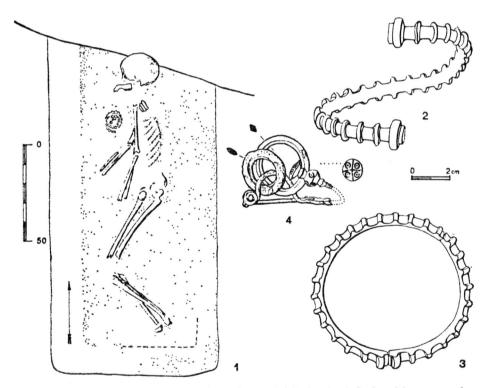

Abb. 20. Grabplan (nach V. Moucha) und Funde von Sulejovice (158) Grab 4. M. 1 : 20 und 1 : 2.

---

[88] R. v. Weinzierl 1899, 27. [89] Ebd. 6.

auf bloßer Erde in rechtsseitiger schwacher Hockerstellung das Skelett eines Erwachsenen mit zwei offenen, übereinandergelegten wulstartigen Bronzereifen vor der Brust. Ein Exemplar war vorsätzlich entzweigebrochen, das andere gewaltsam verbogen worden. Daneben lagen zwei an eine Bronzefibel mit vasenförmigem Fuß gesteckte Bronzeringe." Anthropologische Daten liegen nicht vor; nach den Beigaben ist das Grab an das Ende der Stufe Latène B zu datieren. Auch hier bemerken wir wieder die Kombination von abweichender Skelettlage und besonderen Beigaben, absichtlich unbrauchbar gemachten Armringen.

Anhand des von J. Filip vorgelegten Fundkataloges[90] kann man einige weitere Gräber von Kindern oder auch Erwachsenen mit auffälligen Beigaben ausfindig machen. Allerdings ist es lehrreich zu beobachten, daß in manchen Fällen gerade die für uns wesentlichen Details bei Filip, wohl weil sie nebensächlich schienen, aus der Originalliteratur nicht übernommen wurden (Dobšice, Grab 12: Lage der Eberknochen; Libčeves, Doppelgrab von 1923: Lage der Gesteinsstückchen, fragmentierter Armring; Vícemilice, Grab 3/1937: Lage der Fibel und der fremden Zähne).

Unter den 13 Gräbern von Dobšice (148) ließen sich zwei Kindergräber ausmachen. Das Kind in Grab 9 hatte seinen Kopf auf einer Steinplatte liegen und trug einen Bronzearmring, nach der Abbildung bei L. Hellich offenbar ein Fehlguß, und Reste einer eisernen Fibel(?). Dem Kind in Grab 12 waren beiderseits von den Schultern schräg zum Kopf hin zwei Eberknochen hingelegt worden; der Kopf ruhte zum Teil auf einer Brandschicht, rechts daneben befanden sich ein Gefäß und zwei Eisenfibeln.

1929 wurde in Holohlavy (149) ein Grab mit einem stark vergangenen Skelett aufgedeckt. Es trug einen Sapropelitring, ein eisernes Armkettchen, zwei Eisenfibeln, einen Eisenring und zwei Hohlbuckelringe an den Unterschenkeln. Auf der Brust lagen zwei gelbe Augenperlen und ein gelochter, herzförmiger Kiesel.

Aus Letky (151) interessieren uns zwei Doppelgräber. Zuerst die Beschreibung von Grab 13/ 1898 bei Filip nach der Übersetzung von A. Schebek: „Kopf N, Mutter mit Kind. Drei Fibeln ..., zwei bronzene Armringe ..., die Hälfte eines S-förmigen Drahtarmringes, eine Perle aus blauem Glas mit Augen. Im Schloß die Leiche eines kleinen Kindes mit der anderen Hälfte des S-förmigen Drahtarmringes." Ebenso aufschlußreich ist Grab 25 (7/1922): „Zwei Bestattungen; in 90 cm Tiefe ein Hockerskelett, mit dem Gesicht nach O; ohne Ausstattung; 5 cm starke Lehmschicht, dann das zweite Skelett, N–S (Reste einer Eisenfibel, offener Bronzearmring)." Die Einzelgräber 37 (19/1922) und 38 (20/1922) mit auffallenden Glasperlen bieten keine weiteren Besonderheiten, ebensowenig wie die beiden Kriegergräber 30 (12/1922) und 33 (15/1922), denen beiden der Schädel und die linke Körperhälfte gefehlt haben sollen. Noch ein drittes Doppelgrab mag hier aufgeführt werden, Grab 20 (2/1922): „N–S, zwei Skelette; Frau in 90 cm Tiefe (Eisenfibel und Messer), unter ihr ein Kinderskelett (drei Eisen[arm?]ringe)."

Auch in Libčeves (152) wurde 1923 ein Doppelgrab geborgen. In 1,8 und 1,4 m Tiefe, getrennt durch eine 10 cm starke Lehmschicht, wurden zwei Skelette mit dem Kopf im N gefunden. Sie waren sehr schlecht erhalten, doch scheinen die Schädel- und Kieferknochen immerhin noch geschlechtsspezifische Merkmale aufgewiesen zu haben. Danach soll das untere Skelett eine Frau gewesen sein. In ihrer linken Lendengegend entdeckte man ein Stückchen Basalt, eine Gürtelkette aus Eisen mit kleinen Zwischengliedern aus Bronze und einen doppelkonischen Silberanhänger mit Öse. Am linken Arm soll die Frau einen halben Bronzearmring getragen haben. „An den

[90] J. Filip 1956, 334ff.

Schultern fanden sich zwei Bronzefibeln, eine Spirale einer dritten und in der Halsgegend eine gebrochene Eisenfibel." Erinnern wir uns jedoch an die Befunde von Münsingen (S. 30), scheint es eher so zu sein, daß auch das Armringfragment zusammen mit den anderen Objekten an der linken Hüfte in einem Beutel getragen oder dort erst im Grab deponiert worden ist. Das obere Skelett soll ein Mann gewesen sein, dem man auf die Brust eine kleine Scherbe und ein Stückchen Quarzit gelegt hatte.

Aus Libkovice (153) wird von einem Kindergrab berichtet, das eine große Schüssel und goldene Drahtohrringchen enthalten habe.

Keine anthropologischen Daten liegen für Grab 3 von Praha-Kobylisy (156) vor, das zu einer 1931 entdeckten Gräbergruppe gehört. Es war eines der wenigen, die nicht durch Grabräuber gestört waren, so daß der Befund gesichert ist. Danach war der rechte Arm auf die Brust gelegt. In der Aufschüttung fand man ein Eisenmesser, bei der linken Hand hingegen eine blaue Glasperle mit roten Einlagen, einen großen, 35 cm langen Feuerstein mit Bearbeitungsspuren und das Fragment eines Bronzestäbchens.

Leider nicht ganz geklärt ist der Befund von Grab 10 in Červené Pečky (147), dem einzigen Beispiel für die Beigabe von Muscheln. Filip schreibt: „an der rechten Seite des Skelettes eine eiserne Lanzenspitze, eine eiserne Kette, ein bootförmiger Schildbuckel; das Skelett war mit zahlreichen Flußmuscheln umlegt (so im ursprünglichen Bericht Dvořáks; in Pravěk Kolínska [1936] 82 spricht Dvořák von einem Frauenskelett, das mit Flußmuscheln umlegt war und ein schlecht zusammengewachsenes Schulterblatt hatte, und außerdem von einem Kriegergrab mit trepaniertem Schädel)".

Was es mit der Frau in Grab 5 von Staňkovice (157) auf sich hat, bei der „im Unterkiefer, der in der Erde noch deutlich erkennbar war, rechts und links je ein Backenzahn eines Schweines (lagen)", muß wohl ungeklärt bleiben. Die restlichen Beigaben der reich ausgestatteten Frau (Latène B 2) weisen jedenfalls keine weiteren eindeutigen Besonderheiten auf.

Das nicht weit davon entfernte Grab 6 enthielt ein nach den Zähnen 10- bis 12jähriges Kind, war aber nur 1 m lang, so daß bei den fast völlig vergangenen Skelettresten auch ein Hockergrab denkbar wäre. An Beigaben entdeckte man nur Reste eines eisernen Halsringes und einer Latène C-Fibel. Da es noch weitere zwei Kindergräber mit Eisenhalsringen gibt, nämlich Červené Pečky (147) Grab 3/1909 und Libčeves (152) Grab 11/1889 (dem gut erhaltenen Skelett fehlte angeblich die ganze linke Hand), scheint gerade bei der ohnehin sehr seltenen Halsringtracht der Frauen der Stufen Latène B 2 und C der Eisenhalsring fast ganz auf die Kinder beschränkt zu sein.

147. Červené Pečky, okr. Kolín. Gräber 3/1909
    und 10/1910: J. Filip 1956, 338.
148. Dobšice, okr. Poděbrady: L. Hellich 1901.
    Grab 9: 103 mit Taf. 11, 14.
    Grab 12: 106f.; 97 Abb. 3.
149. Holohlavy, okr. Jaroměř. Grab von 1929:
    L. Domečka 1935.
150. Jenišův Újezd, okr. Bílina.
    Gräber 1–75: R. v. Weinzierl 1899.
    Grab 5: 36 mit Taf. 4, 12–22.
    Grab 11: 38 mit Taf. 4, 25–30.
    Grab 18: 40.
    Grab 21: 40 mit Taf. 5, 18–19.
    Grab 23: 41.
    Grab 26: 41 mit Taf. 12, 4.
    Grab 29: 42 mit Taf. 6, 4–7.

Grab 33: 43.
Grab 37: 43.
Grab 41: 45 mit Taf. 6, 16.
Grab 42: 45.
Grab 47: 47.
Grab 53/54: 49.
Grab 55: 49.
Grab 63: 52 mit Taf. 2, 9–11.
Grab 70: 53.
Gräber 76–95: R. v. Weinzierl 1901.
Grab 80: 6.
Grab 85: 7.
Grab 88: 7.
Grab 93: 7f.
Grab 101: J. Filip 1956, 349.
Grab 106: vgl. J. Filip 1956, 295 Abb. 86.

Grab von 1912: J. Filip 1956, 349.

151. Letky, Gem. Libčice n.Vl., okr. Praha-západ:
J. Vacek 1925; J. Filip 1956, 357 ff.
Grab 13/1889: Filip 358 mit Taf. 49, 8–11.
16–17.
Grab 20 (2/1922): Vacek 321 mit Taf. 46, 2;
Filip 358.
Grab 25 (7/1922): Vacek 322 mit Taf. 46, 5;
Filip 358.
Grab 30 (12/1922): Vacek 322 mit Taf. 46,
12–13; 47, 1–2; Filip 358 mit Taf. 49, 7.
Grab 33 (15/1922): Vacek 323 mit Taf. 47,
3–5; Filip 358.
Grab 37 (19/1922): Vacek 324 mit Taf. 46,
32–36; Filip 358 mit Taf. 50, 1.
Grab 38 (20/1922): Vacek 324 mit Taf. 46,
37–39; Filip 358.
152. Libčeves, okr. Bílina.
Grab 8/1889: J. Matiegka 1896, 275 f. mit
Abb. in der Mitte; J. Filip 1956, 360.
Grab 11/1889: J. Filip 1956, 360.
Grab von 1923: G. Laube 1929.
153. Libkovice, okr. Duchcov. Kindergrab o.Nr.:
J. Filip 1956, 361.

154. Moravěves, okr. Most: B. Jelínek 1884, 189.
155. Nynice, okr. Plzeň-sever: V. Šaldová 1965,
1968, 1971.
Grab 17 A: 1968, 304; 317 Abb. 10, 17.
Grab 26 A: 1968, 304; 317 Abb. 10, 26.
Grab 26 B: 1971, 8; 25 Abb. 24, 6–12.
Grab 34: 1968, 304 ff.; 321 Abb. 12.
Grab 47: 1971, 12; 29 Abb. 28, 1–19.
Grab 82: 1971, 16; 31 Abb. 30, 1–13.
Grab 84: 1968, 308 f.; 325 Abb. 14, 84.
Grab 119: 1971, 21 f.; 35 Abb. 34, 1–5.
Grab 138 A: 1971, 31; 40 Abb. 39, 3–20.
156. Praha-Kobylisy. Grab 3/1931: O. Kandyba
1935, 108 f. mit Abb. 4–5.
157. Staňkovice, okr. Žatec. „Tafka": C. Streit
1938, 19 ff.
Grab 5: 24 ff. mit Taf. 8, 6–8.10–12.
Grab 6: 26 f. mit Taf. 8, 9.
158. Sulejovice, okr. Litoměřice. Grab 4: V.
Moucha 1969, 603; 605 Abb. 3.
159. Žákava-Sváreč, okr. Plzeň-jih. Hügel 83,
Grab C: V. Šaldová 1971, 64; 83 Abb. 66,
6–10.

Mähren

Das größte Latènegräberfeld in Mähren ist das von Brno-Maloměřice (162). Unter den 76 Bestattungen fanden sich nur sieben, in denen man Kindergräber vermuten könnte, weil die Skelettlänge 1,4–1,45 m betrug (Gräber 8, 27, 44, 45, 48, 60, 71). Kleinere Individuen sind überhaupt nicht vorhanden.

In Grab 8 entdeckte man den einzigen Halsring des Gräberfeldes[91], zwei Beinringe und einen (intentionell?) zerbrochenen Armring. Die Gräber 44 und 45 lagen übereinander: zuunterst Grab 45 mit einer Eisenfibel, einem Sapropelitring, einem Eberhauer (am Kopf) und zwei Gefäßen; darüber Grab 44 mit den Händen im Schoß, gekreuzten Beinen und beigabenlos. Beigabenlos war auch Grab 71; nur am Schädel fanden sich zwei Steine. Grab 60 (Skelettlänge 1,45 m) war mit einem Schwert ausgerüstet; im Becken entdeckte man Eisenreste und unter dem Schädel einen Eisennagel. Die übrigen Gräber 27 und 48 weisen unter den Beigaben keine Besonderheiten auf.

Außer dem Grab 44/45 gibt es zwei weitere Doppelgräber. In Grab 74 waren beide Skelette sicher gleichzeitig übereinander bestattet worden, weil das untere Skelett mit seinem rechten Arm den des dicht darüberliegenden oberen (Beine etwas angehockt) umfaßte. An Beigaben fanden sich nur bei dem unteren Skelett Eisenreste in der Halsgegend und Bruchstücke eines Bronzearmringes am linken Arm. Das beigabenlose Grab 49 wurde genau über dem Kriegergrab 50 angelegt, etwa 0,4 m höher. Erwähnenswert ist schließlich noch das Hockergrab 66, dessen Skelett links einen und rechts zwei Bronzearmringe trug. Bei einer Betrachtung des Gräberfeldplanes fällt außerdem auf, daß das sehr flach liegende Hockergrab 66 und noch mehr Grab 74 mit seiner gleichzeitigen Doppelbestattung die am weitesten nördlich gelegenen Gräber darstellen und offenbar bewußt gegen die anderen Gräber abgesetzt sind.

[91] Bei J. Poulík 1942, 83 werden zwei Halsringe erwähnt, aber der andere taucht im Katalog nirgends auf.

Etwa 30 km östlich von Brno wurde in B u č o v i c e (163) eine Grabgruppe mit 20 Gräbern aufgedeckt. Bis auf eines (Grab 16) waren es Skelettgräber, wobei in sechs von ihnen das Skelett auf der linken Seite, „ein bißchen zusammengezogen", ruhte. Da unter den Beigaben im allgemeinen keine Besonderheiten erkennbar sind, wollen wir diese sechs durch den Grabritus charakterisierten Gräber näher betrachten.

Das Skelett in Grab 2 hatte die Unterarme extrem angewinkelt und trug daran zwei verschiedene, stark abgewetzte und etwas zusammengebogene Armringe. Grab 4 hatte zwei Armringe und zwei Fibeln am Kopfe liegen; in der Gegend der rechten Hand fanden sich ein Sapropelitring, ein Bronzefingerring und sechs Bronzeperlen; an der rechten Grabwand waren mehrere kleine Eisenringe verstreut. Grab 5 enthielt ein Kind, vor dessen Gesicht man einen zusammengebogenen Bronzearmring und ein Gefäß deponiert hatte. Dasselbe war bei Grab 6 zu beobachten, ebenfalls einem Kindergrab, nur daß hier zwei zusammengebogene Armringe vorhanden waren. Das Skelett in Grab 10 trug nur eine Eisenfibel auf der Brust und hatte bei den Füßen eine Flasche stehen. Grab 19 wies überhaupt nur einen Topf bei den Füßen auf.

Durch eine extrem starke Hockerlage fällt das beigabenlose Grab 8 auf. Trotz seiner strengen Einordnung in die Reihe der keltischen Gräber kann es sich um ein frühbronzezeitliches Grab handeln, da in nächster Nähe Siedlungsgruben dieser Periode gefunden wurden. Dagegen läßt sich Grab 3 mit einem gestreckten Skelett durch die Lage der Armringe „hinter dem Schädel" mit den Gräbern 4–6 vergleichen.

Da die anderen Gräber, darunter drei Schwertkrieger, durchaus die Tracht- und Beigabensitten der übrigen Funde Mährens widerspiegeln, dürfte sich hier in den erwähnten Gräbern tatsächlich eine Sonderstellung der darin bestatteten Individuen dokumentieren. Warum hier allerdings ihr Anteil so hoch ist, läßt sich auf dieser Basis nicht entscheiden.

Daß gewisse im Westen beobachtete Erscheinungen auch im Osten vorhanden sind, zeigt in hervorragender Weise Grab 20 von B l u č i n a (160). Dieses Grab eines trotz der Skelettlänge von 1,68 m „sehr jungen Mädchens" ist das reichste unter den bisher 20 Gräbern von dieser Stelle. Die Trachtausstattung ist jedoch durchaus nicht unüblich: an der linken Schulter zwei Eisenfibeln, am linken Arm einen Sapropelitring und einen leicht zusammengebogenen Bronzering, an der Hand zwei Schaukelfingerringe aus Bronze, am rechten Arm einen gewundenen Drahtarmring und an den Fußgelenken zwei hohle Bronzeblechringe mit Buckelverzierung – also ein typisches Latène B 2-Inventar einer vollständig ausgestatteten Frau. Dazu fanden sich am Fußende des Holzsarges ein situlaförmiges Gefäß und ein Kelch aus Ton, außerdem Spuren von Geweben und Pelzen.

Wichtig und, wie wir inzwischen wissen, nicht schlechterdings als „Reichtum" zu erklären sind nun Dinge, die sonst noch in diesem Grab gefunden wurden. Am Kopfende des Sarges, noch etwas von den Schädelresten entfernt, lag eine dritte Fibel, diesmal aus Bronze mit Emailverzierung. Ebenfalls noch knapp oberhalb der Schädelreste fand sich ein Scheibchen aus Silber. Die Fleischbeigabe, wohl von einem jungen Eber, war nicht bei den Gefäßen, sondern an der rechten Schulter deponiert. Neben dem rechten Oberschenkel lag eine kleine Tonflasche. Und schließlich konnte man neben der rechten Hand ein Sammelsurium der verschiedensten Gegenstände bergen, was zu der Annahme führte, die junge Frau könnte „in der Hand vermutlich ein Holzkästchen, das weitere Schmuckstücke enthielt", gehalten haben. Sehen wir uns die Objekte jedoch näher an, müssen wir feststellen, daß der Terminus „Schmuck" ihnen keineswegs gerecht wird. Folgendes ließ sich identifizieren:

Eine Bronzefibel, die mit der beim Kopf gefundenen zu einem Paar zu ergänzen ist.
Eine weitere Bronzefibel.

Ein Fingerring aus Bronzedraht mit einer Spirale.
Mehrere Windungen Bronzedraht.
Reste einer Eisenfibel.
Mehrere, nicht mehr recht definierbare Eisenreste.
Fragmente zweier Hohlringe aus Eisenblech.
Kleiner Ring aus einem flachen Eisenstreifen.
Fragment eines meißelförmigen Bronzestäbchens.
Nadelkopf(?) aus Bronze, angeschmolzen.
Fragment eines Bronzegefäßes mit verdicktem Rand.
Großer Eisenring mit angerosteten Resten einer weiteren Eisenfibel.

Ferner wurde in der Grabaufschüttung unter den Scherben am Fußende ein Wirtel aus einer Tonscherbe gefunden.

Wir brauchen über dieses Grab nicht mehr viel Worte zu verlieren. Es ist auf das engste mit den entsprechenden Befunden von Münsingen (S. 30) verwandt und läßt auch das Doppelgrab von 1923 in Libčeves (152) nicht mehr so isoliert erscheinen. Die von K. Ludikovský erwogene Deutung des Silberblechscheibchens als Grabobulus, der im Grab etwas verrutscht oder auch schon in der aufgefundenen Lage mitgegeben worden sei, mag immerhin denkbar sein. Dann wäre es wiederum bezeichnend, daß man diesen aus dem Süden oder Südosten übernommenen Brauch gerade bei diesem jungen Individuum feststellen muß, das ohnehin durch die Amulettbeigabe seine Sonderstellung im Grabritus dokumentiert.

Aufmerksamkeit verdient auch Grab 4 von Brno-Horní Heršpice (161): „Am Boden des Grabes lag ohne Beigaben ein männliches Skelett in gestreckter Lage auf dem Bauch, orientiert in Richtung Nord (Kopf)–Süd (Füße). Unter der rechten Schulter des Skelettes befand sich ein kleines Grübchen (13 cm im Durchmesser), in welchem sich außer verbrannten menschlichen Knochen (Kind) eine Fibel vom Typus Münsingen, eine Halskette aus Glasperlen, Bruchstücke von Korallen und einer Bernsteinperle befanden." Die Funde datieren das Grab in die Phase Latène B 1; aus der Nähe sind nur noch drei weitere Gräber bekannt.

Ebenfalls in Bauchlage wurde das beigabenlose Skelett in Křenovice (164) aufgefunden.

Zum Schluß wollen wir aus Mähren[92] noch Grab 3/1937 von Vícemilice (165) erwähnen. In ihm war mit NW-SO-Orientierung ein Männerskelett bestattet, das auf der rechten Schädelseite eine verheilte Trepanationsöffnung aufwies. Die einzigen Beigaben bestanden aus einer Eisenfibel und zwei Backenzähnen eines anderen menschlichen Individuums, alles dicht beieinander auf dem Bauche des Skelettes.

160. Blučina, okr. Brno-Venkov: K. Ludikovský 1970.
161. Brno-Horní Heršpice. Grab 4: J. Meduna 1970, 226ff. mit Abb. 2; 233 Abb. 4, 5–6.
162. Brno-Maloměřice: J. Poulík 1942.
    Grab 8: 53 mit Taf. 4, 5–8.
    Grab 27: 60f. mit Taf. 7, 1–4.
    Grab 44: 68 mit Taf. 2.
    Grab 45: 68f. mit Taf. 9, 5–7.
    Grab 48: 69f.
    Grab 49: 70.
    Grab 50: 70 mit Taf. 13, 6.
    Grab 60: 74.

    Grab 66: 76f.
    Grab 71: 78f.
    Grab 74: 79 mit Taf. 3.
163. Bučovice, okr. Bučovice: M. Chleborád 1930 (danach die Zitate); etwas knapper: A. Procházka 1937, 64–68 mit Taf. 2; 3, 2–11.13–25; 4; 5.
    Grab 2: 7f. Abb. 3; Taf. 1, 2–3.
    Grab 3: 10 mit Taf. 1, 4–5.
    Grab 4: 9f. Abb. 4; Taf. 1, 7–13; 2, 1–5.
    Grab 5: 10 mit Taf. 2, 6–7.
    Grab 6: 11 mit Taf. 2, 8–9.
    Grab 8: 11 mit Abb. 5.

[92] Das Hockergrab von Bučovice-Marefy (A. Procházka 1937, 88 Abb. 28; Taf. 23, 3.4.8.9) ist nach dem Ring und den drei Gefäßen nicht zwingend latènezeitlich (so J. Filip 1956, 287 Abb. 84, 12; 394), und auch an einer Datierung in die Hallstattzeit bleiben noch Zweifel bestehen.

Grab 10: 13 mit Taf. 3, 1–2.
Grab 19: 18 mit Taf. 6, 7.
164. Křenovice, okr. Slavkov: A. Procházka
1937, 82 ff.

Grab 18: 85.
Grab 20: 49. 85 f. mit Taf. 16, 16.18; 17, 3.
165. Vícemilice, okr. Bučovice. Grab 3/1937:
M. Mazalék – E. Vlček 1953.

Slowakei

Für die Slowakei stehen einige neu edierte Fundkomplexe zur Verfügung. Sie kamen oftmals bei der Erforschung bronzezeitlicher oder frühmittelalterlicher Gräberfelder zutage, sind aber nicht alle vollständig ausgegraben oder schon früher unbemerkt teilweise zerstört worden. Da jedoch das anthropologische Material, soweit es zugänglich war, ebenfalls mit untersucht werden konnte, ist der Aussagewert der Gräber zufriedenstellend.

Aus Trnovec n. V., Ortsteil Horný Jatov (172) sind 27 Skelett- und 10 Brandgräber bekannt, dazu noch drei, deren Ritus fraglich ist, weil sie zu stark zerstört waren. Die Skelettgräber sind mit einer gewissen Streubreite von S nach N orientiert. Davon gibt es zwei Ausnahmen. Zunächst Grab 234 mit seiner normal großen und tiefen Grabgrube, in der ein wohl erwachsenes Individuum in deutlicher Hockerstellung mit dem Kopf im NW bestattet war. Hals-, Arm- und Beinringe weisen es als Frau aus; über die Lage einer Eisenfibel und von Fragmenten eines weiteren Bronze-armrings wird nichts berichtet. Widersprüchlich ist der Befund bei Grab 198. Seine nur 90 × 36 cm große und W-O-orientierte Grabgrube war mit 60 cm Tiefe das seichteste Skelettgrab überhaupt. Darin sollen sich Reste „eines jugendlichen Individuums in sehr schlechtem Zustande" erhalten haben. Nach der anthropologischen Bestimmung[93] handelt es sich aber um eine mit Sicherheit erwachsene Person. Wenn hier keine Verwechslung vorliegt, kann die geringe Größe der Grab-grube nur so erklärt werden, daß der oder die Tote in starker Hockerstellung oder überhaupt nicht mehr im Verband bestattet worden war. Obwohl nach dem Bericht das Grab anscheinend nicht gestört war, sind als Beigaben nur einige Scherben und ein kleiner Eisenring erhalten.

Im ganzen Gräberfeld gibt es überhaupt nur ein sicheres Kindergrab, nämlich Grab 526 mit einem 3- bis 4jährigen Kind. Die Grube war nur 0,8 m tief, aber 2,1 m lang, gestört und lieferte nur noch drei Tongefäße; ein Schleifstein und Eisenreste sind verschollen. Die übrigen Gräber bieten für unsere Fragestellung keine weiteren Anhaltspunkte. Erwähnt sei nur noch das gestörte Grab 401 einer adulten Frau, in dem eine Tonperle und ein unbearbeitetes Bernsteinstück ge-funden wurden.

Die sicher nur teilweise ausgegrabene Nekropole von Hurbanovo (169) „Abadomb" besteht aus 16 Skelett- und zwei Brandgräbern. Die Grabsohlen befanden sich normalerweise 2,5–3,1 m tief, die Skelette mit dem Kopf im Süden. Außer den beiden Brandgräbern fallen drei Gräber nicht unter diese Regel. Grab 7 war zwar 2,6 m tief, enthielt aber ein nur 0,7 m langes Kinderskelett mit dem Kopf im Norden. Es trug eine Eisenfibel auf der Brust und hatte rechts ein kleines Gefäß liegen. Grab 16 war nur 2,1 m tief. Darin fand sich ein „jugendliches Individuum". An der rechten Hand und auf der Brust lag je eine eiserne Latène C-Fibel, „zu beiden Seiten des Schädels je eine Tonperle, zur rechten Seite ein flaschenartiges Gefäß und Scherben einer kleinen Schüssel. Unter den Knien und quer über die Schienbeine waren Tierknochen (vom Schwein) gelegt. Unter dem Skelett wurde noch ein Eisendrahtring und ein hohler Eisenblechring gefunden". Grab 10 war gar nur 0,95 m tief und barg ein „jugendliches Individuum" mit einer Latène C-Eisenfibel.

[93] B. Benadík – E. Vlček – C. Ambros 1957, 221.

Die beiden Brandgräber lagen 1,4 m tief. Grab 9 bestand aus einem kleinen Topf, in dem die verbrannten Beigaben, aber seltsamerweise kein Leichenbrand gefunden wurden. Außer den mindestens sieben Fibeln und mehreren Fragmenten von Bronze- und Eisendraht verdienen unsere Aufmerksamkeit ein Bronzering mit Fortsatz, wie er uns aus Nordwürttemberg bekannt ist (vgl. *Abb. 12, 23–24*), und ein vierteiliges Eisenkettchen mit Anhängern und einem Haken(verschluß?). Bei dem anscheinend etwas gestörten Grab 18 ist es nicht sicher, daß es ein Brandgrab war. In ihm „fanden sich einige Knochen, ein kleines Gefäß, eine Perle (hellblau mit hellgrünen Augen) und ein kleiner Bronzering" mit ausgewetzter Öffnung. Mit Perlen ausgestattet war sonst nur noch das reiche, aber gestörte Grab 3, aus dem eine Augenperle und zwei Tonperlen stammen.

Als einzige Parallele zu dem Kettengehänge in Grab 9 führt auch B. Benadík für diese späte Periode das Kindergrab I von Domaša (167) an, das außer einer Bronzekette mit acht dreieckigen, treibverzierten Blechanhängern nur noch ein kleines Golddrahtringchen und eine Schale lieferte.

Im Gräberfeld von Hurbanovo (170) „Bacherov majer" zeichnen sich fast alle Gräber durch bedeutenden Reichtum in Waffen und Trachtausstattung aus; auch dieses ist gewiß nicht vollständig erfaßt. Wieder müssen wir zwei Gräbern unser besonderes Augenmerk widmen. In Grab 13, einem der tiefsten Gräber, war ein Skelett unbestimmten Alters und Geschlechts „in mäßiger Hockerlage" bestattet. „Das dürftige Inventar bestand aus einer Eisenfibel zur rechten Seite des Schädels, zur linken Seite zu den Füßen lag eine Vase und eine kleine Schüssel, in der linken Hand war ein Schweinskiefer und zur rechten Seite in der Ebene der Hüftknochen weitere Knochen vom Schwein und Gänseknochen". Noch beachtenswerter ist Grab 9, mit 1 m Tiefe das am seichtesten gelegene. In ihm fand sich das Skelett einer maturen Frau, im Gegensatz zu allen anderen mit dem Kopf im Norden. „Im Becken lag ein Spinnwirtel, zur rechten Hand ein Bronzeanhänger, beim Kopf eine Tonperle." Wieder sehen wir an diesen beiden Gräbern, daß abweichender Grabritus mit spärlichen Beigaben (Grab 13) oder gar eindeutiger Amulettbeigabe (Grab 9) einhergeht. Bei der Unvollständigkeit des Komplexes wird man der Randlage der beiden Gräber 9 und 13 keine übermäßige Bedeutung zumessen wollen; immerhin schreibt Benadík, daß man gerade dort im Norden vielleicht doch die Gräberfeldgrenze erreicht haben könnte.

Einige wichtige Befunde bieten auch die 14 Skelettgräber und ein Brandgrab aus Dvory n. Ž. (168). Sie kamen bei der Erforschung eines bronzezeitlichen Gräberfeldes zutage und bilden ebenfalls nur einen Gräberfeldausschnitt, wobei noch mindestens fünf Gräber gestört gewesen sind. Das Kind in Grab 8 (inf. II – juv.) hatte nur Eisenfragmente am Kopf und bei der linken Hand liegen; seine Grabgrube war 1,8 m lang. In dem nur 1,65 m langen Grab 10 war hingegen ein vielleicht männliches, vielleicht schon erwachsenes Individuum in Hockerlage bestattet, bei dem sich außer zwei Gefäßen und Schweineknochen nur eine Eisenfibel fand.

Nicht so eindeutig ist der Befund in Grab 18: „Zerstörtes Skelettgrab eines erwachsenen", genauer: maturen „Mannes. Grabgrube 165 × 110 × 125 cm von ungleichmäßig elliptischer Form. Orientierung NW–SO mit Resten von Menschenknochen in sekundärer Lage. Ohne Inventar. Am Schädel doppelte Trepanation". Da die Trepanationen nicht in Schabtechnik erfolgten, sondern dabei die runden Knochenstücke regelrecht ausgestanzt wurden[94], muß man diese Maßnahmen getroffen haben, als die Person schon tot war. Gerade der Gegensatz zu den drei anderen Fällen in Grab 24, Hurbanovo (170) „Bacherov majer" Grab 6 und Vícemilice (165) Grab 3/1937, wo die geschabten Ränder verheilt sind, läßt diesen Schluß zu.

Betrachten wir aber die Grablängen in dieser Nekropole, so scheint es, daß die geringe Länge dieses Grabes analog zu Grab 10 nur erklärlich ist, wenn der Tote entweder ebenfalls als Hocker

---

[94] Ebd. Taf. 49, 3.

oder überhaupt nicht mehr im Verband bestattet worden war. Grab 9 mit 1,75 m und gestrecktem Skelett war jedenfalls so schlecht erhalten, daß die Bestimmung „erwachsen?" nicht sicher ist, gerade wenn schon für das Kind in Grab 8 eine Grablänge von 1,8 m für nötig erachtet worden war. Da überhaupt keine Reste von Beigaben mehr gefunden wurden, dürften in Grab 18 auch ursprünglich keine vorhanden gewesen sein (wie etwa im Männergrab 20). Dann aber stellt sich die Frage, ob die „Menschenknochen in sekundärer Lage" wirklich nur durch eine Raubgrabung erklärlich sein können, von der keine Spuren entdeckt werden konnten. Nachdem die Sonderstellung dieses Individuums durch seine postmortalen Trepanationen außer Zweifel steht, muß man mit der Möglichkeit rechnen, daß es entweder schon nicht mehr im natürlichen Knochenverband bestattet oder aber, analog zu den Befunden von Burggrumbach (133) und Otzing (141), erst nachträglich und mit Absicht wieder aufgedeckt und durcheinandergebracht wurde. Durch das weiter unten zu besprechende Grab 9 von Vel'ká Maňa (173) gewinnt diese Interpretation durchaus an Wahrscheinlichkeit.

Schließlich gibt es in Dvory auch ein Brandgrab (Grab 1/55), zu dem folgende Beschreibung gegeben wird: „In einer Tiefe von 30 cm lag eine kleine Vase mit Leichenbrandresten vermutlich von einer Kinderbestattung. Die Knochen in anatomischer Folge aufbewahrt: am Boden des Gefäßes Knochen der unteren Extremitäten, weiter folgen die Beckenknochen und an der Oberfläche sind die Schädelknochen. Unter den Leichenbrandresten fanden sich Fragmente einer Eisenfibel, eines Eisenmessers, eines zerschmolzenen Glasarmringes und ein Spinnwirtel aus Ton. Auf dem Rand der Mündung Fragmente eines Eisengürtels gelegt. Neben der kleinen Vase waren Scherben einer kleinen Schüssel." Wenn die Altersbestimmung richtig ist, wobei allerdings die lange Eisengürtelkette nicht unbedingt in einem Kindergrab zu erwarten wäre, hätten wir hier, wie auch in Hurbanovo (169) „Abadomb" Grab 9 (und 18?), wieder ein Beispiel, daß in dieser Region Brandgräber, wenn sie nur vereinzelt auftreten und nicht rein chronologische Gründe haben, oftmals Bestattungen von Kindern oder sonstwie durch auffällige Beigaben gekennzeichneten Personen sind.

Vom ebenfalls nicht vollständig erfaßten Gräberfeld in Kamenín (171) sind 18 Skelett- und zwei Brandgräber bekannt. Worauf die vereinzelten Geschlechtsangaben im Katalog zurückgehen, ist nicht vermerkt. Altersangaben werden auf der Skelettlänge beruhen, wenn es sich um Kinder handelt. Während die Grabtiefe normalerweise zwischen 1,2 und 1,95 m schwankt, sind vier Skelettgräber nur zwischen 0,25 und 0,35 m tief. In Grab 4 lag ein Kind, rezent etwas gestört, mit einer Eisenfibel, Eisenfragmenten im Becken, zwei kleinen, aber abgewetzten Armringen, vielleicht auch mit Beinringen, und einer Tonschüssel. Grab 16 enthielt ebenfalls ein Kind, das mit einer Eisenfibel, zwei kleinen Bronzehohlbeinringen mit Buckelverzierung und zwei Gefäßen ausgestattet war. Gestört war Grab 11, in dem das nicht näher bezeichnete Skelett einen eisernen Halsring, eine Eisenfibel und zwei Bronzeblechbeinringe mit Buckelverzierung trug. Hier ist der Rückschluß auf ein Kind nicht zwingend, weil die Beinringe normale Größe aufweisen und auch das 1,60 m lange Skelett in Grab 19 einen Eisenhalsring trug. Das letzte Grab dieser Kategorie, Grab 2, war offenbar nicht gestört. Trotzdem lautet die Beschreibung: „Der zerstörte Schädel wurde in sekundärer Lage zwischen den Beckenknochen gefunden. Den Inhalt dieses Grabes bildeten nur die Scherben einer Vase."

Auch in diesem Gräberfeld gibt es ein Hockergrab: Grab 6 mit einem „vermutlich weiblichen Skelett" ohne Tiefenangabe. An Beigaben fanden sich nur in Hüfthöhe ein Becher mit Kegelhals (darin Vogelknochen) und eine Schale. Bei den beiden Brandgräbern handelt es sich einerseits wohl um ein weibliches Individuum (Grab 14, nach dem reichen Ringschmuck), andererseits wird bei Grab 15 zwar von einer Aschenschicht, zwei Gefäßen und einem Spinnwirtel berichtet, während Leichenbrandreste aber offenbar fehlten.

Hingegen sind bei dem einzigen Grab mit N-S-Orientierung, Grab 8 (ohne Tiefenangabe), keine übermäßigen Besonderheiten zu beobachten. Seine Skelettlänge betrug zwar nur 1,48–1,52 m, aber die Individuen in den Gräbern 9 und 12 waren mit 1,45 und 1,48 m noch kleiner, ohne daß bei den fehlenden anthropologischen Bestimmungen auf jugendliches Alter geschlossen werden dürfte. Das Skelett hatte die Hände im Becken gekreuzt. Nach den vielen Fibeln (drei ganze und zwei fragmentierte Spiralen), dem Armring und den Beinringen wird es sich um eine Frau handeln. Sie trug an der rechten Hand einen bronzenen Schaukel- und einen eisernen Fingerring, an der linken Hand einen einfachen Bronzefingerring, links im Becken einen Eisenring mit Geweberesten und weitere Eisenfragmente, während neben der rechten Hand ein 9 cm langes Bronzestäbchen unbekannter Verwendung lag.

Das Gräberfeld von Vel'ká Maňa (173) ist leider bisher nur in Andeutungen veröffentlicht, doch sind immerhin schon drei interessante Befunde vorhanden. Grab 4 enthielt ein Kind, dessen Beigaben aus einer Augenperle, einem eisernen und einem bronzenen Fingerring, vier Tongefäßen und Tierknochen bestanden. Für Grab 9 steht nur eine kurze Beschreibung zur Verfügung: „sekundär bestattete Gebeine eines erwachsenen Individuums, über die ganze Grube verstreut, Glas- und Bernsteinperlen." Der Befund als solcher paßt sehr gut in unser erarbeitetes Schema, doch wäre gerade hier eine genaue anthropologische Untersuchung des Materials wünschenswert. Über die „reichen" Beigaben des Grabes 100, dessen Skelett in rechter Hockerlage aufgefunden wurde, müßte man Näheres wissen, um zu weiteren Folgerungen zu gelangen. Auf Grab 14 mit einem Skelett in Bauchlage kommen wir gleich noch einmal zu sprechen.

Daß nach unseren Erfahrungen auch das Skelettgrab 1 von Vel'ky Grob (174) mit seiner stempelverzierten Flasche, dem Eisenmesserchen, den vier Tonwirteln und der Augenperle auf ein Individuum mit besonderem Status deutet, braucht nicht weiter betont zu werden. Allerdings fehlen auch hier jegliche Angaben zum Skelett. Ein Vergleich mit anderen Gräbern ist nicht möglich, weil das Grab zusammen mit nur noch einem beigabenlosen bei der Ausgrabung eines bronzezeitlichen Gräberfeldes zutage kam. Es sei jedoch darauf hingewiesen, daß diese beiden Gräber entgegen der in der Südslowakei üblichen S-N-Orientierung von W nach O orientiert waren.

Erwähnenswert ist noch ein Befund aus Bajč-Vlkanovo (166). Hier lagen die beiden Gräber 58 und 59 seitlich versetzt übereinander, ohne daß eine intendierte Doppelbestattung schlüssig nachzuweisen wäre. Das untere Skelett 59 (männlich) hatte das linke Bein stark abgewinkelt und über das rechte Bein gelegt. An Beigaben waren nur eine Flasche, eine Schale und das Bruchstück eines Mahlsteines(?) vorhanden. Anders war die Situation in dem höher gelegenen Grab 58, wo ein ebenfalls männliches Skelett „auf dem Bauche lag und leicht bogenartige Krümmung aufwies; die Knochen vom linken Arm und Bein hatten sekundäre Lagen, waren vom Körper getrennt und der Schädel fehlte". Außer einer Tonflasche fand man nur noch zwei Eisenarmringe. Gegen eine Gleichzeitigkeit der beiden Bestattungen muß nicht unbedingt sprechen, daß die Fleischbeigaben (Schwein) von zwei verschiedenen Tieren stammen. B. Benadík diskutiert den Befund eingehend[95] und entschließt sich dann doch zur Annahme einer Plünderung, die zu der seltsamen Lage des Skelettes im oberen Grab 58 geführt habe. Zur Ergänzung führt er Vel'ká Maňa (173) Grab 14 an, in dem ebenfalls das obere Skelett eines Doppelgrabes bei einer Plünderung auf den Bauch gedreht worden sei, wobei der Skelettverband zwar gestört, aber in einzelnen Partien noch

---

[95] B. Benadík 1963, 356.

erhalten war[96]. Allerdings läßt gerade diese Übereinstimmung eine Plünderung, die auf die Entnahme von Beigaben aus war, sehr unwahrscheinlich erscheinen, weil doch jeder antike Grabräuber wissen mußte, daß er unter dem Körper des Toten gewiß nichts finden würde. Wir werden weiter unten sehen, wie man diese beiden Gräber vielleicht etwas einleuchtender erklären kann.

166. Bajč-Vlkanovo, okr. Komárno. Gräber 58 und 59: B. Benadík 1960, 407 Abb. 3; 451 Taf. 16, 3; B. Benadík 1963, 341 ff.
167. Domaša, okr. Želiezovce. Grab I: H. Mitscha-Märheim – R. Pittioni 1934, 153 f. mit Taf. 4, 11.12; 5, 1.
168. Dvory nad Žitavou, okr. Nové Zámky. „Komáromi útra dülö“: B. Benadík – E. Vlček – C. Ambros 1957, 74 ff.
   Grab 8:   78.
   Grab 9:   78 mit Taf. 28, 1.17.
   Grab 10: 79 mit Taf. 28, 7.13.19.
   Grab 18: 80.
   Grab 20: 80.
   Grab 24: 80 f. mit Taf. 28, 10; 29, 19.
   Grab 31: 82 mit Taf. 29, 16; 249.
   Grab 1/55: 82 f. mit Taf. 29, 1–7.11.17.
169. Hurbanovo, okr. Hurbanovo. „Abadomb“: B. Benadík – E. Vlček – C. Ambros 1957, 41 ff.
   Grab 3: 45 f. mit Taf. 15, 3.4.6–20.23.25.26.
   Grab 7: 48 mit Taf. 16, 4. 12.
   Grab 9: 49 mit Taf. 17, 1–17.19.
   Grab 10: 49 mit Taf. 17, 23.
   Grab 16: 51 f. mit Taf. 18, 6.7.9.15.16.
   Grab 18: 53 mit Taf. 18, 5.14.19.
170. Hurbanovo, okr. Hurbanovo. „Bacherov majer“: B. Benadík – E. Vlček – C. Ambros 1957, 55 ff.
   Grab 6: 61 f. mit Taf. 23, 1–3.8.9.14.15.18; 235 f.

   Grab 9: 64 f. mit Taf. 23, 11–12.
   Grab 13: 72 mit Taf. 26, 11.13.14.
171. Kamenín, okr. Štúrovo. „Kisvölgy“: B. Benadík – E. Vlček – C. Ambros 1957, 98 ff.
   Grab 2: 100.
   Grab 4: 101 mit Taf. 39, 5–6.
   Grab 6: 102 mit Taf. 39, 26.28.
   Grab 8: 102 ff. mit Taf. 39, 7–10.12–16.20. 23.27.29.
   Grab 11: 104 f. mit Taf. 40, 1–3.
   Grab 14: 108 f. mit Taf. 40, 21.23–33.
   Grab 15: 109 f. mit Taf. 41, 13.16.19.
   Grab 16: 110 mit Taf. 41, 1.2.12.21.
   Grab 19: 111 f. mit Taf. 41, 5–11.14.20.
172. Trnovec nad Váhom, okr. Šal'a. Ortsteil Horný Jatov: B. Benadík – E. Vlček – C. Ambros 1957, 11 ff.
   Grab 198: 19 f. mit Taf. 4, 17.
   Grab 234: 24 f. mit Taf. 4, 1–5.18; 40 Abb. 9, 1.
   Grab 401: 30 f. mit Taf. 9, 1–13; 40 Abb. 9, 2.
   Grab 460: 31 f. mit Taf. 10; 227 f.
   Grab 526: 34 mit Taf. 11, 10.13.
173. Vel'ká Maňa, okr. Vráble.
   Grab 4: B. Benadík 1953, 160; 188 Abb. 87.
   Grab 9: B. Benadík 1953, 160 f.
   Grab 14: B. Benadík 1953, 161 ff. Abb. 62–64; 188 Abb. 87.
   Grab 100: J. Filip 1956, 424.
174. Vel'ky Grob, okr. Senec. Grab 1: B. Chropovský 1954.

Ungarn

Mit diesem Überblick über die südwestslowakischen Gräberfelder wollen wir unseren Rundgang wieder nach Westen lenken, um über Österreich zum Dürrnberg zurückzukehren. Es ist nicht zu erwarten, daß die Verhältnisse in Ungarn und noch weiter südöstlich sich wesentlich von denen in der Slowakei und in Niederösterreich unterscheiden. Wenn die Ergebnisse des Westens darauf übertragbar sind, dann müssen die uns interessierenden Befunde im Osten immer spärlicher werden, je später die dortigen keltischen Gräberfelder im Zuge der Keltenwanderungen einsetzen. Ab Latène B 2 haben wir auch im Westen nicht mehr diese Regelmäßigkeit in der Amulettbeigabe. Dazu kommt die allmähliche Bevorzugung der Brandbestattung, die einerseits die anthropologische Bestimmung erschwert, andererseits die Möglichkeit nimmt, Besonderheiten in den Beigaben durch Beobachtungen zur Skelettlage zu bekräftigen, und schließlich auch die Beigaben selbst in Mitleidenschaft zieht, so daß also wichtige Einzelheiten unkenntlich sind oder überhaupt fehlen.

[96] Ebd. 342. 357.

Eine Durchsicht der Literatur in Ungarn[97], die leider oft auf Sprachschwierigkeiten stößt, weil in den Resumés natürlich meist der Katalog stark abgekürzt wiedergegeben wird, zeigt dennoch, daß auch vom Forschungsstand her nicht allzu viele gut auswertbare Befunde vorliegen. Erst die neuesten Ausgrabungen versprechen wichtige Aufschlüsse.

So handelt es sich bei der Frau in Grab 3 von Nagyvenyim (176) mit ihren seltsamen Beigaben sicherlich um die Bestattung eines Individuums mit einer sozialen Sonderstellung. Die Angaben zur Skelettlänge sind durch Unstimmigkeiten bei Druck oder Übersetzung nicht zu verwerten. In Grab 5 lag ein nur 1,4 m langes Individuum, nach den Hohlbuckelringen wohl weiblich, auf dem Grunde einer Grabgrube, die linke Hand mit einem Sapropelitring im Becken, dazu zwei Eisenfibeln an den Schultern, einem feinen Bronzekettchen um den Hals, einem Gefäß am Kopf und einem tierischen Wirbelknochen nebst verstreuter Asche. 0,5 m höher fand sich das beigabenlose Skelett einer älteren Frau in leichter Hockerstellung, bei der außerdem die Füße 25 cm höher als der Kopf gelegen haben müssen. Ob deren Fehlen durch eine Störung verursacht ist, wird nicht erwähnt. Nach dem Plan war dieses Grab noch nicht vom Sandabbau erfaßt worden.

Bis jetzt nur teilweise veröffentlicht ist das neue Gräberfeld von Ménfőcsanak (175). Hier liegen in der fast quadratischen Grube des Grabes 10 ein beigabenloses Hockerskelett mit gestörter Beinregion und ein wohl erwachsenes Individuum mit einer Eisenfibel und mehreren Eisenfragmenten nebeneinander. Zu welchem der Skelette die Tongefäße, die Tierknochen und das Messer mit Beingriff gehören, ist nicht zu entscheiden, zumal es sich sicher um eine gleichzeitige Doppelbestattung handelt. In Grab 12, nach den Ringen wohl weiblich, wurden einige Silexsplitter gefunden, und die Frauengräber 9 und 16 sind mit reichem Perlenschmuck (Glas, Koralle, Bernstein) ausgestattet. Die anthropologische Bestimmung steht offenbar noch aus.

175. Ménfőcsanak, Kom. Győr: A. Uzsoki 1970.
     Grab 9: 28ff. Abb. 12–14; Taf. 3, 4–13;
     4, 1–4.
     Grab 10: 33ff. Abb. 15–16; Taf. 4, 5–8.
     Grab 12: 39ff. Taf. 5, 1–6.
     Grab 16: 44ff. Abb. 23–24; Taf. 7, 1–7.

176. Nagyvenyim, Kom. Székesfehérvár: E. B.
     Vágó 1960.
     Grab 3: 45 mit Taf. 30; 31, 2.
     Grab 5: 45f. mit Taf. 31, 1.3–5; 32, 1–4.6;
     33, 4.

ÖSTERREICH

Latènegräber in Niederösterreich

Für die Latènezeit können sich unsere Untersuchungen auf einige gut beobachtete Befunde in den Flachgräbern Niederösterreichs stützen, die sich eng an jene der Slowakei anlehnen. Endlich sind jetzt auch die beiden Gräberfelder von Au am Leithagebirge (177, 178) veröffentlicht, deren Dokumentation für unsere Zwecke ausreicht, wenn auch keine anthropologischen Bestimmungen vorliegen.

Die Flur „Mühlbachäcker" in Au (178) lieferte 17 Gräber. Grab 3 war in drei Schichten belegt worden, wobei für die beiden oberen nicht recht zu erkennen ist, ob die leicht unregelmäßigen Skelettlagen auf rezente Störungen zurückgehen. Die Beigaben bieten jedenfalls keine Auf-

[97] I. v. Hunyadi 1944; I. v. Hunyadi 1957; L. v. Márton 1933; L. v. Márton 1934.

fälligkeiten. Anders steht es mit der unteren Bestattung auf der Grabsohle. Während die Frau gut mit Schmuck ausgestattet war, fanden sich bei dem danebenliegenden Kind „rechts vom Kopf und am linken Unterarm je ein Bronzering". Dabei dürfte der verzierte Ring mit einer Weite von 5,7 cm der Armring gewesen sein, während der größere (Weite 6,8 cm) und geschlossene Ring mit einem kleinen Fortsatz, also jener uns schon öfters begegneten Eigenheit, wohl neben dem Kopf gelegen hat.

Auch Grab 6 war in drei Schichten belegt. Hier interessiert uns das oberste Skelett, das nur „mit zahlreichen Gefäßscherben bedeckt" war; die beiden unteren Bestattungen weisen keine Besonderheiten auf.

Einige kleine Merkwürdigkeiten gibt es auch in dem Doppelgrab 10. „Beigaben der Frau: Beim Hals und beim Brustbein je zwei Bronzefibeln …, bei der rechten Hand Eisenstücke; entlang des rechten Unterschenkels Bronzedrahtstücke, unter dem linken Fuß Gefäß, daneben Knochen von Speisebeigaben. Beigaben des Kindes: Bei den Füßen Schale und Gefäß, daneben Schweinezähne", ohne daß offenbar weitere Schädelknochen des Tieres gefunden worden wären. Bei den Bronzedrahtstücken handelt es sich um Reste von feinen, waagrecht gelegten Spiralen.

Etwas mehr bietet das Gräberfeld in der Flur „Kleine Hutweide" (177). In Grab 5 lag unter einer nur einfachen Steinlage ein unbestimmtes Skelett in rechtsseitiger Hockerstellung mit stark angezogenen Beinen und Armen, das als einzige „Beigabe" das Bruchstück eines Schleifsteines unter dem Kopf aufwies. Bei Grab 12 muß es sich wegen der geringen Grablänge (1,46–1,52 m) um ein Kindergrab handeln. Dies wird durch die Beigaben unterstrichen: eine Latène B-Fibel mit einer auf die Nadel aufgeschobenen Glasperle links vom Becken, ein dünner, etwas verbogener Halsring aus Eisendraht mit umgebogenen Enden, ein zusammengebogener Bronzearmring und Reste von Eisenfibeln nebst sechs Gefäßen und ein Tierknochen(?). Unter diesen Umständen wird man den Fund einer fragmentierten Kreuzfußschüssel des Spätneolithikums[98] in der mächtigen Steinpackung nicht mehr für einen Zufall halten wollen. Außerdem entdeckte man zwischen der vierten und fünften Steinlage eine Schale mit Stempelverzierung, darin Leichenbrand.

Nicht eindeutig beschrieben ist der Befund in Grab 23 mit einem fast völlig vergangenen Skelett. Dort lagen offenbar alle Beigaben mehr oder weniger nur in der Mitte der 2,2–2,3 m langen Grabanlage: zwei Schüsseln, zwei Töpfe, vier Glas- und eine Bernsteinperle, ein tordierter Ösenhalsring, zwei Bronzefibeln, verbunden durch ein Kettchen, eine Vogelkopffibel eines sehr ungewöhnlichen Typs, Reste eines spiralig gedrehten Bronzedrahtes (wie in Grab 10) und einige Eisenfragmente, darunter wohl eine weitere Fibel. Das nach dem Ringschmuck weibliche Individuum in Grab 27 hatte neben der rechten Hand drei Eberzähne liegen, deren Zusammenhang mit dem weiter entfernten Tierkiefer bei den Gefäßen unsicher ist.

Einige charakteristische Befunde können wir auch aus dem kleinen Gräberfeld von Brunn (179) gewinnen. Die beiden Skelette in rechter Seitenlage in den Gräbern 3 und 7 sind zwar ärmlich ausgestattet, weisen aber sonst keine Besonderheiten auf. Anders ist es bei Grab 5, in dem eine „vermutlich ältere Frau" in starker Hockerstellung bestattet war. Bei ihr standen einige Gefäße, dazu waren aber die Scherben einer Schale über das ganze Grab verstreut.

In Grab 4 lag das Skelett gar auf dem Bauch. Daneben standen zwei Gefäße und eine Schale. Noch über diese hinweg zog sich eine deutliche Holzschicht, die wegen der vorhandenen Randbeschläge als Rest eines Schildes interpretiert werden muß, mit dem die Bestattung einschließlich der Gefäße bedeckt worden war. Da ein eiserner Schildbuckel durchaus nicht immer vorhanden

---

[98] K. Willvonseder 1939, 136f. Abb. 1–2.

gewesen sein muß[99], braucht sein Fehlen in diesem Grab nicht auf eine intentionelle Entfernung zurückzugehen. Ungewöhnlich ist allerdings, daß außer dem Schild sonst keine Waffen gefunden wurden, nur eine Schere sowie zwei Eisenfibeln im Becken.

Am interessantesten ist Grab 8. Es war mit 2,2 × 1,0 m das kleinste Grab und hatte als einziges eine Bronzefibel (Latène B) und zwei Bronzearmringe (zusammengebogen, W. 4,9 cm) aufzuweisen, dazu fünf Töpfe und weitere Scherben unter der Steindecke. Nimmt man dann noch hinzu, daß darin das Skelett, im Gegensatz zu den anderen Gräbern, sehr schlecht erhalten war, dann liegt auch angesichts der kleinen Armringe der Schluß nahe, daß es sich hier um ein Kindergrab handeln müßte. Wir werden darin bestärkt, wenn wir erfahren: „Unter der Steindecke war in der Mitte des Grabes ungefähr 50 cm oberhalb des Skelettes der Schotter auf einer kleinen Stelle von einigen Hundert Schneckengehäusen von 1,5–2,0 cm Dm. durchsetzt."

Insgesamt bietet diese Gruppe mit ihren zehn Gräbern ein etwas ungewöhnliches Bild. Allein vier Gräber zeichnen sich durch eine abweichende Skelettlage aus, dazu kommt das Kindergrab mit den Schnecken. In Grab 10 liegt ein Schwertkrieger, bei dem in der Nähe der Tongefäße jene bekannten verzierten Bronzebeschläge[100] gefunden wurden, deren Zweck immer noch ungeklärt scheint. Zwei Brandgräber (Gräber 6 und 9) enthielten nur je eine Eisenfibel, Grab 2 eine Lanzenspitze, Grab 1 außer Keramik nichts weiter, wobei das Skelett noch den Kopf auf einer Steinplatte liegen hatte. Wir haben also, um zusammenzufassen, nach den Beigaben zwei Männer und ein Kind vor uns. Der Rest der Gräber ist im Grunde unbestimmbar, weil er nur Keramik und oder Fibeln enthält. Es fällt schwer, das Fehlen normal ausgestatteter Frauen einfach der Armut der dortigen Bevölkerung zuzuschreiben.

Diese Zweifel mehren sich, wenn wir nun die Funde von Guntramsdorf (180) betrachten. Die von F. Wimmer beschriebenen vier Gräber aus den Jahren 1927 und 1928 lassen an Eindeutigkeit nichts zu wünschen übrig. Die Skelette der Gräber 2, 3 und 4 waren in linksseitiger Hockerlage bestattet; für Grab 1 ist die Lage nicht mehr zu erfahren gewesen. In Grab 4 lag ein Kind, während die Schädel der Männer in den Gräbern 1 und 2 verheilte Trepanationen aufwiesen. Auch in Grab 3 war ein Mann bestattet, wie aus der Schwertbeigabe zu erschließen ist. Aus Grab 1 ist darüber hinaus als ungewöhnlicher Fund eine große Eisensichel bekannt; ob hier Waffen nur nicht mehr gerettet werden konnten, kann nicht mehr entschieden werden. In Grab 2 lag jedenfalls eine breite Lanzenspitze.

Im Juni 1928 wurden weitere drei Gräber aufgedeckt: zunächst zwei Brandgräber mit Keramik, dann aber ein drittes Grab mit einer Steinpackung von nur 0,8 m Durchmesser, „darin ein Skelett gelegen, das wegen der Kleinheit der Packung wahrscheinlich in Hockerlage beigesetzt worden war". An Beigaben fanden sich eine Lanzenspitze und eine Schere.

Diese sieben Gräber kamen alle an der Staatsstraße nahe der Brücke über den Wiener-Neustädter Kanal zutage, dürften also zu einem einzigen Gräberfeld gehören. Wenn man dann noch bedenkt, daß auch unter den älteren Funden (ohne genaue Berichte) von dieser Stelle kein einziges Stück dabei ist, das mit einiger Sicherheit auf eine Frauenbestattung deuten könnte, muß man entschieden die Frage stellen, ob wir hier nicht ein Gräberfeld (oder den Bezirk eines größeren solchen) vor uns haben, das für Personen mit einem gesellschaftlichen Sonderstatus reserviert war. Die Hockergräber, die Schädeltrepanationen und das Kind sprechen eine zu deutliche Sprache, als daß man dies alles als zufälliges Zusammentreffen abtun dürfte. Allerdings können wir an dieser Stelle nur

---

[99] Sicher bei Dürrnberg Grab 13 (E. Penninger 1972, Taf. 13, 11), wohl auch bei Grab 46/2 (ebd.

Taf. 51, 6).

[100] Auch bei P. Jacobsthal 1944, Taf. 177, Nr. 377.

auf dieses bisher anscheinend in der Latènekultur noch nicht beobachtete Phänomen aufmerksam machen. Solche „Sonderfriedhöfe" sind, wie noch zu erläutern sein wird, theoretisch durchaus denkbar, doch kann deren Stellung innerhalb der niederösterreichisch-slowakisch-ungarischen Latènekultur erst nach einer Gesamtanalyse dieser Regionen definiert werden, für die hier selbstverständlich nicht der Ort ist. Dann erst wird man entscheiden können, wie weit es sich hier doch nur um einen Einzelfall oder aber um eine regionale Eigenheit handelt.

Gewisse Ähnlichkeit mit den beiden besprochenen Nekropolen weist nämlich auch noch das etwa 70 km nordwestlich von Wien gelegene Gräberfeld von Klein-Reinprechtsdorf (181) auf. Auf einer leichten Bodenerhebung wurden insgesamt noch sechs Gräber aufgedeckt. Nach der anthropologischen und archäologischen Bestimmung der allerdings sehr schlecht erhaltenen Skelette soll es sich dabei um folgende Individuen gehandelt haben:

Grab 1: Frau mit Fibelpaar, Armring links, Gürtelkette.
Grab 3: Frau (ca. 25 Jahre) in Hockerstellung; Fibelpaar, Glas- und Eisenarmring links, Gürtelket te
Grab 4: Frau (ca. 20 Jahre) mit Schädeltrepanation („höchstwahrscheinlich"), die Füße übe r d r d linker Unterarm zum Kopf zurückgebogen; Fibelpaar, Eisenfingerring links, Gürtelkette.
Grab 6: Frau mit Fibelpaar und Gürtelkette.
Grab 2: Mann mit Fibelpaar.
Grab 5: zwei Männer übereinander, „wirr durcheinander geworfen". Unten: Fibelpaar; oben: mehrere Eisenreste, aber keine Gürtelkette.

Sind einerseits eiserne Gürtelketten bei Frauen ungewöhnlich, so kommen andererseits Fibelpaare (je eine Fibel an beiden Schultern) bei Männern nicht gerade häufig vor. Gute anthropologische Bestimmungen scheinen nur für die Gräber 2, 3 und 4 vorzuliegen, für Grab 5 sind sie schon relativiert. Die Schädeltrepanation war offenbar an der lebenden Person vorgenommen worden, die sie aber „nicht lange überlebt haben dürfte". Die abweichende Lage des Skeletts kann damit in Verbindung stehen. Mit der Hockerbestattung in Grab 3 verbindet es das frühadulte Alter, das wir in solchen Zusammenhängen schon öfters feststellen konnten.

Etwas älter als die bisher aufgeführten Funde sind die von Kuffarn (182). Fast schon an Dürrnberger Befunde (Grab 77[101]) erinnert das Grab 8, in dem nebeneinander ein etwa 12jähriger Knabe(?), eine Frau, ein etwa 5jähriges Mädchen und ein zweiter Erwachsener bestattet waren. Außer mehreren Tongefäßen, zwei Spinnwirteln und Hirschknochen, die sich nicht eindeutig einzelnen Skeletten zuweisen lassen, waren nur die Frau und das kleine Mädchen mit Schmuck versehen. Das Mädchen trug um den Hals einen Ösenring, auf den mittels eines Bronzeringchens ein rohes, herzförmiges Stück Eisen aufgefädelt ist. Die Frau hatte beide Unterarme so stark angewinkelt, daß sie auf die Oberarme zu liegen kamen. Daran trug sie je einen Armring. Wohl auch zur Frau gehörte in der Kopfgegend ein Bronzeringchen mit einer aufgeschobenen blauen Glasperle. Am Hals entdeckte man vierzehn röhrenförmige Bronzeperlen mit Resten einer Schnur. Neben dem linken Fuß lagen drei Eisenklammern.

Aus dem Grab 19 stammen außer Keramik und Tierknochen ein Eisenmesser, eine Lanzenspitze, ein bronzener Drahtfingerring und ein durchlochter Bärenzahn. Auch in diesem Gräberfeld sind zwei Hockergräber gefunden worden (Gräber 2 und 3), die sich allerdings mangels Beigaben nicht datieren lassen; die beiden Schalen aus Grab 3 scheinen nicht aufgehoben worden zu sein. Da die Gräber alle über ein großes Areal unregelmäßig verstreut sind, ist auch von da her kein weiterer Anhaltspunkt zu gewinnen.

---

[101] F. Moosleitner – L. Pauli – E. Penninger 1974, Taf. 195.

Wegen seiner frühen Zeitstellung unter den niederösterreichischen Latènegräbern ist das Kindergrab 1 von Ossarn (183) bemerkenswert. Auch wenn die Beschreibung nicht in allen Einzelheiten klar ist[102], ist der Befund doch eindeutig genug. Das Kind trug zwei Bronzearmringe und einen dreieckigen, eisernen Gürtelhaken. Unter dem Kopf lag eine Doppelpaukenfibel, die in den Spiralknöpfen und der Gestaltung der Fußpauke deutliche Latènezüge zu erkennen gibt. In der Halsgegend fanden sich – die einzigen Exemplare der Grabgruppe – zwei Augenperlen, eine melonig gerippte Perle, zwei einfache Glasperlen (gelbbraun und kobaltblau), zwei Bronzeringchen sowie eine profilierte Knochenperle, mehr auf der Brust dagegen ein eiserner, kästchenförmiger Gürtelhaken. Da jedoch der dreieckige Gürtelhaken ohne Zweifel in Trachtlage beigegeben war, kann der andere auf der Brust nur zusätzlich und ohne Trachtfunktion ins Grab gekommen sein.

177. Au am Leithagebirge, pol. Bez. Bruck a. d. L. (Niederösterreich). „Kleine Hutweide": S. Nebehay 1973 b.
Grab 5: 8 f. mit Taf. 4, 9.
Grab 12: 13 f. mit Taf. 7, 5–8; 8; 9, 1.
Grab 23: 24 f. mit Taf. 23, 2–5.
Grab 27: 27 f. mit Taf. 27; 48 Abb. 18.

178. Au am Leithagebirge, pol. Bez. Bruck a. d. L. (Niederösterreich). „Mühlbachäcker": S. Nebehay 1971 und 1973 a.
Grab 3: 1971, 141 f.; 158 Abb. 5; 163 f. Taf. 1, 8; 2, 2–11.
Grab 6: 1971, 143 f.; 165 Taf. 3, 1–5.
Grab 10: 1971, 147 f.; 167 f. Taf. 5, 8–9; 6, 2–4.

179. Brunn an der Schneebergbahn, pol. Bez. Wiener Neustadt (Niederösterreich): K. Willvonseder 1938.
Grab 3: 236 f. Abb. 3.

Grab 4: 236 ff. Abb. 4.
Grab 5: 239.
Grab 7: 240 f. Abb. 7.
Grab 8: 240 ff. Abb. 8.
Grab 10: 243 ff. Abb. 9–11; 256 Abb. 12–13.

180. Guntramsdorf, pol. Bez. Mödling (Niederösterreich): F. Wimmer 1930; R. Pittioni 1930.

181. Klein-Reinprechtsdorf, pol. Bez. Horn (Niederösterreich): A. Stifft-Gottlieb 1935.

182. Kuffarn, Gde. Statzendorf, pol. Bez. St. Pölten (Niederösterreich): A. Dungel 1907.
Grab 2: 86 f.
Grab 3: 87.
Grab 8: 88 ff.
Grab 19: 95.

183. Ossarn, pol. Bez. St. Pölten (Niederösterreich). Grab 1: K. Engelhardt 1969, 28 f. Abb. 3; 36 ff. Abb. 9.

Hallstattgräber in Ober- und Niederösterreich

Voll in die Hallstattkultur gehört das Gräberfeld von Maiersch (186), dessen Befunde nicht allzu gut beobachtet sind, zumal es sich überwiegend um Brandbestattungen handelt. Am reichsten mit Glas- und Bernsteinschmuck ausgestattet ist das Mädchengrab 12 (Skelettlänge 1,3 m: 206 Glasringerl, bis auf zwei blau, sieben Bernsteinperlen und sechs Bronzeringchen). Immerhin 67 blaue Glasperlen gibt es auch in dem Skelettgrab 86, in dem wegen dem Gürtelbesatz aus etwa 10000 Bronzeringchen eine erwachsene Frau gelegen haben dürfte. Dasselbe wird für die Frau in Grab 83 mit ihren 104 Bernsteinperlen gelten. Nicht ganz klar ist der Bericht über das Grab 31, vielleicht ein Skelettgrab mit einer sekundären Brandbestattung. Zum Skelett sollen gehören zahllose Bronzeringchen, drei Spinnwirtel, fünf blaue Glasringerl, sechs Bernsteinperlen, eine Knochenperle und ein Hirschgeweihsproß mit abgeschliffener Spitze. Neben dem Kopf sollen elf längliche Bachgerölle gelegen haben. In der Tonsitula der Brandbestattung fanden sich noch weitere fünf Tonwirtel.

Allerdings kommen die Tonwirtel bei einem Großteil aller Brandgräber vor, dort oft kombiniert mit eindeutigen Amuletten: Doppelvogelanhänger (Grab 32), Tierkopf, geschnitzt aus Geweih,

---

[102] Die seltsame Lage der Beinknochen bleibt unerwähnt (Störung?); zu einer Perle fehlt die Beschreibung.

und Astragali (Grab 39), Tonrassel (Gräber 38 und 54), trapezförmiger Anhänger (Grab 54). Als Kindergrab läßt sich nur noch das Skelettgrab 61 identifizieren, in dem sich zwei kleine Armringe, eine Fibel eines seltenen Typs (sekundär verbogene Zweischleifenfibel?) und Keramik, darunter ein Zwillingsgefäß, befanden. Wir sehen, daß hier die Basis für gesicherte Aussagen doch etwas schmal ist, wenn auch die beiden Kindergräber durchaus schon bekannte Eigenheiten zeigen. Die Tonwirtel kommen zu häufig vor, als daß man ohne anthropologische Bestimmungen weitergehende Aussagen machen könnte, wie auch sonstige Amulette im weiteren Sinne nicht selten sind, bedeutend häufiger jedenfalls als in den Latèneflachgräbern Niederösterreichs und der Slowakei.

Im Vorbeigehen sei noch rasch ein Kindergrab aus A m s t e t t e n (184) erwähnt, das bei einer Nachuntersuchung aufgedeckt wurde und nur einen Eisenring mit neun aufgefädelten Bronzeklapperblechen enthielt.

Aus dem eisenzeitlichen Teil des Gräberfeldes von L i n z - S t. P e t e r (185) werden nur zwei Gräber ausdrücklich als solche von Kindern bezeichnet: Grab 148 mit einer Halskette aus über 25 Bernstein- und drei blauen Glasperlen sowie zwei Spiralröllchen aus Bronze, dazu einem eisernen Ring am linken Arm und vier Tongefäßen; ferner Grab 460 mit vier Tongefäßen, wobei unter einer Schale ein Wildschweinhauer gefunden wurde, und eine (sekundär?) stufenförmig gebogene Bronzenadel auf der Brust.

Bemerkenswert aufgrund der Beigaben, aber wegen fehlender anthropologischer Bestimmung nicht genauer einzuordnen sind noch folgende Gräber: Grab 452, dessen schlecht erhaltenes Skelett „auf der rechten Seite gelegen sein dürfte" und mit ungewöhnlichen Bronzebeigaben ausgestattet war. Grab 167 mit folgender Beschreibung: „Der linke Arm war im Ellbogengelenk abgewinkelt... An einem Finger seiner Hand steckte ein Bronzering. Nördlich des rechten Oberschenkels lagen drei Bronzeknöpfe[103], ein Eisenpfriem, zwei eiserne Reifen, ein U-förmiges Eisenfragment und ein Beschlagblech aus Bronze. Als weitere Beigabe konnte eine Bronzenadel sichergestellt werden. Quer über dem Bauch lag ein Geweih." Brandgrab 446: „Am Boden der Urne lagen Leichenbrandreste, schwarze Erde, ein Steinabschlag, ein Spinnwirtel, Fragmente eines Zahnes (Eckzahn eines großen Nagers), ein unbestimmter Gegenstand von schwarzer Farbe, ein kleiner Bronzering, eine bronzene Nähnadel und zehn auf einer Seite polierte rote Steinchen."

Silexabschläge kommen häufiger vor. Mit einer ungewöhnlichen Skelettlage (Arme und Beine gekreuzt) war einer in Grab 116 kombiniert, desgleichen in Grab 169a mit einem Skelett in leichter Hockerlage. Die übrigen Beigaben lassen keinen Zweifel daran, daß wir hier nicht frühbronzezeitliche, sondern tatsächlich hallstättische Gräber vor uns haben. Die anderen vier Gräber mit Abschlägen (Gräber 53, 56, 173 und 447) sind als Brandbestattungen leider nicht weiter aussagekräftig. Immerhin fanden sich im Brandgrab 56 eine große Spirale aus Golddraht und vier Fragmente eines Spiralröllchens aus demselben Material.

184. Amstetten (Niederösterreich). Kindergrab:
K. Kromer 1960, 105 mit Taf. 1, 2.
185. Linz (Oberösterreich). St. Peter: H. Adler
1965.
Grab 44: 136ff.
Grab 53: 146f.
Grab 56: 150ff.
Grab 116: 160ff.

Grab 148: 182ff.
Grab 167: 196ff.
Grab 169a: 204f.
Grab 173: 206ff.
Grab 446: 280ff. mit Taf. 27, 3.
Grab 447: 282ff.
Grab 452: 292f. mit Taf. 27, 4; 28.
Grab 460: 302f.

---

[103] Sie gehören zum Pferdegeschirr. Vgl. G. Kossack 1954b, 177 Abb. 28 A 7 (Gilgenberg, OÖ.); 178

Abb. 29 A 10 (Stillfried, NÖ.).

186. Maiersch, pol. Bez. Horn (Niederösterreich):
     F. Berg 1962.
     Grab 12: 16 mit Taf. 2, 3–11.
     Grab 31: 20ff. mit Taf. 7, 4–7; 8; 9; 10.
     Grab 32: 23f. mit Taf. 11, 1–12.
     Grab 38: 25f. mit Taf. 14.

Grab 39: 26 mit Taf. 12, 4–6.
Grab 54: 30 mit Taf. 19, 5–13.
Grab 61: 30f. mit Taf. 20, 1–4.
Grab 83: 32 mit Taf. 23.
Grab 86: 34f. mit Taf. 27, 1–7.

Das Gräberfeld von Hallstatt

Wenn wir uns trotz aller Vorbehalte, die man den Befunden und Fundkombinationen im Gräberfeld von Hallstatt (187) entgegenbringen muß[104], diesem doch noch kurz zuwenden, so deshalb,
weil man an diesem bisher wichtigsten Fundkomplex Mitteleuropas nicht einfach vorbeigehen
kann. Wir werden uns aber darauf beschränken, einige kennzeichnende Befunde aufzuzählen, deren
Interpretation auch ohne eine Gesamtanalyse des ganzen Gräberfelds möglich scheint. Anthropologische Bestimmungen liegen so gut wie keine vor. Die Kindergräber sind anhand der Angaben
des Ausgräbers und, vor allem bei den Brandgräbern, der geringen Ringweiten zu erschließen.
Daß das Alter der Kinder oftmals so genau angegeben werden kann, ist dem Ausgräber, J. G.
Ramsauer, zu danken, der als Vater von 24 Kindern über die entsprechenden Erfahrungen verfügt
haben dürfte. In der Datierung verteilen sich die Gräber auf die Spanne von Ha C bis Lt A, ohne
daß in vielen Fällen, gerade wegen des Sondercharakters der Beigaben, eine genauere Eingrenzung
möglich wäre.

Schon ein erster Überblick zeigt, daß die Kindergräber sich kaum durch besondere Auffälligkeiten, wie wir sie anderswo kennengelernt haben, auszeichnen. Oftmals sind sie nur mit
Armringen oder Fibeln ausgestattet, nicht selten ganz beigabenlos. Außerdem ist auch bei den
Erwachsenen die Verwendung von Klapperschmuck und Bernstein sehr beliebt, so daß in diesem
Punkte eine Differenzierung schwerfällt, zumal gerade hier Altersbestimmungen unabdingbar
wären. Wenn dann unter den etwa 1200 bekannten Gräbern nur etwa 120 als solche von Kindern
zu identifizieren sind, wird deutlich, daß sich die Zahl jener Kindergräber, die mit Beigaben unserer
Amulettkategorien aufwarten können, in sehr engen Grenzen halten muß, verglichen jedenfalls
mit der Masse der zur Verfügung stehenden Gräber.

Das Kind in Grab 8 hatte auf der Brust außer einem abgebrochenen Wetzstein und drei Bronzeringen mit Zwingen noch das Fragment eines bronzenen Griffs (von einem Schlüssel?) liegen. In
Grab 93 fanden sich mehrere Nadeln, zum Teil mit aufgeschobenen Bernsteinperlen und Knochenscheibchen, Bronzebeschläge und eine dunkle Glasperle mit eingelegten Augen. Die konischen,
quergerillten Bernsteinanhänger aus Grab 95 entsprechen gut den Stücken von Hirschlanden
Grab 5 und Magdalenenberg Grab 56 *(Abb. 12, 25; 15, 12–13)*. Ein ähnliches Stück gibt es noch
aus dem Frauengrab 136, dort vergesellschaftet mit weiteren Bestandteilen eines Halskolliers:
sieben Ringchen aus Weißmetall (Blei?), 78 Glas- und zwei Bernsteinringerl, zwei Bronzeringchen,
zwei profilierte Bernsteinringe, zahlreiche Bernsteinperlen mit Schiebern, 88 scheibenförmige und
durchbohrte Kalksteinplättchen, Fragment eines Bleidrahtes, ein verzierter Spinnwirtel.

8–10 Jahre alt soll das Kind in dem Brandgrab 132 mit reichem Klapper- und Bernsteinschmuck
sowie einem fragmentierten Radanhänger und einer Golddrahtspirale gewesen sein; daneben soll
ein „in die Hälfte geteiltes Schweinskelet nebst anderen Thierknochen" gelegen haben. Aus dem
Kindergrab 139 kennt man einen durchlochten Bärenzahn, angeblich aber auch Reste einer Lanzen-

---

[104] Dazu L. Pauli 1975.

spitze. Das Kind in Grab 302 war 8–10 Jahre alt und mit fünf Fibeln, Bernsteinperlen, -ringen, Bronzeringen und Klapperschmuck ausgestattet. Besonders interessant ist der Befund in Grab 305. Dort waren einem ebenso alten Kind die Unterarme nach oben angewinkelt und mit je einem Fußreifen an die Oberarme gefesselt; sonst fand sich nur noch ein kleiner Bronzering auf der Brust. Das Kind in Grab 346 besaß als einzige Beigabe eine große, gerippte Glasperle.

Mit 2 Jahren das jüngste in Hallstatt gefundene Kind lag in Grab 428. Die Beigabe von etwa 800 Glas- und 10 Bernsteinperlen nebst einem durchlochten Bärenzahn findet im ganzen Gräberfeld nicht ihresgleichen. Das 8jährige Kind in Grab 434 trug zwei zusammengebogene Armringe, eine Bernsteinkette und hatte am Kopf eine buckelverzierte Bronzeblechscheibe liegen. Nur 2–3 Jahre alt war das Kind in Grab 527 mit seinem zusammengebogenen Armring, einem Spinnwirtel, einem Ringchen aus Lignit und einer Kette aus Lignit-, Glas- und Bernsteinperlen. Allerdings ist hier fraglich, ob wirklich alles zu diesem Grab gehört. Grab 535 (Unterarme auf der Brust gekreuzt) enthielt drei Bronzeringelchen und einen durchlochten Bärenzahn. In Grab 767 fanden sich nur einige Bronzeblechbeschläge. Als einzige Beigabe hatte das Kind in Grab 807 einen Bronzering mit drei kreisförmigen Erweiterungen, offensichtlich ein Fremdstück[105], liegen. Aus Grab 865 stammen zwei zusammengebogene Armringe, zwei Haarringelchen und ein Bronzehaken an einem Ring. Einen zusammengebogenen Armring (links) hatte auch Grab 866 aufzuweisen, dazu ein einzelnes Klapperblech auf der Brust.

Um ein noch jugendliches Individuum wird es sich bei Grab 180 handeln, zu dem eine Marzabottofibel, ein großer Bronzering und eine Lanzenspitze gehören. Drei zusammengebackene Ringe weisen Brandspuren auf, können also von einer unbeobachteten Brandbestattung stammen, aber auch als intentionelle Beigabe ins Grab gelangt sein, zumal es sich hier bei den Gräbern 177–180 um eine Vierfachbestattung (zwei Erwachsene, zwei Kinder) handelt. Brandgrab 827 enthielt nach den Größenunterschieden bei den Knochen und Ringen einen Erwachsenen und ein Kind, zu dem ein Radanhänger gehört haben könnte. Ob es sich dagegen bei dem Brandgrab 909 um ein Kindergrab handelt, ist trotz der verschiedenen Ringgrößen zweifelhaft. Bemerkenswert sind allerdings das treibverzierte Goldband mit Haken, die Bronze- und Bernsteinperlen sowie einige Knöpfe. Das Kind in Grab 1035 hatte neben dem Kopf fünf flache und einen profilierten Armring liegen, dazu ein mehrmals roh durchstoßenes Bronzeblechfragment und drei Bernsteinperlen.

Die Beigaben der Gräber 2–3/1938 gehören zu einem Erwachsenen und einem Kind. Darunter befinden sich Teile eines Toilettebestecks und ein durchlochter Bärenzahn; doch wird nicht angegeben, welches Individuum zu welcher Grabnummer gehört. In dem Kindergrab 16/1938 fanden sich ein großer Bernsteinring mit herumgelegtem Draht, sechs Bernsteinperlen, fünf blaue Glasperlen und vier Eisenringchen. Einzige Beigabe in dem Grab 61 (Linz) eines 2- bis 3jährigen Kindes war eine Halskette aus blauen Glasperlen.

Über der Brust gekreuzte Arme werden auch von dem Kind in Grab 21/1889 berichtet, das als Beigaben eine Kniefibel auf der Brust, ein Goldringelchen neben dem Kopf und ein Nadelfragment neben dem rechten Fuß aufwies. Gar nur ein Bronzeringlein fand sich bei dem Kindergrab 14 (Linz), dessen sämtliche Knochen auf einem Quadratfuß nebeneinander deponiert gewesen sein sollen.

Damit wären wir bei den Bestattungen in abweichender Skelettlage angelangt. Obwohl Ramsauer gerade solchen Befunden sein besonderes Augenmerk widmete und sie in den Bilder-

[105] Zu diesem Typ E. Sprockhoff 1953. In Hallstatt finden sie sich in drei weiteren Gräbern, wohl von   Erwachsenen: Gräber 288, 442 und 541 (K. Kromer 1959, Taf. 46, 10–11; 137, 5; 70, 16).

alben auch relativ oft abbilden ließ, ist doch immer damit zu rechnen, daß er geringfügige Störungen der Skelettlage nicht als solche erkannt hat. Unter den von ihm ergrabenen Skeletten sind
etwa 25 vertreten, die in Arm- oder Beinhaltung von der üblichen gestreckten Rückenlage abweichen: ein oder beide Arme sind zum Kopf erhoben, auf Brust oder Bauch gekreuzt oder seitlich weggestreckt, die Beine sind gekreuzt oder einseitig abgewinkelt. Der weitaus größte Teil
dieser Gräber unterscheidet sich in der Ausstattung nicht von der anderer Durchschnittsgräber;
es fällt jedoch auf, daß so gut wie kein Grab dabei ist, das man unter die reicheren Gräber einreihen wollte. Da sich darin meist auch keine eindeutigen Amulette finden, könnte eine genauere
Bestimmung des sozialen Standortes der darin bestatteten Individuen nur über die Feinanalyse der
Beigabenkombinationen des ganzen Gräberfeldes erfolgen. Ein solches Vorgehen ist jedoch aufgrund der besonderen Quellensituation in Hallstatt nicht erfolgversprechend.

Wir werden uns daher darauf beschränken, hier nur solche Beispiele abweichender Skelettlage
aufzuführen, bei denen aufgrund der Beschreibung vermutet werden kann, daß sie richtig beobachtet sind, und die über die abweichende Stellung nur einzelner Gliedmaßen hinausgehen.

Erwähnenswert ist zunächst Grab 114 (mit Grab 115 ein Doppelgrab), in dem sich ein Skelett
ohne Kopf in B a u c h l a g e befunden haben soll. Diese Angabe gewinnt an Wahrscheinlichkeit,
wenn wir uns die Beigaben (an der linken Seite des Beckens!) betrachten: drei Hirschgeweihsprossen, vier Glimmerstückchen, eine harzige Substanz, ein zerbrochener Wetzstein, ein Bronzeblechstück, ein Ärmchenbeil und ein Eisenmesser. Widersprüchlich ist leider die Überlieferung
bei Grab 121, wohl einer Frau mit reichem Schmuck, der ebenfalls der Schädel fehlte und die auf
dem Bauch gelegen haben soll und mit Grab 122 ein Doppelgrab bildete. Hingegen scheint die
Bauchlage bei Grab 12/1938 (adult, männlich) sicher bezeugt zu sein, dessen einzige Beigabe aus
einem kleinen Eisenring auf der rechten Seite bestand. Ein normal ausgestattetes Männergrab ist
wiederum Grab 2/1939 mit dem Skelett in Bauchlage.

Von einer „S e i t e n l a g e" des Skeletts wird häufiger berichtet, wobei die Beine mehr oder
weniger stark angezogen gewesen sein sollen. Keine wesentlichen Auffälligkeiten bieten Grab 1/
1884 (nur vier Bronzeringchen und zwei Tonschalen; dabei eine Brandbestattung?) und Grab 12/
1889 (männlich, adult; Krieger mit Beil, Lanzen und fünf Bratspießen). Unter den Beigaben des
Kriegers (Dolch, Lanzen und Pfeilspitzen) in Grab 11/1889 fand sich immerhin ein mehrfach
durchbohrter Knollen aus (Elfen?)Bein mit einem Bronzeringchen (rechts auf der Brust). Auf der
rechten Seite liegend, mit leicht angezogenen Beinen und angewinkelten Armen wurde das Skelett
in Grab 120 entdeckt. Es trug zwar eine Mehrkopfnadel auf der Brust, hatte aber dort auch (in
der linken Hand haltend?) sechs Angelhaken liegen, eine nicht nur für Hallstatt ungewöhnliche
Beigabe[106]. Ganz entsprechend ist das Hockergrab 205 mit einer Rollennadel und einem Angelhaken.

Nur die Hände auf dem Bauch gekreuzt hatte das Skelett in Grab 303, zu dem noch eine Rippenziste aus Ton (darin ein Goldringelchen) und vier leicht gewölbte Anhänger aus Knochen gehörten.
Eine „gekrümmte Lage" wird von Grab 150 berichtet, in dem sich nur ein durchbohrter Eberzahn (und zwei weitere Eckzähne?) nebst einem Bronzeringchen fand. Ausgesprochene Hockerbestattungen enthielten nur die Gräber 967 mit einem Armring links und 54 (Linz), das gänzlich
beigabenlos war.

Angeführt sei schließlich noch der Bericht über Grab 122 (Linz), weil hier das einzige Mal von
S c h n e c k e n h ä u s e r n berichtet wird, abgesehen von denen in einem Suchgraben bei Grab 50,

---

[106] Sonst nur noch in den Gräbern 205 (Seitenlage), 241 (Brandgrab), 483 und 112 (Linz), vielleicht auch im Kindergrab 865: K. Kromer 1959, Taf. 24, 10; 80, 8; 252, 10; 171, 12.

zusammen mit Holzkohlenresten: „Die weitere Nachgrabung ... führte sogleich zu einem lockeren Gestein mit vielen Schneckenhäusern und dann zu einem Skelett ... Es wies die gewöhnliche Lage von West nach Ost auf, wobei nur die Füße verschoben waren. Das Skelett hatte als Beigaben einen Topf und am Hals eine längere Nadel." Die abweichende Lage der Beine hat allerdings nicht viel zu besagen, da in diesem Gräberfeldbereich und anderen Grabungen dieser Jahre nach Ramsauer immer wieder von „verschobenen" Gerippen, „Unterfüßen", Unterkörpern oder Oberkörpern gesprochen wird. Die tatsächlichen Verhältnisse sind nicht zu beurteilen; daß Verlagerungen durch Rutschungen am Hang in größerem Maße eingetreten sein sollen, scheint nach den Erfahrungen am Dürrnberg nicht sehr wahrscheinlich. Man wird trotzdem diese Befunde nicht für die Postulierung von Sonderbezirken des Gräberfeldes, in denen die Toten überwiegend in abweichender Skelettlage bestattet wurden, heranziehen dürfen. Aus diesen späteren, etwas dubiosen Grabungen stammen auch die Gräber 22 (Linz), wo das beigabenlose Skelett auf der rechten Seite lag und das rechte Bein angezogen hatte, und 57 (Linz) mit einem Skelett in Bauchlage, gekreuzten Unterschenkeln und der linken Hand auf dem Rücken, wozu als Beigaben nur zwei zwei Mehrkopfnadeln an Hals und Brust gehörten.

Als einziges Grab eines Erwachsenen mit normaler Skelettlage sei schließlich nur Grab 129 angeführt, in dem zwei Astragali, 28 Bernstein- und 19 Glasperlen und ein Gürtelhaken gefunden wurden.

Einen bemerkenswerten Befund lieferten drei dicht nebeneinander aufgedeckte Gräber, die im Jahre 1947 im Bereich der Grabungen von 1938/39 angeschnitten wurden. Grab 1, nach dem Tüllenbeil auf der Brust und dem einzelnen Goldringchen am Schädel ein Mann, hatte knapp über der Brust einen ortsfremden Steinblock liegen. Im Doppelgrab 2 befanden sich zwei Skelette in Bauchlage übereinander, wohl etwas gestört und ohne auffällige Beigaben. Hingegen bemerkte man bei Grab 2a „eine Lage, die eine Beisetzung des Toten in kniender Stellung nahelegen würde", doch war das Grab deutlich gestört. Unter den Funden sind Glasperlen, Reste zweier Messer mit Beingriff und Tonscherben erhalten. Bei diesen Gräbern fand sich dann aber auch eine 3 cm dicke, 1,0 × 0,6 m messende Brandschicht mit einer Scherbenhäufung in der Mitte, die Überreste für Hallstatt ungewöhnlicher Tongefäße ergab, dazu Knochen von Rind und Schwein.

Mit diesem kurzen Überblick über das Gräberfeld von Hallstatt haben wir unseren Rundgang durch Mitteleuropa beendet und kehren zum Dürrnberg zurück.

187. Hallstatt, pol. Bez. Gmunden (Oberösterreich). Grabungen von J. G. Ramsauer, Gräber in Wien: K. Kromer 1959, 43 ff.
Grab 8: 43 mit Taf. 2, 14–17.
Grab 14/15: 44 mit Taf. 1, 31–37.
Grab 67: 50 mit Taf. 4, 10–14.
Grab 69: 50 mit Taf. 5, 24–26.
Grab 93: 53 f. mit Taf. 9, 6–11.
Grab 95: 54 mit Taf. 8, 19–22.
Grab 98: 54 mit Taf. 9, 1–5.
Grab 114/115: 55 f. mit Taf. 12, 6–10.
Grab 120: 56 mit Taf. 13, 16.
Grab 121/122: 56 f. mit Taf. 14; 15, 6–7.
Grab 129: 58 mit Taf. 11, 22–24.
Grab 132: 58 f. mit Taf. 17, 1–19.
Grab 136: 59 f. mit Taf. 19, 1–17.
Grab 139: 60 mit Taf. 11, 14–17.
Grab 150: 61 mit Taf. 23, 4–5.

Grab 171: 64 mit Taf. 19, 18–23.
Grab 180: 66 mit Taf. 26, 1–4.
Grab 181: 66 mit Taf. 26, 11–12.
Grab 205: 69 mit Taf. 24, 9–10.
Grab 249: 76 mit Taf. 32, 20–21.
Grab 302: 85 f. mit Taf. 49, 1–11.
Grab 303: 86 mit Taf. 50, 2–6.
Grab 305: 86 mit Taf. 53, 1–2.
Grab 313: 87.
Grab 317: 88 mit Taf. 54, 15–16.
Grab 345: 92 mit Taf. 62, 12–13.
Grab 346: 92 mit Taf. 54, 11.
Grab 354: 93 mit Taf. 57, 4–10.
Grab 428: 103 f. mit Taf. 70, 3–8.
Grab 431: 104 mit Taf. 76, 9–12.
Grab 434: 104 f. mit Taf. 72, 7–10.
Grab 449: 106 mit Taf. 71, 6–13.
Grab 461: 108 mit Taf. 78, 3–4.

Grab 468: 110 mit Taf. 80, 15–16.
Grab 475: 111.
Grab 479: 112.
Grab 527: 121f. mit Taf. 78, 9–14.
Grab 535: 122f. mit Taf. 78, 15–16.
Grab 557: 125 mit Taf. 106, 7–8.
Grab 572: 127f. mit Taf. 105, 7–8.
Grab 576: 129 mit Taf. 109, 13–14.
Grab 599: 132 mit Taf. 122, 1–8.
Grab 646: 139 mit Taf. 137, 6.
Grab 708: 148.
Grab 767: 154f. mit Taf. 149, 13–15.
Grab 787: 157.
Grab 797: 159 mit Taf. 163, 16–18.
Grab 807: 160 mit Taf. 156, 11.
Grab 827: 162 mit Taf. 183, 6–12.
Grab 841: 164f. mit Taf. 174, 3–10.
Grab 849: 165 mit Taf. 174, 11–12.
Grab 865: 168 mit Taf. 171, 10–12.
Grab 866: 168 mit Taf. 175, 9–10.
Grab 909: 173 mit Taf. 182, 10–15.
Grab 911: 174 mit Taf. 194, 14.
Grab 967: 180 mit Taf. 187, 3.
Grab 968: 180.

Grabungen des Jahres 1886: K. Kromer
1959, 187f.
Grab 1035: 188 mit Taf. 193, 5–7.

Grabungen von I. Engl, Gräber in Linz:
F. Stroh in: K. Kromer 1959, 207ff.
Grab 14: 211.
Grab 22: 211f.
Grab 34: 213 mit Taf. 244, 1–5.
Grab 54: 215.
Grab 57: 216 mit Taf. 254, 4–5.
Grab 61: 216 mit Taf. 229, 3–10.
Grab 122: 223 mit Taf. 252, 13–16; 260, 6.

Grabungen des Musealvereins Hallstatt 1884,
1889, 1891 und 1938–39: A. Mahr 1914,
21ff.; F. Morton in: K. Kromer 1959, 191ff.
Grab 1/1884: A. Mahr 22.
Grab 11/1889: A. Mahr 25ff. mit Taf. 4, 124;
6, 39; F. Morton 193 mit Taf. 204; 205, 5.
Grab 12/1889: A. Mahr 27f. mit Taf. 4,
143–150; 5, 590.591; F. Morton 193 mit
Taf. 206.
Grab 17/1889: A. Mahr 30f. mit Taf. 2, 31.
Grab 21/1891: A. Mahr 34.
Grab 2–3/1938: F. Morton 193f. mit Taf.
211,2–9.
Grab 12/1938: F. Morton 194 mit Taf. 212,16.
Grab 16/1938: F. Morton 195 mit Taf. 211,
16–17.

Rettungsgrabung 1947: F. Morton 1952,
48ff.

ABWEICHENDE SKELETTLAGEN AM DÜRRNBERG BEI HALLEIN

Nachdem wir gesehen haben, daß in auffallend vielen Gräbern die Amulettbeigabe mit einer abweichenden Skelettlage verbunden ist, wollen wir die entsprechenden Fälle auch des Dürrnbergs hier noch nachtragen. Weil außer in dem Mädchengrab 19 und den weniger eindeutigen Fällen der Gräber 2/3 und 28/1 eine solche Kombination am Dürrnberg bisher nicht vorliegt, haben wir oben (S. 15ff.) zunächst keinen Bezug darauf genommen. Die zusammenfassende Auswertung wird jedoch zeigen, daß diese beiden Kategorien von Bestattungen eng zusammenhängen müssen. Erst dann können wir mit Gewinn auch auf jene immer wieder umstrittenen Befunde von Hallstatt eingehen, bei denen Ramsauer beobachtet haben will, daß der Tote teils als Skelett, teils verbrannt bestattet worden sei.

Gräber, in denen der Tote eine Sonderbehandlung erfuhr, sind am Dürrnberg nicht selten. Eindeutig sind jene Fälle, wo trotz sorgfältiger Grabung einzelne Skeletteile an ungewöhnliche Stellen verlagert waren und sonst keine Störung beobachtet werden konnte, zumal wenn die Beigaben offensichtlich nicht angetastet waren. Daneben gibt es aber auch Gräber, in denen einzelne Gliedmaßen gänzlich fehlen. Hier ist eine Entscheidung, ob es sich um eine intentionelle oder zufällige, rezente Störung handelt, selbst bei den jüngsten Grabungen oft nicht möglich, weil bei den vorliegenden Bodenverhältnissen Störungen nicht immer im Profil und Planum erkannt werden können.

Beginnen wir mit Grab 19, dem eines 7- bis 9jährigen Kindes, von dem nur der Schädel und der oberste Halswirbel gefunden wurden. E. Penninger glaubte zwar, eine alte Störung feststellen zu können, doch ist auszuschließen, daß es sich dabei um eine rezente Raubgrabung gehandelt hat; denn die reichen Beigaben (Latène B 1) lagen alle noch *in situ*, also ziemlich regelmäßig auf dem fiktiven Oberkörper des Mädchens. Die Anhäufung von Schneckengehäusen im Grabraum unterstreicht die Sonderstellung dieses Grabes und damit des darin bestatteten Individuums. Ob allerdings tatsächlich nur der Kopf des Kindes bestattet oder das übrige Skelett erst nach einer Weile planvoll entfernt wurde, muß vom Befund her zunächst offenbleiben.

In Grab 24, einem der bisher jüngsten Gräber (Latène C) am Dürrnberg überhaupt, hatte Skelett 1 (wohl weiblich, 20-25 Jahre) links auf der Brust einen menschlichen Unterschenkel mit einem Bronzering liegen. Nachdem dieser Frau genau der rechte Unterschenkel fehlte, wird es wohl ihr eigener sein, den man an so ungewöhnliche Stelle gelagert hatte. Da für die Latène C-Doppelbestattung eine Latène A-Kinderbestattung ausgeräumt worden war, kann der Unterschenkel eines Erwachsenen auch nicht zu dieser Primärbestattung gehört haben; es sei denn, man hätte ein außerdem noch vorhandenes erwachsenes Skelett sonst vollständig entfernt. Jedoch sei angemerkt, daß der an dem Unterschenkel gefundene Ring für diese Periode als Beinring recht ungewöhnlich wäre. Erstens widerspricht seine geringe Weite der Dürrnberger Regel, daß alle Ringe abnehmbar gewesen sein müßten. Zweitens sind in den benachbarten Regionen in dieser Zeit als Beinringe die Hohlbuckelringe und auch hohle Bronzeblechringe, oft mit Buckelverzierung (am Dürrnberg schon in Latène B 2 bekannt), üblich. Sonstige Besonderheiten sind unter den Beigaben nicht zu vermerken.

Dasselbe gilt für das Grab 67 (Hallstatt D; wohl weiblich, erwachsen), dem einer reich ausgestatteten Frau. Hier war der Schädel um 50 cm nach rechts verschoben, also so weit, daß ein postmortales Verrutschen in einer noch hohlen Grabkammer ausgeschlossen werden darf. Der Unterkiefer befand sich dagegen noch *in situ*. Der Bernsteinschmuck zog sich vom Oberkörper bis hinüber zum Schädel, an dem noch ein kleines Bleiringchen lag. Solche Bleiringchen sind in einigen Gräbern in Hallstatt bei ganz ähnlich ausgestatteten Frauen in der Halsgegend gefunden worden[107], so daß zwar ein Amulettcharakter[108] nicht unbedingt von der Hand zu weisen ist, aber nicht sicher mit dem besonderen Status gerade dieses Individuums, der sich in der Verlagerung des Schädels dokumentiert, zusammenhängen muß. Daß dem Skelett die halben Unterschenkel und die Füße gänzlich fehlten, muß demnach nicht zwingend auf eine rezente Störung zurückgehen, wie sie auf dem Eislfeld häufiger gewesen zu sein scheinen. Die Intentionalität der Schädelverlagerung wird noch unterstrichen durch die Tatsache, daß rechts vom Oberkörper, aber in demselben Abstand wie der Schädel, zwei Fibeln gefunden wurden, die offensichtlich nicht zur eigentlichen Tracht gehörten; denn dafür trug die Tote zwei Brillenfibeln auf der Brust.

Am absonderlichsten ist der Befund in Grab 79. Hier ließ das Skelett eines 40- bis 50jährigen Mannes folgende Eigentümlichkeiten erkennen: Der Schädel schien gestanden zu haben, das Becken lag auf der Brust, der linke Arm fehlte ganz, und die Beine lagen unnatürlich eng zusammen. Einzige Beigabe war ein Bronzering mit eingehängtem Ringchen am rechten Ellbogen, wobei dieser Arm noch stark angewinkelt war. An der rechten Schulter des Toten befand sich ein Häufchen Leichenbrand (juvenis oder frühadult; wenn erwachsen: eher weiblich), bei dem ein durch-

---

[107] z. B. Grab 136 (K. Kromer 1959, Taf. 19, 16); Grab 161 (Ebd. Taf. 20, 7); Grab 181 (Ebd. Taf. 26, 12); Grab 281 (Ebd. Taf. 45, 8); Grab 462b (bei einem Krieger?; ebd. Taf. 77, 3); Grab 923 (Ebd. Taf. 184, 14); Grab 100 (Linz) (zwei größere Spiraldrahtfragmente; ebd. Taf. 256, 11–12).

[108] Zur „Stoffheiligkeit" des Bleis: L. Schmidt 1958.

brochener Gürtelhaken und vier Koppelringe aus Eisen entdeckt wurden, die keine Brandspuren aufweisen. Schließlich verlief genau in Längsrichtung über dem Skelett und nur 10 cm über diesem die Spur eines etwa 2,3 m langen Holzpfahles. Die Beigaben im Leichenbrand sprechen für die Beisetzung eines Knaben oder jungen Mannes.

Liegt schon hier der Verdacht nahe, daß der Tote erst endgültig in die Erde kam, als er schon weitgehend skelettiert war, so ist dies bei Grab 80 ebenso möglich. Dort war neben dem Skelett eines 30- bis 40jährigen Mannes der Leichenbrand eines über 50 Jahre alten Individuums über die ganze imaginäre Körperlänge hin verstreut. An der Stelle der Füße lagen übereinander zwei massive Bronzebeinringe und in der rezent gestörten Körpermitte Reste von mindestens einem Armring und einem Eisenmesser. Am „Kopfende" der Leichenbrandschüttung fand sich der unverbrannte Unterkiefer, neben dem, wie bei der Mehrzahl der Dürrnberger Hallstattfrauen üblich, ein großer Bernsteinring ruhte. Da unter dem Leichenbrand kein zweiter Unterkiefer zu erkennen ist, besteht wohl kein Zweifel daran, daß man der Toten vor ihrer Verbrennung den Unterkiefer entfernt und dann sorgsam wieder an die entsprechende Stelle der Leichenbrandschütten deponiert hat.

Auf andere Weise als die bisher angeführten Gräber ist wohl der Befund in Grab 76 zu erklären. Dort fehlte einem 25- bis 35jährigen Mann der linke Unterschenkel mit dem Fuß. Da der Oberschenkel schräg nach innen geführt war, so daß sein Ende fast das rechte Knie berührte, wäre mit der Möglichkeit zu rechnen, daß diesem Manne noch zu Lebzeiten der linke Unterschenkel amputiert worden war[109]. Ob das Fehlen auch des linken Unterarms auf dieselbe Weise erklärt werden kann, ist nicht sicher, wenn auch eine Störung in diesem Bereich nicht beobachtet werden konnte. An Besonderheiten weist dieses Grab nur zwei kleine Nester mit Holzkohlenbrand in Fortsetzung der Hände und ein drittes Brandnest beim rechten Fuß auf, in dem sich eine Fibelnadel befand. Außerdem sei angemerkt, daß diesem Mann trotz seiner sonst guten Ausstattung die zu erwartenden Lanzen nicht beigegeben waren, was angesichts seiner zu vermutenden Körperbehinderung durchaus plausibel erscheint.

Bei Grab 78 ist hingegen eine Störung im Bereich der Oberschenkel nachgewiesen, der dann vielleicht auch der fehlende linke Unterarm zum Opfer gefallen ist.

Die nächsten Beispiele sind Gräber, in denen das Skelett zwar in abweichender Lage bestattet wurde, aber offenbar keine Knochen fehlen oder verlagert waren.

Als Hocker bestattet wurden die beiden Kinder (4–6 Jahre) in Grab 86. Sie lagen auf der rechten Seite und hatten den Kopf nach oben gewendet. Das Kind 2 trug rechts ein Armkettchen aus dunklen Glasperlen, das andere war überhaupt beigabenlos. Das vielleicht dazu gehörige Skelett 1, ein Mann von 30–40 Jahren, lag auf dem Rücken, hatte aber seine Beine mit geschlossenen Füßen weit auseinander gewinkelt und den linken Arm abgebogen. Auch er war beigabenlos, aber mit einer größeren Felsplatte bedeckt.

Mehr auf der Seite liegend wurde Skelett 1 (wahrscheinlich weiblich, 30–50 Jahre) in Grab 87 gefunden. Die Beine waren leicht angezogen, die Hände ruhten vor den Oberschenkeln. An der linken Schulter stand nur eine Tonschüssel. Auch die beiden anderen Skelette dieses Grabes waren in den Knien oder in der Hüfte leicht abgeknickt.

---

[109] A. Dvořák konnte als Arzt bei seinen Ausgrabungen mehrere Fälle von verheilten Knochenbrüchen, aber auch eine Amputation feststellen: Červené Pečky (147) Grab 13 „anscheinend eine uralte Amputierung des Oberarms" (J. Filip 1956, 338). Auch C. Streit 1938, 22f. erwägt für Staňkovice (157) Grab 4 eine Amputation des rechten Armes bei einem Krieger.

Der Krieger in Grab 84 hatte sein linkes Bein stark nach außen gewinkelt, während das rechte nach innen gedreht war. Beim rechten Fuß fand sich ein kleines Brandnest.

Aus den älteren Grabungen E. Penningers sei zunächst Grab 2 angeführt, in dem die beiden Skelette 1 und 2 der Primärbestattung leicht abgewinkelte Beine und Arme aufwiesen, während Skelett 3 in ganz ungewöhnlicher Lage angetroffen wurde. Durch die Neigung des Hanges war es ziemlich schräg, fast halb sitzend bestattet. Dabei waren die beiden Arme über den Kopf erhoben, wobei der linke noch über den ursprünglichen Steinkranz der Primärbestattung hineinragte. Das linke Bein war leicht angewinkelt, das rechte dagegen so sehr, daß der Fuß das linke Knie berührte. Die Lage der Beigaben, insbesondere der Armringe, beweist, daß gerade dieser Befund auf keinen Fall durch Abrutschen am Hang zustande gekommen sein kann, zumal auch alle Gliedmaßen noch im Verband waren. Die Tote muß also schon in dieser Stellung begraben worden sein[110].

Bei dem 30- bis 50jährigen Krieger in Grab 75 waren beide Oberschenkel nach innen gedreht und der linke Oberarm weit schräg nach außen verlagert.

Leichtere und auch anderswo nicht seltene Abweichungen zeigen Grab 28/1 (beide Arme angewinkelt, die Hände auf dem Bauch; Amulettbeigabe), 53 (weiblich, 18–25 Jahre, rechte Hand auf dem Bauch) und 77/1 (eher Mann, 50–70 Jahre, Knie übereinandergelegt, rechter Oberschenkel nach innen gedreht).

Größere Steinplatten genau über dem Oberkörper der Skelette werden bei den Gräbern 65 (junge Frau mit geringer Amulettbeigabe), 80 (Mann, Frau und Kind; rechts neben der Frau ein verbrannter Holzpfahl), Grab 86/1 (Mann mit ausgewinkelten Beinen, dabei die beiden Kinder in Hockerlage) und 87/3 (eher weiblich, 20–30 Jahre) erwähnt.

1. Hallein (Salzburg). „Dürrnberg".
    B. Gräber mit abweichenden Skelettlagen und
       auffallender Steinbedeckung.

Gräber 1–58: E. Penninger 1972.
Grab 2: 44f. mit Taf. 68.
Grab 19: 57 mit Taf. 76.
Grab 24/1: 60f. mit Taf. 79.
Grab 28/1: 62f. mit Taf. 80.
Grab 53/1: 89f. mit Taf. 96.

Gräber 59–114: F. Moosleitner – L. Pauli –
E. Penninger 1974.

Grab 65: 27.
Grab 67: 28f. mit Taf. 190.
Grab 75: 40 mit Taf. 194.
Grab 76: 41 mit Taf. 194.
Grab 77/1: 42 mit Taf. 195.
Grab 78: 45 mit Taf. 196.
Grab 79: 45f. mit Taf. 196.
Grab 80/2: 46f. mit Taf. 197.
Grab 84: 49f. mit Taf. 197.
Grab 86: 51 mit Taf. 197.
Grab 87: 51f. mit Taf. 197.

[110] Ähnlich auch Ranis (127) Grab 66, ein Mann mit einem Messer: H. Kaufmann 1959, 135.

ZUSAMMENFASSUNG

Da die bisherigen Ausführungen nur eine Art kommentierten Katalog wichtiger Befunde dar-stellen, der noch dazu regional aufgegliedert ist, scheint es zweckmäßig, die grundlegenden Be-obachtungen noch einmal zusammenzustellen und damit klarzulegen, worauf sich dann die folgende Interpretation stützt. Einzelnes ist anhand der Kurzkommentierung von Befunden schon von selbst deutlich geworden, manches bedarf hingegen noch weitergehender Erläuterungen.

Wie eingangs bemerkt, sind wir nicht von Gegenständen mit möglichem Amulettcharakter aus-gegangen, um durch deren „Sinndeutung" die mit der Amulettbeigabe verbundenen Probleme zu betrachten, sondern wir hielten es aufgrund vieler unmittelbar einleuchtender Vergesellschaf-tungen solcher Amulette mit anderen merkwürdigen Phänomenen für aussichtsreicher, zunächst einmal alles zusammenzustellen, was durch etwa gleiche Behandlung im Grabbrauch zu dieser Kategorie zählen könnte.

Dabei ergab sich, daß gar manche auf den ersten Blick unauffällige Dinge einen Symbolgehalt besessen haben müssen, der uns bisher verborgen geblieben ist, weil wir allzu sehr auf die äußere Form oder gar nur die „Deutbarkeit" geachtet haben, zumal manches erst in der überregionalen Zusammenschau an Signifikanz gewinnt.

BESCHREIBUNG DER AMULETTKATEGORIEN

Die von uns zusammengestellten Gegenstände mit Amulettcharakter lassen sich in fünf Kategorien einteilen, nach denen auch unsere Tabellen aufgebaut sind. Selbstverständlich gibt es immer wieder Gegenstände, die nach ihren Eigenschaften in zwei oder drei dieser Kategorien gleichzeitig einzu-ordnen wären, was aber nur die herausragende Stellung solcher Funde dokumentiert. Außerdem sei schon hier darauf hingewiesen, daß uns durch die Art der Fundüberlieferung so gut wie keine Amulette aus vergänglichem organischem Material zur Verfügung stehen, obwohl sie, wie Funde mit günstigeren Erhaltungsbedingungen beweisen (vgl. S. 185), in größerer Zahl vorhanden ge-wesen sein müssen. Diese Einschränkung darf bei der Auswertung nicht übersehen werden.

Die fünf Kategorien der Amulette lassen sich folgendermaßen bezeichnen: Geräusch verur-sachend; äußere, sinnfällige Form; äußere Beschaffenheit; Auffälligkeiten und Curiosa; Stoffwert.

Geräusch verursachend

Unter die Kategorie der Geräusch verursachenden Gegenstände fallen vor allem Rasseln und Klapperbleche. Die Rasseln in verschiedener Form sind aus Ton gebrannt und meist mit Ton-

kügelchen gefüllt. Die durchbrochenen Bronzerasseln, die vor allem in der Schweiz und in Ostfrankreich gefunden wurden[111] und sich bis in das südrussische Steppengebiet zurückverfolgen
lassen[112], sind gewiß in diesen Zusammenhang zu stellen, doch machen die Befunde in der Schweiz
klar, daß sie hier in Form von ganzen Gehängen, zu denen auch Radanhänger gehören, in den
Frauenschmuck integriert sind[113]. Damit ist ihr magischer Charakter natürlich nicht geschwunden,
aber er drückt sich nicht mehr vorzugsweise dadurch aus, daß er nur einem besonderen, für uns
auch auf anderem Wege definierbaren Personenkreis von Bedeutung ist. Bei der derzeitigen
Quellensituation in der Schweiz können wir jedenfalls keine weitergehende Aussage über die mit
solchen Gehängen ausgestatteten Frauen wagen[114].

Daß die Verwendung von Klapperblechen und ähnlichen Dingen ein Charakteristikum der
Hallstattkultur, vor allem in deren östlichem Bereich, ist, wurde schon lange erkannt. Man brachte
es mit Einflüssen aus dem osteuropäischen Steppengebiet zusammen, die sich etwa auch im Pferdegeschirr manifestieren[115]. Am eindruckvollsten sind die Fibeln mit halbmondförmigem Bügel,
gegenständigen Vogelköpfen und langen Gehängen aus Kettchen und Blechanhängern[116]. Hier ist
die Integrierung der Klapperbleche im täglich verwendeten Trachtzubehör offenkundig, was etwa
der Stellung der großen Gehänge in der Westschweiz entspricht.

Wenn sich aber derlei noch in der Latènekultur beobachten läßt, dann handelt es sich immer
um Sonderfälle, wobei zu berücksichtigen ist, daß gerade der geräuscherzeugende Effekt nur mehr
sehr gering oder überhaupt nicht mehr vorhanden gewesen ist. Offenbar genügte dann schon die
Verwendung einzelner dieser charakteristischen Bleche, um den gewünschten Zweck zu erfüllen.
So werden die vier kleinen Blechlein in Dürrnberg (1A) Grab 71/2 *(Abb. 3, 29)* gewiß nicht sehr
laut geklungen haben. Noch deutlicher ist dieses Phänomen bei Hallstatt (187) Grab 866, wo einem
Kind nur ein einziges der üblichen Klapperbleche auf die Brust gelegt war. Schließlich sei noch
die Holzkanne aus Dürrnberg Grab 46/2 erwähnt[117], deren Beschläge, gerade die beiden menschlichen Figürchen, gewiß nicht nur rein ornamental zu verstehen sind. Hier wurden zwei solcher
Klapperbleche, die zu dieser Zeit (Latène B 2) schon als Altstücke gelten müssen, aufgenagelt.
Interessant ist auch, daß eine gewisse Variante dieser trapezförmigen Anhänger überhaupt nicht
klappern konnte, weil sie zweiteilig und mit Ton gefüllt war. Dazu gehört auch das Exemplar
aus der Brandschicht zu Füßen des Skeletts 2 in Dürrnberg (1A) Grab 24 *(Abb. 6, 3)*.

Äußere, sinnfällige Form

Wenn schon in diesen Fällen die äußere Form ausreicht, um einen gewissen Sinngehalt zu asso-
ziieren, der jedoch eher mit der akustischen Wahrnehmung zusammenhängt, dann ist die zweite
Kategorie der Amulette noch eindeutiger zu erkennen. Wollten wir versuchen, für jedes der verwendeten Symbole einen „Sinn" zu eruieren, müßten wir bald verzweifeln, weil alles und nichts

---

[111] Verbreitung bei L. Pauli 1971b, 53f.; 73
Karte 8.
[112] Ausführlich zuletzt J. Bouzek 1971.
[113] W. Drack 1967, 39ff.
[114] Ausgesprochen interessant sind die Beobachtungen im hallstättischen Gräberfeld von Tauber-
bischofsheim–Impfingen. Hier gehörte zum Gürtel-
schmuck der Mehrzahl der erwachsenen Frauen außer

zwei dicken Bronzehohlringen ein „Anhänger in Form
einer Bronzekugel oder einer geschlitzten Bommel"
in der Leibesmitte (G. Wamser 1974b). Vgl. dazu
Anm. 218.
[115] Grundlegend J. Wiesner 1942, 407ff.
[116] Verbreitung bei G. Kossack 1959, Taf. 154 D
1–2.
[117] E. Penninger 1972, Taf. 50 C; 52.

beweisbar ist. Auf dieses Problem werden wir später noch einmal zurückkommen. Hier möge es
genügen, die verwendeten Symbole aufzuzählen, wobei die Einteilung in die verschiedenen Unter-
gruppen sicher mehr auf moderner Anschauung und Suche nach optischer Eingängigkeit als auf
prähistorisch relevanten Sinnzusammenhängen beruht.

Dem modernen Verständnis, geschult an volkskundlichen Parallelen, leichter zugänglich sind
Anhänger in Gestalt eines Rädchens *(Abb. 3, 27; 6, 21.27; 9, 11; 14, 15–16)*, eines Schuhes oder
Fußes *(Abb. 3, 26; 13, 16–17.29–30; 14, 7–10; 17, 25)*, eines Beiles *(Abb. 3, 28; 5, 9; 14, 2)* oder
gar menschlicher (mit deutlich angezeigtem Geschlecht) oder tierischer Figürchen *(Abb. 13, 1.
8–9.12–15.31–32; 17, 23–24)*. Ob das Miniaturbronzebeil von Hallstatt (187) Grab 317 hierher gehört, ist fraglich. Anzuschließen sind vielleicht noch die Anhänger von Esslingen-Sirnau (11)
Grab 1 *(Abb. 13, 2)* und Maegstub (76) Hügel 8, Grab 1, in denen man „Mondanhänger" erblicken mag, was aber bei dem verwandten Stück aus Saint-Sulpice (6) Grab 44 mit seinen zwei
halbrunden Ansätzen schon wieder problematisch wird.

Unmittelbarer Vergleichbarkeit mit realen Gegenständen entzogen sind dagegen die Rähmchen-
anhänger in ihrer verschiedenen Ausprägung *(Abb. 3, 30–31; 5, 2a; 8, 8; 12, 10; 13, 22–24.28;
14, 11–13)*, Drei- und Vierpässe *(Abb. 10, 1)*, Körbchenanhänger *(Abb. 6, 11; 13, 21.27; 16, 23)*,
bei denen sich eine chronologische Differenzierung nach der äußeren Form feststellen läßt[118],
Würfel aus zusammengesetzten Ringen *(Abb. 13, 10–11; 14, 5)*, der fischblasenverzierte Bronzekubus aus Dürrnberg (1A) Grab 96 *(Abb. 6, 24)*, die keulen- oder stabförmigen Anhänger
(Abb. 4, 3–5) und wohl auch die kleinen Haken mit gerippten Seiten *(Abb. 4, 6)*, für die bis jetzt
jedenfalls keine Funktion in Tracht oder Bewaffnung nachzuweisen ist.

Gerade an der unterschiedlichen Beurteilung der Funktion der Rähmchen in der Literatur kann
man erkennen, wie wenig man solchen Phänomenen gerecht werden kann, wenn man sie isoliert
betrachtet. Bei dem Grab von Mörsingen (38) werden sie als „Diadem" angeführt, wenige Zeilen
danach als „Brustschmuck"[119]. Bei anderen wiederum fungieren sie nur als Brustschmuck, wohl
in Anlehnung an die Fundberichte von Unterlunkhofen (67) und Geisingen (28). Auch eine Zugehörigkeit zum Gürtel wurde erwogen, teils wahrscheinlich wegen der nicht seltenen Kombination mit Stangengliedergürteln, teils vielleicht auch aufgrund des Befundes im Grab aus dem
Raitenbucher Forst (142), wo diese Rähmchen tatsächlich neben dem Gürtel an der Hüfte gelegen
haben sollen. Wenn wir dann anfügen, daß sie am Dürrnberg (1A) auf Halsringe *(Abb. 5, 2a)*
und Halsketten *(Abb. 3, 30–31)* aufgefädelt sind und ein Exemplar in Asperg (9) Grab 14 *(Abb.
12, 10)* am unteren Ende des Brustbeins gefunden wurde, dann ist ungefähr die Variationsbreite
der möglichen Befunde umschrieben und zugleich aufgezeigt, daß eine echte konstruktive Funktion in der Tracht wohl kaum in Frage kommen kann, selbst wenn man mit regional verschiedenen
Gebräuchen rechnen müßte.

Während diese Rähmchen eine süddeutsche Lokalform darstellen, weisen Dreipaß- und Körbchenanhänger eine viel weitere Verbreitung auf. Sie sind häufiger in Ostfrankreich[120] zu finden,
außerordentlich beliebt in der Golasecca-Kultur und im übrigen Oberitalien und ziehen sich hinein
bis in den nördlichen Balkan (vgl. S. 194ff.). Die Dreipaßanhänger scheinen sogar noch in Mittel-
und Norddeutschland recht gängig gewesen zu sein[121]. Selbst ein denkbarer Zusammenhang mit

---

[118] Dabei sind die rundbodigen älter als die spitz-
bodigen, noch jünger wiederum die profilierten; dazu
O.-H. Frey 1969, 21ff.; M. Primas 1970, 51ff.
[119] A. Rieth 1950, 78.

[120] Verbreitung bei L. Pauli 1971b, 54ff.; 75
Karte 9; 77 Karte 10.
[121] Zu ihrer Verbreitung im Norden jetzt H.
Hingst 1974, 67f. mit älterer Literatur.

den dreifach durchbohrten Schädelrondellen[122] sagt jedoch kaum etwas über die Rolle dieser Objekte in ihrem jeweiligen Milieu aus.

Noch weniger kann man mit den Ringwürfeln anfangen, die ohnehin ausgesprochen selten, aber in eindeutigen Zusammenhängen bezeugt sind: Mörsingen (38) *(Abb. 14, 5)*, Stuttgart-Uhlbach (17) *(Abb. 13, 10–11)* und Wallerfangen (99). Häufiger sind dagegen die keulen- oder stab-förmigen Anhänger, die von der ostfranzösischen Späthallstattkultur[123] über Münsingen (2) Grab 48 und den Dürrnberg (1 A) *(Abb. 4, 3–5)* bis in ein slowakisches Latène C-Grab[124] belegt sind. Das bisher älteste Stück scheint das aus dem Wagengrab Beilngries (132) Im Ried-West 89 (allerdings nicht ganz sicher, weil weitere Amulette dieses Grabes im Bericht nicht erscheinen) zu sein. Den Hinweis auf eventuelle Phallus-Symbolik können wir uns fast sparen, weil er zu sehr am äußeren Erscheinungsbild haftet. Merkwürdig bleibt nur, daß diese Keulenanhänger als einzige Form (außer den nur am Dürrnberg belegten Häkchen *Abb. 4, 6*) so gut wie nie mit anderen Amuletten kombiniert vorkommen, gerade in Ostfrankreich auch häufig aus Siedlungen bekannt sind und daher doch eine klare Sonderstellung einnehmen, die die Suche nach dem möglichen Sinngehalt noch mehr erschwert.

Äußere Beschaffenheit

Die dritte Kategorie der Amulette blieb bisher gänzlich unbeachtet, weil sie sich nur aus der Kombination mit den anderen erschließen läßt. Hier ist nicht die Form das maßgebende Kriterium, sondern die äußere Beschaffenheit der Gegenstände. Dabei handelt es sich normalerweise um durchaus übliche Typen, vor allem Ringe, die sich aber durch eine Besonderheit auszeichnen: Teils sind sie im Herstellungsprozeß nicht fertig bearbeitet worden, weisen also noch Gußnähte oder Gußzapfen auf, teils sind sie in unbrauchbarem, also verbogenem oder zerbrochenem Zustand ins Grab gekommen.

Für Ringe mit nicht abgearbeiteten Gußnähten liegen Beispiele vor aus Mauenheim (36), Obermodern (81), Andelfingen (3) Grab 17 und in acht Gräbern des Magdalenenbergs bei Villingen (54). Umlaufende Gußnähte auf beiden Seiten der Ringe können nur bei einem Zweischalenguß entstehen, während Gußzapfen auch beim Guß in verlorener Form zu erwarten sind. Bei den Ringen mit den noch sehr scharfkantigen Gußnähten (zum Teil auch auf der Innenseite!) wäre ein Tragen nur denkbar, wenn sie mit Stoff oder Leder umwickelt gewesen wären. Dann aber wäre es merkwürdig, daß man ausgerechnet fast nur bei Kindern so verfahren sei. Man wird daher eher der Annahme zuneigen, daß diese unfertigen Ringe den Kindern erst nach dem Tode angelegt oder beigegeben worden sind. Daß es sich oftmals auch nicht um Ringpaare handelt, mag mit der geschlechtsspezifischen Trageweise zusammenhängen, obwohl Einzelringe mit Gußnähten auch bei Kindern vorkommen, die durch Hals- oder Beinringe als Mädchen anzusprechen wären.

Etwas anders steht es mit Ringen, an denen der Gußzapfen nicht oder unvollkommen abgearbeitet ist. Wir wissen, daß es ganze Regionen gibt, in denen dies eine regelrechte Mode war, so daß ein großer Teil der dortigen Ringe diese Eigenheit aufweist. Dies trifft schon für Nordwürttemberg zu, auch für das Unterelsaß sowie die Pfalz und nimmt dann weiter nördlich, in der

---

[122] z. B. Somme-Bione (Marne) und Bergères-lès-Vertus (Marne): J. Déchelette 1914, 1296 Abb. 560, 6–7; Gaggstatt, Kr. Crailsheim: H. Zürn 1965, Taf. 34 A 4; Straubing: W. Krämer 1952, 262; Köttel, Kr. Lichtenfels: K. Radunz 1969, Taf. 24, 8. – Aus Tier-

knochen: Ranis (127) Grab 12.

[123] R. Joffroy 1960, Taf. 16, 3–17.

[124] Bajč-Vlkanovo (166) Grab 17: B. Benadík 1960, 421 Abb. 7, 24–26.

hessischen Hallstattkultur, überhand[125]. Natürlich wird man auch hier nicht ohne Grund diese Merkwürdigkeit gepflogen haben, doch entzieht sich der gedankliche Hintergrund unserer Kenntnis. Wir können nur ungefähr die Richtung der entsprechenden Überlegungen erschließen, wenn wir die Verhältnisse in jenen Gegenden ins Auge fassen, in denen solche Ringe ungewöhnlich waren. Dort aber treten sie in Zusammenhängen auf, in denen die Beigabe von Amuletten ebenso charakteristisch ist. So besteht kein Grund, diese Verbindung nur als Zufälligkeit zu betrachten. Die Korrelationen sind zu eindeutig, wenn etwa in Chouilly (109) „Les Jogasses" alle Ringe dieser Art bei Kindern gefunden wurden.

Eine gewisse Sonderstellung nehmen Oberarmringe bei Männern ein, bei denen in mehreren Fällen noch leichte Spuren eines Gußknotens vorhanden sind: Dürrnberg (1 A) Grab 110, Münsingen (2) Grab 10, Schirrheinerweg (78) Hügel 8, Grab 4 im Hagenauer Forst, Villeneuve-Renneville (123) Grab 58. Dürrnberg Grab 66/2 könnte demnach, aber auch aus anderen Erwägungen heraus, ein Knabe gewesen sein.

Möglicherweise nehmen die kleinen Ringchen mit Fortsatz die Idee, den Gußzapfen stehen zu lassen, in kleinerem Maßstab wieder auf: Hirschlanden (15) Gräber 9 und 10 *(Abb. 12, 23–24)*; Pernant (121) Grab 35; Dreitzsch (125) Gräber 40 und 56; Hurbanovo (169) „Abadomb" Grab 9; Au (178) „Mühlbachäcker" Grab 3.

Der Aspekt des Unfertigen dokumentiert sich aber nicht nur bei solchen Ringen, die zu sonst auch üblichen Typen gehören, sondern dürfte ebenso einigen Gegenständen zuzuschreiben sein, die etwas ungewöhnlicher sind. Dazu zählen die ausgesprochen unsorgfältig gegossenen Achter- und Ringglieder aus dem Mädchengrab Dürrnberg (1 A) 19 *(Abb. 7, 1–3)* und dem einer jungen Frau in Grab 28/1 *(Abb. 7, 11–12)*, vielleicht auch der unförmige Bronzeklumpen am Kopf der jungen Frau in Grab 65. Bei dem Ring aus Dobšice (148) Grab 9 wird es sich sogar um einen regelrechten Fehlguß handeln; möglicherweise auch bei dem aus Saarlouis-Fraulautern (97) Hügel 3, Grab 1.

Durch die Art der archäologischen Überlieferung schwieriger zu beurteilen ist die Unterkategorie des unbrauchbar gemachten Schmucks. Selbst bei neueren und sorgfältigen Grabungen kann oftmals nicht entschieden werden, ob ein Ring schon beschädigt ins Grab kam oder nicht. Demgemäß wird die wirkliche Zahl der Beispiele sicher viel größer sein als die hier aufgezählten eindeutigen Fälle[126]: Dürrnberg (1 A) Grab 52/3 (überzähliges Ringfragment am linken Arm), wohl auch Hals- und Kopfring in Dürrnberg Grab 52/5 und der eine Armring in Grab 52/2; Andelfingen (3) Grab 24 (Armring mit Gußzapfen); Ranis (127) Grab 54 (Halsring); Letky (151) Grab 13/1898 (Drahtarmring auf Frau und Kind verteilt); Libčeves (152) Doppelgrab von 1923 (halber Armring); Sulejovice (158) Grab 1 (zwei verbogene und zerbrochene Armringe vor dem Kopf, *[Abb. 20, 2–3]*); vielleicht auch Wallerfangen (99) (Bronzering), Pernant (121) Grab 16 (Armring) und Brno-Maloměřice (162) Grab 8 (Armring).

Hingegen können fragmentierte und dann auf Kindergröße zusammengebogene Armringe von Kindern durchaus auch schon im Leben getragen worden sein; etwa Dürrnberg (1 A) Gräber 55/2 und 77/4 oder Losheim (90) Hügel 12, Grab 4.

---

[125] Ein ungefähres Bild von der Ausdehnung dieses Gebietes gibt W. Jorns 1942, 76 Abb. 3.

[126] Interessant ist ein Grab von Mauchen, Ldkr. Waldshut (Chr. Liebschwager 1967), wo ein alt gebrochener Knotenring, dessen Gegenstück am rechten Arm getragen wurde, zusammen mit einem frag- mentierten Bronzekettchen zwischen den Knien deponiert war. Chr. Liebschwager schließt daraus, daß man bestrebt gewesen sei, „die Verstorbene mit ihrem vollständigen Schmuckensemble auszustatten." Außerdem sollen bei allen drei Fibeln auf der Brust die Nadeln aufgespreizt gewesen sein.

Wieder einen anderen Aspekt beleuchtet die Beobachtung, daß auch bei Kindern kräftig abgewetzte Ringe gefunden werden: Dürrnberg (1A) Grab 52/3 (Halsring, alt gebrochen?); Andelfingen (3) Grab 10 (Halsring); Nebringen (42) Grab 17; Larrey (116) Grab 2 (zwei zusammengebogene Armringe); Villeneuve-Renneville (123) Grab 25 (Halsring, zwei Armringe, einer [alt?] gebrochen); Tarthun (128); Kamenín (171) Grab 4 (mindestens einer von zwei Armringen, alt gebrochen?); Hallstatt (187) Grab 302 (ein Armring). Hier muß man mehrere Unterscheidungen treffen. Bei Nebringen und Andelfingen handelt es sich um Scheibenhalsringe, die bisher offenbar sonst nie bei Kindern gefunden wurden und auch nicht in Kindergrößen bekannt sind. Dort hat man also Kindern beschädigte und abgelegte Ringe von Erwachsenen mitgegeben; daß sie diese auch schon im Leben getragen haben, darf füglich bezweifelt werden. Ähnliches wird für Tarthun zutreffen. Andererseits können wir am Dürrnberg feststellen, daß durchaus auch Halsringe in Kindergrößen üblich waren. Dazu zählt nun aber der Ring aus Grab 52/3. Ohne es hier begründen zu wollen, meinen wir den Schluß daraus ziehen zu dürfen, daß solche Kinderringe immer wieder von Kind zu Kind in der entsprechenden Größe weitergegeben wurden, bis schließlich auch sie abgewetzt waren. Die Ringe von Kamenín scheinen ebenfalls eher Kindergröße aufzuweisen, während die von Larrey entweder sekundär zusammengebogene Ringe von Erwachsenen sind, wie sie häufiger vorkommen, oder aber schon in Kindergröße abgewetzt wurden. Eine dritte Möglichkeit zeigen die Ringe von Villeneuve-Renneville auf, die alle drei Erwachsenengröße zeigen, abgewetzt sind, vor allem die Armringe, aber trotzdem bei einem nur 15- bis 16jährigen Mädchen gefunden wurden. Dieses kann damit wohl nicht allein für die kräftige Abnutzung verantwortlich sein. Was solche Beobachtungen an Konsequenzen für die Chronologie nach sich ziehen, kann hier nicht weiter untersucht werden.

Auffälligkeiten und Curiosa

Solche Befunde leiten schon über zur vierten Kategorie, bezeichnet als „Auffälligkeiten und Curiosa". Hierunter fallen alle Dinge, die im Grab keine erkennbare praktische Funktion gehabt haben können. Ausgenommen sind jene, bei denen der Stoffwert das wesentliche Merkmal darstellt, und Trachtzubehör, das nach der Lage im Grab und dem allgemeinen Kontext zur Ausstattung des Individuums gehörte, auch wenn es für das Grab unbrauchbar gemacht worden war. Daß die Grenzen hier verfließen, versteht sich von selbst, aber diese Einteilungen sollen ja keinen Selbstzweck und eine umfassende Systematik darstellen, sondern nur den Überblick erleichtern.

Die schönsten Beispiele für Curiosa finden sich im südwestdeutsch-schweizerischen Raum: der Bronzebügel an der rechten Schulter der jungen Frau in Esslingen-Sirnau (11) *(Abb. 13, 3)*; das dreiflügelige Eisenstück an der linken Hüfte der Frau in Gerlingen (12) *(Abb. 12, 29)*; die eiserne Achskappe bei der rechten Hand des Mannes mit dem verschobenen Schädel in Wohlen (69) Hügel I, Grab 3; die Eisenstäbchen mit Bronze- und Knochenringen bei der jugendlichen Frau in Münsingen (2) Grab 6 *(Abb. 9, 7)*; der mit Bronzeblech umwickelte Holzstab bei dem Kind in Münsingen (2) Grab 96; der verstreute Bronzeschrot im Mädchengrab Königsbrück (74) Hügel 41, Grab 2; der Bernsteingriff und andere Dinge im Grab von Reinheim (96). Dazu gehören wohl auch der Bronzelöffel(?) von Saarlouis-Fraulautern (97) Hügel 6, Grab 8, das zusammengefaltete Bronzeblech in der Zentralbestattung des Hügels von Essarois (111), das Eisenstück in Ranis (127) Grab 12 und vielleicht auch der tönerne Siebheber in Ranis Grab 31[127].

---

[127] F. Schwappach 1971, 53f. 66 weist darauf hin, daß dieser zum Trinkservice gehörige Gegenstand bisher nur aus Frauen- und Kindergräbern bekannt geworden sei.

Eng verwandt sind damit jene Gegenstände, die zwar in anderen Zusammenhängen sehr wohl eine Funktion ausgeübt haben, aber in manchen unserer Gräber fehl am Platze sind. Im Grunde ist natürlich die Achskappe von Wohlen (69) Hügel I, Grab 3 hier ebenfalls einzureihen. So gibt es einige Gräber, in denen ein eiserner L a n z e n s c h u h gefunden wurde, aber nicht die doch zu erwartende Lanzenspitze. Die Lage dieser Lanzenschuhe im Grab ist ebenso typisch: im Mädchengrab 12 von Andelfingen (3) neben dem linken Ellbogen, im Doppelgrab 44 von Saint-Sulpice (6) ohne Lageangabe, aber zusammen mit Glas und Amuletten, im Grab 37/2 einer jungen Frau (mit Schneckenhäusern) am Dürrnberg (1A) neben dem linken Fuß, ein weiteres Fragment an der linken Hüfte. Ergänzend anzufügen wäre noch das Grab von Pertuis (Vaucluse) mit der bekannten Bronzekanne vom Typ Kappel/Vilsingen. Sie enthielt den Leichenbrand eines Kindes, eine Eisenkette und einen eisernen Lanzenschuh[128]. Nachdem das in stark abweichender Lage bestattete Skelett in Hallstatt (187) Grab 313 die Lanzenspitze schräg auf dem Bauch liegen hatte, wird sie wohl auch kaum als „Waffe" mitgegeben worden sein, zumal als sonstige Beigaben nur vier Bronzeringchen vermerkt sind. Eine Lanzenspitze fand sich in dem Kindergrab 34 von Nynice (155), angeblich auch im Kindergrab 139 von Hallstatt (187).

Selbst T e i l e   v o n   S c h w e r t e r n sind in solchen Gräbern vertreten: im Grab 37/1 einer jungen Frau vom Dürrnberg (1A) eine bronzene Scheidenzwinge oberhalb vom Kopf; im Grab der jungen Frau mit Schädeldeformation von Saint-Jean-sur-Tourbe (122) ein Schwertfragment mit Scheidenresten; im Kindergrab von Gemmingen (29) „ein flaches Stück Eisen, noch 8,5 cm lang und durchgängig 5 cm breit, dem Fragment einer Schwertklinge nicht unähnlich". Über die Problematik der Gräber 26 (verbogenes Schwert), 27 („Reste eines Eisenschwertes", verschollen) und 28 (Dolch?, Miniaturschwert?) von Ranis (127) haben wir schon gehandelt (S. 78ff.); in allen drei Gräbern wurden Schneckenhäuser gefunden.

Anzufügen sind noch zwei Gräber, die bisher nicht erwähnt wurden, weil sie sonst keine Amulette aufweisen und ohne den jetzt gebotenen Kontext nicht recht verständlich gewesen wären. Das erste ist Marson (Marne) Grab 6, das Grab einer Frau mit zwei Fibeln an den Schultern (Latène B 2), zwei Knotenarmringen und einem Gürtel aus gut 20 einzelnen Ringchen und einem Haken[129]. Obwohl es ungestört war, fehlte dem Skelett der Schädel; an seiner Stelle stand eine schwarze Schale. Rechts vom Körper lag ein Stück Eisenblech von einer Schwertscheide.

Das zweite ist ein Flachgrab aus Möglingen, Kr. Öhringen, in dem nach dem Ringschmuck (Scheibenhalsring [beschädigt?], Hohlarmring, zwei Armringe mit Steckverschluß) eine Frau bestattet war[130]. Dazu fand sich der „Rest eines Eisenschwertes mit Teilen der Scheide, noch 60 cm lang; der Schädel weist ein altes Loch auf". Dieses Grab wurde zwar unsachgemäß beim Bahnbau geborgen, doch scheint die kurze Fundnotiz, die keinerlei Spekulationen an diesen Befund knüpft, gerade deshalb zutreffend zu sein.

Überraschenderweise scheinen auch G ü r t e l zuweilen in diese Untergruppe einzuordnen zu sein. In mindestens vier Fällen ist es bezeugt, daß Stangengliederketten und eine Kette aus Ringgliedern (Libčeves) nicht in Trachtlage gefunden wurden, sondern zusammengelegt in unmittelbarem Zusammenhang mit sonstigen Amuletten: Blumenfeld (20); Reinheim (96); Worms-Herrnsheim (104) und Libčeves (152) Doppelgrab von 1923. Vermutlich gehört auch noch Dürrnberg Grab 118 hierher, wo eine junge Frau eine solche Kette mit daran befestigten Amuletten um den Hals trug[131].

---

[128] J. Déchelette 1913, 660.
[129] Dr. Baffet 1912, 183 mit Taf. 3.
[130] Fundbericht 1912; K. Bittel 1934, 16 Nr. 26 (dort Loch im Schädel nicht erwähnt).

[131] Unveröffentlicht (Grabung 1973/74). Dieselbe Trageweise wird von der bisher einzigen Stangengliederkette aus Hallstatt berichtet (J. Gaisberger 1848, 52 mit Taf. 9,7).

Nun liegen diese Gräber mit Stangengliederketten am Rand des Verbreitungsgebietes dieses Typs[132], so daß eventuell auch der Aspekt des „Fremdstückes" mit hineinspielen könnte. Dies ist aber nicht unbedingt nötig, weil sich einige der östlichen Vertreter in Details zusammenschließen, sich damit gegen die südwestdeutschen Typen absetzen und eine lokale Herstellung wahrscheinlich machen[133]. Andererseits weisen gerade die Ketten von Reinheim und Blumenfeld die kürzesten Glieder auf.

Echte Fremdstücke dürften jedoch die folgenden Gegenstände sein: das Armringfragment auf dem Halsring des Kindes in Dürrnberg (1A) Grab 71/2 *(Abb. 4, 2h)* (am ehesten aus dem Marnegebiet[134]); das Häkchen auf dem Halsring des Kindes in Dürrnberg (1A) Grab 77/3 *(Abb. 5, 2d)* (von einem südwestdeutschen Gürtel); der fragmentierte Gürtelhaken *(Abb. 9, 8)* aus dem Kindergrab 6 von Münsingen (2) (aus der Provence; vgl. *Abb. 9, 14)*; die Glasmasken im Grab 22 eines jugendlichen Individuums von Saint-Sulpice (6) (phönikisch-karthagisch); die Dragofibeln aus dem Kindergrab von Ebingen (23) (italisch); die Bogenfibel mit dem aufgesetzten Vogel aus dem Kindergrab von Geisingen (27) (südostalpin?); der zerbrochene Halsring mit Schlangenauflagen und Gußzapfen im Mädchengrab von Huttenheim (32) Gruppe 1, Hügel 1, Grab 2 (aus dem Elsaß); der Gürtelhaken in dem Kindergrab von Kurzgeländ (75) Hügel 41, Grab 4 (aus der Westschweiz); die singuläre Fibel aus dem Frauengrab 29 mit Amuletten von Andelfingen (3) (Herkunft fraglich: aus dem Tessin?); vielleicht auch der Ring mit drei Erweiterungen aus dem Kindergrab 807 von Hallstatt (187). Gänzlich aus dem Rahmen fallen ferner die (z. T. fragmentierten) Schlangenarmbänder der frühadulten Frau von Schöckingen, Kr. Leonberg, die trotz reichem Goldschmuck keine Fibeln aufwies[135].

Selbstverständlich lassen sich nur solche Fälle eindeutig beurteilen, wo Herkunft, Trachtlage und Zeitstellung solcher Fremdstücke einigermaßen bekannt sind. So findet zwar der Ring mit drei aufgesetzten Ösen *(Abb. 5, 1)* im Kindergrab 77/3 vom Dürrnberg (1A) seine nächsten Parallelen erst in Südwestdeutschland und im Elsaß[136], aber hier ist es immerhin denkbar, daß bei der Vielzahl der am Dürrnberg gefundenen und gewiß auch hergestellten Kopfringe mit Aufsätzen auch einmal eine solche Form geschaffen wurde, wobei es kaum eine Rolle spielt, ob man dabei jene westlichen Halsringe vom Sehen her kannte oder nicht.

Den Aspekt der Fremdheit müssen damals natürlich auch Gegenstände aus älteren Perioden an sich gehabt haben, mag man sie zufällig gefunden oder aus beraubten Gräbern entnommen haben. Steinzeitliche Artefakte fallen dabei wegen ihres Materials wohl eher unter die Kategorie „Stoffwert", doch lassen sich auch andere Beispiele namhaft machen. Allerdings ist dabei die Gefahr groß, daß man bei älteren Grabungen in Hügeln zerstörte Primärbestattungen nicht erkannt oder gar Befunde gefälscht hat. Ein klassisches Beispiel dafür dürfte der Grabhügel 1 von Matz-

[132] U. Schaaff 1971, Abb. 9 nach S. 62. In seiner Liste zu ergänzen sind die Stücke von Stein a. d. Traun, Ldkr. Traunstein (G. Kossack 1959, Taf. 114, 15–20), Aarwangen (Bern) „Zopfen" Hügel 4/1889 (W. Drack 1960, 4 mit Taf. 3, 43; W. Drack 1967, 48 Abb. 17) und der Neufund von Hegnach, Rems-Murr-Kreis, „Lachenäcker" Grab 21 (D. Planck 1974, 20 Abb. 12; nach dem Text S. 21 noch weitere Exemplare). Auch wenn sie nach der Kleinheit der Stabglieder (3,6–4,5 cm) und den häufiger zwischengeschalteten Ringgliedern etwas abweicht, gehört doch wohl auch die Eisenkette von Reinheim (96) in den

engeren Umkreis dieses Typs.
[133] U. Schaaff 1971, 73.
[134] Vgl. D. Bretz-Mahler 1971, Taf. 72–74, bes. 74, 5.
[135] O. Paret 1951; zu den Schlangenarmbändern F. Maier 1962; zur Trachtkombination L. Pauli 1972, 92f.
[136] z. B. H.-J. Engels 1967, Taf. 13 C 1; 14 B 1; W. Dehn 1941, 1, 92 Abb. 54, 1; F. A. Schaeffer 1930, 217 Abb. 164, 12–17; 223 Abb. 166c. Das sonst wohl östlichste Exemplar in der Nachbestattung h des Römerhügels bei Ludwigsburg: L. Pauli 1972, 77.

hausen, Gde. Nainhof-Hohenfels, Ldkr. Parsberg, sein[137]. Das erste Skelett, ein Kind, trug einen Armring und eine kleine Nadel, beides bronzezeitlich. Das daneben liegende Skelett, angeblich eine Frau, war mit Latèneschmuck ausgestattet, hatte aber zwei sehr lange bronzezeitliche Nadeln kreuzweise auf der Brust liegen und die berühmte Linsenflasche mit dem Tierfries neben dem Kopf stehen. Das etwas höher gelegene dritte Skelett hatte eine Lanzenspitze und ein Messer der Latènezeit bei sich. Man wird dem „Ausgräber" A. Nagel, einschlägig nicht unbekannt, kein Unrecht tun, wenn man diesen Befund als „sicher frei erfunden" bezeichnet[138].

Wenn aber Altstücke auch aus früheren Grabungen mit bezeugter abweichender Skelettlage oder bei Kindern vorkommen, vor allem in Regionen, wo die Arbeitsweise der Ausgräber etwas günstiger beurteilt werden darf, dann ist die Wahrscheinlichkeit doch ziemlich groß, daß der Fundzusammenhang richtig überliefert ist. Das gilt zunächst für das Hockergrab von Nierstein (94) mit seinem bronzezeitlichen Krüglein, dann für das Kindergrab von Brumath (70), wo im Grabschacht eine bronzezeitliche Nadel gefunden wurde, und für das Kindergrab 12 von Au (177) „Kleine Hutweide", wo man zwischen der Steinpackung einen neolithischen Schalenfuß einer für damals ungewöhnlichen Form entdeckte. Wahrscheinlich ist auch das Frühlatènekindergrab 1 in Hügel 10 vom Schirrheinerweg (78) im Hagenauer Forst mit seiner Vogelklapper anzuschließen, die urnenfelderzeitlich zu sein scheint. Schließlich sei noch das Grab eines höchstens 10 Jahre alten Kindes von Trochtelfingen (53) angeführt, das nach den Fibeln und den Ringen, darunter ein Halsring mit langem Gußzapfen, nach Hallstatt D2 zu datieren wäre, aber als Haarnadeln zwei bronzezeitliche Lochhalsnadeln getragen haben soll. Wie weit diese Angabe auf tatsächliche Beobachtung der Fundlage zurückgeht, läßt sich anhand der Publikation nicht überprüfen. Immerhin ist auch die zweite Bestattung des Hügels eisenzeitlich, wobei das Kindergrab sogar in der Mitte des Hügels gelegen haben soll. Zu Füßen der „jüngeren weiblichen Person" in Hallstatt (187) Grab 17/1889, unter deren Beigaben sich zahlreiche Bernsteinperlen, ein Spiralgewinde aus Bronzedraht, 21 Bronzeperlen, aber auch „Wildschweinzähne" befanden, soll das Bruchstück einer bronzezeitlichen Nadel gelegen haben.

Unter die Altstücke kann man auch solche Gegenstände rechnen, die zerbrochen oder verbogen an einer Stelle aufgefunden wurden, wo sie nicht in primärer Funktion gebraucht worden sein können. Am eindeutigsten ist dies bei jenen, die auf Halsringe aufgefädelt waren. Bei ihnen muß allerdings nicht unbedingt eine chronologische Differenz erkennbar sein. Hierher gehören etwa die Armringfragmente auf den Halsringen der Kinder in den Gräbern 71/2 *(Abb. 4, 2b)* und 77/3 *(Abb. 5, 2c)* vom Dürrnberg (1A) sowie Ranis (127) Grab 54 und Mesnil-les-Hurlus (119), dazu noch die fragmentierten Fibeln beim Halsschmuck der Kinder in den Gräbern 77/3 *(Abb. 5, 3)* und 77/4 vom Dürrnberg.

Hier ist der Übergang zur Untergruppe „Abfall, unbestimmbares Metall" natürlich ebenfalls fließend. Sie tritt am deutlichsten in Erscheinung, wo die Amulette gehäuft an einer bestimmten Stelle des Grabes angetroffen werden. Erinnert sei an folgende Beispiele: die fragmentierten Bronzebeschläge von Holzgefäßen im Grab 28/1 einer jungen Frau *(Abb. 7, 7–8)* vom Dürrnberg (1A) und im Kindergrab 23 *(Abb. 10, 4)* von Münsingen (2); der seltsame Eisenknopf *(Abb. 12, 6)* am Kopf der Frau mit dem Kind in Grab 18 von Asperg (9) „Grafenbühl"; die Gürtelblechfragmente *(Abb. 16, 22)* in der Embryo-Bestattung 53/6,1 von Singen (47); das Eisenringchen und -stäbchen *(Abb. 14, 6)* im Grab von Mörsingen (38); die Eisenreste zu Füßen der Frau in Bargen (19) Hügel E, Grab 4; das Bronzegefäßrandstück und weitere Bronze- und Eisenfragmente im

---

[137] A. Nagel 1888.   [138] W. Torbrügge 1959, 171.

Grab 20 der jungen Frau von Blučina (160); die Gußfladenstücke im sonst bis auf Keramik beigabenlosen Grab 797 von Hallstatt (187).

Schwieriger ist die Entscheidung, wenn nur „unbestimmbare Eisenreste" an ungewöhnlichen Stellen erwähnt werden, wo mit großer Wahrscheinlichkeit keine Fibeln zu erwarten sind: etwa Mühlacker (16) Hügel 5, Frauengrab 4 und Hügel 8, Kindergrab 6; Schirrheinerweg (78) Hügel 10, Kindergrab 1; Kurzgeländ (75) Hügel 5, Frauengrab 1; Dürrnberg (1 A) Frauengräber 2/3 und 70/2; Singen (48) Mädchengrab 3. Die Beispiele ließen sich noch beträchtlich vermehren, doch sind die veröffentlichten Unterlagen oft nicht ausreichend.

Unter den Bronzeringchen, die in unseren Gräbern häufig auftreten, ohne daß ihnen eine praktische Funktion in der Tracht zugewiesen werden könnte, finden sich viele, die einfach nur aus einem Stückchen Draht roh zusammengebogen sind *(Abb. 3, 21; 7, 4–5)*. Teils sind sie in Hals-, Kopf- oder Armringe eingehängt, teils lagen sie an den verschiedensten Stellen auf oder an den Skeletten. Gegossene Ringchen, die ursprünglich wohl eine Funktion im täglichen Leben gehabt haben mögen, treten so oft in ihrer Gesellschaft auf und in demselben Amulettzusammenhang, daß auch sie – kommen sie in Gräbern vor – in diese Kategorie einzureihen sind, wenn auch in Einzelfällen eine Verwendung in der Tracht nicht auszuschließen ist. So könnten die Ringchen von Essarois (111) Grab 1 zwar zum Gürtel gehört haben[139], im Grab von Esslingen-Sirnau (11) hingegen scheint es sicher, daß sie nicht etwa auf dem Kleid aufgenäht, sondern über den Unterleib der Toten verstreut worden waren.

Ähnliche Überlegungen gelten für die kleinen, fast immer zweiteilig gearbeiteten Hohlringe aus Bronze- oder Eisenblech. In manchen Fällen ist die Verwendung eines ähnlichen Typs im Zusammenhang mit dem Gürtel oder Schwertgurt bei Männern gesichert[140], doch tritt die engere Variante mit den durchgehenden Nieten bei Frauen und Kindern in einem Kontext auf, der dort ihren Amulettcharakter sicher erscheinen läßt. So hatte die junge Frau in Ederheim (134) Hügel 16, Grab 5 auf ihren Halsring die Hälfte eines solchen Hohlringes geschoben, und im Grab 6 einer Jugendlichen in Münsingen (2) befand sich ebenfalls nur eine Hälfte unter der Amulettsammlung *(Abb. 9, 5)*. Drei Exemplare lagen auf der Brust der Frau in Grab 25 von Gravon (113).

Noch deutlicher ist der Amulettcharakter bei jenen Hohlringen, die mit einer besonderen Masse gefüllt sind, aber in der Konstruktion durchaus den anderen entsprechen. Die beiden Exemplare im Frauengrab 96/1 („in der Höhe des unteren Brustbeinendes", deutlich höher als der Gürtel mit den Bronzeknöpfen) vom Dürrnberg (1 A) sind je zur Hälfte aus Bronze- und Eisenblech gearbeitet und mit „Baumharz" gefüllt *(Abb. 6, 22–23)*. Daß dieses nur den Zweck gehabt haben sollte, die beiden

---

[139] Vgl. Anm. 55.

[140] Allerdings unterscheiden sich diese in ihrer Konstruktion von den hier behandelten. Sie sind nämlich offenbar normalerweise nicht aus zwei Hälften zusammengenietet, sondern in einem umlaufenden Falz (durch Lötung?) zusammengehalten. Außerdem treten sie meist in der Dreizahl auf: vgl. etwa Dürrnberg Gräber 13 und 45 (E. Penninger 1972, Taf. 13, 7–9; 49 A 4–6) oder Brno-Maloměřice Gräber 22 und 62 (J. Poulík 1942, 59; 75 mit Taf. 12, 3–5). Schließlich sind diese Ringe vom Schwertgut – im Gegensatz zu den Hohlringen bei Frauen und Kindern – bisher erst in Latène B, und dann wohl noch in einer späten Phase, belegt. – Die einzige mir bekannte Ausnahme bildet Dürrnberg Grab 125 (unveröffentlicht; Gra-

bung 1975), wo zwei der besprochenen dreinietigen, sonst bei Frauen und Kindern angetroffenen Hohlringe durch ihre Lage in der Bauchgegend und in der Nähe eines Gürtelhakens tatsächlich zum Gürtel gehört haben können, zumal an einem der Ringe deutlich ein Riemenabdruck in Breite der lichten Öffnung zu sehen war. Nach den übrigen Beigaben handelt es sich bei dem Individuum (in einer Mehrfachbestattung des späten Latène A) wohl um einen waffenlosen Mann. Allerdings sei angemerkt, daß sich genau auf Bauch und Brust eine Leichenbrandschüttung (unbestimmt) mit verbrannten Beigaben befand. Daß die Ringe dazu gehören, ist nicht absolut auszuschließen, aber sehr unwahrscheinlich.

Blechhälften zusammenzukitten, ist unwahrscheinlich, wenn wir uns andere Befunde ansehen. Die Frau in Ranis (127) Grab 39 trug in der Halsgegend außer weiteren Amuletten einen solchen Hohlring mit einer Füllung aus „Pech oder Harz". In dem Kindergrab von Mühlacker (15) Hügel 5, Grab 3 war auf den Halsring ein Hohlring geschoben, dessen Hälften, wie meist zu beobachten, durch drei Niete verbunden sind, dessen innerer Hohlraum aber gänzlich mit Gagat ausgefüllt ist *(Abb. 12, 26)*. Erst recht gilt dies für die zwei in der Bauchgegend des Kindes in Mühlacker (16) Hügel 8, Grab 6 gefundenen Ringe *(Abb. 12, 27)*, bei denen der Bronzemantel im Ganzen um einen Eisenkern gegossen ist. Man muß wohl daran denken, daß in diesen Fällen eine übliche Form und Konstruktionsweise durch die zusätzliche Einbeziehung eines nicht zufällig gewählten Materials in ihrem Amulettcharakter noch gesteigert werden sollte, wobei zu beachten ist, daß dieses Material äußerlich überhaupt nicht sichtbar war[141]. Bemerkenswert ist auch die Hälfte eines solchen Rings aus Dürrnberg (1A) Grab 63, weil bei ihm mindestens in einem der drei Löcher kein durchgehender Niet gesteckt haben konnte, da sich dort nur ein dünner Pfropf befand.

Stoffwert

Damit sind wir bei der fünften und letzten Kategorie unserer Amulette angelangt, die wir in Anlehnung an L. Schmidt und R. A. Maier mit dem Begriff „Stoffwert" umschrieben haben[142].

Die Nutzung des bloßen Stoffwertes eines a u f f a l l e n d e n G e s t e i n e s kann man vermuten, wenn allein am Dürrnberg (1A) in fünf Gräbern (Kindergräber 32/2, 32/3, 32/4, 52/5 und Frauengrab? 32/1) in der Kopfgegend kleine Quarzitstückchen gefunden wurden, die am Dürrnberg selbst nirgends anstehen. Dabei hatte es den Anschein, als seien diese Steinchen sogar im Mund oder am Kiefer gelegen. Direkt Vergleichbares wird von anderen Fundplätzen nicht berichtet, doch kann man ermessen, wie viel Beobachtungsgabe dazu gehört, um solche Befunde überhaupt zu erkennen[143]. Unbearbeitete Mineralien fanden sich jedoch auch unter den Amulettanhäufungen von Asperg (10) Hügel beim Kleinaspergle (Quarz, Kristall, Kiesel), Blumenfeld (20; Bergkristall), Reinheim (96; Jaspis, Hornstein, Gagat, Roteisenerz), Worms-Herrnsheim (104; Bergkristall), Libčeves (151) Doppelgrab von 1923 (Basalt und Quarzit) und Hallstatt (187) Gräber 114, 576 und 849 (Glimmer).

---

[141] Aus Raigering, Ldkr. Amberg (Prähist. Staatsslg. München IV, 72) gibt es noch eine weitere Variante dieser Ringe. Sie besteht aus der üblichen zweiteiligen Schale, verbunden durch drei Niete. Dazu ist aber innen eine äußerlich nicht sichtbare Scheibe eingefügt, die damit den Hohlraum in zwei Hälften nach der Längsrichtung teilt; ein vierter Niet wurde erst sekundär eingefügt. – Aus Huglfing, Ldkr. Weilheim, Gruppe VIIb, Hügel 2 stammen zwei Hohlringe mit Tonkern und drei bzw. vier Nieten (Prähist. Staatsslg. München 1889, 70–71). – Unter den Funden aus einem Grabhügel mit sechs nicht mehr trennbaren Bestattungen von Ottowind, Ldkr. Coburg, befindet sich ein zweiteiliger Hohlring mit vier Nieten, der auf einen Eisenring aufgefädelt war (W. Schönweiß 1973, 123 f. 146 Abb. 8, 14–15).

[142] R. A. Maier 1961, 3 ff.; „Stoffheiligkeit" bei L. Schmidt 1958, 14 ff.

[143] Allein vom späthallstatt-frühlatènezeitlichen Gräberfeld von Haulzy, com. Servon-Melzicourt (Marne) wird berichtet, daß manchmal ein ortsfremder weißer Quarzkiesel knapp über den Urnen deponiert gewesen sei, was die Ausgräber regelrecht als Indiz dafür benutzten, daß sie bald auf die Urne stoßen würden: G. Goury 1911, 28. Bei G. Chenet 1921, 240 finden wir die Bemerkung: "dans presque toutes les tombes à incinération du Iᵉ et IIIᵉ siècles que j'ai fouillées à Lavoye, se retrouve, dans la série toujours à peu près invariable des ex-voto, un fragment ou plusieurs de roches étrangères à la région." In der Grabfüllung von Villeneuve-Renneville Grab 27 entdeckte man ebenfalls „quelques petites pierres étrangères à la région" (A. Brisson – P. Roualet – J.-J. Hatt 1972, 16). Die Frau trug einen großen, tordierten Ring nicht als Hals-, sondern als Kopfring.

Wie weit man hier weniger auffällige Gesteinssorten mit einbeziehen kann, besonders wenn es sich um größere Brocken handelt, die ohne weitere Zurichtung im Grab liegen, ist schwer zu entscheiden. Man kann sich dabei nur auf solche Befunde verlassen, wo man einzelne Gräber genau auf dem jeweiligen Hintergrund der „Normalausstattung" betrachten kann. So hatte das Kind mit dem alten Scheibenhalsring in Andelfingen (3) Grab 10 neben dem Kopf drei faustgroße Kiesel liegen, während das Kind in Grab 23 mit einem Dutzend Kieseln umgeben war. Am Kopf der Frau im abseits liegenden Hügel 12 von Mühlacker (16) fanden sich Sandsteinbruchstücke. Im Hügelgräberfeld von Saarlouis-Fraulautern (97) fällt auf, daß die Beigabe von großen Grauwacken auf Kinder- (Hügel 1, Grab 4; Hügel 3, Grab 1; Hügel 6, Grab 8) und sonst beigabenlose Gräber (Hügel 7, Gräber 7 und 18) beschränkt ist; bei der Frau in Hügel 2, Grab 2 fand sich zwischen den beiden Armringen, also wohl auf dem Becken, ein dreieckig zugeschlagener, rotbrauner Eisenstein. Nur zwei Steine hatte das 1,45 m lange Skelett in Grab 71 von Brno-Maloměřice (162) neben dem Kopf liegen; das Skelett in Maiersch (186) Grab 31 dagegen elf längliche Bachgerölle. Neben dem linken Fuß der Frau in Dannstadt (84) Hügel 133 in ihrem hirschgeweihbelegten Sarg fand man einen Sandstein. Aus dem Brandgrab 446 von Linz-St. Peter (185) mit Amuletten stammen auch „zehn auf einer Seite polierte rote Steinchen".

Wenn zu dem Stoffwert des Gesteins noch eine besondere äußere Form hinzukam, gewann der Gegenstand gewiß noch an Bedeutung. Recht beliebt waren die auch heute noch so bezeichneten „Trudensteine", also natürlich durchlochte Kiesel aus verschiedenem Material[144]: Brandnest in Dürrnberg (1 A) Grab 32 *(Abb. 6, 7)*; Münsingen (2) Grab 12 *(Abb. 8, 10)*; Asperg (9) „Grafenbühl" Grab 15 *(Abb. 12, 9)*; Asperg (10) Hügel beim Kleinaspergle; Esslingen-Sirnau (11); Nagold (40) „Vorderer Lehmberg"; Sinsheim (49) Hügel 11, Grab 10; Söllingen (50); Kurzgeländ (75) Hügel 2, Grab 2 und Hügel 19, Grab 4; Reinheim (96) *(Abb. 17, 17)*; Saint-Jean-sur-Tourbe (122). Daneben gibt es aber auch Steine, die man etwas zugerichtet und selbst durchbohrt hat, damit man sie auf eine Schnur oder einen Ring fädeln konnte: Dürrnberg (1 A) Gräber 8 *(Abb. 6, 5)*, 24 *(Abb. 6, 4)* und 44 *(Abb. 6, 10)*; Müllheim (39) *(Abb. 14, 18–19)*; Nebringen (42) Grab 17 *(Abb. 16, 11)*; Villingen (54) Magdalenenberg Grab 5 *(Abb. 15, 3)*; Ohlungen (77) Hügel 3, Grab 2; Uhlwiller (79) Hügel 4, Grab 1; Reinheim (96) *(Abb. 17, 20–21)*; Saint-Jean-sur-Tourbe (122); Holohlavy (149). Zuweilen hat man solche Steine offenbar auch in Ton nachgebildet: Chouilly (109) „Les Jogasses" Grab 141.

Sicher auch unter dem Aspekt des merkwürdigen Altstückes wurden Steinbeile und Silexpfeilspitzen betrachtet, wobei ihr Charakter als Waffe und Werkzeug nicht unwichtig gewesen sein dürfte. Steinbeile sind bisweilen sekundär durchbohrt *(Abb. 7, 14)*, meist aber in ursprünglichem Zustand ins Grab mitgegeben worden: Dürrnberg (1 A) Grab 39 *(Abb. 4, 8)*; Asperg (9) „Grafenbühl" Grab 15 *(Abb. 12, 8)*; Mühlacker (16) Brandnest in Hügel 1; Ehrstädt (24) Hügel 2, Grab 1.

Etwas häufiger finden sich Pfeilspitzen aus Silex oder verwandtem Material, oft zusammen mit einer Fülle weiterer Amulette: Asperg (10) Hügel beim Kleinaspergle; Malterdingen (35); Tailfingen (18) Gruppe 1, Hügel 8; Villingen (54) Magdalenenberg Grab 30 *(Abb. 15, 18)*; Maegstub (76) Hügel 25, Grab 1; Reinheim (96) *(Abb. 17, 19)*; Heiltz-l'Évêque (115) „Charvais" und schließlich in einem Kindergrab von Sablonnières (Marne)[145].

Einzelne Silexabsplisse kommen in so vielen Gräbern vor (z. B. *Abb. 12, 7; 14, 20; 16, 17*), daß wir sie nicht einzeln aufzählen wollen. Etwas ungewöhnlicher ist nur der 35 cm lange Feuerstein mit Bearbeitungsspuren in Praha-Kobylisy (156) Grab 3/1931.

---

[144] R. Andrée 1903. [145] H. Hubert 1906, 366ff. (Nr. 60).

Hauptsächlich von den geologischen Verhältnissen der Umgebung ist die Häufigkeit der Beigabe von Versteinerungen abhängig. Für die Schwäbische Alb sei das Kindergrab von Tailfingen (52) genannt[146]. Immerhin befindet sich unter der Amulettsammlung im Grab von Reinheim (96) auch ein halber Ammonit; ein ganzer in Villingen (54) Magdalenenberg Grab 120. Die durchlochten Schneckenhäuser *(Abb. 18, 2.6)* im Grab von Saint-Jean-sur-Tourbe (122) sind mindestens zum Teil ebenfalls fossilen Ursprungs, wie J. de Baye ausdrücklich anmerkt. Unsicher ist die Datierung des Hügels 3 von Sollwitz, Ldkr. Pößneck, aus dem ein „Krötenstein", also ein versteinerter Seeigel, stammt[147]. Im Brandgrab 67 von Hallstatt (187) lagen je eine fossile Muschel und Schnecke.

Zur damaligen Zeit importiert sind dagegen die „Kaurimuscheln", genauer: Meeresschnecken der Gattung Cyprea[148]. Wenn man bedenkt, wie häufig sie etwa im Neolithikum oder in der Frühbronzezeit, aber auch im Frühmittelalter[149] verwendet wurden, dann muß es erstaunen, wie vergleichsweise selten sie um die Mitte des letzten Jahrtausends v. Chr. in Gräbern Mitteleuropas auftauchen: Dürrnberg (1A) Grab 44/2 *(Abb. 4, 7)* und Asperg (9) „Grafenbühl" Grab 14 *(Abb. 12, 22)*. Ein drittes Exemplar gibt es schließlich in Thüringen aus Gräbern in Halle – Diakonissenhaus[150].

Wohl aus dem Mittelmeer stammt die Purpurschnecke (Murex trunculus) im Frauengrab von Leipferdingen (33). Unter der guten Ausstattung fallen noch vier Bronzeringchen, 12 Gagatperlen, fünf Koralleperlen, ein blaues Glasringerl und das „Bruchstück eines an den Längsseiten bearbeiteten Hirschhorngegenstandes" auf. Als Anhänger am ösenbesetzten Halsring diente dagegen eine kleine Meeresschnecke in Ohlungen (77) Hügel 3, Grab 2. Hallstatt (187) Grab 572 lieferte außer einem Eberzahn noch eine Meeresschnecke, das Brandgrab 599 zwei Muscheln.

Daß im Gräberfeld von Dreitzsch (125) die Beigabe von Flußmuschelschalen, manchmal mit noch erkennbaren roten Farbspuren, ausgesprochen häufig ist, haben wir oben (S. 77) schon als Besonderheit erwähnt. Selbstverständlich ist dahinter eine ganz bestimmte Absicht zu vermuten, aber die Verteilung auf die Altersgruppen und Geschlechter zeigt, daß hier doch ein Unterschied zu der spezifischen Amulettbeigabe, wie wir sie untersuchen, bestehen muß.

Das Embryograb 53/6,1 von Singen (47) mit seiner großen, weißen Muschelschale leitet über zu jenen Gräbern, wo Schnecken und Muscheln nicht als Schmuck im weitesten Sinne aufzufassen sind, sondern eher mit der Bestattungssitte zusammenhängen. Wir werden sie weiter unten an entsprechender Stelle erörtern (S. 138f.).

Nach den Mineralien und den Schalen von Schnecken und Muscheln wenden wir uns jetzt solchen Amuletten zu, die mit Haus- oder Wildtieren in Verbindung zu bringen sind. Beim Grab von Leipferdingen (33) wurde schon ein Hirschhorngegenstand erwähnt, bei dem aber nicht

---

[146] Die Angaben klingen etwas ungenau, auch stimmen Inventar und Funde nicht überein. Es sollen sich unverbrannte Kinderknochen „auf einem kleinen Brandplatze" gefunden haben. Dazu dürften die kleinen Armringe gehören. Ob das eiserne Toilettebesteck nicht eher einem Hallstatt C-Männerbrandgrab zuzuschreiben ist, muß unentschieden bleiben (Fundbericht 1891, 26; H. Zürn – S. Schiek 1969, 23 mit Taf. 21). – Versteinerte Seeigel werden weiterhin gemeldet aus einem Hallstatthügel bei Harthausen a. d. Scheer, Kr. Sigmaringen, und einem bronzezeitlichen Grab, wo ein solcher mit einer „eigenartigen schwarzen Masse" auf der Brust eines 1,6 m langen Skeletts gelegen hat (H. Edelmann 1901, 3; H. Zürn –

S. Schiek 1969, 22. 13).

[147] H. Kaufmann 1959, 166f. Aus diesem Brandgrab wurden noch 26 Schneckenhäuser und eine halbe Tonkugel geborgen.

[148] Nach F. A. Schilder 1926 gibt es etwa 160 lebende Arten, von denen man 30 bei den verschiedenen Volksstämmen verwendet gefunden hat. Drei der Arten sind im Mittelmeer heimisch, zwei im Roten Meer, der Rest fast durchweg im Indo-Pazifischen Ozean.

[149] Dazu eine Zusammenstellung von Th. Voigt 1952.

[150] M. Claus 1942, 78. 136.

sicher ist, ob er nicht nur als Gerät aufzufassen ist. Dasselbe gilt für das sonst nicht auffallende Grab von Walldorf (56) mit einem Gürtelblech und zwei Armringen rechts: „daneben ein Hirschhornbruchstück, das, der Länge nach durchbohrt und an einem Ende glattgearbeitet, als Griff eines Gerätes gedient hatte und der Toten in die Hand gegeben war". Eindeutig ist die Sachlage jedoch bei Maiersch (186) Grab 31, wo sich unter weiteren Amuletten auch ein Hirschgeweihsproß mit abgeschliffener Spitze fand; ebenso bei Hallstatt (187) Grab 114 (Skelett ohne Kopf, Bauchlage) mit drei Hirschgeweihsprossen und Linz-St. Peter (185) Grab 167 mit einem Geweih quer über dem Bauch. Hallstatt Grab 249 bietet außer „einigen Hirschhornenden" nichts Auffälliges.

Als Anhängerschmuck wurden dann auch Hirschgeweihrosen verwendet, die dafür durchbohrt wurden: Mädchengrab 77/3 *(Abb. 5, 4)* und gestörtes Grab 51 *(Abb. 7, 17)* vom Dürrnberg (1A); Mädchengrab 12 *(Abb. 8, 11)* und Grab 6 einer jugendlichen Frau *(Abb. 9, 10)* in Münsingen (2); Grab 20 *(Abb. 16, 18)* einer jungen Frau in Nebringen (42). Die Kombination mit sehr vielen anderen Amuletten fällt in allen diesen Gräbern auf. Für die zwei Stücke von Somme-Bionne (Marne)[151] sind die Fundumstände nicht bekannt.

Völlig singulär ist bisher ein Befund von Dannstadt (84) Hügel 133, wo eine Frau mit einem Tonring im Becken in einem Holzsarg bestattet war, der offensichtlich mit Hirschgeweih (und -knochen?) beschlagen oder nur bedeckt war.

Großer Beliebtheit erfreuten sich dann natürlich Tierzähne, wobei aber eine strenge Auswahl auffällt. Es sind fast ausschließlich Eberhauer oder Eckzähne vom Bären. Dabei sind Eberhauer, manchmal an einem Ende mit Bronzeblech gefaßt, auch in Kriegergräbern bezeugt, was man mit Begriffen wie „Kampfesmut, Kraft, Tapferkeit" in Verbindung brachte: Praha-Bubeneč Grab von 1955[152], Křenovice (164) Grab 20 (dazu zwei Keulenanhänger zwischen den Waden), Villingen (54) Magdalenenberg Grab 50, vielleicht auch das Grab von Hatten (Bas-Rhin)[153]. Unsicher ist der Befund in Hügel 63 von Unterlunkhofen (67), weil nicht ersichtlich ist, ob die Bestimmung als männliches Skelett nur auf die Tatsache der Beigabe von Eisenstücken, „die Rochholz als Schildbuckel, Kurzschwert und Dolch oder Lanze auffaßte", zurückgeht. Die übrigen Beigaben sprächen eher für ein Frauengrab.

Daß die Eberhauer aber auch eine allgemeinere Bedeutung als Amulett besitzen müssen, geht aus ihrer Kombination mit den anderen Amuletten in sehr vielen Frauen- und Kindergräbern hervor: Mädchengrab 77/3 *(Abb. 5, 10)* am Dürrnberg (1A), ein zweites Exemplar aus dem Aushub bei Grab 74; Kindergrab 1 *(Abb. 9, 13)* in Münsingen (2); Grab 15 einer jungen Frau in Asperg (9) „Grafenbühl" *(Abb. 12, 18–19)*; Frau im Wagengrab VI im Hohmichele (31a) (4 Exemplare mit Bronzefassung); Embryograb 53/6,1 *(Abb. 16, 28.30)* in Singen (47); Frauengrab 10 in Hügel 11 von Sinsheim (49) (mit Eisenfassung); Frauengrab 5 *(Abb. 15, 10–11)*, das dislozierte Skelett in Grab 30 *(Abb. 15, 22)* und Frauengrab 79 in Villingen (54) Magdalenenberg; Frauengrab 42 von Chouilly (109) „Les Jogasses"; Grab 5 der jungen Frau mit deformiertem Schädel *(Abb. 18,8)* in Saint-Jean-sur-Tourbe (122); Frauen(?)grab 45 in Brno-Maloměřice (161); das Kind im Doppelgrab 10 von Au (178) „Mühlbachäcker" („Schweinezähne"); Frauengrab 27 von Au (177) „Kleine Hutweide"; Kindergrab 460 in Linz-St. Peter (185); Hocker(?)grab 150 und die Gräber 461 (wohl

[151] L. Morel 1898, Taf. 15, 2.
[152] J. Bouzek 1974 (dort trotz der Lage beiderseits der unteren Gesichtshälfte als Bestandteile eines vergangenen Lederhelmes interpretiert); allerdings wies der Mann in der Stirngegend Spuren zweier ausge-

heilter Verwundungen auf (dazu S. 165 f.).
[153] O.-H. Frey 1957, 235 Abb. 3, 8 (wie die aus dem Hohmichele und von Křenovice mit Fassung gearbeitet).

Kind), 572, 841 und 17/1889 („Bestattung einer jüngeren weiblichen Person") in Hallstatt
(187).

Eckzähne von Bären sind demgegenüber etwas seltener: in der Brandschicht von Grab 32
(Abb. 6, 6) am Dürrnberg (1A); Frauengrab von Söllingen (50); Frauengräber 101 und 141 in
Chouilly (109) „Les Jogasses"; Frauengrab 19 in Kuffarn (182); mindestens die Gräber 139 (Kind),
428 (Kind), 468, 535 (Kind), 34 (Linz) und 2–3/1938 in Hallstatt (187). Eine durchbohrte B ä r e n -
k r a l l e wurde in Dreitzsch (125) Grab 88 gefunden.

Nur vereinzelt wurden Zähne und sonstige K n o c h e n v o n a n d e r e n T i e r e n als Anhänger und
intentionelle Beigabe verwendet. Die nachfolgende Aufstellung ist gewiß nicht vollständig, vermag aber einen ungefähren Überblick zu geben:

> *Pferdezahn:* Nebringen (42) Grab 20 (Kind); Chouilly (109) „Les Jogasses" Grab 42 (Frau); Hallstatt (187)
> Grab 181 (Frau).
> *Rinderzahn:* Manre (117) Grab 153 (Hockergrab einer Frau); Hallstatt (187) Grab 345 (Krieger).
> *„Wolfszahn":* Wöhlsdorf (130) Grab 1 (Hockergrab eines Kriegers).
> *Hundezahn:* Pernant (121) Grab 57 (Frau).
> *Eckzahn eines Nagers:* Linz-St. Peter (185) Grab 446 (Brandgrab mit Amuletten).
> *Hirschgrandel* (oberer Eckzahn): Dreitzsch (125) Gräber 13 (Kind) und 71 (jugendlich); Hallstatt (187)
> Grab 136 (Frau mit viel Bernstein und Glas).
> *Backenzähne vom Schwein:* Staňkovice (157) Grab 5 (Frau).
> *Unbestimmter Tierschneidezahn:* Hundersingen (31a) Hohmichele (als Paar mit Bronzefassung).
> *Anhänger aus dem Zungenbein eines Rindes:* Dreitzsch (125) Grab 13 (Kind).
> *Dreipaß aus dem Dornfortsatz eines Wirbels eines Auerochsen o. ä.:* Ranis (127) Grab 12 (mehrere Skelette,
> dabei vielleicht ein Kind).
> *Anhänger aus der cervicalen Apophyse von Rind oder Auerochs:* Mesnil-les-Hurlus (119).
> *Anhänger aus dem Mittelfußknochen eines Pferdes (Abb. 12, 21):* Asperg (9) „Grafenbühl" Gräber 14/15
> (zwei junge Frauen).
> *Anhänger aus dem Fesselbein vom Pferd (Abb. 15, 6):* Villingen (54) Magdalenenberg Grab 5 (Frau mit
> weiteren Amuletten).
> *Kinnbacken einer Katze:* Chouilly (108) „Les Jogasses" Grab 72 (Kind).
> *Tibia eines jungen Wiederkäuers:* Nebringen (41) Grab 24 (Kind).
> *Astragali:* Dürrnberg (1A) Grab 28/2 (1 unbestimmtes Ex. bei Krieger, verschollen); Hallstatt (187)
> Gräber 129 (1 Ex. vom Hirsch, 1 Ex. von Schaf/Ziege bei erwachsenem [?] Individuum mit Glas und
> Bernstein), 449 (wohl 11 Ex. vom Rind bei einer Frau [?]), 475 (25 Ex. von Schaf/Ziege bei wohl noch
> nicht erwachsenem Individuum), 646 (21 Ex. vom Rind; sonst nur ein Messer) und 968 (25 unbe-
> stimmte Ex.; sonst nur Nadel und Messer).
> *Schlundzähne eines Cypriniden (Barbe?):* Hallstatt (187) Grab 171 (Brandgrab; Frau?).

Nicht sehr häufig sind P e r l e n o d e r S c h e i b c h e n a u s B e i n , wo die ursprüngliche Form des
Knochens also keine Rolle mehr spielt. Am Dürrnberg (1A) gibt es solche Scheibchen im Kindergrab 55/2 *(Abb. 6, 19)* und aus dem Aushub zu dem Grab 70/2 einer jungen Frau, dazu die ganz
singuläre Haarnadel aus der Fibula eines Hundes im Kindergrab 20/2. Aus Meissenheim (37)
Kindergrab 4 sind „Zierstückchen aus Bein" bekannt, aus dem Hockergrab eines Mädchens in
Nagold (41) ein „Beinplättchen", aus dem Grab 15 einer jungen Frau von Asperg (9) „Grafenbühl" eine Knochenperle *(Abb. 12, 20)*, aus dem Grab 6 einer jungen Frau von Münsingen (2)
ein Knochenring, aufgeschoben auf Eisenstäbchen *(Abb. 9, 7)*, aus dem Mädchengrab 5 von Saint-
Jean-sur-Tourbe (122) eine Knochenscheibe, aus dem Brandgrab 98 von Hallstatt (187) ein „Bruchstück von einem durchbohrten Knochenscheibchen".

Noch seltener wurde bisher die Beigabe von vereinzelten M e n s c h e n z ä h n e n [154] beobachtet:
Villingen (54) Magdalenenberg Grab 5 (in Kopfnähe ein Kinderzahn) und Grab 30 (Schneidezahn

---

[154] Dazu O. Kunkel 1955, 126f.

eines fremden Individuums [*Abb. 15, 20*])[155]; Vícemilice (165) Grab 3/1937 (zwei fremde Backen-
zähne im Becken), möglicherweise auch Dürrnberg (1 A) Grab 37/2.

Anläßlich der Besprechung der Amulette vom Dürrnberg hatten wir schon die Frage aufgeworfen,
ob denn nicht auch G l a s u n d B e r n s t e i n wenigstens zum Teil ein Amulettcharakter innewohnen
könne. Für den Bernstein könnte man sich natürlich auf Plinius d. Ä. (Hist. Nat. XXXVII, 11) be-
rufen, für das Glas auf die Meinung von Th. E. Haevernick, der unbestrittenen Spezialistin für
Glas in allen Perioden: „Der erste Sinn jeder antiken – und letztlich auch modernen! – Glasperle
ist ihr apotropäischer Wert, der Schutz und Amulettcharakter[156].“

Selbstverständlich ist es nicht unsere Absicht, auf einmal diesen Materialien gänzlich den
Schmuckcharakter abzusprechen und damit dem prähistorischen Menschen die Freude an auffallenden Materialien und Formen. Wir können aber den Amulettcharakter von Glas und Bernstein
an den hier ausgebreiteten Funden schlüssig nachweisen, indem wir feststellen, daß sie erstens ausgesprochen häufig mit „echten" Amuletten kombiniert vorkommen und zweitens ganz offensichtlich weitgehend derselbe Personenkreis damit ausgestattet ist. Man kann sogar sagen, daß oftmals
Bernstein und vor allem Glas dort auftreten, wo man nach unseren Erfahrungen Amulette geradezu
erwarten müßte. Sie sind in ihrer Funktion also weitgehend austauschbar.

Während Bernstein in manchen Regionen und Perioden so beliebt war, daß eine signifikante
Bevorzugung bestimmter Personengruppen nicht mehr schlüssig nachzuweisen ist, etwa im
Gräberfeld von Hallstatt (187), so ist es beim Glas doch etwas anders. Seine relative Seltenheit läßt
in unserem Raum bestimmte Korrelationen besser erkennen. Wir können uns daher darauf beschränken, die überzeugendsten Beispiele anzuführen.

Am Dürrnberg (1 A) lassen sich von etwa 359 Glasperlen 331 gut beobachteten Gräbern zuweisen[157]. Für fast alle liegt eine anthropologische Bestimmung der Individuen vor. Von diesen
Perlen stammen nun höchstens 17 aus Gräbern, in denen nicht Kinder oder junge Frauen bis
25 Jahre bestattet sind. Eindeutig ist dies der Fall bei dem Kriegergrab 46/1 (vier Perlen als Armkettchen). Für die Hallstattfrau in Grab 61/1 (20–30 Jahre) wäre sogar noch frühadultes Alter möglich. Für die beiden Frauen in den Gräbern 2/1 und 2/2 mit je einer Perle liegen keine Altersbestimmungen vor, während die vier Perlen in Grab 24/2 *(Abb. 6, 2)* in der Brandschicht zu Füßen des
Toten gefunden wurden, aber auch zu einer ausgeräumten Kinderbestattung gehören könnten.

Ein Vergleich mit dem durchschnittlichen Sterbealter der Gesamtpopulation vom Dürrnberg
zeigt, daß die Glasbeigabe auch bei den Frauen nicht zufällig auf die unteren Altersklassen verteilt
ist, sondern daß hier mit Sicherheit eine gezielte Auswahl vorliegt.

Dasselbe läßt sich am Gräberfeld von Münsingen (2) nachweisen *(Tabelle 2)*. Kein Individuum
der Phasen Ia und Ib, bei dem Glas gefunden wurde, war älter als 20 Jahre. Auch in den späteren
Phasen ist nur eine einzige Frau (Grab 134) vertreten, die zehn blaue Glasringerl trug; in allen
anderen Gräbern lagen wieder Kinder oder Jugendliche.

Im Gräberfeld von Jenišův Újezd (Langugest) (150) mit seinen etwa 120 Gräbern befanden sich
nur etwa neun Kindergräber. Dabei kommen aber Beigaben aus Glas, Bernstein und Gold nur in
insgesamt drei Gräbern vor (Gräber 11, 101 und Grab von 1912); in allen dreien waren Kinder
bestattet.

Man kann diese Relationen mehr oder weniger eindeutig über ganz Mitteleuropa hin verfolgen.
Der Anteil der Kindergräber (einschließlich sehr jung verstorbener Frauen) an den Gräbern mit

---

[155] Vgl. Anm. 32.
[156] Th. E. Haevernick 1968, 133.

[157] Th. E. Haevernick 1974, 147 Tab. 1.

Glas ist fast immer signifikant höher, als es ihrem Anteil an der Gesamtgräberzahl eines Gräberfeldes entsprechen würde. Er scheint sogar noch höher zu sein, wo außer dem Stoffwert des Glases
noch andere, uns schon bekannte Aspekte hinzutreten: Fremdformen, wie die zwei Glasmasken
im Kindergrab 22 von Saint-Sulpice (6), und seltene, auffällige Formen, wie die grünen Perlen
mit zusammengesetzten Augen aus demselben Grab und dem von Reinheim (96) oder die großen,
eiförmigen, gerippten und mit spiralig umlaufendem Faden verzierten Perlen[158], die in mindestens
drei Kindergräbern unserer Region vertreten sind: Rielasingen (46), Nynice (155) Grab 84 und
Hallstatt (187) Grab 346; dazu in einem Frauengrab mit weiterem Amulettschmuck: Maegstub
(76) Hügel 8, Grab 1.

Daß auch den Augenperlen eine besondere Bedeutung zukommt, braucht nicht mehr erörtert
zu werden. Das Augenmotiv ist als apotropäisches Symbol über die ganze Welt verbreitet und
wird auch überall in diesem Sinne verstanden[159]. Schon aus diesem Grunde verwundert es nicht,
daß gerade die Augenperlen zu den in der Latènezeit am weitesten verbreiteten Gegenständen gehören, wobei für uns keine Rolle spielt, wo das Einzelstück nun jeweils hergestellt wurde. Deshalb
haben wir in unseren Tabellen eine eigene Spalte „auffälliges Glas" eingeführt, wozu alle nicht ein-
farbigen Perlen zählen.

Auch unter den Gegenständen mit Bernstein gibt es solche, denen aufgrund der besonderen
Form ein gesteigerter Amulettwert innewohnen muß. Da sind einmal die großen Perlen, die
von der Mittelbohrung aus oben und unten radial schräg in Richtung des größten Durchmessers
angebohrt sind. Sie sind bisher nur an zwei Fundorten bekannt: vier Exemplare im Grab von
Reinheim (96) *(Abb. 17, 26–28)* und eines auf dem Halsring des Kindes in Grab 71/1 am Dürrnberg (1A). Merkwürdig ist dabei, daß an der Dürrnberger Perle keine der Radialbohrungen nach
außen durchstößt, und auch bei den Reinheimern nur die Hälfte, so daß man fragen muß, ob bei
diesen nicht die Verwitterung daran schuld ist. Der Sinn dieser Bohrungen bleibt unklar; im ursprünglichen, braunklaren Zustand der Perlen mögen sie immerhin von außen sichtbar gewesen
sein. Ein ähnliches System von Radialbohrungen ist mir nur noch an einem größeren Bernsteinring
aus Kyšice, okr. Plzeň-sever, begegnet, doch kann man hier die genauen Beifunde nicht mehr
rekonstruieren[160].

Offensichtlich ist der gesteigerte Amulettwert natürlich auch bei den Schuhanhängern von
Bargen (19) Hügel E, Grab 3 und Reinheim (96; *Abb. 17, 25)* und dem verzierten Scheibchen
von Jenišův Újezd (150) Grab von 1912. Etwas Besonderes muß es ferner mit den runden, konischen, mehr oder weniger kräftig quergerillten Anhängern auf sich haben, wenn man sich die
Fundkombinationen ansieht:

> Hirschlanden (15) Grab 9 *(Abb. 12, 25)*: „erwachsen" mit Frauenausstattung der Gruppe II (dazu
> S. 152f.).
> Villingen (54) Magdalenenberg Grab 56 *(Abb. 15, 12–13)*: Frau mit Leichenbrand eines Kindes.
> Aislingen, Ldkr. Dillingen, „Katharinenhof" Hügel 6[161]: Frau mit viel Ringschmuck; unter dem
> Becken und zu Füßen „Brandknochen".
> Hallstatt (187) Grab 95: 8- bis 10jähriges Kind.

---

[158] Zusammenstellung bei Th. E. Haevernick 1968,
132f.

[159] O. Jahn 1855, 63ff.; O. Koenig 1970, 183ff.

[160] V. Šaldová 1968, 349 Abb. 25, 8. Die Bohrungen sind im Original wesentlich tiefer als auf der
Zeichnung angegeben; sie reichen, wie bei der Dürrn-

berger Perle, bis knapp unter die Außenfläche des
Ringes. Auch hier hat man sich, wenn auch nicht ganz
streng, bemüht, die Bohrungen der unteren und der
oberen Ebene gegeneinander zu versetzen.

[161] G. Kossack 1959, Taf. 38, 11.

Hallstatt (187) Grab 136: Skelettgrab bei einem Brandgrab; nur 1 Exemplar bei reichstem Bernstein- und Glasschmuck, Hirschgrandel, mehrere Bleiringchen.

Vače (Slowenien)[162]: ein Exemplar ohne Fundzusammenhang.

Etwas mehr Aufmerksamkeit als gewöhnlich verdienen jene Gegenstände, die normalerweise unter der Bezeichnung „Spinnwirtel" laufen, weil sie aus Ton sind und nicht die übliche Perlenform aufweisen. Daß man wenigstens in Einzelfällen damit nicht den ganzen praktischen und gedanklichen Hintergrund erfaßt, legen Beispiele wie das Grab von Blumenfeld (20) mit sieben Exemplaren unter der Amulettsammlung, die entsprechenden Befunde von Münsingen (2) Gräber 6 *(Abb. 9, 2)* und 7 *(Abb. 10, 2)* sowie die Gräber 20 und 22 von Ranis (127) nahe.

Wird man sich bei Glas und Bernstein leicht über die Besonderheit dieser Materialien verständigen können, so mag dies bei anderen nicht unmittelbar einleuchten. Dies trifft, außer dem schon kurz erwähnten Blei[163], zunächst für die Edelmetalle zu. Hier muß man wieder das ganze Milieu eines Fundes berücksichtigen, will man die Besonderheiten erkennen. Wir erinnern an den zusammengebogenen Golddraht über der rechten Schulter des Kindes in Dürrnberg (1 A) Grab 71/1 und an die zwei Goldringelchen im Kindergrab 19, die in dieser Periode von Erwachsenen nicht mehr getragen wurden. Der einzige Gegenstand aus Gold im Gräberfeld von Jenišův Újezd (150) ist eine kleine Blechperle im schon erwähnten Kindergrab 11. Ebenso stellt die kleine Goldspirale im Kindergrab 42 das einzige Goldobjekt im Magdalenenberg von Villingen (54) dar. Goldringelchen aus späten Kindergräbern liegen noch vor in Libkovice (153) und Domaša (167). Bei der relativen Goldarmut in Hallstatt (187) fallen die Ringchen in den Gräbern 132 (Brandgrab, nach Ramsauer ein Kind) und 21/1889 (Kind) sowie das punzverzierte Goldband im Brandgrab 909 (Kind?) auf. Eine Ausnahme in anderer Richtung ist dagegen das Kindergrab in Trochtelfingen (53) mit seinen drei Goldblechhaarringen, weil diese in Südwestdeutschland sonst nur bei Frauen vorkommen.

Noch seltener ist Silber in der Latènezeit. Deshalb ist dem Drahtringchen im Kindergrab 3 von Asperg (9), dem Anhänger bei der Frau im Doppelgrab von 1923 in Libčeves (152) und dem Scheibchen im Grab 20 der jungen Frau von Blučina (160) umso größere Bedeutung zuzumessen. Der Potinring in Villeneuve-Renneville (123) Grab 7 wurde von einem schon erwachsenen, aber noch jungen Individuum getragen.

Auf ein weiteres Phänomen hat kürzlich A. Thenot aufmerksam gemacht, indem sie feststellen konnte, daß in Kindergräbern bevorzugt Gegenstände aus Eisen vorkommen[164]. Sie hat dabei den auch von uns gewählten Weg beschritten, ganze Gräberfelder oder größere Komplexe zu analysieren, um zu statistisch überprüfbaren Ergebnissen zu gelangen. Wir können ganz entsprechende Beobachtungen auch für die Regionen östlich des Rheins machen und noch manches etwas spezifizieren, außerdem nachweisen, daß dies nicht auf Latène I beschränkt ist.

Zweierlei Ausprägungen muß man hier unterscheiden. Die erste besteht darin, daß bei Kindern häufiger Gegenstände in Eisen vorkommen, die bei Erwachsenen normalerweise aus Bronze gefertigt sind. Die zweite äußert sich so, daß unter der Kategorie „Auffälligkeiten und Curiosa" oftmals gerade Eisengegenstände die charakteristischen Merkmale aufweisen.

Die Fertigung normalen Trachtzubehörs auch aus Eisen ist durchaus zu erwarten, besonders wenn die Herstellungstechnik keine besonderen Probleme aufwarf, wie etwa bei den Ringen.

[162] F. Starè 1955, Taf. 66, 3.
[163] Ausführlich L. Schmidt 1958.
[164] A. Thenot 1971.

Merkwürdig bleibt trotzdem, daß es tatsächlich eine signifikante Bevorzugung von Eisenringen in Gräbern von Kindern und Jugendlichen gibt. Am deutlichsten scheint mir das bei den Halsringen zu sein. Wir wollen uns dazu größere Gräberfelder ansehen, in denen die Halsringbeigabe üblich war, so daß eine schlüssige Beurteilung der Relationen möglich ist.

Am Dürrnberg (1 A) gibt es drei Eisenhalsringe mit Perlenbesatz. Der eine stammt aus dem Kindergrab 71/2 *(Abb. 4, 1)*, der zweite aus Grab 64/1 einer jungen Frau. Grab 96 ist zwar nicht sachgemäß aufgedeckt worden, unter den vier Individuen konnte aber eines als jugendlich bestimmt werden. In Münsingen (2) gibt es einen einzigen Eisenhalsring: im Kindergrab 12. Entsprechendes gilt für die Gräberfelder von Andelfingen (3) mit Kindergrab 17 und Losheim (90) mit Kindergrab 2 in Hügel 2. In Theley (98) hat man zwei Eisenhalsringe mit Perlen- und Bronzebesatz gefunden. In Hügel 18, Grab 3 war das Skelett völlig vergangen, wird aber nach der Grablänge erwachsen gewesen sein. Hügel 1, Grab 5 enthielt dagegen nach der Lage der Ringe mit Sicherheit ein Kind. Ebenfalls zwei Exemplare kennt man aus Villeneuve-Renneville (123). Das erste (mit Perlenbesatz) lag in Grab 56 bei einem heranwachsenden Mädchen, das zweite (wohl nur mit angegossenem Bronzedreipaß) im Kindergrab 36.

Im Osten treffen wir die Halsringmode, zum Teil aus chronologischen Gründen, viel seltener an. Wir müssen uns daher darauf beschränken, auf die Kindergräber mit solchem Schmuck in Staňkovice (157) Grab 6, Červené Pečky (147) Grab 3/1909 und Libčeves (152) Grab 11/1889 hinzuweisen. Über die beiden Individuen in Kamenín (171) Gräber 11 und 19 liegen keine näheren Angaben vor; sie werden eher erwachsen gewesen sein. Aus Au (177) „Kleine Hutweide" kennt man zwei Halsringe. Ein bronzener Ösenhalsring stammt aus dem Grab 23, dessen Befund etwas unklar ist; der andere, aus Eisen und dem von Andelfingen (3) Grab 17 sehr ähnlich, fand sich in Grab 12, in dem nach der Grubenlänge ein Kind bestattet gewesen sein muß.

Unter den Gräbern mit perlenbesetzten Eisenhalsringen im Westen[165] finden sich außer den schon genannten noch weitere Kinder: Farschweiler (85); Hoffenheim (31) Hügel E; Sinsheim (49) Hügel 4, Grab 5; Ober-Ramstadt (95). Das Individuum von Heimbach-Weis[166] war spätjuvenil bis frühadult. Die Funde von Süßberg (145) stammen aus einem Grab, in dem eine Frau und ein Kind bestattet waren. Für alle anderen von H.-E. Joachim angeführten Fälle liegen keine anthropologischen Daten vor, was gerade bei den nach der Körpergröße wohl schon erwachsenen Individuen zu bedauern ist.

Perlen aus Glas und Bernstein wurden zuweilen auch auf Eisenarmringe aufgereiht. So etwa im Mädchengrab 5 von Saint-Jean-sur-Tourbe (122) und beim Kind in der Doppelbestattung von Buhla (124).

Einfache Eisenarmringe kommen häufiger vor, doch ist hier eine so eindeutige Relation nur selten zu beobachten. Es sei auf die Bemerkungen zu Pernant (S. 74 f.) und Jenišův Újezd (S. 90 f.) verwiesen.

Dagegen fällt es schwer, an einen Zufall zu glauben, wenn die bisher einzige Knopffibel aus Eisen in dem Kindergrab des Hügels 56 von Mühlhart (139) gefunden wurde[166a]. Für die in jüngeren Perioden immer häufiger aus Eisen gefertigten Latènefibeln möchten wir uns an dieser Stelle eine genauere Untersuchung sparen, weil die Tendenz ohnehin erkennbar ist. Es sei nur der Weg an-

---

[165] Zusammengestellt von H.-E. Joachim 1972, 96 ff.

[166] Ebd. 89 Anm. 3.

[166a] Möglicherweise handelt es sich bei dem „Eisenknopf" auf der Brust des Mannes in Villeneuve-

Renneville Grab 64 (A. Brisson – P. Roualet – J.-J. Hatt 1971, Taf. 33, 64 E) ebenfalls um das Fragment einer eisernen Knopffibel. Trachtlage, Form der Pauke und auch das Vorkommen in einem Latènegrab mit Koppelringen würden dazu passen.

gedeutet. Zwei Relationen wären dabei zu prüfen. Einmal der Anteil der Eisenfibeln in Kindergräbern zu dem der Eisenfibeln in Gräbern von Erwachsenen. Zum anderen als Gegenprobe der Anteil der Eisenfibeln zu dem der Bronzefibeln allein in den Kindergräbern.

Der zweite Aspekt des Eisens tritt dort zutage, wo es nicht bei Gegenständen in Trachtfunktion, sondern als zusätzliche Beigabe verwendet wurde. So wird man zu fragen haben, ob nicht die Beigabe von Schwertfragmenten in Frauengräbern auch als „Beigabe von Eisen" zu verstehen sei. Ähnliches gilt für die nicht wenigen Fälle, wo „unbestimmte Eisenfragmente" an auffälligen Stellen erwähnt werden, etwa der Hohlbuckel *(Abb. 12, 6)* in Asperg (9) „Grafenbühl" Grab 17, Eisenstäbchen und -ringchen *(Abb. 14, 6)* im Grab von Mörsingen (38), dazu eine Reihe der schon von A. Thenot angeführten Fälle. Merkwürdig ist auch der Eisendraht auf der Brust der jungen Frau in Grab 28/1 vom Dürrnberg (1 A; *Abb. 7, 13*)[167]. Selbstverständlich ist es oftmals müßig, gerade bei den „Curiosa" den jeweiligen Anteil von absonderlicher Form, vielleicht auch fragmentarischem Zustand und dem Material an dem Symbolgehalt genau bestimmen zu wollen. Eine solche Aufspaltung eines doch ganzheitlich zu sehenden Gegenstandes in Einzelkomponenten würde dem „magischen" Denken, nicht nur in prähistorischen Perioden, unmöglich gerecht.

Für die Verwendung des Eisens wohl nur unter dem Gesichtspunkt des Stoffwertes zeugen etwa der kleine Eisenanhänger am Gürtel der jungen Frau in Dürrnberg (1 A) Grab 61/2[168], das in den Halsring eingefädelte Eisenstück des Mädchens im Vierfachgrab 8 von Kuffarn (182), das durchbohrte Eisenerzklümpchen in Hundersingen (31a) Hohmichele, die zwei Roteisensteinstückchen unter der Amulettsammlung von Reinheim (96) und der Halsring von Mesnil-les-Hurlus (119), auf den unter anderem auch ein Stückchen Pyrit (Eisenkies) aufgefädelt war.

BESONDERHEITEN DES BESTATTUNGSBRAUCHES

Nachdem wir nun die einzelnen Amulettkategorien besprochen haben, ist es an der Zeit, uns Gedanken über die „Funktion" der Amulette zu machen. Bei einer Durchsicht der archäologischen Literatur begegnet man einhellig der stillschweigenden Annahme, die Amulette hätten, wie anderer Schmuck auch, wie Fibeln, Ringe und Gürtel, zur Ausstattung des jeweiligen Individuums, quasi zu dessen Besitz, gehört und seien deswegen zwangsläufig auch in das Grab gekommen[169]. Man begnügt sich dann, wenn man den Amulettcharakter solchen „Schmuckes" überhaupt wahrnimmt, mit dem Hinweis auf volkskundliche Parallelen, wo dieses oder jenes Amulett gegen dies oder jenes helfe, gegen den bösen Blick, gegen Krankheit aller Art, gegen Blitzschlag usw., daß man ferner gerade die Kinder gerne damit versehe, weil sie am meisten durch böse Einflüsse gefährdet seien, aber auch Frauen[170].

[167] Ähnliche Fragmente fanden sich in einer der Schalen im gestörten Grab 50 (E. Penninger 1972, Taf. 56, 13).

[168] F. Moosleitner – L. Pauli – E. Penninger 1974, Taf. 126, 5 (in der mittleren Öse des Endgliedes).

[169] R. Pittioni 1931, 58; J. Keller 1965, 18; H.-E. Joachim 1969, 103f.; S. Martin-Kilcher 1973, 29. 38 Anm. 17. – Eine erwähnenswerte Ausnahme bildet nur L. V. Grinsell 1953, 280: „These various fragments of evidence ... show the selection of unusual objects and materials which were considered to enhance the prospects of a save journey and happy entry into a future life."

[170] So etwa auch F. A. Schaeffer 1930, 226 ff. über den möglichen Symbolgehalt der Halsringe mit plastischen Schlangenauflagen.

Selbstverständlich ist dies alles nicht grundsätzlich zu bestreiten. Es gibt genug Hinweise darauf, daß Amulette auch tatsächlich im täglichen Leben getragen wurden, etwa die kräftigen Abnutzungsspuren in den Ringchen aus Gagat, Bronze und Bernstein der Gräber 17 in Andelfingen (3) und 23 in Nebringen (42; *Abb. 16, 1–4*) oder auf der durchbohrten Knochenscheibe von Asperg (9) „Grafenbühl" Grab 14/15 *(Abb. 12, 21)*. Warum hätte man sonst das Steinbeil aus Dürrnberg (1 A) Grab 51 *(Abb. 7, 14)* und die vielen Tierzähne durchbohrt?

Nichtsdestoweniger hat es den Anschein, als würde man mit dieser auf der Hand liegenden Erklärung nur einen Ausschnitt des Phänomens erfassen. Sie bleibt auf die Vorstellung beschränkt, daß man im Grab ein verstorbenes Individuum mit seinem persönlichen Besitz vor sich habe. Es wird dabei übersehen, daß der Tod eines Individuums nicht als isoliertes Geschehen zu betrachten ist, sondern stets eine Gemeinschaft berührt. So ist schon die Beigabe von Gefäßen für Speisen und Trank in das Grab eher eine Aufgabe des kleineren oder größeren Sozialverbandes, der damit für das Wohlergehen des Toten im Jenseits sorgt.

Wenn man aber den Gegenstand unserer Untersuchung so definieren könnte, daß er weder zum Funktionsbereich „Tracht und profane Gegenstände des täglichen Lebens" noch zu dem zweiten „materielle Vorsorge für das Jenseits" gehört, liegt die Frage nahe, auf welche Weise er dann mit dem damit bestatteten Individuum verknüpft werden kann. Hier hilft uns die Beobachtung weiter, daß zwar, wie schon angedeutet, die Verwendung von Amuletten im täglichen Leben durchaus üblich gewesen sein muß, darüber hinaus aber in vielen Fällen die Gegenstände mit Amulettcharakter anscheinend erst bei der Bestattung des Toten hinzugegeben wurden.

Zur Beweisführung sind zunächst einmal jene Gräber heranzuziehen, in denen ein neugeborenes Kind, wie in Fère-Champenoise (112) Grab 62, oder gar ein Embryo, wie in Singen (47) Grab 53/6,1 *(Abb. 16, 20–30)*, bestattet waren. Hier wird niemand im Ernst behaupten wollen, daß die Beigaben persönlichen Schmuck oder gar Besitz darstellten.

Lage der Amulette im Grab

Außerdem wollen wir dazu jene Gräber näher betrachten, in denen reichhaltigere und charakteristische Amulettkombinationen oder absolute Curiosa, denen mit Sicherheit kein Schmuckwert zugesprochen werden kann, gehäuft an solchen Stellen des Grabes gefunden wurden, wo eine Auffädelung auf einer Schnur um den Hals nicht wahrscheinlich ist.

Dürrnberg (1A) 28/1	neben dem linken Fuß
Münsingen (2) 6	an der rechten Hüfte
Münsingen (2) 12	an der rechten Hüfte
Münsingen (2) 23	an der rechten Hüfte
Münsingen (2) 27	am rechten Handgelenk
Andelfingen (3) 29	links und rechts vom Bauch
Vevey (8) 29	neben dem rechten Arm
Asperg (9) 14	am linken Ellbogen
Asperg (9) 15	an beiden Händen
Esslingen-Sirnau (11)	auf der rechten Schulter, auf dem Unterkörper, an der linken Hüfte
Gerlingen (12)	an der linken Hüfte
Bargen (19) E, 4	unterhalb der Füße
Hundersingen (31a)	oberhalb vom Kopf
Villingen (54) 5	rechts am Kopf und neben dem rechten Unterarm
Wohlen (69) 1, 3	bei der rechten Hand
Reinheim (96)	links neben dem Kopf

Worms-Herrnsheim (104)	an der linken Hüfte
Chaffois (108)	am rechten Unterarm
Chouilly (109) 144	an der linken Schulter
Raitenbucher Forst (141)	in der Hüftgegend
Libčeves (151) 1923	an der linken Hüfte
Blučina (159) 20	bei der rechten Hand
Linz-St. Peter (184) 167	neben dem rechten Oberschenkel
Hallstatt (187) 114	an der linken Hüfte

Bis auf wenige Ausnahmen wurden die Amulettsammlungen in der Hüftgegend gefunden, was schon S. Martin-Kilcher bei den Gräbern von Münsingen (2) zu der Folgerung veranlaßte, an eine Aufbewahrung in einem Beutel am Gürtel zu denken[171]. Gewiß läßt sich diese Möglichkeit für einen Großteil unserer Beispiele erwägen, aber warum sollten der Mann aus Wohlen (69) oder die Frau aus Gerlingen (12) ihre einzelnen kuriosen und doch recht sperrigen Eisengegenstände *(Abb. 12, 29)* in einen Beutel gesteckt und mit sich herumgetragen haben? Die Lage der Gegenstände in Dürrnberg (1 A) Grab 28/1 und Bargen (19) Hügel E, Grab 4 ist so nicht erklärbar, ebenso wenig der funktionslose Bronzebügel *(Abb. 13, 3)* auf der rechten Schulter des Skeletts von Esslingen-Sirnau (11), ganz zu schweigen von anderen Befunden, die nicht in die Liste aufgenommen wurden, weil nur einzelne Objekte an auffälligen Stellen lagen, etwa der Eisenknopf *(Abb. 12, 6)* am Kopf der Frau in Asperg (9) „Grafenbühl" Grab 17. Aus der Reihe fällt auch Reinheim (96), wo das bisher umfassendste Sammelsurium (nur eine Auswahl: *Abb. 17*) links vom Kopf gefunden wurde, was den Ausgräber zur Annahme einer „Schmuckschatulle" veranlaßte. Entsprechendes gilt für Hundersingen (31a) Hohmichele Grab VI, wobei bezeichnenderweise der Ausgräber aufgrund der Größe und Beschaffenheit der Objekte von einer Einreihung unter den „Schmuck" Abstand nehmen möchte. Im Doppelgrab 14/15 von Asperg (9) „Grafenbühl" können die Amulette tatsächlich als Armschmuck getragen worden sein; allerdings ist das kleine Steinbeil *(Abb. 12, 8)* nicht gelocht, konnte also nirgends aufgefädelt werden[172].

Wir müssen also entschieden mit der Möglichkeit rechnen, daß gerade diese Amulettsammlungen in einigen Fällen dem Toten erst ins Grab mitgegeben wurden. Warum man die Hüftgegend auch dann bevorzugte, wenn eine Gürteltasche für den täglichen Gebrauch unwahrscheinlich ist, muß offenbleiben.

Allerdings können wir weitere Gräber anführen, wo einzelne Gegenstände im Becken der Toten gefunden wurden, die mit Sicherheit dort keine Funktion im Leben gehabt haben können:

Saint-Sulpice (6) 44 unten: Glas und Anhänger.
Vevey (8) 15, Teilbestattung: zwei Perlen, eine Fibel.
Otzing (141), Hockergrab: Glasperlen.
Vícemilice (165), Trepanation: zwei Menschenzähne, eine Fibel.
Hurbanovo (170) 9: Spinnwirtel; dazu Anhänger bei der rechten Hand, Perle am Kopf.
Au (177) 4, Bauchlage: zwei Fibeln, eine Schere.

Anzufügen wären hier auch jene Gräber, in denen ein durchlochter Gegenstand im Becken der Toten gefunden wurde. Sie scheinen jedoch eine eng eingrenzbare Gruppe von Personen anzudeuten, weswegen wir später auf sie eigens zurückkommen werden (S. 168 ff.). Dagegen wird in den Frauengräbern von Tauberbischofsheim-Impfingen[173] die Rassel oder Bommel in der Leibesmitte wohl tatsächlich am Gürtel getragen worden sein wie auch das Hohlringpaar.

---

[171] S. Martin-Kilcher 1973, 29.
[172] Es könnte immerhin in einen Stoffbeutel gesteckt und so befestigt worden sein; vgl. dazu E.

Leuzinger 1950, 62.
[173] Vgl. Anm. 114.

Weitere Indizien für Beigaben, die erst nach dem Tode an die Stelle gekommen sein können, wo sie gefunden wurden, sind die Quarzstückchen bei einigen Dürrnberger (1 A) Kindern, die am Unterkiefer, wahrscheinlich sogar im Munde lagen. Hingewiesen sei ferner auf die seltsame Beobachtung E. Wagners bei dem Grab 2 in Hügel A von Huttenheim (32), wonach einem Mädchen ein geflissentlich zerhauener Halsring mit Gußzapfen um den Hals zusammengelötet worden war, was doch nur bei einer Leiche denkbar scheint.

Für Manipulationen, die erst nach dem Tode des Betreffenden vorgenommen wurden, können auch die oben (S. 120) schon besprochenen Gräber angeführt werden, in denen Trachtzubehör absichtlich unbrauchbar gemacht und oft sogar an abweichender Stelle niedergelegt wurde (Sulejovice [158]; Bučovice [163]). Anzuschließen sind ferner jene Ringe, die wegen ihrer stehengebliebenen scharfkantigen Gußnähte nicht getragen worden sein können (S. 119). Auch sie haben als nachträgliche Beigabe zu gelten, selbst wenn sie scheinbar in Trachtlage gefunden wurden. Wo man es überprüfen kann, am Magdalenenberg bei Villingen (54), muß man nämlich feststellen, daß diese Ringe dort ganz überwiegend als Beinringe „getragen" wurden, obwohl in den vielen übrigen Gräbern, bis auf eines, die Beinringmode noch gar nicht üblich war. Wenn sie auch in ihrer Bedeutung nicht richtig abgeschätzt werden kann, sei doch in diesem Zusammenhang auf die Tatsache hingewiesen, daß auch in den Gräberfeldern von Vevey (8) mit Grab 29 und Theley (98) mit Hügel 9, Grab 2 Beinringe nur in je einem Kindergrab vorkommen, wobei in der ganzen westlichen Hunsrück-Eifel-Kultur die Beinringmode zu dieser Zeit unbekannt war[174]. Und wenn in den Gräberfeldern von Kärlich (88) und Mayen (92) Fibeln nur bei Kindern vorkommen, sollte dies auch zu denken geben.

Noch direkter mit dem Bestattungsritus hängen jene bei alten Grabungen oft unbeachtet gebliebenen Brandnester unter, in oder auf Hügeln, auch in Flachgräbern, zusammen, besonders wenn man in ihnen entsprechende Funde gemacht hat: Dürrnberg (1 A) Gräber 24/2 *(Abb. 6, 1–3)*, 39/2 und 76; dazu die ganz analogen Befunde von Mühlacker (16) Hügel 1, Mercey-sur-Saône (Haute-Saône), Courcelles-sur-Montagne (Marne) und Pertuis (Vaucluse), wo man in Brandnestern Steinbeile und andere Einzelobjekte entdeckte[175].

Mit diesen Überlegungen, daß zum Bestattungsritus in manchen Fällen offensichtlich Maßnahmen gehörten, die dazu führten, daß man dem Toten bestimmte Gegenstände zusätzlich ins Grab legte, andere wiederum unbrauchbar machte, begeben wir uns nunmehr ganz auf das Gebiet der Vorgänge, die mit „Grabausstattung" oder „Beigabe" nichts mehr zu tun haben, sondern mit der Art der Bestattung selbst zusammenhängen.

Schnecken und Muscheln

Am Übergang von Beigabensitte zu Grabritus steht die Besonderheit jener Gräber, in denen eine größere Anzahl Schnecken oder Muscheln vorkommt, ohne daß diese nach ihrer Lage und Beschaffenheit eine auf das Individuum selbst bezogene Schmuckfunktion gehabt haben.

Dürrnberg (1 A) 19, Schädelbestattung eines Kindes: große Anhäufung von Schneckenhäusern im Grabraum; Amulette.
Dürrnberg (1 A) 28/1, junge Frau: etwa zehn Schneckenhäuser über das Skelett verstreut; Amulette.
Dürrnberg (1 A) 37/2, wohl junge Frau: mehrere Schneckenhäuser an der linken Hand und zwischen den Unterschenkeln; wohl Amulette.

---

[174] N. Groß – A. Haffner 1969, 103.   [175] J. Déchelette 1913, 660.

Bern-Bümpliz (4) 96, Kind: „einige Schnecken" an nicht beschriebener Stelle; Bernstein- und Glasperlen.

Wilsingen (57) 1/2, Hockergrab eines Jugendlichen: beim Schädel „auffällige Anhäufung von kleinen
Schnecken"; beigabenlos, Hügel hallstattzeitlich.

Hemishofen (62) P: Schneckenhäuser 0,4–0,5 m über unbestimmtem Skelett; nur Tongefäße.

Dannstadt (84) 25/1, Hockergrab: von 2–3 Dutzend Weinbergschnecken umgeben; beigabenlos,
Hügel hallstattzeitlich.

Ranis (127) 17, Kind: „daneben ein Haufen Schneckenhäuschen"; beigabenlos.

Ranis (127) 26, Mann oder Frau; Seitenlage: „zu Füßen neun Schneckenhäuschen."

Ranis (127) 27, Mann oder Frau: „zu Füßen sechs Schneckenhäuser."

Ranis (127) 28, Mann oder Frau: „Schneckenhäuser" ohne Lageangabe.

Brunn (179) 8, wohl Kind: „ungefähr 50 cm oberhalb des Skelettes ... auf einer kleinen Stelle ...
einige Hundert Schneckengehäuse."

Der Bericht über Hallstatt (187) Grab 122 (Linz) ist zu unklar, als daß wir ihn hier verwerten
könnten. Eher mit Maßnahmen bei der Grabkonstruktion zu verbinden sind dagegen folgende
Fälle:

Hermrigen (63), sieben Skelette in einem Hügel: „Drei Bestattungen sollen innerhalb eines Kreises
aus Heliciden-Schneckenhäuschen gelegen haben."

Huttenheim (32) Gruppe 1, Hügel 1, mit drei Bestattungen, darunter das Mädchen mit dem gelöteten
Halsring: auf dem gewachsenen Boden unter dem Hügel waren einige Flußmuschelschalen verstreut.

Den Befund von Červené Pečky (146) Grab 10 wollen wir lieber zurückstellen, weil er widersprüchlich überliefert ist. Daß aber auch hier Flußmuscheln im Grabritus Verwendung fanden,
dürfte wohl gesichert sein. Von Hügel 63 in Unterlunkhofen (67) wird berichtet, daß sich in der
obersten Brandstelle auch „einige Schalen" von Tellerschnecken (Planorbis) gefunden hätten, doch
war dieser Bereich schon gestört, und die Beschreibung ist auch recht ungenau.

Betrachten wir uns die erste Gruppe der aufgeführten Gräber, so fällt es schwer, an seltsame
Sterbegewohnheiten von Schnecken zu glauben. Mit Ausnahme von Hemishofen (62), wo keine
näheren Angaben vorliegen, wird die Sonderstellung des Individuums auch durch andere Indizien
bekräftigt: Sterbealter, Amulettbeigabe, Skelettlage, dazu die oben (S. 78 ff.) schon ausführlicher erörterten Beigabenkombinationen von Ranis (127). Es sei gerade an dieser Stelle darauf hingewiesen,
daß diese Korrelation nicht dadurch zustande kommt, daß unter den Gräbern mit Amuletten und
Sonderbestattungen, die wir gezielt gesucht haben, eben auch einige vertreten sind, die eine
Schneckenbeigabe aufweisen, sondern es sind mir außer den angeführten überhaupt keine anderen
derartigen Gräber mehr aus der leichter erreichbaren Literatur bekannt. Überdies sind die Relationen in den Gräberfeldern von Dürrnberg (1), Ranis (127) und Brunn (179) überprüfbar. Selbstverständlich ist damit zu rechnen, daß mancher Ausgräber entsprechende Beobachtungen für
einen Zufall der Natur, damit für unwichtig und nicht erwähnenswert gehalten haben mag. Vielleicht hilft dieser Hinweis, daß in Zukunft solche Befunde aufmerksam registriert und auch alte
Berichte nunmehr neu interpretiert werden können.

Für die Hügelgräber von Hermrigen (63) und Huttenheim (32), wo die Schnecken bzw. Muscheln
unter dem Hügel auf dem gewachsenen Boden lagen, also ohne Bezug zu einem einzelnen Skelett,
ist der gedankliche Hintergrund natürlich noch schwieriger zu ergründen. Vielleicht steckt, gerade
bei Hermrigen, eine ähnliche Vorstellung dahinter, wie sie zur Anlage von Kreisgräben unter oder
um Grabhügel geführt hat.

Scherbenstreuung

Obwohl sie auch in die Kategorie „Beigabe von unbrauchbar gemachten Gegenständen" gehören könnten, seien zwei Gräber erst hier aufgeführt, in denen Scherben eines oder mehrerer Gefäße über das Grab verstreut waren, weil diese Maßnahme mit dem Bestattungszeremoniell zusammenhängt[176]. Es handelt sich dabei um Au (178) „Mühlbachäcker" Grab 6, das oberste Skelett (ohne weitere Beigaben und Bestimmung), und Brunn (179) Grab 5 mit einer „vermutlich älteren Frau" in starker Hockerstellung.

ABWEICHENDE SKELETTLAGEN

Hockergräber

Bei der Besprechung der einzelnen Amulettgruppen haben wir öfters zugleich schon Besonderheiten der Skelettlage mit angeführt, so daß der Leser inzwischen ungefähr eine Vorstellung davon haben dürfte, wie überraschend häufig Hockerbestattungen in der uns interessierenden Periode von Hallstatt D bis Latène C bezeugt sind. In der nachfolgenden Liste sind sie noch einmal geschlossen zusammengestellt[177], wobei die Perioden Latène C–D in Frankreich unberücksichtigt bleiben. Die Hockerbestattung ist dort vergleichsweise noch häufiger, doch würde eine weitergehende Analyse den Rahmen dieser Arbeit sprengen; außerdem ist aufgrund des Publikationsstandes das Material nicht leicht zu überblicken[178].

1. Hockergräber mit Amuletten oder sonstigen Auffälligkeiten

Dürrnberg (1B) 86/2		4– 6 J.	nur Glas
Münsingen (2) 182			nur Beil
Asperg (9) 15	Frau	18–20 J.	nur Amulette
Hegnach (14) 2	Dolch!	12–13 J.	Hornsteinklinge „über dem Skelett"
Nagold (41)		14–16 J.	nur Glas, Beinplättchen
Wilsingen (57) 1/2		14–16 J.	nur Schnecken
Königsbrück (74) 61/2		Kind	4 Ringe an nur einem Arm
Heidolsheim (80)		erwachsen	Tonring
Dannstadt (84) 25/1			nur Schnecken
Nierstein (94)		erwachsen	Bronzezeitkrug
Manre (117) 153		erwachsen	Glas, Bernstein, Tierzahn
Ranis (127) 10 (2 Ind.)			nur Fibelfuß mit Koralle
Ranis (127) 20 (3 Ind.)		erwachsen	nur 8 Wirtel
Ranis (127) 21 (2 Ind.)	Männer?	erwachsen	nur 3 Rasseln(?)

---

[176] Ein schönes Beispiel solcher Gebräuche schildert auch A. Stroh 1972, 132 mit 131 Abb. 3.

[177] Die Skelette von Dürrnberg (1 B) Grab 87/1, Münsingen (2) Grab 182, Asperg (9) Grab 15, Ranis (127) Grab 26, Linz-St. Peter (185) Grab 452 und Hallstatt (187) Grab 205 liegen zwar auf der Seite, haben aber die Beine kaum angewinkelt.

[178] Notwendig wäre beispielsweise eine Analyse des spätest-hallstättischen Gräberfeldes von Ifs (Calvados), das bisher nur in Andeutungen veröffentlicht ist (M. Boüard 1968, 357ff.). Von 17 Skeletten sind sieben Kinder, alle in Hockerstellung, die zehn Erwachsenen zu gleichen Teilen in Hocker- und Strecklage.

Ranis (127) 22 (2 Ind.)	Männer?	erwachsen	nur 3 Wirtel
Ranis (127) 24	Frau?	erwachsen	nur Glas
Ranis (127) 26	Mann?	erwachsen	Schnecken
Ranis (127) 118		erwachsen	Bronzegußstück
Wöhlsdorf (130) 1	Krieger		Anhänger, Tierzahn
Beilngries (132) RO 93		erwachsen	Schädel verbrannt
Beilngries (132) GO 19		jugendlich	ungewöhnliche Orientierung
Manching (137) 5/1893		erwachsen	Glas, Bernstein
Otzing (141)			Glas, sekundär gestört
Sulejovice (158) 4	Frau?	erwachsen	verbogene Ringe am Kopf
Bučovice (163) 4	Frau?	erwachsen	Armringe am Kopf
Bučovice (163) 5		Kind	Armringe am Kopf
Bučovice (163) 6		Kind	Armringe am Kopf
Au (177) 5		erwachsen	nur Schleifstein
Brunn (179) 5	Frau?	„älter"	Scherbenstreuung
Guntramsdorf (180) 2	Krieger	erwachsen	Trepanation
Linz (185) 169a			Silex
Linz (185) 452			Anhänger
Hallstatt (187) 120			Nadel und 6 Angelhaken
Hallstatt (187) 150			nur Tierzähne, Ringchen
Hallstatt (187) 205			Nadel und Angelhaken
Hallstatt (187) 11/1889	Krieger		Anhänger

2. Beigabenlose Hockergräber

Dürrnberg (1B) 86/3		Kind	
Langen (89) 23/3			
Wallertheim (100) 1			Doppelgrab
Wallertheim (100) 2			
Wiesbaden-E. (102) 2			
Aulnay (106) D		adulte âgé	
Villeneuve-R. (123) 42		adulte âgé	über beigabenlosem Kleinkind
Jenišův Újezd (150) 26	weiblich	„jung"	umgekehrte Orientierung
Letky (151) 25		erwachsen	
Ménfőcsanak (175) 10			
Nagyvenyim (176) 5	Frau	„älter"	über Frauengrab
Hallstatt (187) 787			
Hallstatt (187) 54 L.			

3. Hockergräber mit normalen Beigaben

Dürrnberg (1B) 87/1	Frau	30–50 J.	nur Keramik
Vevey (8) 13		Kind	nur Fibel
Oberrimsingen (44)	Mann		
Dannstadt (84) 72			
Dannstadt (84) 104			
Dannstadt (84) 114			Bronzezeit?
Flörsheim (86) 1	Mann?		
Flörsheim (86) 2			
Wallertheim (100)			Keramikreste
Wesseling (101) 4			
Wiesbaden-E. (102) 1			
Heiltz-l'Évêque (115) 15			(Beigaben?)
Mantoche (118) 1	Frau?		

Halle-Trotha (126)			ganze Gräbergruppe
Beilngries (132) RW 17			nur Scherben
Fischbach (135) I, 2			nur Keramik
Mirsdorf (138) 2	Krieger?		
Neuburg (139)	Krieger		
Rehling-Au (143)	weiblich	jugendlich	
Moravěves (154)			
Staňkovice (157) 6		10–12 J.	
Brno-M. (162) 66		erwachsen	
Bučovice (163) 2		erwachsen	
Bučovice (163) 10		erwachsen	
Bučovice (163) 19		erwachsen	nur Keramik
Dvory (168) 10		erwachsen?	
Hurbanovo (170) 13		erwachsen?	
Kamenín (171) 6	Frau?		nur Keramik
Trnovec (172) 198		Kind?	
Trnovec (172) 234	Frau?	erwachsen	
Vel'ká Maňa (173) 100			(Beigaben?)
Brunn (179) 3			
Brunn (179) 7			
Guntramsdorf (180) 3	Krieger		
Guntramsdorf (180) 1928	Krieger		
Kl.-Reinprechtsdorf (181) 3	Frau	um 25 J.	
Hallstatt (187) 967			
Hallstatt (187) 1/1884			
Hallstatt (187) 12/1889	Krieger		

4. Hockerbestattungen in Siedlungsgruben

Dachstein (71)	erwachsen	
Dalheim (83)		Datierung fraglich
Mainz-H. (91)		2 Sk. Rücken an Rücken
Weltenburg (146)	jugendlich	

Diese Liste mit 92 Gräbern ließe sich sicherlich verlängern, wenn man ältere und entlegene Literatur durchsähe oder unpublizierte Befunde zugänglich gemacht würden. Doch auf Vollständigkeit brauchen wir es ohnehin nicht anzulegen, wenn es uns darum geht, die Bedeutung der eisenzeitlichen Hockergräber zu ergründen. Dies ist nämlich nur dann erfolgversprechend, wenn man die Stellung dieser Gräber in ihrem jeweiligen Milieu beurteilen kann. Aus diesem Grunde würde auch eine ganze Reihe weiterer, aber eben isolierter Befunde an der in größeren Komplexen ablesbaren Tendenz nichts ändern.

Die Diskussion der Liste ergibt einige interessante Einzelheiten. Im Gegensatz zur Amulettbeigabe sind hier die sicheren Kindergräber mit nur 14 von 90 Gräbern vertreten, was im großen und ganzen ihrem Anteil an der Gesamtgräberzahl dieser Periode entsprechen dürfte. Wenn in der Liste keine Altersangaben stehen, sind wohl auch Erwachsene zu vermuten, wobei aber das genaue Sterbealter in den seltensten Fällen bekannt ist. Dies ist umso bedauerlicher, als die erste Gruppe, die jene Gräber enthält, die auch schon aufgrund ihrer Beigaben oder sonstigen Eigenheiten aufgefallen wären, etwa 39% aller Hockergräber ausmacht. Da wir aber bei der Amulettbeigabe gesehen haben, daß dort, wo es sich überprüfen läßt, die jungen Frauen bei den relativ wenigen Erwachsenengräbern dieser Kategorie weit in der Überzahl sind, auch proportional gesehen, liegt es nahe, dasselbe auch für diese Hockergräber zu vermuten. Beweisen läßt es sich derzeit aber nicht.

Beigabenlos waren 13 Gräber, während immerhin 39 mit normalen Beigaben ausgestattet waren. Allerdings ist unverkennbar, daß diese Inventare durchweg sehr ärmlich sind. Fälle, wo nur eine Fibel, nur ein Ring vorhanden war, oder gar nur Keramik, sind nicht selten. Eine Sondergruppe bilden dann noch die vier Bestattungen, die in Siedlungen gefunden wurden.

Wiederum im Gegensatz zur Amulettbeigabe sind unter den Hockergräbern relativ viele Männer, ja sogar Krieger und der Knabe mit dem Dolch von Hegnach (14) vertreten. Dabei wollen wir den schon diskutierten Befund von Ranis (127) Grab 26 außer acht lassen, ebenso die Gräber 21 und 22, wo die Geschlechtsangabe auf den Ausgräber zurückgeht.

Wir sehen also, wie stark die Verknüpfung der Hockergräber mit dem Phänomen der Amulettbeigabe ist, daß aber doch vielleicht gewisse Unterschiede bestehen, die bei der Interpretation berücksichtigt werden müssen. Doch zunächst wollen wir weitere Befunde mit einem abweichenden Bestattungsritus zusammenstellen.

Bauchlage

Nicht allzu häufig sind Gräber, in denen die Bauchlage des Toten nachgewiesen ist:

Stuttgart-Zuffenhausen B [178a]	Mann	um 60 J.	nur Fibel „am Hinterkopf"
Nebringen (42) 4	Frau	50–60 J.	
Langen (89) 2/2	Kind	12–13 J.	über Erwachsenem
Wesseling (101) 15	Mann		beigabenlos
Chouilly (109) 107			beigabenlos
Chouilly (109) 109			beigabenlos
Ranis (127) 21	Mann?		bei zwei Hockern
Senkofen (144)			nur Fibel
Libčeves (152) 8/1889			Gefäß, Holzreste
Brno-H. (161) 4	Mann		beigabenlos, dabei Kinderleichenbrand
Křenovice (164) 18			beigabenlos
Bajč-Vlkanovo (166) 58	Mann		zwei Eisenarmringe
Veľká Maňa (173) 14			über anderem Grab
Brunn (179) 4	Mann?		mit Schild bedeckt
Hallstatt (187) 114			ohne Schädel, viele Amulette
Hallstatt (187) 57 L.			nur zwei Nadeln, Unterschenkel gekreuzt
Hallstatt (187) 12/1938	Mann	adult	nur ein Ringchen
Hallstatt (187) 2/1939	Krieger	adult	
Hallstatt (187) 2/1947			Doppelgrab

Auch hier übergehen wir die Vorkommen in der Mittel- und Spätlatènezeit Frankreichs, möchten aber wenigstens noch zwei Befunde aus dem Elsaß erwähnen.

In einem ausgedehnten Areal mit Siedlungsgruben vom Neolithikum bis in die Latènezeit in Achenheim-Bas (Bas-Rhin)[179] fanden sich drei Skelette in oder über solchen Gruben. Zwei lagen offenbar auf dem Rücken (Gruben 23 und 30), das dritte aber auf dem Bauch, dabei nur einige Stücke Sandstein und Kiesel (Grube 22). Leider läßt sich letzteres nicht datieren, weil die Grube nur unspezifische Grobkeramik enthielt. Grube 23 kann man dagegen in die Urnenfelderzeit setzen, wobei aber natürlich keineswegs sicher ist, daß alle drei Skelette gleichzeitig sind.

[178a] Fundber. aus Schwaben N.F. 13, 1952–54, 49 mit 46 Abb. 21, 6. Bauchlage wird auch von einem Skelett in Waiblingen (ebd. 48 mit Taf. 6, 1) berichtet,

doch dürfte es schon nach Latène D zu datieren sein.
[179] G. F. Heintz 1953, 56.

Ausgesprochen seltsam und wegen der Umstände der „Grabung" nur mit Skepsis zu betrachten ist der Bericht über den Inhalt eines Grabhügels bei Hilsenheim (Bas-Rhin)[180]. Danach sollen im inneren Teil des Hügels 20 Skelette mit Beigaben der späten Hallstattzeit gefunden worden sein, am Rand jedoch weitere 16, diese aber beigabenlos und auf dem Bauche liegend. Entfernt von der Spitze des Hügels entdeckte man noch eine rohe, 1,35 m hohe Stele über einem Gefäß mit Knochenbrand.

Andere Abweichungen

Andere Abweichungen von der gestreckten Rückenlage sind nicht selten, aber einer Interpretation höchstens dann zugänglich, wenn man in großen Gräberfeldern ein statistisch aussagekräftiges Material zur Verfügung hat. Gräber, in denen das Skelett die H ä n d e a u f B a u c h o d e r B e c k e n zusammengelegt hat, sind recht häufig, darunter auch solche, die wegen ihrer Amulette auffallen (z. B. Dürrnberg [1 A] Grab 28/1, Reinheim [96], Dannstadt [84] Hügel 133), aber bisher hat es nicht den Anschein, daß dies auf mehr als ein zufälliges Zusammentreffen zurückginge. Auch Sonderfälle wie Dürrnberg (1 A) Grab 2/3, damit vergleichbar Ranis (127) Grab 66[181], sind vorerst nur als Curiosa zu konstatieren.

In der Marnekultur öfters anzutreffen sind Skelette mit g e k r e u z t e n B e i n e n o d e r F ü ß e n. Allein im Gräberfeld von Pernant (121) wurden 12 Fälle bekannt, in dem von Villeneuve-Renneville (123) immerhin noch vier von 66 Gräbern. Auch das Skelett ohne Schädel von Corroy (Marne)[182] hatte die Unterschenkel gekreuzt. Daß diese Abweichung nicht als zufällig anzusehen ist, lehren die vereinzelten Beispiele aus dem östlichen Bereich:

Ranis (127) Grab 59: Arme unter dem Rücken verschränkt; Glas und Bernstein, Ring an ungewöhnlicher Stelle.

Brno-Maloměřice (162) Grab 44: Hände im Schoß; beigabenlos, genau über Grab 45 mit einem Eberhauer.

Klein-Reinprechtsdorf (181) Grab 4: linker Unterarm zum Kopf geführt; junge Frau mit Schädeltrepanation.

Linz-St. Peter (185) Grab 116: Arme gekreuzt; bei der rechten Hand ein Silexabspliß, auf der Brust eine Nadel.

Für Hallstatt (187) ist die abweichende Beinlage mehrmals angegeben (S. 110). Es sei hier nur Grab 57 (Linz) angeführt, wo das Skelett in Bauchlage bestattet war und die linke Hand auf dem Rücken liegen hatte.

Wir sehen, daß, abgesehen von einigen Hallstätter Gräbern, gekreuzte Beine im Osten immer mit abweichender Armlage verbunden sind. Außerdem ist darunter keine Person zu finden, deren Ausstattung man als „normal" bezeichnen wollte.

POSTMORTALE VERÄNDERUNGEN AM SKELETT

Lassen sich Hocker- und Bauchlage von Toten durchaus als denkbare Varianten der Bestattung akzeptieren, zumal sie, verglichen mit der großen Zahl bekannter eisenzeitlicher Gräber, doch sehr selten vorkommen, so sind andere Befunde immer wieder auf Skepsis, ja manchmal sogar auf

---

[180] G. F. Heintz 1949.   [182] A. Brisson 1935, 89.
[181] H. Kaufmann 1959, 135.

offene Ablehnung gestoßen. Gemeint sind diejenigen, bei denen der Tote offenkundig nicht unversehrt geblieben ist, weil Skeletteile an anatomisch nicht denkbare Stellen verschoben waren oder ganz fehlten, bis hin zu solchen Gräbern, wo die Knochen des Toten nur einen wirr durcheinandergeworfenen Haufen im Grab bildeten, obwohl bei der Ausgrabung keine Störung zu erkennen war.

Weil es hier tatsächlich auf die minutiöse Beobachtung des Befundes ankommt, darf man, will man Skeptikern nicht das Material für Gegenargumente gleich selbst an die Hand geben, nur solche Befunde heranziehen, auf die absoluter Verlaß ist. Sie sollten also nach Möglichkeit aus amtlichen Grabungen der letzten Jahre stammen oder wenigstens so dokumentiert sein, daß Zweifel an der Unberührtheit der Gräber durch Maßnahmen in neuerer Zeit nicht aufkommen können. Letzteres läßt sich bei Flachgräbern zweifellos besser beurteilen als bei Hügelgräbern, in denen Mehrfach- und Nachbestattungen fast die Regel sind. Vor allem diesem Umstand ist es zuzuschreiben, daß sich die entsprechenden Befunde im Marnegebiet häufen, da dort auch auf ältere, zuverlässig erscheinende Berichte zurückgegriffen werden kann. Das Mittelrheingebiet, wo die Skelette fast nie erhalten sind, fällt dafür ohnehin aus, ebenso West- und Südböhmen mit ihren Brandbestattungen. Da schließlich in Süddeutschland die überwiegende Zahl der Grabhügel schon im vorigen Jahrhundert unsachgemäß untersucht wurde, kann man ermessen, einen wie geringen Ausschnitt des ursprünglich vielleicht Vorhandenen die nachstehend beschriebenen Phänomene darstellen mögen.

Fehlende oder verlagerte Gliedmaßen

Am häufigsten von postmortalen Manipulationen am Skelett ist zweifellos der Kopf betroffen. Am eindrücklichsten dokumentiert dies das Gräberfeld von Manre „Mont-Troté" (117), wo 32 von 89 Skeletten ohne Schädel aufgefunden wurden, ein bisher einmaliger Fall. In allen anderen Gräberfeldern weisen immer nur einzelne Individuen dieses Merkmal auf: Chouilly (109) „Les Jogasses" Grab 53 (Krieger; an der Stelle des Schädels lag der Köcherboden); Prosnes (Marne) „Vins de Bruyère" Gräber 9 und 20[183]; Prosnes, Grabung 1928, Grab 20[184]; Corroy (Marne) „Audessus des Roseaux" Grab 8 (Krieger mit gekreuzten Unterschenkeln)[185]; Marson (Marne) Grab 6 (Frau; an der Stelle des Schädels eine Schale)[186]; Poix (Marne)[187]. Beim Mädchengrab 15 von Villeneuve-Renneville (123) läßt sich aus den Patinaspuren schließen, daß der Schädel samt Halsring sicher erst nachträglich aus dem Grab entfernt worden war.

Aus dem östlichen Bereich verdienen nur wenige Gräber Vertrauen: Fischbach (135) Hügel 36 (Haarnadel noch vorhanden!); Letky (151) Gräber 37 und 38; Hallstatt (187) Gräber 114 (Bauchlage, viele Amulette), 14/15 und 121/122. Von den Grabungen J. Naues sei allein Hügel 59 im Staatsforst Mühlhart (139) erwähnt, wo einem Latène C-Skelett der Schädel fehlte, wobei Naue – wohl mit einem Seitenblick auf einige Gräber in Hallstatt – die Frage stellte, ob er nicht verbrannt worden sein und mit einem 50 cm tiefer gefundenen Brandplatz mit wenigen verbrannten Knochen identifiziert werden könnte. Das Fehlen des Schädels mag tatsächlich richtig beobachtet sein, aber den Zusammenhang mit dem Brandplatz müssen wir bezweifeln.

[183] D. Bretz-Mahler 1963, 24.
[184] Bosteaux frères 1929, 6.
[185] A. Brisson 1935, 89.

[186] Dr. Baffet 1912, 183.
[187] D. Bretz-Mahler 1957, 4; D. Bretz-Mahler 1971, Taf. 138, 2–3.

Man fragt sich natürlich unwillkürlich, was die Hinterbliebenen mit den Schädeln gemacht haben. Der großzügige Hinweis auf den Schädelkult bei den Kelten[188] hilft allerdings kaum weiter. Man kann zunächst nur sicher sein, daß profaner Grabraub als Ursache für das Fehlen von Schädeln auszuscheiden hat, zumal die Gräber Chouilly (109) „Les Jogasses" Grab 53 und Marson Grab 6 die Intentionalität dieses Fehlens klarstellen.

Eher mit Grabstörungen und dem auch schon für die Latènezeit nachgewiesenen Grabraub[189] können jene Befunde in Verbindung gebracht werden, wo zusätzliche Schädel in Gräbern entdeckt wurden. Eindeutige Fälle sind bis jetzt nur in Frankreich belegt:

> Chouilly (109) „Les Jogasses" Grab 129: ältere Bestattung beiseite geräumt, deren Schädel auf das Becken der zweiten gestellt.
> Prosnes (Marne) „Vins de Bruyère" Gräber 11 und 24[190]: Doppelgrab von Mann(?) und Kind, dazu ein zweiter Kinderschädel.
> Mairy-Sogny (Marne) Grab 202[191]: zweiter Schädel auf den Füßen.
> Mairy-Sogny (Marne) Grab 65[192]: Frau und Kind übereinander, dazwischen in Beckenhöhe ein weiterer Schädel mit einem Halsring.
> Saint-Memmie (Marne) „Chemin des Dats" Grab 23[193]: Mann mit zwei zusätzlichen Schädeln anstelle der sonst üblichen Gefäße, dazu zwei überzählige Beine.

Als weitere Beispiele nennt D. Bretz-Mahler Gräber aus Poix (Marne) und Etoges (Marne)[194]. Wie solche Befunde zustandekommen können, möge ein beraubtes Wagengrab von Aussonce (Ardennes)[195] zeigen, wo der Oberkörper gestört, aber die Beine noch *in situ* angetroffen wurden. Der Schädel war zusammen mit zwei Gefäßen wieder in einer der Eintiefungen für die Räder deponiert worden.

Wir haben diese Gräber mit überzähligen Schädeln nur angeführt, weil auch sie, wenn auch in anderer Weise, die bevorzugte Rolle des Schädels dokumentieren. Da sie jedoch wohl überwiegend mit Vorgängen in Zusammenhang zu bringen sind, bei denen die jeweils bestattete Person nicht als Objekt gezielter Manipulationen zu gelten hat, kommt ihnen im Rahmen unserer Untersuchungen nur eine geringe Bedeutung zu.

Sehr viel wichtiger sind dagegen die Gräber, in denen der Schädel zwar nicht fehlte, aber in eindeutiger Weise v e r l a g e r t war, ohne daß eine Störung belegt oder gar auf eine Beraubung zu schließen wäre. Auch hier steht das Gräberfeld von Manre (117) an der Spitze, in dem fünf solcher Fälle beobachtet wurden. Das Skelett in Mairy-Sogny (Marne) Grab 144 hatte seinen Schädel auf dem Becken, bei den Ringen für einen Dolch (?), stehen[196]. Ein separat auf einer Art Bankett deponierter Schädel wird aus Grand-Loges (Marne) gemeldet[197], während in Prosnes (Marne) „Vins de Bruyère" Grab 18 nicht nur der Schädel, sondern auch die Arme deutlich höher als das übrige Skelett bestattet waren[198].

Für diese Kategorie der Sonderbestattungen gibt es nun auch Beispiele aus anderen Regionen: Wohlen (69) Hügel 1, Grab 3 (Schädel 0,5 m nach rechts verschoben; an seiner Stelle ein Topf mit Spitzmausschädeln); Dürrnberg (1 B) Grab 67 (Schädel 0,5 m nach rechts verschoben) und Kamenín (171) Grab 2 (Schädel auf dem Becken). Nicht ganz klar ist leider der Bericht über Beilngries (132)

---

[188] J. Filip 1961, 107; J. de Vries 1961, 220ff. 254f.
[189] Vgl. dazu etwa J. Dupuis 1926, 48, wonach sich ein gestörtes Frauengrab 50 cm unter einem ungestörten Männergrab gefunden hat. Hinweise auf Indizien für römische und frühmittelalterliche Grabräuber bei E. Schmit 1922, 299 und E. Schmit 1924, 15.
[190] D. Bretz-Mahler 1963, 24.
[191] L. Bérard 1913, 112; D. Bretz-Mahler 1957, 4.

[192] Ebd.
[193] P.-M. Favret 1924, 441f.
[194] D. Bretz-Mahler 1957, 4.
[195] Ch. Bosteaux-Paris – G. Logeart 1908, 36.
[196] L. Bérard 1913, 112.
[197] D. Bretz-Mahler 1957, 5.
[198] D. Bretz-Mahler 1963, 24.

Im Ried-West Grab 11, doch kommt W. Torbrügge zu dem Ergebnis[199]: „Die selbständige Bestattung eines Schädels und von Schädelteilen in besonderen Gefäßen ist danach gesichert, so groß die Störungen und so oberflächlich die Beobachtungen auch sein mögen. Demzufolge wären durchaus zwei schädellose Skelette im Grabbau zu erwarten oder doch Teile von ihnen. Das scheint der Fall zu sein, wenn Thenns Bericht über die verstreuten Knochenreste zutrifft."

Zu den Skeletten mit fehlendem Schädel gibt es auch den umgekehrten Fall, nämlich Gräber, in denen allein der Schädel gefunden wurde. Drei dürften gesichert sein:

Dürrnberg (1 B) Grab 19: Schädel und oberster Halswirbel eines Mädchens; Amulette und Schneckenhäuser, reiche Beigaben.
Linz-St. Peter (183) Grab 44: in 85 cm Tiefe unter drei Steinen ein Schädel, eine Henkelschale und eine kleine Schüssel.
Kübelberg, Kr. Kusel, Hügel 1, Grab 2[200]: „Das Grab enthielt nach Ansicht des Ausgräbers eine Kopfbestattung. Erhalten waren in 0,80 m Tiefe noch die ersten sieben Wirbel und ein Unterkieferfragment mit Zähnen und Zahnbruchstücken. Um den Hals lagen fünf Teile eines bronzenen Halsrings, der mit Bronzedraht umwickelt war."

Etwas abweichend ist der Befund von Ranis (127) Grab 19: „Kleiner, länglicher Hügel. Darin unter schwarzen Scherben vier nach N blickende Schädel", dabei ein Bruchstück eines Eisenrings.

Außer dem Schädel sind aber auch noch andere Körperteile von Verlagerungen betroffen oder fehlen ganz, obwohl das restliche Skelett in ordnungsgemäßem Zustand erhalten war. Es fällt dabei nicht leicht zu entscheiden, wo solche Manipulationen schon bei der Grablegung erfolgten oder erst bei einer nochmaligen Öffnung des Grabes, die aber nicht auf eine Beraubung abgezielt haben konnte. Folgende Gräber sind mit einiger Wahrscheinlichkeit ausreichend beobachtet:

Dürrnberg (1 B) Grab 24/2: rechter Unterschenkel mit einem (fremden?) Bronzering links auf der Brust.
Dürrnberg (1 B) Grab 79: Schädel stehend, Becken auf der Brust, linker Arm fehlt, Beine unnatürlich eng zusammen; darüber langer Holzpfahl.
Vevey (8) Grab 15: In einem entsprechend kurzen Holzsarg nur Beine und Becken eines Mannes(?) *(Abb. 11)*.
Neckarhausen (42) Grab 5: Frau ohne Wirbel, Arme und Füße.
Philippsthal, Kr. Hersfeld, Flachgrab[201]: „Teilbestattung, nach sicherer Fundbeobachtung durch Prof. Neumann, Jena, … fehlten die unteren Extremitäten."
Huglfing, Ldkr. Weilheim, Hügelgrab[202]: Schädel auf der Basis stehend, die anderen Knochen regelmäßig, aber falsch niedergelegt, wobei die ganzen Arme und die Fußknochen gefehlt haben sollen.
Beilngries (132) Im Ried-Ost Grab 105: Ein beigabenloses Skelett einer Dreifachbestattung: „Nach Thenn waren ihm die beiden Unterschenkel so um die Achse gedreht, daß die eng zusammengelegten Füße nach hinten zeigten."
Beilngries (132) Im Ried-Ost Grab 132: Einer reichen Frau sollen die Füße gefehlt haben.
Beilngries (132) Im Ried-Ost Grab 140: Dem Skelett „soll der linke Unterschenkel gefehlt haben, an seiner Stelle stand nach den Angaben der Ausgräber ein größeres Gefäß".
Fischbach (135) Hügel 2: Nebeneinander zwei Skelette; zwischen den Beinen des westlichen Skeletts (spätmatur, männlich?) Reste eines Säuglings. Das östliche Skelett (spätadult-frühmatur, männlich) lag ausgestreckt in ordnungsgemäßer Lage, nur daß ihm der rechte Unterarm, das Becken und die Langknochen des rechten Beines fehlten. Die Fußknochen und die rechte Kniescheibe lagen an der „richtigen" Stelle, letztere in einer Tonschale. Die Beine waren leicht gespreizt und die Füße extrem gestreckt.

Durch den neuen Befund von Fischbach, bei dem wegen der Unversehrtheit der Steinlage über den Skeletten eine rezente Störung ausgeschlossen werden kann, gewinnen die Beobachtungen Th. Thenns an Glaubwürdigkeit. Die kurze Zusammenstellung von A. Stroh[203] führt noch Hügel 13

[199] W. Torbrügge 1965, 70.
[200] K. Kaiser – L. Kilian 1968, 58.
[201] W. Jorns 1939, 91 Nr. 63.

[202] J. Naue 1891, 67f.
[203] A. Stroh 1973.

an, wo man offenbar die Urne mit dem Leichenbrand aus der Grabkammer entfernt hatte, ohne die Beigaben mehr als nur geringfügig zu stören.

Leider immer noch in nur kurzen Andeutungen veröffentlicht ist der latènezeitliche Teil des Gräberfeldes von Singen (47), wo berichtet wird, daß von 23 aufgedeckten Skeletten nur eines in normaler Lage aufgefunden worden sei[204]. „Obwohl die Knochen noch ganz waren, lagen sie nur z. T. an der normalen Stelle, die anderen waren umgedreht oder ein Stück abseits. Schnittspuren sind nur an wenigen nachzuweisen. Außerdem fanden sich in mehreren Gräbern ganze Knochen anderer Skelette." So wird beispielsweise erwähnt, daß ein Schienbein auf der Brust gelegen habe[205], Beckenhälften vertauscht gewesen seien und zweimal die vorderen Rippen gefehlt hätten.

Mit Vorsicht zu betrachten sind hingegen die vier Flachgräber von Stuttgart-Bad Cannstatt (51). Grab 1, von dem überhaupt „nur ein Knöchelchen" erhalten war, haben wir wegen seiner Amulette schon oben als Kindergrab interpretiert. In Grab 2 soll der Schädel gestanden haben. Bei den Gräbern 3 und 4 war E. Kapff selbst anwesend. Für Grab 3 berichtet er: „Schädel getrennt vom Wirbel, Unterkiefer 10 cm vom Oberkiefer disloziert. Auch sonst unregelmäßige Lage der Gebeine", über Grab 4 ohne Beigaben gar: „Eine Menge Feldsteine, unter diesen einige Knochen, aber kein ganzes Skelett." Er hat sich über diesen Befund auch seine Gedanken gemacht, und zwar dergestalt, „daß Skeletteile von einer Wahlstatt zusammengelesen und nachträglich beerdigt wurden". Diese Interpretation ist angesichts der Tatsache, daß sich mindestens ein Kind und eine Frau unter den Toten befinden, aber kein sicherer Mann, nicht sehr wahrscheinlich. Man kann diesen Befund also nur zitieren, interpretieren sollte man ihn bei dieser Quellenlage besser nicht.

Schließlich sind noch die drei Gräber zu erwähnen, bei denen eine Manipulation am Skelett erst nach einiger Zeit vorgenommen wurde. Auf die Gräber von Burggrumbach (133) und Otzing (141) sind wir oben (S. 86ff.) schon ausführlich eingegangen, so daß wir nur noch das Grab von Ilvesheim, Kr. Mannheim, besprechen müssen[206]. Dort waren bei einem sonst in gestreckter Rückenlage bestatteten Skelett folgende Unregelmäßigkeiten beobachtet worden: Die Unterschenkel waren entfernt (nicht aber die Füße!), wobei die Schienbeine zwischen den Oberschenkeln und die Wadenbeine quer über dem linken Oberschenkel gefunden wurden. Die Hand- und Fingerknochen lagen noch auf dem Becken, während der rechte Unterarm und der ganze linke Arm mit dem Schlüsselbein bis zu 40 cm seitlich verlagert waren. In ursprünglicher Lage fanden sich jedoch zwei kleine Latène B 1-Bronzefibeln an den Schultern, eine Eisenfibel auf der Brust, ein Gürtelhaken auf dem Bauch und eine Schale fast zwischen den Füßen. Auffallend war, daß Teile des Korallenbesatzes der Eisenfibel zusammen mit Eisenresten auch im Becken lagen.

Zweifellos erfolgte die Störung erst, als der Tote schon so weit verwest war, daß man die Langknochen einzeln entfernen konnte. Über den genauen Zeitpunkt muß man aber im unklaren bleiben. Die Annahme, man hätte in diesem dann oberirdisch noch sichtbaren Grab nach Arm- und Beinringen gesucht, scheint nach den bisherigen Beobachtungen – im Gegensatz etwa zum Marnegebiet – für Flachgräber am Oberrhein wenig wahrscheinlich. So muß man also durchaus damit rechnen, daß hier ähnliche Vorstellungen mit im Spiel waren, wie wir sie für Otzing und Burggrumbach in Erwägung gezogen haben, also eine Störung durch Leute, die das Grab und das darin bestattete Individuum noch kannten und mit dieser Maßnahme eine bestimmte Wirkung erzielen wollten.

---

[204] G. Kraft 1930a–c; W. Artelt 1931.　　　　　　　[206] H.-P. Kraft 1971, 10ff.
[205] G. Kraft 1930a, 81 Abb. 2.

Von Befunden wie Dürrnberg (1 B) Grab 79 oder, falls richtig beobachtet, Huglfing ist es dann nicht mehr weit zu jenen, bei denen das Skelett gänzlich disloziert aufgefunden wurde oder bestenfalls einzelne Gliedmaßen noch den ursprünglichen Verband erkennen ließen:

Villingen (54) Magdalenenberg Grab 30: wohl Frau, mit Amuletten.
Groß-Gerau, „Sandschließ" Grab 30[207]: erwachsen, ohne Schädel.
Dvory (168) Grab 18: Mann, matur, zwei Trepanationen; beigabenlos.
Vel'ká Maňa (173) Grab 9: erwachsen; nur Glas und Bernstein.
Hallstatt (187) Grab 14 (Linz): Kind; nur ein Bronzeringchen.

An diesen fünf seltsamen Gräbern, die, bis auf das aus Hallstatt, aus sorgfältigen Grabungen nach dem letzten Kriege stammen, gibt es nichts zu zweifeln, besonders wenn wir die Amulettbeigabe berücksichtigen. Noch einen sechsten Fall könnten wir anführen, aber er stammt aus den Grabungen J. Naues und ist trotz seiner detaillierten Beschreibung und sogar Abbildung nicht über jeden Zweifel erhaben: Mühlhart (139) Hügel 76[208].

Noch kurioser, aber trotz der lang zurückliegenden Ausgrabung durch Fotografien dokumentiert ist eine Entdeckung, die Th. Thenn in Beilngries (132) Im Ried-West Grab 48 machte. Hier war aus Menschen- und Tierknochen (Pferd oder Rind) säuberlich im künstlichen Verband eine fiktive Leiche mit der üblichen Süd-Nord-Orientierung niedergelegt. Menschlich waren der Schädel, Rumpf und Teile der Extremitäten, vom Tier stammten nur Hüft- und Schenkelknochen. Da sich dicht darüber eine ungestörte Frauenbestattung befand, ist eine rezente Manipulation mit Sicherheit auszuschließen. An Beigaben können allenfalls einige Tongefäße dazugehört haben.

Teilverbrennung

Wir wollen diesen etwas mysteriösen Abschnitt beschließen mit jenen Gräbern, in denen der Tote teils verbrannt, teils unverbrannt bestattet worden war. Seit der Aufdeckung des Grabes 80 am Dürrnberg (1 B), wo das zweite Individuum verbrannt und auf Körperlänge verstreut war, der Unterkiefer aber unverbrannt an der „richtigen" Stelle lag, kann man solche Befunde nicht mehr einfach wegdiskutieren, wie es etwa D. Viollier mit Vevey (8) Grab 9 machte[209], wo bei einem jungen Mann anstelle der Füße nur Brandreste gefunden worden sein sollen. Dabei hätte die mindestens genau so seltsame Bestattung in Grab 15 *(Abb. 11)* doch etwas stutzig machen müssen.

Wieder können wir auf die Grabungen in Beilngries (132) zurückkommen, die durch die anatomischen Kenntnisse des Ausgräbers und die kritische Aufarbeitung durch W. Torbrügge recht gesichert scheinen. Dort lagen in Grab 93 der Gruppe Im Ried-Ost zwei Skelette ohne Schädel nebeneinander; das östliche fast gestreckt, nur etwas auf die linke Seite geneigt mit angewinkeltem rechtem Arm, das westliche in linker Hockerlage. Etwa 0,4 m tiefer fand sich eine Kohleschicht

---

[207] W. Jorns 1968, 89: „Grab 30 befand sich auf der Sohle einer konisch ausgeschachteten Grube. Die Knochen eines erwachsenen, kräftigen Individuums, dessen Schädel fehlte, sollen paketartig um eine große, weitmündige Tonflasche angeordnet gewesen sein. Aus Bericht und Skizze kann nicht ein primärer Befund angenommen werden. Vielmehr ist es möglich, daß bei der Anlage der Grube in neuerer Zeit die ursprüngliche Lage des Grabes willkürlich verändert worden ist." Für die Späterdatierung der Grube gibt es jedoch offenbar keinen Anhaltspunkt.

[208] Der Schädel wurde auch anthropologisch begutachtet (R. Virchow 1896); er war „ganz frei von pathologischen Zuständen"; allerdings fehlte der Unterkiefer. Nach dem Zustand und den Beschädigungen „würde folgern, daß die Knochen beigesetzt wurden, nachdem schon die Maceration der Weichteile vollendet war oder doch einen hohen Grad erreicht hatte."

[209] D. Viollier 1916, 81.

über einer großen, stark geschwärzten Platte. Unter dieser wiederum stand eine kleine Schüssel, „in der sich kalzinierte Schädelknochen und Zähne, aber keinerlei Reste von Röhrenknochen fanden". Wenn die wenigen Bronzefragmente dazugehören, wurden sie neben dem rechten Fuß des östlichen Skeletts gefunden und deuten auf eine Frau. Weniger gut dokumentiert ist Im Ried-West Grab 22, aber auch hier kann es sich um eine Bestattung eines schädellosen Skeletts und separat deponierter kalzinierter Schädelknochen handeln; ob eine Tonrassel dazugehört, ist ebenfalls unsicher.

Während man auch hier den alten Grabungen in Bayerns Hügeln mit größter Skepsis gegenüberstehen sollte[210], verdienen gewisse Beobachtungen J. G. Ramsauers in Hallstatt (187) doch eine genauere Analyse. Obschon ich an anderer Stelle etwas näher auf diese Gräber eingegangen bin[211], scheint es doch zweckmäßig, die Argumentation zu wiederholen, weil sie hier in größerem Zusammenhang leichter nachzuvollziehen sein wird.

Ramsauer deckte insgesamt elf Gräber auf, deren Befund er nur so interpretieren zu können glaubte, daß der Tote teils verbrannt, teils unverbrannt bestattet worden sei. Gegen K. Kromers Einwände[212], es handle sich wohl in fast allen Fällen um nicht erkannte Störungen von Körper-durch Brandgräber, sind folgende Argumente geltend zu machen. Lassen wir die Gräber 292/293 und 341 beiseite, bei denen dies tatsächlich der Fall gewesen sein kann, können wir die restlichen Gräber in drei Kategorien einteilen:

1. Brandgräber mit unverbranntem Schädel, der auf dem Leichenbrand stand: Gräber 69, 354 und 708 (hier neben dem Leichenbrand ein Schädel ohne Unterkiefer).

2. Birituelle Doppelbestattungen, bei denen einem Skelett der Kopf fehlte: Gräber 114/115 und 121/122.

3. Gräber mit unverbrannten Beinen (mit oder ohne Becken), an der Stelle des Oberkörpers Leichenbrand: Gräber 431, 479, 557 und 911.

Die Vermutung, es könne sich in allen Fällen um nicht erkannte Störungen handeln, wird durch drei Beobachtungen widerlegt. Erstens wären immer Körpergräber von Brandgräbern gestört worden, obwohl Brandgräber in Hallstatt im Durchschnitt keineswegs jünger sind als die Körpergräber. Zweitens müßten die störenden Knochen restlos entfernt worden sein. Drittens sind nur ganz bestimmte Körperpartien davon betroffen. Da wir nun gesehen haben, welche bedeutende Rolle gerade der Schädel bei diesen Praktiken spielte, gewinnt das dritte Argument erst recht an Gewicht. Dabei ist es im Grund unwichtig, ob bei den Gräbern der zweiten Kategorie der Kopf tatsächlich verbrannt (vgl. Beilngries!) und unter den Leichenbrand des zweiten Individuums gemischt wurde oder ob er einfach nur fehlte, wie bei dem Doppelgrab 14/15. Daß Ramsauers Bericht wohl richtig sein dürfte, zeigt die Tatsache, daß sich unter dem einen Doppelgrab das uns schon bekannte Grab 114 befindet, dessen Skelett in Bauchlage aufgefunden und mit eindeutigen Amuletten ausgestattet war. Auch das Skelett ohne Kopf in Grab 121 war vielleicht in Bauchlage beigesetzt. Für die dritte Kategorie gibt es schließlich den unbezweifelbaren Befund von Vevey (8) Grab 15 *(Abb. 11)*, für den schon A. Naef die Hallstätter Gräber zum Vergleich anführte[213].

Mit diesen schon vor über 100 Jahren aufgedeckten Gräbern, die erst im Lichte neuester Grabungen angemessen beurteilt werden können und dürfen, ist die systematische Darstellung von Amulettbeigabe und Sonderbestattungen im eisenzeitlichen Mitteleuropa an ihrem Ende angelangt. Die

---

[210] Etwa J. Naue 1896, 66 (Wildenroth-Grafrath) und – noch dubioser – F. Ziegler 1891, 19 (Thalmässing).

[211] L. Pauli 1975, 19ff.
[212] K. Kromer 1959, 16ff.
[213] A. Naef 1902, 23.

in vielen Fällen schon erkennbaren Regelhaftigkeiten deuten bereits an, welche Richtung eine Suche nach einer umfassenden Interpretation einzuschlagen hat. Es gilt herauszufinden, welcher Personenkreis von diesen Phänomenen betroffen und welcher gedankliche Hintergrund möglicherweise damit zu verbinden ist.

INTERPRETATION

Es konnte bei der Besprechung einzelner Regionen oder Amulettgruppen wiederholt festgestellt werden, daß die Amulettbeigabe vorzugsweise bei Kindern geübt wurde. Die Gräberfelder vom Dürrnberg (1 A) und von Münsingen (2), die vielen Gräber mit Altersangaben in Baden-Württemberg, aber auch im Elsaß und im übrigen Ostfrankreich sind eindeutig genug. Darüber hinaus gibt es aber auch eine beträchtliche Anzahl von Frauengräbern, die sich an diese Kindergräber anschließen lassen, während Männergräber fast überhaupt nicht unter diese Kategorie fallen. Wo genauere Altersangaben vorliegen, läßt sich erkennen, daß bei den Frauengräbern solche mit jung verstorbenen Frauen einen weit größeren Anteil bilden, als es dem Anteil dieser Altersgruppe an der jeweiligen Gesamtpopulation entsprechen würde. Ganz offenbar stellen diese jungen Frauen mit Amulettbeigabe altersmäßig die kontinuierliche Fortsetzung der Gräber mit Kindern und Jugendlichen dar. Ältere Frauen treten demgegenüber merklich zurück.

Aus alledem ist man versucht den Schluß zu ziehen, daß die Amulettbeigabe auf das engste mit dem Lebens- oder Sterbealter des betreffenden Individuums zusammenhängen muß. Daß aber noch andere Gesichtspunkte mit im Spiel sein dürften, kann die Tatsache andeuten, daß, wenn auch oftmals nicht zwischen Mädchen- und Knabengräbern unterschieden werden kann, unter den jungen Erwachsenen aber auf jeden Fall so gut wie kein Mann vertreten ist. So liegt die Frage nahe, ob man nicht versuchen könnte, die Gruppe der jungen Frauen mit Amuletten näher zu bestimmen, und warum gerade die Frauen, nicht aber die Männer von dieser Sitte betroffen sind.

Archäologische Möglichkeiten

Durch besonders günstige Umstände gelingt es nun, in Nordwürttemberg über die bisher entwickelten Ergebnisse hinauszukommen. Es eröffnet sich nämlich die Möglichkeit, auch über jene Gruppe der erwachsenen Frauen, die wie die Kinder mit Amuletten ausgestattet sind, konkretere Aussagen zu wagen[214]. An den ausgewerteten späthallstättischen Frauengräbern dieser Region können zwei Gruppen von Beigabenkombinationen und anderen Merkmalen erarbeitet werden. Diese unterscheiden sich in folgenden Punkten:

Gruppe I	Gruppe II
In Mühlacker als Zentralbestattungen	Einzelgräber
in Hügeln mit Nachbestattungen	oder Nachbestattungen
Schulterfibelpaar	andere Fibellagen
in einer Spätphase meist mehr als zwei Fibeln	nur in einem Fall mehr als zwei Fibeln
große, getriebene Paukenfibel	*fehlt hier*
stets paariger Armschmuck	oft Armschmuck nur links
lange, breite Gürtelbleche, treibverziert	kurze, schmale Gürtelbleche, meist kaum verziert
fehlt hier	Amulettbeigabe

[214] Näher ausgeführt bei L. Pauli 1972, 6 ff.

Die 11–14 Frauengräber der Gruppe II stimmen in allen genannten Punkten mit den 13 sicheren Kindergräbern überein. Es liegt daher nahe, nach der Ursache dafür zu suchen, daß es 14 Frauen der Gruppe I und 11–14 Frauen mit der „Kinderausstattung" der Gruppe II gibt, wobei der apotropäische Charakter der Amulette berücksichtigt werden kann und muß. Außerdem ist darauf Rücksicht zu nehmen, daß zwischen den beiden Frauengruppen offensichtlich ein Unterschied in der Tracht, in einem besonderen Kleidungsstück für die Gruppe I (dafür das Schulterfibelpaar!), besteht, so daß diese Differenzierung auch schon zu Lebzeiten wichtig gewesen sein muß.

Zwei Einschnitte gibt es im Leben einer Frau in fast allen, nicht nur den „primitiven" Gesellschaften, die den Übergang von der Kindheit zum Erwachsensein augenfällig markieren können: die Initiation, also die Aufnahme des Mädchens in den Kreis der erwachsenen Frauen, und die Heirat. Während die Initiation normalerweise aber unterschiedlos jedem Mädchen zukommt[215], wird man auch für prähistorische Zeiten von der Vorstellung ausgehen können, daß nicht jede Frau einen Mann gefunden hat, und umgekehrt wohl genauso[216]. Bei dem besprochenen Beispiel stehen den 14 „verheirateten" Frauen der Gruppe I nur insgesamt 19 Männer gegenüber, so daß also zusammen mit den Frauen der Gruppe II ein beträchtlicher Frauenüberschuß zu verzeichnen ist. Die Möglichkeit, daß sogar erst die Mutterschaft den neuen Status in der Gesellschaft bedingen könnte, ist nicht auszuschließen, doch glauben wir, sie für das konkret vorliegende Material Nordwürttembergs eher verneinen zu dürfen, weil im Bestattungsbrauch des Gräberfeldes von Mühlacker eine noch weitergehende Differenzierung zwischen Müttern und verheirateten, aber kinderlos verstorbenen Frauen erkennbar scheint[217].

Diese Überlegungen führen uns zu der Hypothese, daß wir in den erwachsenen Frauen mit Amulettbeigabe unverheiratete Frauen vor uns haben könnten. Diese Frauen haben, wie natürlich erst recht die Kinder, einen Status nicht errungen, dessen Wichtigkeit immerhin so groß gewesen zu sein scheint, daß sein Nichterreichen für die Frau sich in Tracht und Grabsitte niederschlägt. Bei Männern läßt sich derzeit nichts Entsprechendes archäologisch feststellen. Die Sitte der Waffenbeigabe müßte eigens untersucht werden.

Leider läßt sich dieses Ergebnis der Analyse von Tracht- und Beigabensitten in Nordwürttemberg an anderen Komplexen unseres Arbeitsgebietes derzeit nicht in analoger Weise überprüfen[218]. Wir können nicht davon ausgehen, daß sich entsprechende soziale Differenzierungen anderer Gesellschaften, selbst in benachbarten Regionen, ebenfalls in einer Weise manifestieren, die aufgrund der spezifischen archäologischen Quellensituation für uns faßbar ist. Andererseits ist es aber verführerisch, die in Nordwürttemberg zu vermutenden geistig-soziokulturellen Hintergründe dieser Bräuche auch auf jene von uns behandelten Regionen und Perioden zu übertragen, wo ähnliche archäologische und anthropologische Daten vorliegen.

[215] Der Zeitpunkt hängt mehr oder weniger direkt mit der Geschlechtsreife zusammen, kann also durchaus um einige Jahre differieren.

[216] F. Laux 1971, 136 kommt durch eine Trachtanalyse der Lüneburgischen Bronzezeit zu ähnlichen Vermutungen. Die ablehnende und durch nichts als eine Vorliebe für bequeme Denkschemata gekennzeichnete Stellungnahme von K. Tackenberg 1972, 230 vermag nicht zu einer weiterführenden Diskussion beizutragen. Wertvolle Zusammenstellung hingegen bei F. Sarasin 1934 und C. Haberland 1878.

[217] L. Pauli 1972, 41ff.

[218] Etwas ganz Ähnliches scheint sich im Hallstatt-gräberfeld von Tauberbischofsheim-Impfingen (Vorberichte: G. Wamser 1974 a und b) abzuzeichnen. Dort konnte nicht nur eine auf erwachsene Frauen beschränkte Gürteltracht beobachtet (vgl. Anm. 114), sondern auch – analog zu unserer Beweisführung – festgestellt werden, daß eindeutige Amulette, vor allem Tierzähne, nur bei Kindern und solchen Frauen vorkamen, die genau jene Gürteltracht nicht aufwiesen. G. Wamser, der ich diesen wichtigen Hinweis verdanke, hat schon im Vorbericht 1974b daraus den Schluß gezogen, daß die spezifische Gürteltracht wohl der verheirateten Frau vorbehalten gewesen sei.

So scheint es nicht übermäßig gewagt, auch für den Dürrnberg und das Gräberfeld von Münsingen mit ihrer aussagekräftigen Materialbasis ganz entsprechende Gebräuche anzunehmen, wenn dort ebenfalls viele Kinder und Jugendliche sowie einige junge Frauen sich durch Amulettbeigabe auszeichnen. Umgekehrt wird an diesen drei Komplexen schon deutlich, daß keineswegs jedes Kind mit Amuletten ausgestattet ist[219]. Dieser Brauch ist also offenbar nicht als verbindlich für alle theoretisch dafür in Frage kommenden Mitglieder der Gemeinschaft zu betrachten.

Aus diesem Grunde war es nötig, diese Probleme überregional zu verfolgen; denn erst so konnte das Zufällige vom Regelhaften geschieden werden. Nach welchen möglicherweise recht komplizierten Regeln nun wiederum innerhalb einer Gemeinschaft Kinder oder unverheiratete Frauen mit Amuletten ausgestattet wurden, ist archäologisch vermutlich überhaupt nie auszumachen. Daß nicht allein materielles Vermögen ausschlaggebend gewesen sein kann, wie man angesichts von reichem Glas- und Bernsteinschmuck zu vermuten geneigt wäre, zeigt die Tatsache, daß unter den Objekten mit Amulettcharakter mehrere Kategorien zu finden sind, bei denen der materielle Wert eigentlich kaum eine Rolle gespielt haben dürfte: Bronzeabfälle, aufgelesene Altstücke, Tonwirtel, Tierzähne usw. Außerdem dürfte es bei einer konsequenten Befolgung der Sitte, etwa die Ringe zu verbiegen, kein Kindergrab mit Ringschmuck im Originalzustand geben. Der Hinweis auf Amulette aus organischem Material, etwa Holz, Fell, Federn oder ähnlichem, vermag diese Lücke nicht befriedigend zu schließen.

All das zeigt wieder nur, daß gewisse Gebräuche zwar auf ihrem funktionalen Hintergrund erkennbar sind, jedoch in ihrer konkreten Anwendung entweder nicht durchgehend befolgt wurden oder aber nach solchen Kriterien, die mit Hilfe des archäologischen Materials zu rekonstruieren uns versagt bleiben muß. Wie weit man diese Einschränkung durch Parallelen aus Ethnologie und Volkskunde wettmachen kann, muß weiter unten erörtert werden.

Man könnte nun auch archäologische Indizien dafür beibringen, daß außer der soeben umrissenen Gruppe der Kinder und unverheirateten Frauen noch andere Personen mit bestimmten Eigenschaften in manchen Gräbern mit Amulettbeigabe oder sonstigen Auffälligkeiten faßbar sein dürften. Mit einer ausschließlich archäologischen Argumentation wäre aber in diesen Fällen die Bereitschaft des Lesers, ungewöhnliche Befunde und Interpretationen zu akzeptieren, über Gebühr strapaziert. Aus diesem Grunde wollen wir den Weg der Argumentation in umgekehrter Richtung beschreiten. Wir wollen zunächst untersuchen, ob sich im ethnographischen und volkskundlichen Material Entsprechungen zu einer Sonderbehandlung von Kindern und unverheirateten Frauen im Grabbrauch abzeichnen. Es wird sich, um es gleich vorweg zu nehmen, dabei herausstellen, daß der Kreis der Personen, die eine Sonderbehandlung im Grabbrauch erfuhren, noch etwas weiter gefaßt werden darf. Aufgrund dieser Ergebnisse ist es dann leichter, auch im archäologischen Material gezielt nach bestätigenden Anhaltspunkten für mögliche Gründe weiterer Sonderbestattungen zu suchen.

INTERPRETATIONSHILFEN DER NACHBARWISSENSCHAFTEN

Ethnographisches Material zu Sonderbestattungen

In der ethnologischen Literatur findet man bei der Beschreibung von Bestattungsbräuchen fast überall den Hinweis auf bestimmte Personengruppen, denen eine besondere Behandlung zuteil

---

[219] Vgl. L. Pauli 1972, 7 Tab. 1.

wurde. Gewisse Merkmale tauchen dabei immer wieder auf, so daß die Regelhaftigkeit bald deutlich wird. In einer der wenigen zusammenfassenden Arbeiten zu diesem Thema hat sich H. J. Sell mit dem „Schlimmen Tod" bei den Völkern Indonesiens beschäftigt[220]. Es scheint zweckmäßig, daraus zunächst einige Ergebnisse und Grundgedanken zu referieren, um dann deren Übertragbarkeit auf vorgeschichtliche Verhältnisse zu prüfen.

Da die Ethnologie Sitten und Gebräuche mit den Aussagen und Berichten der jeweils Betroffenen oder Ausübenden zu verknüpfen vermag, besteht die Möglichkeit, die Ursachen oder die geistigen Hintergründe bestimmter Handlungen genauer zu erforschen, als es der Vorgeschichtswissenschaft jemals vergönnt sein wird.

H. J. Sell widmet sich den Problemen, „die für die Völkerschaften Indonesiens aufgeworfen werden, wenn ein Mensch zu einem ungewöhnlichen Zeitpunkt oder auf ungewöhnliche Weise ums Leben gekommen ist". Die Bedeutung dieser Kategorien des Todes läßt sich unmittelbar am Verhalten der Hinterbliebenen der Gemeinschaft erkennen, wobei fast allen Völkern Indonesiens der Begriff des „Gefürchteten Toten" eigen ist. Außer Personen, die schon zu Lebzeiten eine Sonderstellung innehatten, wie etwa Schamanen, Bettlern, Hexen, Verbrechern und sonstigen „schlechten" Menschen, fallen darunter vor allem jene „Kategorien von Toten, die das Merkmal des unzeitigen oder ungewöhnlichen Todes an sich tragen". Als in Einzelfällen noch zu ergänzendes Schema faßt Sell zusammen[221]: „die verstorbenen Wöchnerinnen, bei der Geburt oder früh verstorbene Kinder, junge Menschen, gefallene Krieger, Erschlagene, Ermordete, Verunglückte, Selbstmörder, Gerichtete und an besonders ansteckender Krankheit Verstorbene." Anzufügen wären noch die unbeerdigt liegen gelassenen Toten und die fremden Toten, wenn auch bei ihnen nicht die Art des Todes das primär ausschlaggebende Merkmal ist.

Bei der Erstellung dieses Schemas ging Sell in ganz analoger Weise zu unserer Untersuchung vor, indem er von gleicher oder ähnlicher Behandlung im Bestattungsbrauch auf eine Zusammengehörigkeit schloß, die er dann in den meisten Fällen in den jeweils bekannten geistig-religiösen Vorstellungen bestätigt fand. Dies wird wichtig für die Einbeziehung auch der Kinder, bei denen nicht die Art des Todes, sondern dessen Zeitpunkt als Kriterium anzusehen ist[222]: „Wo sich, wie zum Beispiel häufig bei den früh verstorbenen Kindern, nicht das Schlimme in den Blick drängt, da zeigt sich das Falsche, das, was nicht in Ordnung ist." Daraus ergab sich dann „die Frage nach dem falschen Abschluß des Lebens. Das Falsche als Gegensatz des Richtigen soll die Annäherungsmöglichkeit an das Schlimme verbreitern".

Warum nun die ungewöhnliche Todesart Folgen für den Totenkult hat, ergibt sich aus der Rolle des „Normalen" für soziale Gemeinschaften[223]: „Die ungewöhnliche Todesart zwingt die menschliche Gesellschaft der Kulturstufe, die wir betrachten, in den meisten Fällen zu einer neuen Einschätzung des bis zu seinem Tode für bekannt oder vertraut gehaltenen Stammesmitgliedes." Sie zieht aus dem Tode Rückschlüsse auf das Leben, für das man nun mit verborgen gebliebenen negativen Eigenschaften oder Taten zu rechnen hat[224]: „Der Mensch, der den ‚schlechten' Tod erleidet, wird, so scheint es, in zwiefacher Richtung suspekt; seine Vergangenheit wird verdächtig, seine zukünftige Existenz kann sich unheilvoll für die Gemeinschaft auswirken." – „Der schlimme Todesfall durchbricht ... die Ordnung des Blühens und Vergehens. Ihren äußeren Ausdruck finden Abscheu, Furcht, Schrecken und Vorbeugungsbedürfnis darin, daß von den Bestattungsbräuchen, die sonst das dem Toten Gebührende und zu seinem Zustand Gehörende sichtbar machen, abge-

---

[220] H. J. Sell 1955.
[221] Ebd. 3.
[222] Ebd. 4.

[223] Ebd. 9.
[224] Ebd. 10.

wichen wird."[225] Darunter ist zu verstehen, daß diese Gebräuche nicht nur nicht oder nur teilweise geübt wurden, sondern daß umgekehrt auch einzelne Maßnahmen nur bei den Schlimmen Toten getroffen werden. Selbstverständlich ist auch hier die Abweichung von der Norm der wesentliche Aspekt. Wenn aber die Unterlassung von sonst notwendigen Maßnahmen in ihrem Ergebnis wieder zu einer Regelhaftigkeit führt, dann ist dies gerade für archäologisch erfaßbare Befunde von großer Wichtigkeit.

Dies sei an einem Beispiel erläutert. In Indonesien werden die Toten normalerweise in der Hockerlage bestattet. Die gestreckte Lage des Körpers wird dagegen mehrmals überliefert bei Gefallenen, gewaltsam Verstorbenen und Verunglückten[226], in je einem Falle auch bei kleinen Kindern und bei außerhalb des Dorfes Gestorbenen[227]. Man wäre aus der Kenntnis dieser Regel heraus, würde man dort einzelne Gräber oder eine ganze Nekropole ausgraben, zu dem Schluß berechtigt, daß man in Gräbern mit gestreckten Skeletten mit größter Wahrscheinlichkeit Individuen vor sich haben müßte, die unter die uns hier interessierende Kategorie der Schlimmen Toten gehören. Dasselbe gilt für Gräber, die sich in der Orientierung von der Masse der anderen unterscheiden[228].

Aufschlußreich ist die Einschätzung des Todes der Kinder in Indonesien. Einerseits besagen die Quellen[229], „daß der Tod dieser Kinder von der Gemeinschaft nicht wichtig genommen wird; die Kinderseelen werden bis auf wenige Ausnahmen … nicht gefährlich. Desungeachtet wird der Tod eines Kindes auch vom Indonesier als ‚etwas Sinnwidriges‘ empfunden. Doch nehmen die Kinder eine Zwischenstellung ein, sie gefährden nicht die Ordnung, sondern stehen noch außerhalb von ihr". Andererseits geht aus den Bestattungsbräuchen ganz klar die Sonderstellung der Kinder hervor, sei es durch die Art der Bestattung, die Lage des Bestattungsplatzes oder bestimmte Beigaben. Außerdem sehen wir aber, wie oben schon angedeutet, daß „nur der verehrt oder gefürchtet wird, der ein Mensch geworden ist"[230], was offensichtlich bei der Mehrzahl der Stämme auf kleine Kinder nicht zutrifft.

Diese Verbindung von „Tod zur Unzeit" und „Tod als Deutung des Lebens" ist am engsten bei den während der Geburt oder im Wochenbett verstorbenen Frauen. Sie sind allgemein die am meisten gefürchteten Toten[231]. Das zeigt sich darin, daß bei ihnen ganz besondere Abwehrmaßnahmen gegen den bösen Geist, in den sie sich verwandeln, getroffen werden. Dabei spielt vor allem das Motiv der Bannung im Grab eine Rolle, damit die Tote nicht als fliegender Dämon, wie es meist sich vorgestellt wird, die Hinterbliebenen schädigen kann. So wird etwa von der Malaiischen Halbinsel über die verstorbene Wöchnerin berichtet[232]: „Eine Menge Glasperlen werden ihr in den Mund gesteckt, in beide Achselhöhlen werden Hühnereier gelegt und Nadeln werden in den Handflächen untergebracht. Damit will man erreichen, daß die Frau ihren Mund nicht zum Schreien öffnen kann oder ihre Arme zum Schwingen verwendet; durch die Nadeln sollen die Hände unbeweglich bleiben."

---

[225] Ebd. 33f.

[226] Ebd. 191f. 195. 199. 225.

[227] Ebd. 221. 156.

[228] Ebd. 109f. Aufschlußreich ist die Begründung: „Die gewaltsam Gestorbenen werden mit dem Kopf zum Dorf begraben, damit sie, wenn sie sich aufrichten, das Dorf nicht sehen. Die an Alter oder Krankheit Gestorbenen liegen mit den Füßen in Richtung auf das Dorf." Eine Verifizierung ähnlicher Vorstellungen bei vorgeschichtlichen Gräberfeldern und

Siedlungen wird mangels ausreichend gegrabener Komplexe noch lange höchstens in Einzelfällen möglich sein, zumal die Orientierung der Gräber ja auch andere Gründe haben kann.

[229] Ebd. 18.

[230] Ebd. 30.

[231] Eine Ausnahme bildet beispielsweise der Islam: Ebd. 15 Anm. 5.

[232] Ebd. 70; vgl. auch 102. 121. 174. 196. 259f.

Auch die Ansicht, daß unverheiratet oder kinderlos Verstorbene gefürchtet und mit besonderen Maßnahmen bedacht werden, findet sich mehrmals in Indonesien[233]. Der Grund dürfte darin zu suchen sein, daß dieser Personenkreis nicht zu den verehrungswürdigen Ahnen gezählt werden kann.

Fassen wir zusammen, so kommen wir mit Sell zu dem Ergebnis, daß die von ihm umschriebene Personengruppe, charakterisiert durch den unzeitigen oder schlimmen Tod, fast überall in nur leicht wechselndem Umfang durch besondere Bestattungsbräuche ausgezeichnet ist. Diesen Hinweis, daß für die Vielfalt der Bestattungsbräuche nicht nur Kriterien verantwortlich sind, die man als der Stellung des Individuums zu Lebzeiten zugehörig betrachten würde, sondern daß auch Zeitpunkt und Art des Todes eine Rolle spielen, gilt es nun weiter zu verfolgen. Allerdings kann es nicht unsere Aufgabe sein, diesen Problemkreis anhand des übrigen ethnographischen Materials noch weiter abzuhandeln[234]. Es wäre eine endlose Aufzählung von Einzelbeobachtungen, die immer wieder dasselbe Bild ergeben würden, nur leicht von Region zu Region, von Stamm zu Stamm, vielleicht auch von Religion zu Religion modifiziert. Man wird es hier mit P. J. Ucko halten wollen, daß nämlich der hauptsächliche Nutzen ethnographischer Parallelen für die Vorgeschichtsforschung darin besteht, den Horizont des Archäologen zu erweitern, damit er sich seinem eigenen Material mit einer besseren Vorstellung über menschliche Verhaltensweisen und Gebräuche zuwenden kann[235]. Dies schließt von vornherein eine Suche nach Eins-zu-eins-Korrelationen aus, die nur zu einem willkürlichen Herauspicken gerade passender Befunde führen würde, ohne daß ein Beweis für die Richtigkeit der Interpretation angetreten werden könnte.

Mit einem ähnlichen Ansatz hat sich I. Schwidetzky mit dem Problem der Sonderbestattungen beschäftigt[236]. Sie stellt die Frage, „ob ein gegebenes anthropologisches Fundmaterial wirklich als repräsentative Stichprobe einer vor- oder frühgeschichtlichen Bevölkerung angesehen werden kann oder ob etwa Alters- und Geschlechtsgliederung der Gestorbenen durch besondere Umstände verzerrt werden". Auch ihr kam es darauf an, nicht eine Vollständigkeit der Belege zu erreichen, sondern „einen Eindruck von der Variationsbreite der Möglichkeiten zu gewinnen". Sie kann eine Fülle von Beispielen anführen, wo bestimmte Bevölkerungsgruppen eine besondere Behandlung im Bestattungsbrauch erfahren. Ihrer besonderen Fragestellung gemäß, die vor allem das quantitative Element betonen muß, nennt sie drei wesentliche Differenzierungen nach den Personen (Alter – Geschlecht – sozialer Status) und zwei mögliche Abweichungen vom normalen Brauch, nämlich in der Wahl des Bestattungsortes und der Bestattungsart. Hier finden wir alle Phänomene wieder, die wir schon bei H. J. Sell antrafen: am häufigsten Sonderbestattungen von Kindern und Wöchnerinnen, gelegentlich auch von alten Menschen, etwas häufiger wieder eine Differenzierung nach dem Geschlecht und nach dem sozialen Status der Verstorbenen. Schwidetzky weist mit Recht darauf hin, daß der schlimme Tod der Wöchnerin bei seiner Häufigkeit erstens quantitativ schon merklich zu Buch schlagen kann und zweitens die damit verbundenen Vorstellungen offenbar über die ganze Erde verbreitet sind. Diese weite Verbreitung gilt auch für die

---

[233] Ebd. 31 Anm. 1; 26. 40. 65. 110. 195.
[234] Eine ausführlichere Zusammenstellung bei J. G. Frazer 1936, 103 ff. („Dangerous Ghosts").
[235] P. J. Ucko 1969, 262 f.; für die Volkskunde vgl. L. Schmidt 1949. – Daß eine solche Einstellung nicht selbstverständlich ist, zeigt eine Äußerung von P. Reinecke 1928, 3: „Wirkliche Teilbestattungen, d. h. Beisetzungen nur eines Teiles der Leiche, erscheinen äußerst selten. Aber auf Grund mangelhafter älterer

oder neuerer Beobachtungen bei uns vom üblichen abweichende Bestattungsweisen anzunehmen, selbst wenn derartige Bräuche aus außereuropäischen Gebieten ethnographisch belegt sind, sollte besser unterbleiben." K. Hörmann 1930, 78 beklagt sich daraufhin mit Recht über „direkte Aufforderungen, aneinander vorbeizuarbeiten".
[236] I. Schwidetzky 1965.

anderen schlimmen Todesarten, für die sie einige Belege anführt, weil sie gerade im Zusammenhang mit anderen Sonderbestattungen genannt werden, doch geht sie ihnen nicht weiter nach, weil deren Auswirkungen auf die quantitative Paläodemographie zu vernachlässigen sind.

Die Durchsicht des ethnographischen Materials ergibt also, daß immer wieder ganz bestimmte Personengruppen eine Sonderbehandlung im Bestattungsbrauch erfuhren. Man kann sie am kürzesten in den zwei Begriffen zusammenfassen: *mors immatura* und Gefährliche Tote. Die ethnographischen Parallelen zeigen ferner, daß diese beiden Begriffe nicht genau dasselbe meinen, aber doch bruchlos ineinander übergehen und vor allem durch eine gleiche oder zumindest ähnliche Behandlung der damit erfaßten Personen im Bestattungsbrauch eng zusammengehören.

Dabei betont *mors immatura* mehr den Aspekt des Lebensalters oder der „Lebensleistung"[237]. Hierher gehören die Kinder und Jugendlichen, die unverheirateten oder kinderlosen Männer und Frauen. Man könnte darüber hinaus noch die Rolle bestimmter Zeitmarken[238] untersuchen, die Auswirkungen auf den Status des Individuums haben, etwa das Erscheinen der ersten Zähne[239], die Tätowierung mit drei oder vier Jahren, die Pubertätsriten, doch ist hier die Vielfalt der beobachteten Differenzierungen zu groß, als daß dem Archäologen direkt damit geholfen wäre. Er kann nur untersuchen, ob sich eine oder mehrere dieser Möglichkeiten in seinem jeweiligen Material erkennbar niedergeschlagen haben.

Der Aspekt des Gefährlichen Toten tritt hingegen zutage bei den gewaltsam Gestorbenen: gefallenen Kriegern, Erschlagenen, Ermordeten, Verunglückten, Selbstmördern, Gerichteten und an ansteckender Krankheit Verstorbenen, vor allem aber bei Tod im Kindbett. Ob auch Kinder und Unverheiratete als Gefährliche Tote gelten, darüber liegen unterschiedliche Nachrichten vor. Hier kann wieder nur der Archäologe an seinem eigenen Material Indizien für die eine oder die andere Möglichkeit suchen.

Wir können außerdem diesen Kreis der Gefährlichen Toten durch einige andere Personen ergänzen, deren Sonderstellung schon im Leben sich auch in den Bestattungsriten niederschlagen kann, wie oben schon kurz angedeutet[240]: Schamanen und Medizinmänner, Hexen, Bettler, Verbrecher, ferner Geisteskranke und Epileptiker[241]. Daneben muß man auch damit rechnen, daß sich rein politisch-soziale Rangunterschiede nicht nur in der materiellen Aufwendigkeit der Bestattung niederschlagen, sondern allein durch unterschiedliche Riten ausgedrückt werden, wie aus einigen Beispielen[242] deutlich werden mag.

Sonderbestattungen in Antike und Neuzeit

Bevor wir uns wieder dem archäologischen Material zuwenden, ist es vielleicht zur Illustration ganz nützlich, noch kurz einen Blick auf ähnliche Erscheinungen aus dem antiken und neuzeitlich-volkskundlichen Bereich zu werfen.

Über *mors immatura* in der Antike gibt es eine zusammenfassende Arbeit von J. Ter Vrugt-Lentz, die sich allerdings ausschließlich auf philologische Quellen stützt[243]. Im Gegensatz zu dem besprochenen Beispiel Indonesien gibt es für das antike Griechenland von Homer bis in die römische Zeit hinein nicht die Vorstellung, daß zur Unzeit (ἄωροι) oder gewaltsam (βιαιοθάνατοι) Gestorbene

---

[237] H. J. Sell 1955, 30f.
[238] H. Ploß – B. Renz 1911, 548ff.; I. Schwidetzky 1965, 233.
[239] H. Ploß – B. Renz 1912, 52ff.

[240] H. J. Sell 1955, 10.
[241] I. Schwidetzky 1965, 240.
[242] Ebd. 241ff.
[243] J. Ter Vrugt-Lenz 1960.

nicht in das Totenreich, den Hades, kämen. Zwar mag ihnen dort zuweilen ein weniger freundliches Schicksal zugedacht gewesen sein, aber tatsächlich vom Hades ausgeschlossen und damit auf jeden Fall für die Hinterbliebenen gefährlich waren nur die nicht ordnungsgemäß Bestatteten (ἄταφοι). Dies schließt aber nicht aus, daß βιαιοθάνατοι als Geister auf die Erde zurückkommen konnten, um sich zu rächen oder Wünsche kundzutun. Wie weit bei dem Motiv der Danaiden ältere Vorstellungen von einem besonderen Schicksal der Unverheirateten (ἄγαμοι) mitspielen, ist kaum schlüssig nachzuweisen[244].

Bei den Römern steht offenbar ein anderer Gedanke im Vordergrund: „ursprünglich bedeutete *mors immatura, praematura, acerba, cruda* ,Tod im frühen Alter', das heißt, bevor ein Mensch *parens* geworden war. Diese Ausdrücke wurden dann meist in Verbindung mit Kindern und unverheirateten jungen Leuten verwandt, aber ohne daß die Todesart dabei eine Rolle spielte."[245] Die Bedeutung der Eigenschaft des *parens* erklärt sich aus der Rolle, die in Rom der Ahnenkult spielte. Personen, die diesen Stand nicht erreicht hatten, waren, wie H. J. Sell auch für Indonesien feststellen konnte, aus der Gemeinschaft der *manes* ausgeschlossen. Aus diesem Grunde galten auch für Kinder und Halbwüchsige nicht die üblichen Vorschriften für das formelle Begräbnis und die Einhaltung der Trauerzeiten[246]. Daß gewaltsam Verstorbene im Laufe der Zeit stärkere Beachtung fanden, ist wohl dem griechischen Einfluß zuzuschreiben, ohne daß sich jedoch ein lateinischer Ausdruck für βιαιοθάνατοι eingebürgert hätte.

Die besondere Rolle der verstorbenen Wöchnerin hat sich bis in die Neuzeit auch in Mitteleuropa gehalten. Gilt schon die Wöchnerin an sich als unrein, wie die besonderen Zeremonien der katholischen Kirche bei dem ersten Kirchgang nach der Geburt zeigen, so gibt ihr Tod erst recht zu mannigfachen Gebräuchen Anlaß. Im Hintergrund steht, unschwer unter manchem anderen Beiwerk zu erkennen, immer noch die Furcht vor der Toten, die die Hinterbliebenen wegen ihres Schicksals behelligen könnte[247]. Auch Unverheiratete und Kinderlose sollen im Jenseits nicht das normale Schicksal erleben[248]. Eindrucksvoll ist die Schilderung eines alten österreichischen (slawischen?) Volksglaubens durch Heinrich Heine, nach dem Bräute, die vor der Hochzeit gestorben sind, als Luftgeister zu mitternächtlicher Stunde alle jungen Männer, die ihnen in die Hände fallen, „mit ungezügelter Tobsucht" zu Tode tanzen[249]. Die Beurteilung der Selbstmörder ist stark von dem kulturellen und religiösen Hintergrund abhängig[250].

Sonderbehandlung von Kindern ist in neuerer Zeit nur noch bei Totgeburten oder Ungetauften geübt worden[251]. Sie wurden entweder überhaupt nicht im Friedhof oder doch wenigstens abgelegen an der Friedhofsmauer bestattet. Es ist gerade hier gut zu sehen, wie die Bestattungsart

[244] Ebd. 12f.; O. Waser 1913, 373.

[245] J. Ter Vrugt-Lenz 1960, 68.

[246] J. E. King 1903; H. J. Rose 1923; W. Deonna 1955; J. Ter Vrugt-Lenz 1960, 64f. Archäologischer Nachweis eines Sonderfriedhofes für Säuglinge: J. Joly 1951 und 1954.

[247] R. Lasch 1901; H. Hepding 1939 und 1940. Wichtig in diesem Zusammenhang ist auch der Moorleichenfund von Peiting, Ldkr. Kaufbeuren, der ins 12. Jahrhundert datiert werden kann (K. Schlabow 1961; I. Linfert-Reich 1975). Eine etwa 25 Jahre alte Frau war kurz nach der Entbindung gestorben und, angetan mit hohen Lederstiefeln, in einem Holzbohlensarg im Moor versenkt worden. Allerdings ist hier zu fragen, ob nicht auch die vielleicht fremde Herkunft dieser Frau (zu erschließen aus den Schaftstie-

feln ungewöhnlichen Schnitts) für diese Sonderbehandlung mit verantwortlich gewesen sein könnte. Die Sitte, der verstorbenen Wöchnerin neue Schuhe anzuziehen, damit sie nicht gehört werde, wenn sie noch sechs Wochen nach ihrem Kind sieht, ist volkskundlich häufig belegt.

[248] F. Sarasin 1934, 114ff.

[249] H. Heine 1968, 661f.

[250] P. Geiger 1926. Dies kann soweit gehen, daß in einigen Gesellschaften der Selbstmord als Ausweg gewählt wurde, um nicht eines – für schimpflich gehaltenen – natürlichen Todes zu sterben. Vgl. J. Koty 1934, 191f. 328f.

[251] H. Ploß – B. Renz 1911, 554f.; W. Deonna 1955, 237ff.; H. Heintel 1961.

erstens von der Auffassung abhängt, ab wann ein Individuum schon als vollgültiger Mensch betrachtet werden kann, und wie zweitens die Religon eben diese Auffassung bestimmt. Wenn die Taufe für das Christentum der wesentlichste Einschnitt im Leben eines Menschen ist, so schließt dies jedoch keineswegs aus, daß auch andere Zeitmarken durch besondere Gebräuche hervorgehoben werden. Selbst diese Relikte weisen auf die Bedeutung des Lebensalters oder gewisser Ereignisse, vor allem der Heirat, für die soziale Stellung des Individuums in der Gemeinschaft hin[252]. Es bedarf keiner weiteren Erläuterung, daß wir für prähistorische Zeiten mit entsprechenden Auswirkungen auf die Bestattungsbräuche rechnen müssen.

Mit vielen volkskundlichen Parallelen versuchte auch J. Banner, die Sitte der Hockerbestattung im europäischen Neolithikum zu erklären[253]. Er führt dazu eine Reihe von neuzeitlichen Bestattungsbräuchen an, die mit der Furcht vor den Toten allgemein und einzelnen Individuen im besonderen zusammenhängen. Wichtig ist dabei eine Feststellung, die vielleicht auch zur Klärung mancher prähistorischer Befunde beitragen kann[254]: „Es ist also leicht denkbar, daß wenn die abergläubische Furcht vor dem Toten die Seele des primitiven Urmenschen so sehr beherrschte, er die bei gewissen Todesfällen – obwohl von diesen ganz unabhängig – eingetretenen Geschehnisse sich nur mit der übernatürlichen Macht des Toten erklären konnte und sich dann noch mehr vor dem Abgeschiedenen fürchtete; aus welchem Grunde er bestrebt war, sich mit außergewöhnlichen Mitteln gegen den Toten zu schützen." Diese erstreckten sich nun nicht nur auf bestimmte Gebräuche bei der Beerdigung selbst, sondern konnten in etlichen Fällen auch zu nachträglichen Manipulationen an Grab und Leichnam führen. Solche Vorstellungen, die im Glauben an Wiedergänger und Vampire ihren konkretesten Ausdruck gefunden haben, müssen in ähnlicher Form auch für weiter zurückliegende Perioden im Auge behalten werden, will man einzelne auffallende Befunde angemessen interpretieren.

Allgemeines über die Verwendung von Amuletten

Haben wir bisher untersucht, wie sich die Sonderstellung von Individuen im Bestattungsbrauch niederschlägt, so müssen wir auch noch kurz darauf eingehen, ob sich für die Amulette ähnliche Eingrenzungen in bezug auf ihre Verwendung finden lassen. Über Amulette gibt es eine reiche Literatur[255], die nach allen Gesichtspunkten auszuschöpfen unmöglich ist. Wir können uns allgemein mit der Feststellung begnügen, daß Amulette getragen wurden, um die betreffende Person selbst gegen Unheil in aller möglichen Gestalt zu schützen: gegen den bösen Blick, Krankheit, Unfall, für schmerzloses Zahnen, für eine glückliche Geburt usw. Nachdem Plinius (Hist. Nat. XXXVII, 11) ausdrücklich die apotropäischen Eigenschaften des Bernsteins bezeugt, können wir, wie auch schon die archäologische Analyse zeigte, Glas und Bernstein ebenfalls einen Amulettcharakter zusprechen, der offenbar doch als wesentliches Element neben den Schmuckcharakter tritt.

[252] z. B. H. Aubin – Th. Frings – J. Müller 1966, 194f.

[253] J. Banner 1927.

[254] Ebd. 105.

[255] Zusammenfassend und mit reichen Literaturangaben zuletzt L. Hansmann – L. Kriss-Rettenbeck 1966. – Die Arbeit von J. Ferrier 1971 ist trotz des anspruchsvollen Titels nur eine auf äußerlichen Ähnlichkeiten beruhende Zusammenstellung von Gegenständen mit mutmaßlichem Amulettcharakter, vornehmlich der Stein- und Bronzezeit Westeuropas. Die „réflexions" beschränken sich auf Bemerkungen über mögliche Sinngehalte oder Wirksamkeit einzelner Formen und deren Weiterleben bis in unsere Tage.

Eine Fundgrube für die Verwendung von Amuletten im Zusammenhang mit Kindern bieten H. Ploß und B. Renz in den Kapiteln „Das Kind und die Dämonenwelt" und „Amulette als Schutzmittel des gesunden Kindes"[256]. Schon dem Säugling werden Amulette in die Wiege gelegt, um ihn vor schädlichen Einflüssen zu bewahren. Besonders auffällig ist dabei die Rolle des Eisens[257], dessen abwehrende Kraft „bei verschiedenen indo-europäischen Völkern auch noch die Schärfe der daraus verfertigten Waffe, z. B. des Schwertes oder Messers oder der Schere" verstärkt. Bedeutungsvoll ist zuweilen auch „die Kreuzesform, in welcher ein eiserner Gegenstand liegt oder welche darauf angebracht ist". Wir sehen hier, daß der Begriff des Amuletts sehr weit gefaßt werden muß und nicht auf Gegenstände beschränkt bleiben darf, die eine Person am Körper mit sich herumtragen kann. Kann das Kind laufen, werden ihm die Amulette selbst umgehängt, oft mit einer ganz spezifischen Zweckbestimmung: gegen Krankheit, gegen den bösen Blick, gegen häufiges Weinen, gegen nächtliches Aufschrecken[258]. Von den Römern wissen wir, daß sie die *bullae*, die Amulette enthielten, mit 15 Jahren zusammen mit den übrigen Zeichen des Knabenalters beim Empfang der Männertoga ablegten[259]. Bei den Mädchen war die Verheiratung der entsprechende Zeitpunkt. Ähnliches kennt man von Arabern und Juden. Sie haben „Kinderamulette aus Pergamentstreifen mit Stellen aus dem Koran bzw. der Bibel ..., die das Kind nur für eine gewisse Zeitdauer gegen Krankheit schützen sollen und dann ... wieder abgelegt werden, weil das Kind über die gefährliche Zeit hinausgewachsen ist".[260]

Mit dieser Fürsorge für das Kind mag es zusammenhängen, daß auch oftmals die schwangere Frau Amulette erhält, die sie bei der Entbindung trägt[261].

Material und Formen der Amulette sind in allen Regionen und Zeiten ungemein ähnlich, so daß wir nicht weiter darauf einzugehen brauchen. Ein Blick in die zusammenfassende Literatur genügt, um diese Einheitlichkeit zu erkennen.

So wird aus der Karlsbader Gegend berichtet[262]: „Die Wiege des Neugebornen wird oft mit Freigroschen, Wurzeln, Steinen, Märzhasenaugen, Wolfszähnen, bleiernem Kreuz, Wachs, Haaren, Beinsplittern und dergleichen behangen." Oder eine Amulettsammlung bei den Maroniten, syrischen Christen[263]: Wolfsrachen (Gaumenbein), Muschel, blaue Perlen, Maulwurfzahn, kleiner, runder Stein, Medaillen, silberne Fröschlein. Und schließlich die Römer[264]: „Um ihre Kinder zu schützen, hingen sie ihnen Amulette aus edlem Metall, Stein, Bein oder Korallen um, sei es in Horn- oder Halbmondform *(lunulae)*, oder zu einer Hand in Feigenstellung oder zu kleinen Götterbildern verarbeitet." Die „Fraisketten" des Alpengebietes, „Universalamulette mit meist ungerade Anhängerzahl", wurden gegen eine ganze Reihe verschiedenster Krankheitssymptome getragen, „die von krampfartigen und konvulsivischen Erscheinungen begleitet sind, insbesondere auch Kinderkrankheiten". Ein Beispiel[265]: Belemnit, Pestpfeil, Karneolperle, Leopoldmünze, Bergkristallperle, „Blutstein", Beilchen, „Schweinsg'hörl", Bergkristall, Korallenperle, Alraunwurzel, Rauchtopas.

Ganz wesentlich ist allerdings ein Aspekt, nämlich die weitgehende Austauschbarkeit von Form und Material des Amuletts einerseits und seinem „Zweck" andererseits. Mit anderen Worten: Es gibt praktisch kein Amulett, das nicht für mehrere Anwendungsbereiche geeignet wäre, was um-

---

[256] H. Ploß – B. Renz 1911, 100ff. und 1912, 40ff.

[257] H. Ploß – B. Renz 1911, 102. 105ff. 321f.; zusammenfassend I. Goldziher 1907.

[258] H. Ploß – B. Renz 1912, 42f.; H. Gierl 1972, 31ff.

[259] H. Ploß – B. Renz 1911, 134; 1912, 41.

[260] H. Ploß – B. Renz 1912, 42.

[261] H. Ploß – B. Renz 1911, 31ff. 36.

[262] Ebd. 110.

[263] Ebd. 140 Abb. 47.

[264] Ebd. 134.

[265] L. Hansmann – L. Kriss-Rettenbeck 1966, 226 Abb. 752.

gekehrt dazu führt, daß auch eine ganze Ansammlung verschiedenartigster Amulette nur gegen ein
ganz bestimmtes Übel gedacht sein kann. Es wäre also ein völlig aussichtsloses Unterfangen, aus
einzelnen Amuletten oder deren Kombinationen herausfinden zu wollen, gegen wen oder was sich
das Individuum schützen wollte. Über höchst allgemeine Feststellungen käme man dabei nicht
hinaus.

Ein beredtes Beispiel für diese Aporie bietet eine neue Untersuchung über schuh- und fußförmige Anhänger und Amulette vom Neolithikum bis in die Neuzeit[266]. Fuß und Schuh gehören,
wie viele andere Amulettformen, offenbar überwiegend in den Bereich der Sexualsymbolik[267], ohne
daß damit ihr Symbolgehalt, wie er sich in Bräuchen neuerer Zeit niederschlägt, auch nur annähernd vollständig erfaßt würde: „Bei keinem Anlaß spielt der Schuh als Brauchrequisit eine
größere und wichtigere Rolle als bei der Hochzeit. Ein ganzes Bündel rechtlicher, magischer und
aphrodisischer Vorstellungen trifft sich in diesem einen Punkt und äußert sich in einer unüberseh-
baren Fülle von Varianten…"[268] Daß Fuß und Schuh, wie die anderen Sexualsymbole[269], schließlich
ohne nähere Spezifizierung zur Abwehr des bösen Blicks oder ähnlicher Übel verwendet wurden,
liegt nach dem, was man über Amulette allgemein weiß, ohnehin auf der Hand. Mehr herauszufinden war auch W. Till nicht vergönnt[270]: „Mögliche Bedeutsamkeiten für das fuß- und schuh-
förmige Amulett (vor allem für das neuzeitliche) liegen in der geistigen Überlieferung der Fuß- und
Schuhsymbolik: Im Brauch und im Andachtsbereich, in Erzähl- und Bildmotivik sowie in der
Gebärde. Daraus resultierende Erklärungen medizinisch-physiologischer Art, sexuelle Topoi oder
in Frömmigkeitsgeschichte und Volksglauben verankerte Ursachen sind in ihrem Anteil bestimmbar, aber dem Amulett nicht als konkreter Bildsinn zuzuordnen … Das Amulett diente wahrlich
einer Bewältigung des Daseins, nicht nur primär der Abwehr einer Erscheinung wie dem ‚Bösen
Blick', und war, wenn wir seine psychische Wirksamkeit berücksichtigen, vielleicht ein probateres
Heilmittel als manche Erzeugnisse moderner Pharmazien."

Daran ändert auch nichts, wenn man mit R. A. Maier „die Zusammenhänge zwischen Tierfährte
und Menschenspur, Fuß- und Schuhsymbolik sowie Hufeisen-Glauben, Fährten- und Schuh-
Trunk" im Auge behält[271]. Der umfangreiche Komplex der Amulette muß sich schon seit Urzeiten
einer rationalen Durchleuchtung entzogen haben, weil die hier aufgezeigte Problematik der Interpretation im Grunde für alle Formen gilt, freilich um so deutlicher, je mehr sich die äußere Form
von einer zu oberflächlicher Deutung verleitenden Gestalt entfernt. Aus diesem Grunde können
wir es uns ersparen, noch weiter auf die Sexualsymbolik etwa der Porzellanschnecken einzugehen,
auf die mögliche Bedeutung von Beilanhängern, Dreipaßanhängern, auf die Fruchtbarkeits- und
Sexualsymbolik der kleinen Bronzefigürchen[272]: Man kann alles oder nichts in sie hineinlegen und
aus ihnen herauslesen.

Nicht unwichtig für die Beurteilung von Amuletten in den Gräbern sind schließlich die viel-
fältigen Möglichkeiten, die Amulette am Körper zu tragen. Daß sie meist mit einem Kettchen oder
Faden um den Hals gehängt werden, ist auch in den Gräbern eindeutig zu beobachten. Aus der
Antike kennt man darüber hinaus Darstellungen, wo Frauen, aber auch Männer Bänder mit Amu-
lettknoten oder eingeknoteten Amuletten trugen. Diese Bänder hingen entweder schräg über eine
Schulter oder waren um Oberarm oder Oberschenkel geschlungen[273]. Aufschlußreich ist auch ein

---

[266] W. Till 1971.
[267] Übertrieben betont von Dr. Aigremont 1909.
[268] W. Till 1971, 86.
[269] Zur Austauschbarkeit vgl. H. Ploß – B. Renz
1911, 133.

[270] W. Till 1971, 150.
[271] R. A. Maier 1969, 41 Anm. 82.
[272] R. Pittioni 1931; P. Goeßler 1932.
[273] L. Hansmann – L. Kriss-Rettenbeck 1966, 157
Abb. 438–441.

Gemälde aus dem Jahre 1659, das den spanischen Infanten Philip Prosper zeigt[274]. Er hat schräg über die linke Schulter ein Band gelegt mit einem Riech- und Gewürzbüchslein sowie einer Gagatfeige(?). Um die Hüfte trägt er ein Band, an dem vorne drei weitere Amulette an Fäden bis in Kniehöhe herabhängen: eine Koralle, eine goldene Glocke und eine Jadekugel.

ANWENDUNG AUF DAS ARCHÄOLOGISCHE MATERIAL

Mit diesen notgedrungen sehr kursorischen Ausführungen über ethnologische und volkskundliche Beobachtungen zu Sonderbestattungen und Amulettwesen sollten Möglichkeiten eröffnet werden, dem archäologischen Material, in unserem Falle den eisenzeitlichen Gräbern, weitergehende Aussagen über die geistig-religiöse und auch soziale Welt der damaligen Menschen abzugewinnen. Da wir uns dabei, der Quellensituation gemäß, vorerst nur auf Gräber stützen können, mußte auch die Auswahl des Vergleichsmaterials aus den Nachbarwissenschaften auf Aspekte beschränkt bleiben, die sich möglicherweise im Bestattungsbrauch niederschlagen könnten. Daß auf diese Weise niemals ein auch nur annähernd vollständiges Bild der nicht-materiellen Welt des eisenzeitlichen Menschen gewonnen werden kann, versteht sich von selbst. Unsere bescheidenere Zielsetzung besteht darin, den zur Verfügung stehenden Gräbern und den darin bestatteten und durch Beigaben und Tracht unterscheidbaren Individuen ein Maximum über die sich undeutlich dahinter abzeichnenden Lebensverhältnisse zu entreißen.

Betrachten wir nun unter den entwickelten Gesichtspunkten noch einmal das in den vorhergehenden Kapiteln ausgebreitete Material, so lassen sich in der Tat etliche Befunde namhaft machen, die sich sehr gut mit einigen der genannten Phänomene in Verbindung bringen lassen. Dabei wollen wir mit den Sonderbestattungen beginnen.

Gewaltsamer Tod

Es liegt auf der Hand, daß bei Sonderbestattungen, die ihre Ursache nicht im Sterbealter, sondern in der Todesursache oder Todesart haben, ein archäologischer Nachweis ungemein schwierig zu führen sein muß. Etwaige Verletzungen, um die es sich dabei ja fast immer handeln dürfte, müßten nämlich auch am Knochenmaterial erkennbar sein, um sichere Rückschlüsse zu erlauben. Dazu müssen die Skelette vorzüglich ausgegraben, erhalten und bearbeitet sein, daß eine Identifizierung von Verletzungen und damit möglichen Todesursachen überhaupt möglich ist. Dies trifft aber nur für einen verschwindend geringen Teil unseres Materials zu.

So verwundert es nicht, daß es bisher nur ein einziges stichhaltiges Beispiel für ein gewaltsam gestorbenes Individuum gibt, dem eine auffallende Behandlung im Grabbrauch zuteil wurde. Es ist die junge Frau von Mörsingen (38), die durch zwei Schwerthiebe im Kopf ums Leben kam und mit außerordentlich reichem Amulettschmuck bestattet wurde. Die oben (S. 38) erörterten Probleme, die sich aus der abweichenden anthropologischen Geschlechtsbestimmung ergeben, spielen in diesem Falle keine Rolle. Sie wären allenfalls für die Frage von Interesse, ob dieses Individuum

---

[274] Ebd. 183 Abb. 585.

darüber hinaus nicht schon zu Lebzeiten eine gewisse Sonderstellung eingenommen haben könnte. Warum wir die vielen Amulette eher Maßnahmen des Grabbrauches und nicht der Tracht im weitesten Sinne zuschreiben, wird weiter unten verständlicher werden (S. 171ff.).

Anzuschließen ist vielleicht das Grab von Möglingen, Kr. Öhringen[275]. Dort soll neben einem Skelett mit Frauenschmuck und einer Schädelverletzung das Fragment eines Eisenschwertes gelegen haben; eine Beigabensitte, wie sie uns beim Grab von Saint-Jean-sur-Tourbe (122) gleich wieder begegnen wird. Allerdings kann wegen der Fundumstände und des Verlustes des Skelettmaterials absolute Sicherheit nicht gewonnen werden (vgl. S. 122).

Noch unsicherer ist der Befund eines Grabes in Hügel 63 von Unterlunkhofen (67), in dem Reste eiserner Waffen, aber auch ein Körbchenanhänger *(Abb. 13, 27)*, ein Eberzahn, Bernstein und Glas gefunden worden und am Schädel „eine Stichwunde sichtbar gewesen" sei.

Ohne auffällige Beigaben, wenn auch mit einer großen Ringperle aus Glas war das Kind in Höchstetten (5) Grab 2 ausgestattet, dessen Schädel ein Loch gehabt haben soll und auf einem Stein ruhte.

Daß der gewaltsame Tod bei Kindern, entsprechend den obigen Bemerkungen über den frühen Tod allgemein, vielleicht tatsächlich nicht als weiter beachtenswert empfunden wurde, könnte Nebringen (42) Grab 24 andeuten, in dem ein 14- bis 15jähriger Jugendlicher, gestorben an einem Schwerthieb über den Kopf, ohne jede Auffälligkeit begraben ist. Jedoch vermutete der Ausgräber genau von diesem Grab als einzigem ausdrücklich, daß es alt gestört gewesen sei, obwohl keine Anzeichen von Grabraub erkennbar waren. Leider fehlen nähere Angaben, worin sich diese nachträgliche Störung zu erkennen gegeben hatte[276]. Wir werden noch einmal darauf zurückkommen müssen.

Das kleine, aber anthropologisch gut durchgearbeitete Gräberfeld von Nebringen scheint auch eine weitere von H. J. Sell herausgehobene Tatsache zu bestätigen. Danach ist Tod durch Krankheit, abgesehen von besonders ansteckender, nicht als Schlimmer Tod zu werten, weil die Stammesgenossen „durch Handlungen mancherlei Art einen Bannkreis der Beeinflussung um die Gefahr legen" und damit Krankheit und Tod in die Gemeinschaft integrieren können, was bei einem plötzlichen Tod nicht möglich ist[277]. Die Frau in Grab 23 von Nebringen (42) ist nämlich vielleicht an einem Stirnhöhlenabszeß gestorben. In der Bestattungsart dieser Frau manifestiert sich keine Besonderheit, auch nicht in der Tracht und den sonstigen Beigaben. Allerdings ist sie mit ihren 30–40 Jahren das einzige erwachsene Individuum dieses Gräberfeldes, bei dem Amulette gefunden wurden. Und gerade bei diesen, einem Bronzeringchen, einer Bernstein- und zwei Gagatperlen *(Abb. 16, 1–4)*, sind deutliche Abnutzungsspuren zu erkennen, die darauf hinweisen, daß sie tatsächlich geraume Zeit, wohl an einer langen Schnur um den Hals, getragen worden waren. Hier liegt in der Tat der Schluß nahe, daß diese Perlen als Amulette gegen die Krankheit gedient haben. Wir müssen dabei bedenken, daß wir uns mit dem Gräberfeld von Nebringen ohnehin schon in einer Zeit befinden, in der, nach den Gräbern zu urteilen, die Verwendung von Amuletten spürbar zurückgegangen ist.

Etwas früher zu datieren ist der Krieger in Münsingen (2) Grab 10 nach seiner Lage im Gräberfeld. An seinem Skelett konnten deutliche Spuren einer nicht näher beschriebenen Krankheit festgestellt werden. Bei ihm ist die Ausstattung noch weniger bemerkenswert; der Oberarmring mit der Gußspur ist nur mit Hilfe unserer Analogien als Besonderheit zu erkennen und auch nicht allzu signifikant.

[275] Vgl. Anm. 130.   [277] H. J. Sell 1955, 12.
[276] W. Krämer 1964, 13. 30.

Pathologische Befunde am Schädel

Einige andere Befunde an Schädeln führen uns zu einer zweiten Gruppe von Personen, deren Sonderstellung im Leben gewiß sein dürfte und zuweilen offenbar auch im Grabbrauch kenntlich ist. Gemeint sind jene, bei denen pathologische Veränderungen des Schädels als Ursache oder Wirkung einer Geisteskrankheit vermutet werden können. Wenn man bedenkt, wie stark diese Veränderungen sein müssen, daß sie am Schädel überhaupt erkannt werden, und welch geringer Teil der Geisteskrankheiten mit solchen extremen Veränderungen einhergeht, dann scheinen die folgenden drei Beispiele mit hoher Wahrscheinlichkeit für eine solche Interpretation geeignet zu sein.

Zunächst sei das Grab der 16- bis 20jährigen Frau von Saint-Jean-sur-Tourbe (122) angeführt, bei der eine pathologische Schädeldeformation festgestellt wurde, die eine krankhafte Entwicklung des Gehirns bezeugte. Diese Frau war mit umgekehrter Orientierung unter vier anderen Skeletten bestattet. Bei ihr fand sich die umfangreichste Amulettsammlung des ganzen eisenzeitlichen Frankreich (nur eine Auswahl: *Abb. 18,2–8*); daneben lag ein Fragment eines Eisenschwertes.

Der zweite Befund ist aus Wohlen (69) bekannt, wo der um 50 cm seitwärts verlagerte Schädel in Grab 3 einem „sehr alten oder pathologischen" Manne angehörte. Die funktionslose Radkappe bei der rechten Hand[278] und erst recht der Topf mit den Spitzmausschädeln an der Stelle des Schädels unterstreicht auf das nachdrücklichste die Sonderstellung dieses Individuums. Die Spitzmaus galt in der Antike als unheilbringendes Tier; bei ihrem Erscheinen wurden die Auspizien abgebrochen[279]. Deshalb kann diese seltsame Kombination nicht erstaunen, aber herauszufinden, warum hier gerade die Spitzmaus eine Rolle spielt, scheint unmöglich.

Diese zwei Gräber werfen ein neues Licht auf Grab 9 von Hurbanovo (170) „Bacherov majer". Es lag am wenigsten tief und wahrscheinlich am Rande der Grabgruppe. Die mature Frau war als einzige in umgekehrter Orientierung bestattet. Im Gegensatz zu den übrigen, recht reichen Gräbern fanden sich bei ihr nur drei kleine Perlen und Bronzeanhänger, deren Amulettcharakter deutlich ist. Dabei lagen zwei an Stellen, die ausschließen, daß sie dort im Leben getragen worden sind. Wahrscheinlich wurden alle drei Gegenstände erst in das Grab mit hineingelegt. Suchen wir nach einem Grund für die Sonderstellung dieser Frau, so stoßen wir darauf, daß an ihrem Schädel eine kräftige, aber verheilte Stirnnarbe erkennbar war[280]. Es gibt zwar auch andere Befunde mit verheilten Schädelverletzungen[281], die sich nicht durch Besonderheiten in Bestattungs- oder Beigabensitte auszeichnen, doch müßte man gerade daraus schließen können, daß die schwere Verletzung nicht ohne Dauerfolgen für die körperliche, noch wahrscheinlicher aber die geistige Gesundheit dieser Frau geblieben ist.

Möglicherweise ist auch der Krieger von Praha-Bubeneč[282] hier anzuschließen, der zwei verheilte Stirnverletzungen aufwies und sich durch die ungewöhnliche Beigabe von zwei Eber-

---

[278] Eine Beigabe als *pars pro toto* im Sinne einer intendierten Wagenbestattung dürfen wir in diesem Falle mit großer Sicherheit ausschließen; vgl. dagegen L. Pauli 1971a, 107. 112 zu früheisenzeitlichen Beispielen in Oberitalien und H.-E. Joachim 1969, 97 für die spätere Latènezeit am Mittelrhein.

[279] J. V. Grohmann 1862, 13. 55; E. Stemplinger 1948, 115,

[280] B. Benadík – E. Vlček – C. Ambros 1957, 208. 236.

[281] Ebd. 208: Trnovec (172) Grab 460 und Dvory

(168) Grab 31.

[282] Vgl. Anm. 152; verwertbare Angaben über das Skelett im allein damit vergleichbaren Grab 20 von Křenovice (164) liegen nicht vor. Die mit Bronzeblech gefaßten Hauer fanden sich rechts auf der Brust. – Unterlunkhofen (67) Hügel 63 mit der „Stichwunde am Schädel" muß erst recht aus dem Spiel bleiben (vgl. S. 48). Im Kriegergrab 7 von Slavkov (A. Procházka 1937, 94 Abb. 31 links) ist der Eberzahn nicht als Beigabe zu werten, sondern er kam mit dem Eberschädel in das Grab.

hauern zu beiden Seiten des Kopfes auszeichnete. Es ist zwar nicht auszuschließen, daß es sich dabei auch um eine magische Maßnahme zur Verhütung weiterer Verletzungen gehandelt haben könnte, doch will dazu die Lage der Eberhauer im Grab nicht recht passen, zumal sie offenbar nicht durchlocht sind.

Schließlich verdient in diesem Zusammenhang Dürrnberg (1 A) Grab 71/2 ebenfalls eine kurze Besprechung. Da die Beigaben bei der sorgfältigen Ausgrabung genau lokalisiert und zeichnerisch festgehalten wurden, läßt sich die Körpergröße des Kindes gut bestimmen, obwohl das Skelett bis auf einige Zähne fast völlig vergangen war. Danach betrug die Entfernung von den Beinringen zu den Halsringen, vom jeweils äußeren Ende gemessen, nur 0,54 m. Selbst wenn die Beinringe nicht direkt an den Fußknöcheln saßen, wird man mit der Körpergröße des Kindes kaum über 0,7 m hinausgehen können. Nach den Zähnen war das Kind jedoch schon zwischen 7 und 10 Jahren alt, wobei diese zum Teil aber geradezu winzig waren. Betrachten wir dagegen das daneben liegende Grab 71/1 mit dem 9- bis 11jährigen Kind, so läßt der Abstand zwischen Arm- und Halsringen durchaus eine normale Körpergröße erschließen; die Fußgegend war leider etwas gestört. Zudem ergab die allgemeine Untersuchung des Dürrnberger Skelettmaterials, daß die dortigen Leute im Durchschnitt keineswegs kleinwüchsig waren.

Nehmen wir nun noch die Beobachtung hinzu, daß das Kind in Grab 71/2 die weitaus reichste Amulettsammlung des Dürrnbergs *(Abb. 3; 4, 1–2)* quer über den Oberkörper gelegt bekommen und eine ungewöhnlich lange Bernsteinperlenkette neben dem Kopf liegen hatte, dann liegt der Schluß nahe, daß wir hier das Grab eines Kindes vor uns haben müßten, das aufgrund einer körperlichen Fehlentwicklung oder Mißbildung diese besondere Behandlung im Bestattungsbrauch erfuhr. Daß es dann einen Großteil der Amulette auch schon im Leben getragen hat, ist durchaus wahrscheinlich, wie ja auch die Ringsätze durchweg Kindergröße aufweisen.

Zur Schädeltrepanation

Von solchen Befunden ist der Schritt nicht mehr weit zu der Frage, welche Rolle der Schädeltrepanation zukommt, die in etlichen Fällen nachgewiesen ist. Es wäre ein müßiges Unterfangen, dieses immer wieder aufgegriffene Thema hier *in extenso* abhandeln zu wollen. Wir dürfen uns darauf beschränken, die eisenzeitlichen Befunde Mitteleuropas aus gut beobachteten Gräbern daraufhin durchzusehen, ob ihnen nicht aufgrund der hier ausgebreiteten Zusammenhänge weiterführende Aussagen abgewonnen werden können, die bei einer rein anthropologischen Untersuchung naturgemäß zurückstehen müssen. Es handelt sich dabei um das Problem, ob sich Trepaneur und Patient im vorgeschichtlichen Europa von dem Eingriff mehr einen magischen als einen heilenden Erfolg erhofften.

Wir gehen dabei von unserer Beobachtung aus, daß sich geistige Anomalitäten als Grund für eine Sonderstellung des Individuums im Leben auch im Bestattungsbrauch niederschlagen können. Betrachten wir unter diesem Gesichtspunkt unsere Gräber, so finden wir sechs Fälle, die sich durch Beigaben oder Bestattungsbrauch als Sonderbestattungen ausweisen:

Vícemilice (165) Grab 3/1937: verheilte Trepanation. Mann, mit zwei fremden Backenzähnen und einer Eisenfibel auf dem Bauch.

Dvory (168) Grab 18: doppelte postmortale Trepanation. Maturer Mann; Skelett (sekundär?) disloziert oder als Hocker bestattet, wohl beigabenlos.

Guntramsdorf (180) Grab 1: verheilte Trepanation. Mann, in Sonderfriedhof(?).

Guntramsdorf (180) Grab 2: verheilte Trepanation. Krieger in Hockerlage, in Sonderfriedhof(?).

Klein-Reinprechtsdorf (181) Grab 4: Trepanation „nicht lange überlebt". Frau, etwa 20 Jahre; Füße übereinandergelegt, linker Unterarm zum Kopf gebogen.

Wegen des widersprüchlichen Berichts ist das sechste Grab nicht voll zu verwerten:

Červené Pečky (147): Trepanation ohne nähere Angaben. Krieger; Zusammenhang mit Muschelbeigabe unsicher.

Demgegenüber kann bei vier Gräbern keine signifikante Besonderheit festgestellt werden:

Münsingen (2) Grab 16: nicht verheilte[283] Trepanation. Waffenloser Mann, über 20 Jahre.
Münsingen (2) Grab 152: nicht verheilte Trepanation. Waffenloser Mann, 20–40 Jahre.
Dvory (168) Grab 24: doppelte verheilte Trepanation. Waffenloser Mann (matur) in einer ärmlichen Grabgruppe.
Hurbanovo (170) „Bacherov majer" Grab 6: verheilte Trepanation. Mature Frau mit guter Ausstattung.

Über Dürrnberg Grab 103, aus dem ein Schädeldachfragment mit einer Trepanation stammt[284], kann wegen der völligen Zerstörung des Hügels keine Aussage gemacht werden.

Diese Zusammenstellung[285] legt einige Folgerungen nahe. Bei den uns inzwischen bekannten möglichen Ursachen für Sonderbestattungen hieße es den Zufall überstrapazieren, wollte man ihm allein fünf oder gar sechs Gräber, wo eine abweichende Bestattungssitte mit Schädeltrepanation kombiniert ist, zuschreiben. Die Trepanation muß also in einem ziemlich direkten Zusammenhang mit der Sonderstellung des jeweiligen Individuums gestanden haben. Da mit dem Eingriff am Schädel neben einer reparativen Absicht, wie etwa bei Hurbanovo (nach einer vorhergehenden Schädelverletzung?), aber auch eine kurative im Sinne einer Behandlung von Störungen der seelischen Sphäre, wie vielleicht bei Dvory Grab 24, zu vermuten ist, könnte die Art der Bestattung als Indikator für den erzielten Heilerfolg dienen.

Ob dann aber die Behandlung bei den Individuen der zweiten Gruppe langfristig erfolgreich gewesen ist, scheint angesichts der beiden nicht verheilten Trepanationen von Münsingen zweifelhaft. Hingegen könnten die Sonderbestattungen der ersten Gruppe andeuten, daß diesen Personen durch den Eingriff nicht geholfen werden konnte. Denkbar wäre allenfalls eine dritte Möglichkeit, daß nämlich die Trepanation, wie es ja bei Naturvölkern bezeugt ist, aus magischen Gründen auch an völlig gesunden Menschen vorgenommen wurde, wobei der Eingriff und die Sonderbestattung nicht einander bedingen, sondern nur auf dieselbe Ursache (sozialpsychischer Art?) zurückgehen können. Dies scheint auf Dvory Grab 18 mit seiner postmortalen Trepanation zuzutreffen, die offenbar auf die Gewinnung von Schädelrondellen abzielte[286]. Aber auch bei der Trepanation *intra vitam* ist dieser Zusammenhang nicht auszuschließen. Es wäre gewiß lohnend, diese Aspekte auch in anderen Perioden zu verfolgen. Immerhin scheint sich aus unseren Beobachtungen doch die Folgerung abzuzeichnen, daß die Trepanation als kurative Maßnahme bei tatsächlich vorliegenden Leiden, deren Ursprung im Kopf gesucht wurde, durchaus nicht selten geübt wurde, wenn sie auch offenbar bei einem beträchtlichen Teil der Fälle nicht zu einem Heilerfolg führte. Diese letzteren finden wir dann wohl in einigen der Sonderbestattungen wieder.

Mit diesen drei Kategorien (Schädelverletzung, Schädelpathologie und Trepanation) haben wir unsere derzeitigen Möglichkeiten erschöpft, aus dem anthropologischen Material mit Hilfe der

---

[283] Die medizinische Begutachtung der Schädel aus Münsingen bei O. Tschumi 1941, 49f.
[284] O. Klose 1932, 51f. Abb. 5; F. Moosleitner – L. Pauli – E. Penninger 1974, 69f.
[285] Nicht auswertbar ist das eine Grab mit trepa-

niertem Schädel von Couchey (Côte-d'Or). Nach der auffallenden Verschiedenheit der Schädel ist eine Gleichzeitigkeit mit dem darüber liegenden Latèneskelett nicht gesichert (Dr. Jourdin 1908).
[286] Vgl. Anm. 122.

Pathologie Rückschlüsse auf die Ursache der Sonderstellung einzelner Individuen zu ziehen. Die geringe Anzahl der Fälle beleuchtet die Schwierigkeiten einer solchen Korrelation, gibt aber andererseits zu der Hoffnung Anlaß, daß bei besseren Erhaltungs- und Grabungsbedingungen ihr Anteil noch wachsen müßte. Die Frage, wie hoch der Prozentsatz der gewaltsam Gestorbenen und der Geisteskranken an den archäologisch faßbaren Sonderbestattungen tatsächlich zu veranschlagen ist, ohne daß er auf eine andere Weise als durch ethnographische Parallelen oder Vermutungen über die vorgeschichtlichen Lebensumstände begründet werden könnte, ist allerdings nicht zu beantworten.

Tod im Kindbett

War die Kindbettsterblichkeit der Frauen in vorgeschichtlicher Zeit so hoch, wie sie nach den Verhältnissen der mitteleuropäischen Neuzeit zu vermuten ist, dann ist zu erwarten, daß sie sich auch im archäologischen Material zu erkennen geben würde. Man hat zwar bei der Interpretation vorgeschichtlicher Sterbekurven immer darauf hingewiesen, daß das oftmalige Überwiegen jung verstorbener Frauen (im Vergleich zu den Männern) damit zusammenhängen müßte[287], aber ein archäologischer Nachweis dieser Personengruppe fehlt bisher.

Dafür kämen, sehen wir zunächst einmal von der Amulettbeigabe ab, die Frauen unter den Sonderbestattungen in Frage. Ihr Anteil übersteigt aber keinesfalls den der Männer, ist eher noch geringer, so daß der Schlimme Tod mit der Konsequenz der Sonderbestattung auf beide Geschlechter gleichmäßig verteilt zu sein scheint. Selbst wenn man konzedieren würde, daß infolge ihrer Lebensumstände mehr Männer als Frauen eines gewaltsamen Todes gestorben sein könnten, könnte doch bei der geringen absoluten Anzahl der Sonderbestattungen als Ausgleich die Sterblichkeit im Kindbett nur überraschend gering gewesen sein, zumal man an den großen Gräberfeldern die Korrelationen überprüfen kann. Allerdings muß man nach den ethnographischen Parallelen auch damit rechnen, daß Wöchnerinnen auf eine Art und Weise bestattet wurden, die sie einem direkten archäologischen Nachweis überhaupt entzieht: Aussetzung, Verscharren in Siedlungsgruben, Versenken in Gewässer usw. Nachdem solche Praktiken bei Kindern, gerade weil ihre Unterrepräsentierung in Gräberfeldern oftmals gar zu augenfällig ist, inzwischen als durchaus denkbar anerkannt zu sein scheinen[288] und entsprechende Bestattungssitten in der süddeutschen Spätlatènezeit sogar generell vorausgesetzt werden müssen, weil einfach keine Gräberfelder zu den bekannten Siedlungen gefunden werden, besteht kein Anlaß, diese Möglichkeit in der von uns bearbeiteten Periode für Wöchnerinnen oder auch andere Personengruppen grundsätzlich in Zweifel zu ziehen.

Nichtsdestoweniger gibt es im westlichen Mitteleuropa eine kleine Gruppe von Frauen, die durch eine so charakteristische Beigabe gekennzeichnet sind, daß sie in diesem Zusammenhang eine nähere Betrachtung verdienen. Alle diese Frauen hatten in der Beckengegend, meist fast in Höhe der Oberschenkelköpfe, einen größeren, durchlochten Gegenstand liegen, dessen Material und Beschaffenheit eine Funktion als Schmuck oder Trachtzubehör ausschließen dürfte.

Andelfingen (3) Grab 19: Frau mit Ringschmuck; mitten im Becken ein zweiteiliger Bronzeblechhohlring (Dm. 3,8 cm; W. 1,4 cm).

---

[287] I. Schwidetzky 1965, 239; N. Creel 1966, 81f.; R. Hachmann 1970, 332ff. 340.

[288] Ausführlich dazu A. Häusler 1968, 4ff.

Esslingen (11) Grab 1: sehr reich ausgestattete Frau (20–25 Jahre) mit vielen Amuletten *(Abb. 13, 1–7)*; im Becken ein natürlich durchlochter, schwarzer Hornstein (Dm. 5,2×4,2 cm).

Bargen (19) Hügel E, Grab 6: Skelett völlig vergangen, dabei ein Latène-Gürtelhaken und ein Armring (wohl rechts); im Beckenbereich ein Tonring (Dm. 5,7 cm; W. 2,3 cm).

Bürstadt, Kr. Bergstraße, Hügel 7, Bestattung 1[289]: antik gestörtes Grab mit einem „wohl männlichen, am ehesten adulten" Skelett, dabei nur drei Eisenfragmente und Scherben eines Tongefäßes; innen an der Mitte des rechten Oberschenkels ein Tonring (Dm. 5,6 cm; W. 1,9 cm).

Heidolsheim (80): Skelett in Rückenlage mit nach oben seitwärts angezogenen Knien, nur ein Armring; unter den Kniekehlen ein dicker Bronzering (Dm. 7,5 cm; W. 3,5 cm).

Dannstadt (84) Hügel 133: Sarg mit Hirschgeweih belegt; darin eine Frau mit Ringschmuck; im Becken ein dicker Tonring (Dm. 7,5 cm; W. bis 3,4 cm).

Villeneuve-Renneville (123) Grab 39: normal ausgestattete Frau (40–50 Jahre) mit zwei Eisenfragmenten (Amulettcharakter fraglich) am Kopf; im Becken ein dünnwandiger Tonzylinder (L. 5,1 cm; Dm. 5,0 cm).

La Veuve (Marne)[290]: Im Becken einer nicht näher beschriebenen Frau lag ein dicker Tonring (Dm. 7,5 cm; W. 3,5 cm).

Möglicherweise sind noch zwei andere Gräber anzuschließen:

Uhlwiller (79) Hügel 4, Grab 1: normal ausgestattete Frau mit Amuletten am Hals; „dans les environs de la ceinture" ein dreifach durchlochter Kalkstein.

Söllingen (50): ein durchlochter Stein „hart neben dem Armschmuck".

In allen bestimmbaren Gräbern sind nach den Schmuckkombinationen Frauen bestattet, was demnach auch für Bargen und Heidolsheim vermutet werden darf. Die anthropologische Bestimmung für Bürstadt steht dem entgegen, doch war der Schädel sehr schlecht erhalten; sie ist somit nicht absolut gesichert. Kinder befinden sich unter diesen Gräbern nicht. Sind schon die jeweils aufgefundenen Gegenstände im Becken mehr als auffällig, so wird die Besonderheit dieser Bestattungen noch dadurch unterstrichen, daß in Esslingen daneben reicher Amulettschmuck auftritt und in Dannstadt und Heidolsheim die Art der Bestattung absolut ungewöhnlich ist. Außerdem war das Grab von Bürstadt als einziges in diesem Gräberfeld antik gestört.

E. Schmit hat in der Veröffentlichung des Befundes von La Veuve die Vermutung ausgesprochen, es könne sich bei dem Tonring um ein Pessar handeln. Diese Deutung nahmen die Autoren der Publikation über Villeneuve-Renneville wieder auf[291], obwohl gerade bei dem dort gefundenen Tonzylinder diese Zweckbestimmung so abwegig erscheinen muß, daß wir uns eine Diskussion ersparen können. Der natürlich durchlochte Stein von Esslingen, eine Form, die häufig als Amulett vorkommt, gibt uns erst recht Grund zur Folgerung, daß solche Gegenstände an dieser Körperstelle im Leben der Frauen mit großer Sicherheit keine reale Funktion gehabt haben können[292]. Nichtsdestoweniger weisen ihre eindeutige Lage im Grab und ihr gemeinsames Merkmal, das Loch, darauf hin, daß sie wohl nur in Verbindung mit der Eigenschaft der Frau als Mutter zu sehen sind. Hat man diese durchlochten Gegenstände aber erst in das Grab hineingelegt, dann könnte man daraus folgern, daß diese Beigabensitte irgendwie mit dem Tode dieser Frauen zusammenhängt oder aber einen bestimmten Status der Frau symbolisieren soll, dessen Manifestierung im Grabbrauch für wichtig erachtet wurde.

Hier kann uns das Grab von Esslingen (11) einen Schritt weiterhelfen. Es liegt noch am Rande jener Region Nordwürttembergs, für welche die oben (S. 152ff.) erläuterte Trachtdifferenzierung

---

[289] M. Rech – P. Prüssing 1973, 101 Abb. 3g; 106 Abb. 7, 8–13; 107; 120.

[290] E. Schmit 1926.

[291] A. Brisson – P. Roualet – J.-J. Hatt 1972, 22.

[292] Der Hohlring im Becken der Frau von Andel-

fingen könnte zwar immerhin zum Gürtel gehört haben, doch widersprechen dem die oben angeführten Bemerkungen zur Rolle dieser und ähnlicher Hohlringe in Frauen- und Kindergräbern. Vgl. S. 125 f. mit Anm. 140.

zwischen verheirateten und unverheirateten Frauen erarbeitet werden konnte. Nach diesen Kriterien wäre die in diesem Grab bestattete Frau wegen ihres Schulterfibelpaares, das in etwas verrutschter Lage aufgefunden wurde, zu den Verheirateten zu zählen. Sie wäre aber unter ihnen die bisher einzige, die auch mit Amuletten ausgestattet worden ist. Bringen wir alle diese Beobachtungen zusammen, bietet sich am ehesten die Erklärung an, daß die junge Frau von Esslingen bei der Geburt oder im Kindbett gestorben ist. Man ist versucht, mit dieser Interpretation auch die ungewöhnliche Lage des Skeletts von Heidolsheim (80) in Verbindung zu bringen, bei dem der Tonring sekundär etwas verrutscht sein kann. Schließlich unterstreicht auch das Grab von Dannstadt (84) mit dem mit Hirschgeweih belegten Sarg, zu dem mir keine Parallele bekannt ist, daß es mit der Toten eine ganz besondere Bewandtnis haben muß.

So eindrucksvoll die Übereinstimmung in Symbolik und Ritus, ja sogar in den Ringgrößen über einen doch recht großen Raum ist, so entschieden ist darauf hinzuweisen, daß wir mit diesen acht oder zehn Beispielen auf keinen Fall alle theoretisch in unserem Material enthaltenen Frauen, die im Wochenbett gestorben sind, erfaßt haben können. Warum gerade bei diesen wenigen Frauen ein besonderer Ritus geübt wurde – und die Übereinstimmungen schließen einen Zufall aus –, muß uns vorerst verborgen bleiben. Auch wenn wir annähmen, diese Gegenstände sollten nicht den Tod im Wochenbett, sondern die Unfruchtbarkeit symbolisieren, wäre ein einigermaßen sicherer Nachweis dieser Sitte durch andere Indizien aufgrund der isolierten Vorkommen kaum möglich, zumal die gut analysierbaren Komplexe wie Münsingen (2) oder Hirschlanden (15) – Asperg (9) – Mühlacker (16) keine derartigen Befunde lieferten[293].

Etwas eindeutiger dürfte der Fall bei Singen (47) Grab 53/6 liegen. Die für Hallstatt D in Südwestdeutschland sehr ungewöhnliche Brandbestattung der Frau mit dem Korallenschmuck in Grube 4 deutet in Verbindung mit dem Embryograb mit den vielen Amuletten in Grube 1 auf eine Doppelbestattung von Frau und Kind hin, wobei der genaue Zeitpunkt des Todes der Frau (vor oder bei der Geburt) von der exakten Bestimmung des Embryos abhinge.

Da die Paläodemographie den Schwerpunkt der Sterbehäufigkeit der Frauen in jungen Jahren vor allem mit der Kindbettsterblichkeit in Verbindung bringt, müßten wir in Gräberfeldern mit entsprechender Sterbekurve mindestens einige weibliche Individuen identifizieren können, die sich als verstorbene Wöchnerinnen interpretieren ließen. Es wurde schon dargelegt, daß die auffälligsten Befunde, also abweichende Skelettlage, Beigabe von durchlochten Gegenständen im Becken o. ä., rein numerisch nicht ausreichen, vor allem nicht in größeren, gut zu analysierenden Komplexen, um nur in ihnen diese Personengruppe sehen zu dürfen. In Münsingen (2) etwa käme dafür nur Grab 182 mit dem Skelett in Seitenlage und dem Beil in Frage: eines unter über 200 Gräbern, und dann noch eher ein Mann als eine Frau. Etwas höher ist der Anteil am Dürrnberg (1 B) mit etwa halb so viel verwertbaren Gräbern, aber mindestens drei auffälligen Frauenbestattungen: Gräber 24/2, 67 und 87.

So liegt die Frage nahe, ob nicht auch ein Teil der mit Amuletten ausgestatteten Frauen unter diese Kategorie fallen könnte, auch wenn sie nicht weiter durch besondere Bestattungsriten auffallen. Dann aber müßte man das Problem der Amulettbeigabe noch einmal unter einem anderen Gesichtspunkt angehen.

---

[293] Eine ähnliche Symbolik vertreten vielleicht Maßnahmen, die bei Unfruchtbarkeit von Frauen getroffen werden: Man zieht sterile Frauen durch gespalten gewachsene Bäume, durch runde Löcher in großen Steinen, durch die Sprossen einer Leiter (H. Ploß – B. Renz 1911, 5).

Amulette als Bannmittel gegen den Toten

Wir haben oben (S. 160ff.) betont, daß das Amulett seinen Träger vor Bösem bewahren soll. Es gibt auch genug Beispiele dafür, daß man Kinder regelrecht mit Amuletten behängt hat und auch schwangere Frauen (oder ihr ungeborenes Kind?) damit schützen wollte. Andererseits mußten wir feststellen, daß es eine Reihe von Fällen gibt, wo man sicher sein kann, daß Toten alle oder ein Teil der Amulette ins Grab mitgegeben worden waren, ohne daß sie nach ihrer Lage oder Beschaffenheit zur Tracht gehören könnten, in der die Toten bestattet waren. Am deutlichsten ist dies in jenen Gräbern, wo die Ausgräber aufgrund der Anhäufung von Amuletten an einer bestimmten Stelle im Grabraum ein eigenes Behältnis dafür postulierten (Reinheim [96], Blumenfeld [20]).

Halten wir uns nun vor Augen, daß besondere Bestattungsmaßnahmen bei den Wöchnerinnen von den primitiven Völkern deshalb vorgenommen wurden, um sich vor ihnen zu schützen: Könnte dann nicht ein Teil der Gegenstände, die wir pauschal als Amulette bezeichnen, deshalb ins Grab gekommen sein, weil sich die Hinterbliebenen selbst eine positive Wirkung davon versprachen? Man wollte in diesem Falle nicht der Toten etwas Gutes tun, ihr helfen, sich auch im Jenseits vor Bösem zu bewahren, sondern im Gegenteil sich selbst vor den möglichen Folgen dieses Schlimmen Todes schützen.

Ist diese unsere Interpretation richtig, müßte der Begriff des „Amuletts" um einen Aspekt erweitert werden, der berücksichtigt, daß Gegenstände, die üblicherweise als Abwehrmittel gegen allgemeine oder jedenfalls meist nicht auf Einzelpersonen zurückgehende Gefahren von konkreten Personen verwendet wurden, auch dazu herangezogen werden konnten, um die Allgemeinheit vor Gefahren, die von einer konkreten – hier verstorbenen – Person ausgehen konnten, zu schützen. Dann mochte es tatsächlich näher liegen, diese Abwehr- oder Bannmittel gleich der betreffenden gefährlichen Person mitzugeben. Da dieser Gedankengang bei den abweichenden Skelettlagen offen zutage tritt, scheint diese Begriffserweiterung statthaft zu sein, vor allem dann, wenn man das Amulett allgemein als „Gegenstand mit magischem Charakter" definiert.

Ein anschauliches Beispiel für eine solche Auffassung finden wir bei J. Frick in einem Bericht über Bräuche in Tsinghai[294]: „Unbarmherzig ist man gegen jüngere Frauen unter 30 Jahren, vor allem, wenn sie kein Kind hinterlassen. Sie sollen nach dem Tode teuflisch böse werden. Daher gehören zu ihrer armseligen Totenkleidung immer noch einige Bannmittel." Man gesteht ihnen nur ein sparsames und ehrloses Begräbnis zu und verweigert ihnen, wie den Krüppeln und Selbstmördern, einen Platz auf dem gemeinsamen Friedhof. „Das Grab der Wöchnerin hat eine besondere Form: es ist ein mao ch'i fen, ein abschüssiges Grab. Die Kopfstelle liegt bei weitem tiefer als das Fußende. Der Geomant muß bei solchen Gräbern immer auch besonders sorgfältig die Richtung bestimmen, damit jede Beleidigung der Sonne vermieden wird. Die Grabart kommt nur noch für die Bestattung unverheirateter Töchter in Frage, die zu Hause starben. Auch von ihnen nimmt das Volk an, daß sie sich nach dem Tode in äußerst gefährliche Dämonen verwandeln."

Mit dieser Hypothese, daß wir in einer Vielzahl der Fälle damit rechnen müssen, daß die Amulette als Bannmittel g e g e n den Toten in das Grab gelangten, sind einige Beobachtungen am archäologischen Material besser erklärbar. Dazu gehört etwa die Tatsache, daß in einem beträchtlichen Teil der Sonderbestattungen auch Amulette gefunden wurden, und zwar mehr, als es dem Anteil von Kindern oder jungen Frauen entsprechen würde, die man mit ihren auch im Leben getragenen Amuletten bestattet haben kann. Jetzt begreift man auch besser, warum die Gruppe der

---

[294] J. Frick 1955, 353. 356.

Gräber mit Amuletten und die der Gräber mit abweichenden Skelettlagen oder Riten sich so stark überschneiden. Beide Maßnahmen dienten oftmals demselben Zweck: dem Schutz der Lebenden vor den Gefährlichen Toten. Aus diesem Grunde haben wir schon oben (S. 163 f.) der Auffassung den Vorzug gegeben, daß der überreiche Amulettschmuck der gewaltsam verstorbenen Frau von Mörsingen (38), über dessen Lage im Grab nichts bekannt ist, nicht zur Tracht der lebenden Person gehört haben wird, sondern besser als nachträgliche Beigabe zu verstehen sei.

Hier dürfen wir an den Befund in dem Grabhügel beim Kleinaspergle (10) erinnern. Die große Grabkammer war fast völlig ausgeräumt, und zwar mit einer bemerkenswerten Sorgfalt und ohne Spuren im Profil, daher wahrscheinlich schon kurz nach der Bestattung während der Aufschüttung des Hügels. Was jedoch liegen geblieben war, trug fast alles Amulettcharakter und fand sich, bis auf die mehr verstreuten Bernsteinperlen, dicht beieinander, als ob diese Amulette wie in Reinheim (96) oder Blumenfeld (20) in einem Behälter deponiert gewesen wären. Man könnte nun einwenden, diese Gegenstände seien zu gering geschätzt oder auch zu klein gewesen, als daß man sich die Mühe gemacht hätte, sie bei der Beraubung mitzunehmen. U. Koch hat aber kürzlich darauf aufmerksam gemacht[295], daß in mehreren alamannischen Gräbern trotz intensiver Beraubung gerade nur die Brakteatenfibeln mit ihren religiösen Darstellungen zurückgelassen wurden, obwohl sie nach Lage der Dinge gewiß nicht übersehen worden waren. Mit Recht zieht sie daraus den Schluß[296]: „Das Verhalten der Grabräuber beweist, daß seit dem späten 7. Jahrhundert die Preßblechfibeln zugleich als christliches Amulett geachtet und gefürchtet und die darauf erscheinenden Motive als christliches Symbolgut verstanden wurden." Es sei daher die Vermutung ausgesprochen, daß auch im Hügel beim Kleinaspergle die Amulette nicht zufällig liegen geblieben sind, sondern den Grabräubern offenbar nicht recht geheuer waren. Schließlich sind Silexpfeilspitzen, große Glaswirtel und durchlochte Steine damals nicht so häufig gewesen, daß man bei der Vorliebe für Amulettschmuck im 5. Jahrhundert v. Chr. ohne weiteres darauf verzichtet hätte, sie mitzunehmen, wenn man ihnen in dieser Situation unbefangen gegenübergestanden wäre.

Als Bannmittel haben auch die Schwertteile zu gelten, die man in einigen auch sonst ungewöhnlichen Gräbern entdeckte (S. 122)[297]. Ob die Ringe mit Gußnähten bei Kindern, die ja wohl nicht im Leben getragen worden waren, als nachträgliche Ausstattung mit Schmuck (allerdings dann oft

---

[295] U. Koch 1973 und 1974.

[296] U. Koch 1973, 2. 6. – Man sollte unter diesem Aspekt noch einmal die von J. Werner 1962, 87 f. erwähnten Gräber des 6. Jahrhunderts n. Chr. zwischen Prag und Krainburg betrachten, in denen ganze Hirschgeweihstangen oder größere Teile davon gefunden wurden. J. Werner vermutete, es handele sich dabei um einen „rätselhaften Grabzauber" frühmittelalterlicher Grabräuber, weil diese Gräber fast immer gestört seien. Es lohnt sich jedoch, die Befunde genauer zusammenzustellen (Literatur bei J. Werner a.a.O.). Prag-Kobylisy Grab 5: Knochen verworfen, nur Gefäß und Hirschgeweih mitten im Grab; Poysdorf Grab 3: Kriegergrab, Geweihstange im ungestörten Fußbereich (zu dieser neuen Lokalisierung vgl. E. Beninger – H. Mitscha-Märheim 1966, 180 Anm. 4); Kiskőrös-Vágóhíd Grab 38: nach der Grubenlänge Grab eines Jugendlichen, auf dem Grubenboden nur ein Topf, Beraubungsspuren nicht sicher feststellbar, möglicherweise war das Grab nie mit einem Toten belegt worden; 0,5 m unter der Oberfläche fanden sich im Grabschacht ein Hirschschädel und ein Geweih, dazu Abschläge von Silex; Krainburg Grab 45/1904: Skelett gestört, einzige Beigabe Hirschgeweih; Krainburg Grab 171/1907: wohl ungestört, Hirschgeweih am Fußende. Angesichts dieser Befunde ist eine Verbindung mit Grabräubertum nicht mehr wahrscheinlich. Die Geweihstangen haben als regelrechte Beigabe zu gelten, deren Sinn allerdings eher im apotropäischen Bereich als in dem von Insignien herrscherlicher Macht (so noch immer E. Beninger – H. Mitscha-Märheim 1966, 172 für das Kriegergrab 3 von Poysdorf) zu suchen sein wird. Das würde dann auch erklären, warum sie in sonst ausgeraubten Gräbern liegenblieben.

[297] Bei den Mongolen besaß die eiserne Waffe, mit der jemand getötet wurde, eine schützende und zauberische Kraft, jedoch nicht für den Getöteten selbst, sondern für denjenigen, der dann die Waffe oder ein Stück von ihr als Amulett benutzte (W. Heissig 1959, 45; 1962, 73. 79).

als sonst nicht übliche Beinringe!), als Symbol für *mors immatura* oder als Bannmittel verstanden wurden, entzieht sich einer Klärung, weil sehr wohl möglich ist, daß alle drei Aspekte mit wechselnden Anteilen zusammenwirkten. Dasselbe gilt für die zerbrochenen Ringe, während bei den absichtlich verbogenen die Schmuckfunktion gewiß nicht mehr in Betracht zu ziehen ist.

Gänzlich ohne direkten Bezug zur bestatteten Person und nur mit dem Bestattungsritus zu verbinden sind jene Brandplätze in Grabhügeln, auf denen Steinbeile und andere auffällige Dinge gefunden wurden (S. 138). Hier wird die magische Kraft der Gegenstände nicht als Amulett, als Schutzmittel für eine Person, genutzt, sondern in kultische Praktiken eingebaut.

Eine andere Quellengattung gibt uns weiteren Aufschluß: die Opferhöhlen des süddeutschen Jura. Stellvertretend für viele, aber meist unzureichend veröffentlichte Höhlen[298] sei die Dietersberghöhle bei Egloffstein, Ldkr. Forchheim, angeführt[299]. Hier wurden in einem Schacht Skelettreste von etwa 35 Individuen gefunden, darunter auch von Neugeborenen und älteren Foeten[300]. Es sind anscheinend alle Altersklassen und auch beide Geschlechter einigermaßen gleichmäßig vertreten. Diese Personen können nur von oben in den Schacht hineingeworfen worden sein. Er war vorher mit einem kleinen, in einer Schale hinabgelassenen Feuerbrand rituell „gereinigt" worden und dürfte wohl von Hallstatt C bis nach Latène A in Benützung gewesen sein. Interessant ist nun, welche Gegenstände zwischen den Skelettresten gefunden wurden: ein Kinderarmring, sechs größere Arm- oder Beinringe (davon je zwei und drei offenbar zusammengehörig), zehn Haarringe aus Bronzeblech (wohl ebenfalls eine Garnitur), ein Gürtelhaken(?)fragment und ein Bronzeringchen, alles aus Bronze; eine eiserne Lanzenspitze mit umgebogener Spitze; 13 gelbopake Augenperlen, drei dunkelblaue Perlen und vier durchbohrte Gehäuse der „Kaurimuschel" cypraea moneta.

Während der Bronzeschmuck durchaus „zufällig" mit seinen Trägerinnen in die Höhle geraten sein kann, ist es schon bei der Lanzenspitze zweifelhaft, wenn auch ein Zusammenhang mit der nicht verheilten Stirnverletzung eines Schädels nicht zu erweisen ist. Daß dagegen die Perlen und Kaurimuscheln aus einem anderen Grund Verwendung fanden, liegt auf der Hand, wenn wir uns vergegenwärtigen, daß im ganzen Raum nördlich der Alpen bisher nur drei Kaurimuscheln aus Gräbern der hier behandelten Periode bekannt sind (S. 128). Augenperlen gibt es in Nordostbayern von gut 20 Fundplätzen[301], aber fast immer nur als Einzelstücke. Bei diesen Zahlenverhältnissen können wir getrost davon ausgehen, daß die Perlen und Kaurimuscheln nicht in die Höhle gerieten, weil sie zufällig bei den hinabgestürzten Frauen so beliebt waren und von ihnen getragen wurden, sondern daß sie von den Opfernden als wesentlicher Bestandteil der Zeremonien aufgefaßt und in die Tiefe geworfen wurden, was auch für die zahlreichen Tierreste zutrifft. Also haben wir wahrscheinlich hier Bannmittel vor uns, welche die Opfernden vor möglichen Racheakten der Seelen der Geopferten schützen sollten.

Wir können uns an dieser Stelle selbstverständlich nicht mit dem Problem beschäftigen, wer hier wen und warum geopfert hat[302], was trotz der relativ genauen Aufbereitung des Materials zu weitschweifigen Spekulationen führen müßte, sondern begnügen uns mit der Feststellung, daß die Verwendung von Augenperlen und Kaurimuscheln mit unbestreitbarem und unübersehbarem Symbolgehalt bei Menschenopfern ihre Rolle als Bannmittel in Gräbern bestätigen kann. Allerdings läßt sich die Frage nicht befriedigend diskutieren, ob unter den Geopferten auch Vertreter

---

[298] Zahlreiche Literaturhinweise bei O. Kunkel 1955, 115 ff. und R. A. Maier 1965.
[299] J. R. Erl 1953.
[300] F. Stöcker 1939.
[301] W. Kersten 1933, 138.
[302] Vgl. O. Kunkel 1955, 131.

jener Personengruppen waren, die wir unter die Gefährlichen Toten gerechnet haben. Wäre dies der Fall, könnten Perlen und Kaurimuscheln sich beispielsweise nur auf einzelne Individuen bezogen haben und nicht auf die Zeremonie ganz allgemein. Die Tatsache, daß die Perlen im wesentlichen in zwei Gruppen beieinander lagen, hilft auch nicht weiter, weil wir nicht wissen, wie viele Personen jeweils in welchen zeitlichen Abständen während der Frühlatènezeit in den Schacht gestürzt wurden.

Abweichende Skelettlage als Bannmittel

Der immer deutlicher werdende Aspekt einer Furcht vor bestimmten Toten erlaubt es auch, gewissen Einzelheiten von Bestattungsbräuchen gerecht zu werden, die vor allem in der neueren Literatur nur wenig Beachtung fanden.

Wenn man einen Toten aufgrund der Umstände seines Lebens oder seines Todes als gefährlich einstufte, lag es nahe, dem gleich bei der Bestattung Rechnung zu tragen. Da sich die Gefährlichkeit eines Toten vorzugsweise darin zeigt, daß er als Geist in die Welt der Lebenden zurückkehrt und die Hinterbliebenen behelligt, müssen die entsprechenden Maßnahmen darauf abzielen, seine Wiederkehr zu verhindern[303]. Direkt am archäologischen Material erkennbar sind folgende Möglichkeiten, die wir anschließend einzeln noch etwas erläutern wollen: Hockerlage, Bauchlage, Verlagerung von Skeletteilen, Teilverbrennung, Beschweren mit großen Felsblöcken; andere Orientierung oder Randlage von Gräbern und ganze Sonderfriedhöfe.

Als zusammenfassender Begriff bietet sich jener der „Sonderbestattung" an, den wir von I. Schwidetzky übernehmen, aber so allgemein definieren, daß er nicht nur Phänomene umfaßt, die unter paläodemographischen Gesichtspunkten zur Nichtauffindbarkeit von Gräbern bestimmter Personengruppen führen können, sondern auf alle Gräber angewendet werden kann, die sich im Bestattungsritus von der jeweiligen Norm unterscheiden. Selbstverständlich ist es wünschenswert, daß dann jeweils die Gründe für die Sonderbehandlung bestimmter Individuen herausgefunden werden, um nicht im rein deskriptiven Aspekt dieses Begriffs steckenzubleiben.

Über die Hockerbestattung und ihren Sinn gibt es eine reiche Literatur, die zu referieren den Rahmen dieser Arbeit sprengen würde. Für die Interpretation der eisenzeitlichen Hockerbestattungen genügt es, einige wesentliche Punkte herauszustellen. R. Andrée hat anhand eines umfangreichen ethnologischen Materials die These verfochten[304], daß der Grundgedanke der Hockerbestattung die Furcht vor dem Toten sei, die dazu führe, daß man ihn fesselt, zusammenschnürt, manchmal sogar nachdem man ihm das Rückgrat oder einzelne Glieder gebrochen hat. Die zahlreichen Aussagen der diese Sitte übenden Stämme sind dazu eindeutig genug, während für die sonst noch vorgebrachten Deutungen, nämlich Schlaf- oder Embryostellung, kaum Belege angeführt werden können.

Es scheint dieser These zu entsprechen, wenn auch die frühesten prähistorischen Kulturen überwiegend diese Bestattungsform annahmen. J. v. Trauwitz-Hellwig unterschied im Neolithikum und in der Frühbronzezeit anhand der Lage der Skelette und auch des Grabbaues eine „Totenverehrungskultur" und eine „Totenabwehrkultur", die sich im Laufe der Zeit immer mehr vermischt hätten[305]. Da bisher eine diachronische Darstellung der Bestattungssitten des vorgeschicht-

[303] L. Franz 1928, 169ff.   [305] J. v. Trauwitz-Hellwig 1935.
[304] R. Andrée 1907.

lichen Europa fehlt, die naturgemäß auf sorgfältigen Einzeluntersuchungen basieren müßte, sind Zusammenspiel und Widerstreit dieser beiden Haltungen gegenüber dem Toten nur zu erahnen, zumal die Leichenverbrennung[306] die Probleme noch komplizierter macht.

Wenn man also, und wir möchten uns dem anschließen, die Hockerstellung als Bestattungsform betrachtet, die prinzipiell durch die Furcht vor dem Toten bestimmt ist, entsteht dann nicht ein eklatanter Widerspruch zu der oben mitgeteilten Beobachtung, daß in Indonesien öfters gerade die gefährlichen Toten gestreckt bestattet wurden, obwohl die Hockerstellung die Norm war? Schon Andrée kannte einen solchen Fall bei vom Blitz Getöteten aus dem Kongogebiet[307] und versuchte, ihn aus den Stammesmythen zu erklären: Danach sei der Blitz eine in den Wolken lebende Katze, die den Menschen verschlungen habe. Dessen Geist könne daher ohnehin nicht mehr zurückkehren, weswegen man ihn nicht mehr als gefesselten Hocker begraben müsse. Eine ähnliche Erklärung versagt aber bei einem Großteil unserer Beispiele aus Indonesien, zumal die angeführte Deutung offenbar von Andrée und nicht von dem Negerstamm selbst angeboten wird[308].

Man muß wohl eher damit rechnen, daß hier die „Umkehrung eines ursprünglichen Prinzips"[309] vorliegt. Wir haben gesehen, daß für Gefährliche Tote das Charakteristikum der abweichende Bestattungsbrauch ist. Oftmals besteht der Gegensatz im Verbrennen – Bestatten, und zwar durchaus nach beiden Richtungen hin[310], oder im Geregelt Bestatten – Aussetzen. So ist es durchaus vorstellbar, daß bei diesen gestreckt Bestatteten der Aspekt der „abweichenden Bestattung" so stark ist, daß er die ursprüngliche und vielleicht nur noch schwach vorhandene Vorstellung von der Notwendigkeit der Fesselung des Toten aus Angst vor Wiederkehr überdeckt (vgl. dazu unten S. 192)[311].

Aus diesem Grunde ist es auch schwierig, die beiden Aspekte bei den eisenzeitlichen Hockern exakt zu trennen. Leider liegen viel zu wenig genaue Grabskizzen vor, als daß man etwa am Grad der Abwinkelung der Beine entscheiden könnte, ob der Tote tatsächlich gefesselt oder regelrecht verschnürt worden war. Die Variationsbreite der Skelette reicht von der extremen Hockerlage im Grab von Otzing (140; *Abb. 19*) bis zu jenen von Sulejovice (157; *Abb. 20,1*) oder Dürrnberg (1 B) Grab 87/1, die auf der Seite liegen und die Beine nur leicht angewinkelt haben[312]. Ein Unterschied in den Beigaben oder sonstigen Merkmalen zeichnet sich dabei bisher aber nicht ab.

Noch eindeutiger sind die Verhältnisse bei der B a u c h l a g e der Toten. Die Vielzahl der ethnographischen und volkskundlichen Parallelen[313] läßt keinen Zweifel daran, daß hinter dem Brauch „der volksläufige Glaube an das Begräbnis in Bauchlage als letztmögliche Bestrafung und endgültige Entmachtung eines gefährlichen Toten" steckt[314]. Die oben angeführten 19 Beispiele unseres Arbeitsgebietes bieten aus sich selbst heraus keine direkten Anhaltspunkte für diesen Tatbestand, wenn auch Hallstatt (187) Grab 114 (ohne Schädel und mit Amuletten) die Sonderstellung

---

[306] Ausführlich U. Schlenther 1960.

[307] R. Andrée 1907, 297.

[308] Außerdem erwähnt R. Andrée 1907, 291. 297 selbst solche Abweichungen auch bei auswärtig Verstorbenen oder Unverheirateten.

[309] A. Häusler 1966, 52.

[310] I. Schwidetzky 1965, passim.

[311] Wie dieser Mechanismus funktioniert, sei an einem anderen Beispiel erläutert (E. E. Jensen 1936, 584): „In der Kulturgeschichte treten außerordentlich oft solche Verschiebungen einer Bedeutung ins scheinbare Gegenteil ein. Ist erst einmal der Unterschied zwischen rechts und links in gedanklichen Zusammenhang gesetzt mit dem männlichen und weiblichen

Geschlecht, so wird man bei vielen Völkern die rechte Seite als die männliche, die linke aber als die weibliche und bei vielen anderen das genau Umgekehrte bezeichnet finden."

[312] Gerade beim Gräberfeld von Hallstatt reichen in vielen Fällen die Beschreibungen für eine genauere Beurteilung nicht aus.

[313] J. Banner 1927, 104f.; G. Wilke 1931 und – etwas ausführlicher – 1933; J. G. Frazer 1934, 102; J. v. Trauwitz-Hellwig 1935, 95; N. Kyll 1964.

[314] N. Kyll 1964, 183. G. Wilke 1931 und 1933 sieht in ihm vor allem eine Maßnahme gegen den bösen Blick, in zweiter Linie erst gegen Wiedergängertum.

eines solchen Individuums überdeutlich macht. Es sei deshalb auf zwei Befunde aus anderen Perioden hingewiesen, die eine solche Interpretation bestätigen können.

Im Gräberfeld des 1.–3. Jahrhunderts n. Chr. von Caudebec-lès-Elbeuf (Seine-Maritime)[315] wurden mehrere Skelette in Bauchlage gefunden. Darunter war auch ein Doppelgrab; zuunterst ein Mann, darüber in einem eigenen Sarg eine schwangere Frau, beide beigabenlos. Aus dem Gräberfeld der südrussischen Ockergrabkultur von Akhermén I sind zwei Hockergräber mit Bauchlage bekannt[316]. Bei dem einen handelt es sich um einen Mann mit einem Kind, bei dem anderen ohne Zweifel um einen im Kampf getöteten Mann, wie die Schädelverletzung und die Pfeilspitze im Brustkorb beweisen.

Wenn normalerweise die Hockerbestattung als abweichender Ritus und die Bauchlage als stärkeres Mittel ausreichten, um einen gefährlichen Toten zu bannen, so dürfte die Manipulation am Skelett erst recht in diesen Zusammenhang gehören[317]. Möglicherweise wurden deren Wirkungen noch höher eingeschätzt, wenn man die Häufigkeit des Vorkommens als Maßstab nimmt. Der Grundgedanke dürfte gewesen sein, den Toten durch Entfernen oder Verlagern einzelner Gliedmaßen oder des Kopfes[318] an seiner Wiederkehr zu hindern. Warum in einzelnen Gemeinschaften diese Praktiken so häufig geübt wurden, wie etwa am Dürrnberg (1 B) und vor allem in Singen (47), läßt sich nicht endgültig beantworten.

Eine besondere Form dieses Ritus stellt wohl die Teilverbrennung von Leichen dar, wie sie mehrmals in Beilngries (132) und Hallstatt (187) beobachtet, aber auch in Dürrnberg (1 B) Grab 80/2 prinzipiell geübt wurde.

Solche Bestattungsformen setzen voraus, daß der Tote lange genug aufgebahrt wurde, bis er so weit verwest war, daß man einzelne Gliedmaßen aus dem Verband entfernen konnte. Schnittspuren wurden selbst in Singen (47) nur gelegentlich entdeckt, was allerdings auch sehr schwer sein dürfte und deshalb diese Möglichkeit nicht ganz ausschließt. Da wir genug Beispiele für längere Aufbahrung von Toten unter den Naturvölkern kennen, besteht kein Anlaß, ähnliches für die europäische Vorzeit grundsätzlich in Zweifel zu ziehen.

Im Gegenteil, es gibt sogar einige positive Indizien dafür. So berichtet etwa H. Reinerth von einem Hallstattgrab bei Kappel, Kr. Saulgau[319]: „Gewebeteile waren besonders am Gürtel erhalten; hier zeigten sich in reicher Zahl auch Larven der Schmeißfliege, die darauf schließen lassen, daß die Leiche vor der Bestattung längere Zeit offen lag." Wichtig sind auch die Beobachtungen von A. Stroh bei Grabhügelkonstruktionen im Gräberfeld von Fischbach, Ldkr. Burglengenfeld[320]. In einem Hügel wurde unter der mit Steinen umschichteten Kammer die Standspur einer fast ebenso großen, aber leicht anders orientierten Hütte gefunden, für die die „Deutung als einer vorläufigen Behelfshütte für den Toten" vorgeschlagen wird, „die die Zeitspanne bis zur Errichtung von Kammer und Hügel überbrückte … Als Hinweis auf die Dauer der Zwischenlösung könnte man die unterschiedliche Orientierung beider Anlagen auffassen. Bezieht man die Ausrichtung von Behelfshütte und endgültiger Kammer auf den Sonnenaufgang, so müßte mit etwa 6 Wochen gerechnet werden oder entsprechend wesentlich länger, falls noch eine Sonnenwende dazwischen gelegen hat".

Diese Beispiele zeigen, daß wir nicht nur bei hochgestellten Personen[321] mit einer längeren Aufbahrung rechnen müssen. Selbstverständlich war die Aufbahrung über einen so langen Zeitraum,

---

[315] M. Boüard 1966, 266 ff.; 1968, 369.
[316] A. Häusler 1974, 101.
[317] J. G. Frazer 1934, 53 ff.
[318] Eine Diskussion möglicher Motive bei W.

Klingbeil 1932, 18 ff.
[319] H. Reinerth 1929, 154.
[320] A. Stroh 1972, 131.
[321] M. Ebert 1920, 182; B. Heintze 1971, 148 ff.

daß die Verwesung schon weit fortschreiten konnte, wohl nicht die Regel, schon gar nicht in allen Gemeinschaften. Daß aber in Einzelfällen oder bei gewissen aufwendigen Grabkonstruktionen eine längere Zeit zwischen Tod und endgültiger Bestattung verstrichen sein kann, sollte man eigentlich nicht bezweifeln. Ob die Beobachtungen von K. Hörmann zum Problem einer Konservierung der Leiche durch „Leichendörrung"[322] wirklich schlüssig waren, wurde seitdem aus nicht recht einsichtigen Gründen leider nie mehr an anderem Material überprüft.

Die Kontroverse um die Erklärung der oftmals nicht im Verband gefundenen Skelette in den Langobardengräbern Niederösterreichs[323] zeigt, daß eine genaue Bestimmung des Zeitpunktes, wann das Skelett in seiner Lage verändert wurde, unter Umständen durch die Bodenverhältnisse manchmal gar nicht möglich ist. Man kann dann nicht unterscheiden, ob das Skelett schon in anomalem Zustand begraben oder erst nachträglich gestört wurde. Hingegen fällt es gegebenenfalls leichter, aufgrund der Beigaben eine alte Plünderung oder rezente Raubgrabung auszuschließen.

Mit dem Problem der gestörten Gräber hat sich J. Banner ebenfalls beschäftigt und durch volkskundliche Parallelen aufzuzeigen versucht, daß etliche Störungen offenbar auf nachträgliche Öffnung des Grabes und absichtliche Veränderungen des Skelettes zurückzuführen seien[324]. Die dahinterstehende Auffassung vom wiederkehrenden Toten, der mit unwillkommenen Geschehnissen in Verbindung gebracht wird, haben wir oben schon zitiert (S. 160).

Am eindeutigsten lassen sich solche Fälle in vorgeschichtlicher Zeit dann beurteilen, wenn schon aus gewissen Merkmalen des Grabes, die unabhängig von der Störung sind, auf die Sonderstellung des Individuums geschlossen werden kann. Für eine solche Beweisführung eignet sich am besten das Grab von Otzing (141), das wir wegen seiner Kombination von Glasperlen und Gürtel an ungewöhnlicher Stelle, extremer Hockerlage und nachträglicher Störung mit Entfernung des Oberkörpers und Schädels oben schon ausführlich besprochen haben (S. 86 f.). Im Grab von Burggrumbach (133) spricht die Auswahl der entfernten und höher deponierten Knochen ohne Zweifel für einen gezielten Eingriff. Auf Grab 24 von Nebringen (42) wurde ebenfalls schon hingewiesen, wo ein an einem Schwerthieb gestorbener Jugendlicher möglicherweise schon kurz nach der Bestattung gestört wurde. Ähnliches könnte sich beim Grab mit dem Tonring von Bürstadt (S. 169) abgespielt haben. Weniger eindeutig ist der Befund von Ilvesheim (S. 148). Dafür wird man bei den Gräbern mit Skeletten in Bauchlage von Bajč-Vlkanovo (166) Grab 58 und Veľká Maňa (173) Grab 18 wieder eher an einen rituellen Eingriff als an eine spätere Plünderung denken müssen.

Diese Gräber könnte man so interpretieren, daß man gewissen Personen, die, wie es in Otzing sicher ist, ohnehin als Gefährliche Tote galten, dennoch weitere böse Wirkungen zuschrieb und deshalb die schon getroffenen Vorsichtsmaßnahmen durch eine stärkere ergänzte, indem man Eingriffe an der Leiche selbst vornahm[325].

Andere Maßnahmen bei Gefährlichen Toten

Manchmal finden sich in Gräberfeldern einzelne Individuen, die mit abweichender Orientierung bestattet sind. In folgenden Fällen deuten weitere Indizien auf eine Sonderstellung:

[322] K. Hörmann 1930; vgl. auch B. Heintze 1971, 151.

[323] E. Beninger 1931; H. Preidel 1953; J. Werner 1962, 113; E. Beninger – H. Mitscha-Märheim 1966, 170; H. Adler 1970.

[324] J. Banner 1927, 105 ff.

[325] Vgl. auch R. Mohr 1961, 256 zur Zweistufenbestattung: „Die (zweite) Bestattung der vom Fleisch gereinigten Gebeine wird vielfach erst vorgenommen, wenn der Tote Krankheit oder Trockenheit schickt und dadurch anzeigt, daß er mit der ersten Bestattung nicht zufrieden ist."

Saint-Jean-sur-Tourbe (122) Grab 5 (sehr junge Frau mit Schädeldeformation und Amuletten); Beilngries (132) Im Grund-Ost Grab 19 (jugendlicher, wohl weiblicher Hocker, beigabenlos); Jenišův Újezd (150) Grab 26 (junge Frau, Hocker, beigabenlos); Hurbanovo (169) „Abadomb" Grab 7 (Kind); Hurbanovo (170) „Bacherov majer" Grab 9 (Frau mit Schädelverletzung und Amuletten).

Ob bei dem letzten Grab auch die Randlage intendiert ist, kann wegen des kleinen Ausschnittes aus dem Gräberfeld nicht schlüssig beurteilt werden. Eindeutiger ist dies der Fall in Brno-Maloměřice (162) Grab 66 (Hocker) und Grab 74 (Doppelgrab mit leichtem Hocker). Das durch die Grabkonstruktion auffällige Grab 13 in Andelfingen (3), dessen Datierung in die Latènezeit allerdings nur vermutet werden kann, ist von den übrigen Gräbern etwa 10 m abgesetzt. Im Gräberfeld von Ranis (127) liegen die Gräber mit Hockern und mit der Beigabe von Schnecken-häusern jeweils dicht beieinander, als ob sie eigene Bezirke gebildet hätten.

Von Guntramsdorf (180) sind offenbar nur Männer (z. T. als Hocker oder mit Trepanation) und Kinder bekannt. Das könnte auf die Existenz eines regelrechten Sonderfriedhofes für solche Tote hinweisen. Auch das kleine Gräberfeld von Brunn (179) repräsentiert mit seinen zahlreichen Sonderbestattungen nicht den geläufigen Typ. Die Verhältnisse bei den vier Gräbern von Stutt-gart-Bad Cannstatt (51) sind nicht definitiv zu beurteilen. Ungewöhnlich sind auch die vier Gräber von Hegnach (14), die in einem Kreisgraben angelegt worden waren, innerhalb dessen sich jedoch keine weiteren Grabanlagen fanden. Grab 1 enthielt nach dem Ring mit Gußzapfen am ehesten ein Kind; Grab 2 den erwähnten 12- bis 13jährigen Knaben in Hockerstellung. In Grab 3 und 4 waren wohl waffenlose Männer bestattet.

Interessant ist aber wiederum die Gräbergruppe von Großeibstadt[326], Ldkr. Königshofen, in der nur sechs Männer bestattet sind, die sich aber durch bestimmte Merkmale der Grabausstattung als eng zusammengehörig erweisen, wobei ein kultisch-religiöser Hintergrund zu vermuten ist. Eine genaue Durchsicht der Grabungsbefunde ergibt darüber hinaus die Merkwürdigkeit, daß von den fachmännisch ausgegrabenen Skeletten kein einziges in normaler Lage angetroffen wurde[327]. Stets fehlten irgendwelche Skeletteile, teils lagen sie in unterschiedlicher Höhe, teils waren sie „ver-schleppt". Die angeführten Erklärungsversuche dieses Befundes können nicht recht befriedigen. Man muß deshalb durchaus damit rechnen, daß mit der sozialen Sonderstellung dieser Männer auch eine besondere Behandlung nach dem Tode verbunden war, die ihren Ausdruck erstens in einem Sonderfriedhof und zweitens in der Art der Bestattung des Leichnams (oder des Skeletts?) fand.

Bei der Besprechung der Gräberfelder in der Slowakei wurde schon darauf hingewiesen, daß Brandgräber, wenn sie nur vereinzelt auftreten und nicht rein chronologische Gründe haben, oftmals Bestattungen von Kindern oder sonstwie durch auffällige Beigaben gekennzeichneten Per-sonen sind (S. 99). Die beiden eindringlichen Sonderfälle Dürrnberg (1 B) Grab 79 und Brno-Horní Herspice (160) Grab 4 mit ihrer Kombination von Sonderbestattung eines Mannes und Brandbestattung eines Kindes oder Jugendlichen sprechen für sich selbst; ebenso Singen (47) Grab 53/6: verbrannte Frau und Skelett eines Embryos mit vielen Amuletten. Auch Saint-Sulpice (6) Grab 26 bis, das einzige sichere Frühlatènebrandgrab der Westschweiz, wäre mit seinen Glasperlen vielleicht hier anzufügen. Dann aber ist umgekehrt zu fragen, ob nicht das Doppelgrab von Schafstädt[328], Kr. Merseburg, mit einem Mann und einem Kind in gegensätzlicher Orientierung das einzige Skelettgrab in einem Urnenfriedhof, eher auf eine Sonderbestattung in unserem Sinne als „auf fremdes Volkstum schließen läßt".

[326] G. Kossack 1970, 44 ff.   [328] R. Ortmann 1927.
[327] Ebd. 64. 70. 78. 87. 93 f.

Zu den Maßnahmen zur Bannung des Toten dürfte auch die Bedeckung mit einer Steinlage (in Flachgräbern) oder gar mit einer auffallend großen Steinplatte gehören. Am Dürrnberg (1 B) gibt es drei Gräber, wo ein solcher Zusammenhang vermutet werden kann: Grab 65 (junge Frau mit Amuletten), Grab 86/1 (Mann mit ungewöhnlicher Beinstellung) und Grab 81 (Dreifachbestattung, über die eine riesige Steinplatte teilweise hinüberreichte). Im abseits liegenden Grab 13 von Andelfingen (3) mit seiner Steinlage lag der größte Stein auf der Brust, ebenso im Doppelgrab 14/15 von Asperg (9) mit seinen zahlreichen Amuletten bei jungen Frauen (Skelett 15 wohl in ganz leichter Hockerlage). Diese Beispiele wären bei genauerer Durchsicht der Literatur gewiß noch zu vermehren[329]. Da aber andererseits die Signifikanz dieses Brauches nicht allzu groß zu sein scheint und mit allgemeinen Vorstellungen über die Rolle der Toten und die Anlage von Gräbern zusammenhängen kann, wollen wir uns mit diesen wenigen Hinweisen begnügen[330]. Erwähnenswert ist jedoch noch der lange Holzpfahl über dem dislozierten Skelett von Dürrnberg (1 B) Grab 79.

Beigabe von Schnecken

Die kleine, aber sehr charakteristische Gruppe der Gräber, in denen Schnecken angehäuft oder verstreut gefunden wurden (S. 138f.), scheint auf den ersten Blick einen Widerspruch zu unseren bisherigen Ergebnissen darzustellen, wenn wir die Bemerkung von L. Hansmann und L. Kriss-Rettenbeck berücksichtigen[331]: „Landschnecken, die sich reinigen, zu Dürre und Winterszeit mit Kalkdeckeln einschließen, wurden zu Frühlings- und Auferstehungssymbolen." Damit wären die Schnecken in unseren Gräbern trotz ihres eindeutigen Zusammenhangs mit Sonderbestattungen (zwei Hocker- und eine Schädelbestattung) und sonstigen Amuletten keine Bannmittel, sondern im Gegenteil Symbole, die das jenseitige Dasein des Toten freundlicher gestalten sollten, obwohl man doch gerade die Gefährlichen Toten im Grab festbannen will.

Aus den Überlieferungen des alten und neuen Volksglaubens geht jedoch hervor, daß auch die Schnecke vor allem in die Kategorie der allgemeinen Abwehrmittel gehört, wobei ihre Gestalt sie mit der Sphäre des weiblichen Geschlechts verbindet, wenn auch dieser Zusammenhang bei der Kaurimuschel noch offensichtlicher ist[332]. Möglicherweise wurden L. Hansmann und L. Kriss-Rettenbeck durch eine Verwendung von Schneckenhäusern bei der Maskierung für bestimmte Frühlingsbräuche auf diese Verbindung gebracht[333]. Allerdings wird bei den Ausführungen von L. Schmidt klar, daß eben gerade der Charakter der Schneckenhäuser als Abwehrmittel nach „Gestalt, Geräusch und Geltung" dafür verantwortlich ist. Er versucht darüber hinaus, die „Schneckenmaskierung" auch für vor- und frühgeschichtliche Perioden nachzuweisen. Wie weit dafür stein- und frühbronzezeitliche Grabfunde herangezogen werden dürfen, sei dahingestellt[334], weil in diesen Zeiten Schmuck aus mineralischen und tierischen Stoffen ohnehin üblich war. Immerhin wird man bei den beiden Gräbern von Gemeinlebarn[335] tatsächlich an besondere Kleidungsstücke denken müssen, die mit zahlreichen Schneckenhäusern besetzt waren. Außerdem fällt der Mann in Grab 215 wegen seiner ausgesprochenen Kleinwüchsigkeit (138,4 cm *in situ*) auf.

[329] Vgl. etwa Oberrimsingen, Ldkr. Freiburg: R. Gießler – G. Kraft 1942, 31f.

[330] So wäre etwa zu überprüfen, ob die Tatsache, daß im Flachgräberfeld von Brunn (179) alle Gräber eine kräftige Steinpackung aufwiesen, eine regionale Eigenheit darstellt oder tatsächlich auf den besonderen Charakter dieses Begräbnisplatzes zurückgeht; vgl.

R. Pittioni 1954, 718.
[331] L. Hansmann – L. Kriss-Rettenbeck 1966, 109.
[332] E. Schneeweis 1936; K. Meisen 1950, 151.
[333] L. Schmidt 1951.
[334] So auch R. A. Maier 1961, 6.
[335] J. Szombathy 1929, 25f. (Grab 109); 38f. (Grab 215)

Für unsere Befunde wird man jedoch eine andere Erklärung suchen müssen. Allenfalls für das Grab von Wilsingen (57) wäre nach der Lage der Schneckenhäuser an eine so verzierte Kopfbedeckung zu denken, in allen anderen Fällen ist es offensichtlich, daß die Schneckenhäuser an einer beliebigen Stelle im Grabraum oder sogar darüber (Hemishofen [61], Brunn [179] Grab 8) angehäuft oder über die Toten verstreut wurden, wenn sie nicht sogar direkt mit der Hügelkonstruktion in Verbindung stehen (Huttenheim [32] 1/1; Hermrigen [63]). Nach alledem können wir also die Schneckenhäuser in unseren Gräbern getrost ebenfalls unter die Bannmittel einreihen, zumal die so Bestatteten durch Skelettlage, Beigabenkombination und Sterbealter ohnehin ihren Sonderstatus erkennen lassen[336].

---

[336] Rätselhaft bleibt allerdings nach wie vor das Gräberfeld von Bern-Bümpliz (O. Tschumi 1940). Von seinen drei Latènegräbern enthielt ein Kindergrab auch einige Schnecken. Darüber hinaus fanden sich Schnecken aber auch in 29 von den fast 300 frühmittelalterlichen Gräbern (auch einige schon römisch?). Sie lagen meist in der Oberkörpergegend, aber auch direkt am Kopf (Grab 39); oftmals ist die genaue Lage leider nicht angegeben. Man kann so nicht sagen, ob sie tatsächlich immer als Kleider- oder Hutbesatz gedient haben, wie L. Schmidt 1951, 142 meint. Eine Bevorzugung bestimmter archäologisch erkennbarer Personengruppen ist nicht zu bemerken. Die Schnecken finden sich bei Kindern (Gräber 74, 78b, 106b), aber auch in Waffengräbern (Gräber 55, 65, 168), obgleich auffällt, daß viele der Gräber sehr ärmlich ausgestattet oder ganz beigabenlos sind. Auch Grab 210, in dem der Schädel auf dem Becken lag, das Gesicht nach oben, enthielt „vereinzelte Schnecken". So bleibt das Gräberfeld in dieser Hinsicht vorerst völlig isoliert; eine Interpretation des Befundes kommt über Spekulationen nicht hinaus.

ERGEBNIS UND AUSBLICK

ZUSAMMENFASSUNG DER INTERPRETATIONSMÖGLICHKEITEN

Im behandelten Zeitraum, also etwa 600 bis 200 v.Chr., muß aufgrund des häufigen Vorkommens von Amuletten in den Gräbern der Glaube an deren Wirksamkeit sehr verbreitet gewesen sein. Analogien aus vielen antiken und neuzeitlichen Kulturen lassen den Schluß zu, daß die Amulette mit ihrer beschützenden Kraft von den Menschen im täglichen Leben getragen wurden. Die Lage im Grab und gelegentlich deutliche Abnutzungsspuren lassen dasselbe auch für die Eisenzeit vermuten. Die Amulette dienten also dem Schutz der betreffenden Person gegen böse Einflüsse, sei es durch höhere Mächte, andere Personen oder Krankheiten.

Darüber hinaus gibt es aber Indizien dafür, daß die Amulette auch im Grabbrauch eine Rolle spielten. In diesen Fällen wurden sie als Bannmittel verwendet, dienten also dem Schutz der Hinterbliebenen, der Familie oder der ganzen Siedlungsgemeinschaft. Aus der nicht seltenen Kombination von Amuletten mit abweichenden Skelettlagen ergibt sich ferner, daß zwischen den beiden dadurch charakterisierten Personenkreisen ein enger Zusammenhang bestehen müsse.

Eine Umschau unter den Interpretationsangeboten der Nachbarwissenschaften hilft uns, diese Personenkreise näher zu umschreiben, zumal archäologische Indizien dafür beigebracht werden können, wenn auch, der spezifischen Quellenlage entsprechend, nur relativ wenige. Zwei Begriffe decken die damit verbundenen Vorstellungen ab: *mors immatura* und jener der Gefährlichen Toten. Letzterer läßt den Rückschluß auf den Glauben an eine mögliche Wiederkehr einzelner Toter zu, die man mit geeigneten Mitteln zu verhindern hatte. Diese Gefährlichen Toten werden wir vor allem in den Bestattungen mit abweichenden Skelettlagen zu erblicken haben.

Als *mors immatura* ist zunächst selbstverständlich der Tod von Kindern zu betrachten. Archäologische Analyse und kulturgeschichtliche Parallelen lassen vermuten, daß wenigstens in einzelnen Landstrichen auch die unverheirateten Frauen dazuzählten. Ein entsprechender Rückschluß auf eine analoge Wichtigkeit der Rolle, die die Eheschließung in diesen Gemeinschaften gespielt haben könnte, ist methodisch nicht abzusichern. Während die früh verstorbenen Kinder wohl überwiegend nicht als die Gemeinschaft bedrohend angesehen wurden, tritt bei den jungen und womöglich unverheirateten, vielleicht auch kinderlosen Frauen der Aspekt der Gefährlichkeit deutlicher zutage[337]. Nun wußte man damals natürlich um die Schutzbedürftigkeit der Kinder und

[337] Der Versuch von H. Zulliger 1924, „die Trauer- und Bestattungsgebräuche unter dem Gesichtswinkel der psychoanalytischen Erkenntnisse über den Ödipus-Komplex (zu) betrachten" (S. 225), führte zu dem durch die Masse der Befunde eindeutig widerlegbaren Ergebnis: „Die Väter sind besonders gefährlich . . . Viel weniger gefährlich sind Ledige . . ." und daß „tote Gatten für die Gattinnen so gefährlich sind". Hier haben wir ein typisches Beispiel dafür, wie einige wenige passende Befunde herausgepickt und die übrigen (nicht indifferenten, sondern widersprechenden!) vernachlässigt werden, um einer bestimmten Theorie „Beweise" zu liefern.

versuchte, die möglichen Gefährdungen mit Hilfe der Amulette abzuwenden[338]. Dasselbe mag auch noch für die jungen Frauen zutreffen, vor allem, wenn sie den Status der verheirateten Frau noch nicht erreicht hatten. Oftmals war der Zeitpunkt der Verheiratung auch jener, an dem sie den Amulettschmuck der Kindheit ablegten. Aus diesem Grunde sind die Amulette in den Gräbern älterer Frauen, auch gemessen an deren Anteil an der Gesamtbevölkerung, weitaus seltener anzutreffen.

Die Gefährlichen Toten umfassen einerseits Individuen, deren Sonderstellung schon im Leben offenkundig war (Schamanen, Medizinmänner, „Hexen", Verbrecher, Geisteskranke, Epileptiker), andererseits aber vor allem solche, deren Todesumstände nicht der Norm entsprachen. Dazu zählen alle gewaltsam ums Leben Gekommenen: Verunglückte, Selbstmörder, Ermordete, Erschlagene, Gerichtete, durch gefährliche ansteckende Krankheiten Verstorbene, weniger wahrscheinlich im regulären Kampf gefallene Krieger. Eine Sonderstellung ist auch für die in der Fremde Verstorbenen anzunehmen, wenn sie nicht in ihre Heimat überführt werden konnten. Am gefährlichsten, und hier sind sich alle Quellen im wesentlichen einig[339], sind jene Frauen, die im Kindbett gestorben sind.

Bei dieser Zusammensetzung der Gruppe der Gefährlichen Toten ist auch erklärlich, warum in deren Gräbern die Amulette nur eine untergeordnete Rolle spielen. Wenn die Amulette zum Schutze der lebenden Person getragen wurden, ist die besondere Schutzbedürftigkeit bei einem gewaltsamen und vor allem plötzlichen Tod nicht vorhersehbar. Deshalb werden wir in solchen Gräbern entweder nur Amulette finden, die die betreffende Person ohnehin trug, also den Gewohnheiten ihrer Altersklasse oder ihres Geschlechts entsprechend, oder aber solche, die man ihr anläßlich der Bestattung beigegeben hat. Da nun unter den Toten mit abweichender Skelettlage nur wenige Kinder, dafür aber ältere Individuen und auch die Männer durchaus ihrem Bevölkerungsanteil entsprechend vertreten sind und ihrerseits im Leben nur vereinzelt Amulette getragen haben werden, entspricht deren relativ geringes Vorkommen in den Gräbern den Erwartungen.

Einen Sonderfall stellen die im Kindbett verstorbenen Frauen dar. Die Zeit der Schwangerschaft ist eine Periode erhöhter Gefährdung der Frau und des ungeborenen Kindes. Aus diesem Grunde trugen sicher auch die schwangeren Frauen, wie es die kulturhistorischen Parallelen beweisen, in größerem Ausmaße Amulette, die dann, wie bei den Kindern, wohl auch mit ins Grab kamen. Die besondere Gefährlichkeit dieser Verstorbenen mußte aber oftmals zu weiteren Maßnahmen führen, die sich im Grabbrauch kundtun. Hier ist es nun sehr schwer, zwischen getragenen und nachträglich beigegebenen Amuletten zu unterscheiden, wenn auch etwa am Grab von Esslingen (11) diese Trennung bei einzelnen Gegenständen möglich scheint. Noch eindeutiger ist der Sachverhalt nachträglicher Maßnahmen bei der Frau in Dannstadt (84) Hügel 133 in ihrem hirschgeweihbelegten Sarg. Eine Trennung nach Frauen, die noch während der Schwangerschaft gestorben sind oder erst nach der Geburt des Kindes, wäre möglicherweise anhand des Vorhandenseins getragener Amulette vorzunehmen. Aber einerseits wird den damaligen Menschen die Gefährdung der Frau in den ersten Wochen nach der Geburt nicht verborgen geblieben sein, was vielleicht zur Ablegung der Amulette erst nach einer gewissen Zeit geführt haben könnte[340], und andererseits ist für solche Hypothesen die archäologische Basis nun wirklich zu schmal.

---

[338] Plutarch, Symposium 5, 7. Amüsant ist auch die Stellungnahme des Kirchenvaters Hieronymus, Comm. in Gal. 1,3: er „erinnert daran, daß der böse Blick nach der Überlieferung der Alten vor allem den Jugendlichen schaden könne; ob das freilich zutreffe, wisse Gott allein" (K. Meisen 1950, 157).

[339] Eine bedeutsame Ausnahme stellt der Islam dar:

H. J. Sell 1955, 15 Anm. 5.

[340] Sechswochenfrist der Gefährdung und Unreinheit: R. Beitl 1942, 138f.; H. Ploß – B. Renz 1911, 381ff.; H. J. Sell 1955, 70; Sonderbehandlung von Frauen, die innerhalb von 13 Tagen nach der Entbindung starben: E. Bendann 1930, 217.

Bei der Behandlung der im Kindbett verstorbenen Frauen wurde oben (S. 168 ff.) schon darauf hingewiesen, daß wir bei der zu vermutenden Kindbettsterblichkeit prähistorischer Perioden gewiß nicht alle theoretisch dafür in Frage kommenden Frauen mit archäologischen Indizien identifizieren können. Warum dann einzelne durch besondere Maßnahmen herausgehoben wurden, entzieht sich unserer Kenntnis. Für die Frage nach dem Anteil der übrigen als Gefährliche Tote zu klassifizierenden Verstorbenen gibt es naturgemäß noch weniger generelle Anhaltspunkte.

Ganz interessant ist jedoch in diesem Zusammenhang eine Bevölkerungsstatistik des Wagrain-Kleinarler Tales im Lande Salzburg für die Jahre 1621–1920. Nach den Feststellungen von M. Schönberger kommen ab 1791, wo entsprechende Daten verfügbar sind, auf 100 Sterbefälle gewöhnlicher Todesart durchschnittlich vier mit gewaltsamer Todesursache[341]. Diese hohe Zahl hat ihren Grund selbstverständlich in den geographischen Verhältnissen und charakteristischen Erwerbstätigkeiten dieser Gebirgsregion: Holzwirtschaft, Ernte und Dreschen, Hirtenberuf, Steinschlag, Lawinen, Überschwemmungen. Immerhin 17% der gewaltsam ums Leben Gekommenen endeten durch Selbstmord oder Totschlag (20 Personen), wobei die drei davon betroffenen Frauen alle erst nach 1900 starben. Unter den Verunglückten sind die Frauen mit 16%, aber ziemlich gleichmäßig über die Jahre hin verteilt.

Angesichts dieser Zahlen liegt die Frage nahe, ob nicht die Häufigkeit von Sonderbestattungen in den Gräberfeldern vom Dürrnberg (je nach Definition etwa 8–16 von etwa 120 Gräbern) und von Hallstatt (etwa 25–30 von etwa 1200 Gräbern), im Gegensatz etwa zu Münsingen (nur Grab 182 von gut 100 Gräbern), darauf zurückgeführt werden könne, daß der Bergbaubetrieb und die damit verbundenen Tätigkeiten ein erhöhtes Unfallrisiko einschlossen, wobei die Unfallopfer durch eine Sonderbehandlung im Bestattungsbrauch zu erkennen wären. So verführerisch dieser Rückschluß wäre, so wenig kann er die Situation etwa in Singen (47), Manre (117) „Mont-Troté" oder Guntramsdorf (180) erklären. Hier wird deutlich, daß eine offenbar überregional existente Vorstellung über die Notwendigkeit bestimmter Bestattungsbräuche im einzelnen doch wieder ganz verschieden ausgeprägt sein kann.

ANALOGIEN IN ANDEREN PERIODEN

Um den Stellenwert der geschilderten Gebräuche während der Hallstatt- und Latènezeit besser bestimmen zu können, ist es nützlich, einen kurzen Blick auch auf andere Perioden zu werfen. Hier kann erst recht keine Vollständigkeit erstrebt werden. Das Folgende ist mehr eine Aufzählung von Einzelbefunden, die mir eher zufällig bekannt wurden, aber insgesamt doch ein charakteristisches Bild ergeben.

Jüngere Steinzeit

In seiner anregenden Arbeit über das Verhältnis von Männern, Frauen und Kindern in Gräbern der Steinzeit widmet sich A. Häusler auch dem Problem der Kindergräber und deren Ausstattung[342]. Seine besondere Aufmerksamkeit findet die Beobachtung, daß zwar einerseits, nach der zu er-

---

[341] M. Schönberger 1926, 280 f.   [342] A. Häusler 1966, 25 ff.

wartenden Kindersterblichkeit zu urteilen, gewiß nicht alle Kinder auf den Gräberfeldern bestattet wurden, andererseits sich unter den Kindergräbern aber auch solche mit ausgesprochen reicher Ausstattung befinden: „In allen genannten Fällen ist zu beobachten, daß sich diese wenigen Kindergräber nicht nur gegenüber den anderen Altersgenossen, sondern auch im Vergleich zu den meisten Erwachsenen durch besonders wertvolle und seltene Beigaben abheben. Ja, mitunter sind es sogar die am reichsten ausgestatteten Gräber des betreffenden Friedhofes", wobei „sehr häufig Beigaben angetroffen werden, die nie zusammen mit Erwachsenen gefunden wurden und also nicht zur normalen Grabausstattung gehören."[343] Als Anregung für eine Erklärung bemüht Häusler die bei Prärie-Indianern bekannte Institution des „bevorzugten Kindes", wonach einzelne Kinder, meist Knaben, schon von Geburt an eine besondere, kultisch motivierte Stellung einnahmen. Selbst wenn etwas Ähnliches in Einzelfällen denkbar ist, so bringt uns die Häufigkeit dieses Phänomens doch eher auf eine andere Interpretationsmöglichkeit, zumal nicht sicher ist, daß der besondere Status solcher Kinder sich auch im Grabbrauch niederschlägt.

Sieht man sich nämlich die „reichen" und „seltenen" Beigaben dieser Kindergräber näher an, ist ihr Amulettcharakter in den meisten Fällen evident: Schmuckplättchen in Gestalt eines Tieres, Bergkristall, Porphyrit-Anhänger, einziger Kupfer- oder Bronzeschmuck des Gräberfeldes, anthropomorphes Köpfchen, Beilfragment, Miniaturbeigaben, Tierknochenanhänger. Obwohl gerade im Neolithikum bei dem Schmuck aus Naturalien eine genaue Bestimmung des Anteils des Amulettcharakters schwierig sein muß, ist doch das Vorkommen auffallender und signifikanter Formen eindeutig auf Kindergräber konzentriert.

Aus dieser Sicht ist Häuslers Einwand gegen die These, man hätte die Kinder „als Ersatz für das nicht erreichte Lebensziel" reich ausgestattet, zwar richtig, er läßt sich jedoch nicht mit dem Auftreten seltener Beigaben begründen. Wenn ein Zusammenhang zwischen dem Sterbealter und diesen Beigaben besteht, dann im oben erläuterten Sinne: Auch damals trugen überwiegend die Kinder die Amulette und letztere kamen wohl manchmal nachträglich als Bannmittel ins Grab. Daß zu jenen Zeiten bei weitem ebenfalls nicht alle Kinder so behandelt wurden, stimmt mit unseren Beobachtungen in der Eisenzeit überein.

Auf die beiden Gräber der südrussischen Ockergrabkultur von Akhermén I, wo die Bestatteten in Bauchlage gefunden wurden, haben wir oben schon hingewiesen (S. 176). Einer der Männer ist nach Ausweis seiner Verletzungen im Kampf gefallen.

Schon in einer früheren Arbeit hatte sich A. Häusler mit den Bestattungssitten des Donauländischen Kreises und deren Besonderheiten beschäftigt. Dort finden wir auch eine Beobachtung[344], die wesentliche unserer Ergebnisse bestätigt: „Sehen wir uns die Gräberpläne genauer an, so entdecken wir die merkwürdige Tatsache, daß gerade die nicht nach der Hauptorientierung beigesetzten Toten relativ häufig auch sonst vom allgemeinen Schema abweichen. Häufig liegen sie, wie das ebenso für außergewöhnlich angelegte und beigabenlose Bestattungen zutrifft, abseits der übrigen. Entweder ist es die in der betreffenden Kultur seltenere Seitenlage, oder sie liegen bäuchlings. Ist die Hockerlage allgemein üblich, so finden wir Strecker, bei dominierender Strecklage dagegen Hocker." Und bei dem folgenden Satz werden wir an unsere Überlegungen zu Andelfingen (3) Grab 13 erinnert: „Aber die am Rande der Nekropolen liegenden, abweichenden Bestattungen wurden, zumal sie häufig keine Beigaben führen, sicher oft für Nachbestattungen anderer Kulturen gehalten oder als unsicher weggelassen."[345]

---

[343] Ebd. 38. Für eine entsprechende Beobachtung in der hochkupferzeitlichen Bodrogkeresztúr-Kultur vgl. P. Patay 1974, 45.

[344] A. Häusler 1963, 62f.
[345] Vgl. etwa U. Schaaff 1966, 55f. mit Abb. 1–4, wo Grab 13 nicht eingezeichnet ist.

Bronzezeit und Hallstattzeit

Für die mitteleuropäische Bronzezeit ist die Materialbasis für entsprechende Beobachtungen aufgrund der mißlichen Quellenlage sehr dürftig. So sei nur die Ausgrabung am Ess-See bei Aschering, Ldkr. Starnberg, durch J. Naue erwähnt[346], wo man angeblich bei acht Skeletten „trotz vorsichtigster Untersuchung" keine Schädel gefunden habe, ebenso bei zweien der Hallstattzeit. Dafür stieß man in drei anderen Hügeln auf Schädel ohne irgendwelche weiteren Knochen. Naue weist ausdrücklich darauf hin, daß er entsprechendes an den zahlreichen von ihm ausgegrabenen Hügeln der Bronzezeit Oberbayerns und der Oberpfalz nicht bemerkt habe. Weil auch die Bronzen nicht zu den in Oberbayern geläufigen gehören, schloß er auf eine fremde Herkunft dieser Leute. Mag man den Angaben Naues Glauben schenken oder nicht: Gänzlich verschwiegen sei dieser Befund immerhin nicht.

In der frühen Bronzezeit sind Kinder „häufig auf ungewöhnliche Art beigesetzt" worden, so etwa ein 5- bis 7jähriges Kind bei Kelheim in einem tönernen Pithos mit dem Kopf nach unten und in Hockerstellung[347]. Diese Bestattungsart ist öfters beobachtet worden. Die Interpretation des religiös-geistigen Hintergrundes durch W. Torbrügge (Kinder in eingeschränktem Lebenszustand; Embryostellung: „Wie im Mutterleib einer Lebensgottheit sollen sie in der Erde die Keime zur nochmaligen Geburt empfangen.") erfaßt bestimmt nur einen Teilaspekt.

Im bronzezeitlichen Urnenfriedhof von Cîrna (Rumänien) sind Tonidole nur aus Kindergräbern bekannt[348].

Daß in der Urnenfelderzeit im Bereich der Knovicer Kultur Böhmens und Mitteldeutschlands absonderliche Bestattungssitten herrschten, steht außer Zweifel. Hockergräber sind recht häufig, aber auch regelrecht „zerrupfte" Skelette, ohne daß eine spätere Störung dafür verantwortlich zu machen wäre[349].

W. Coblenz berichtet von einem jüngstbronzezeitlichen Kindergrab in Altlommatzsch, Kr. Meißen, bei dem ein frühbronzezeitliches Vierfußgefäß als Urne verwendet worden war. Ein gestörtes Grab dieser Periode lag 9 m davon entfernt[350].

Die Zeitlosigkeit der für Amulette verwendeten Materialien wird am Inhalt von Dosen oder Ledertaschen aus Gräbern der nordischen Bronzezeit deutlich. So enthielt eine Ledertasche von Hvidegaard bei Lyngby auf Seeland folgende Gegenstände[351]: Schwanz einer Natter, eine kleine, aus dem Mittelmeer stammende Conchylie, ein zugeschnittenes Stück Holz, das Bruchstück einer Bernsteinperle, ein Stück eines roten Steines, ein Feuersteinsplitter, eine Falkenklaue, ein Unterkiefer eines jungen Eichhörnchens in einem Lederfutteral, darin noch eine steinerne Lanzenspitze, die in ein Stück Blase eingewickelt war.

Besonders beliebt waren im hallstattzeitlichen Elb-Havel-Gebiet durchbohrte Hasenmetapodien, „die vorwiegend aus Kindergräbern stammen und stets in mehreren Exemplaren auftreten".[352] „Ebenfalls aus Kindergräbern stammen durchbohrte Fischwirbel, die als Ketten getragen wurden." Zähne von größeren Tieren, auch wilden, sowie eine durchbohrte Bärenkralle

---

[346] J. Naue 1906.

[347] W. Torbrügge 1972, 73.

[348] R. Hachmann 1968, 369.

[349] E. Lehmann 1929; J. Maringer 1943, 41; K. Nuglisch 1960, 164f. mit weiterer Literatur. Ähnliches wohl auch im Velaticer Kreis: K. Tihelka 1969. Hallstattzeitliche Brandgräber mit unverbranntem

Schädel in Polen: J. Maringer 1943, 36.

[350] W. Coblenz 1974.

[351] H.-J. Hundt 1955, 118 Anm. 115; ein etwas älteres Beispiel bei E. Aner – K. Kersten 1973, 143f. mit Taf. 83.

[352] F. Horst 1971, 209.

wurden offenbar überwiegend in Erwachsenengräbern gefunden. Bronzene Dreipaßanhänger sind in ganz Mitteldeutschland bekannt und streuen bis Skandinavien[353], wenn auch über die Fundumstände nur wenig Nachrichten vorliegen.

Spätlatènezeit

Wegen der anthropologischen Leichenbranduntersuchung sind die Spätlatènegräber von Dietzenbach, Ldkr. Offenbach, besonders ergiebig[354]. So stammen aller Metallringschmuck (Hohlblecharmring, massiver Eisen[fuß?]ring) und die zwei Glasperlen aus Gräbern von Kindern (Gräber 6, 7, 12) oder Jugendlichen (Grab 16). Dasselbe gilt von den drei Tonrasseln (Gräber 6 und 7). H. Polenz kann gerade für die Rasseln noch etliche andere Beispiele namhaft machen und äußert sich über deren Zweck folgendermaßen: „Auch wenn diese Tonklappern ausschließlich in Kindergräbern vorkommen, können sie aus verschiedenen Gründen … nur im Zusammenhang mit kultischen Vorstellungen und nicht als Spielzeug erklärt werden."[355]

Die Funde aus dem Kindergrab von 1959 in Groß-Gerau „Schindkaute"[356] geben ebenfalls wieder die Zusammengehörigkeit von Glas und Rassel, vielleicht auch mit dem eisernen Armschmuck(?) zu erkennen. Es besteht also kein Zweifel daran, daß die Beigabe von Rasseln in Kindergräbern auch mit den damit verbundenen Bestattungsbräuchen zu tun hat[357]. Die Deutung jedenfalls, daß sie nur zufällig als Lieblingsspielzeug des Kindes mit ins Grab kamen, haftet zu oberflächlich an der Koinzidenz von Lebensalter und nützlichem Zweck[358].

Frühmittelalter

Mit prismatischen Knochenanhängern der jüngsten römischen Kaiserzeit und des frühen Mittelalters hat sich vor kurzem J. Werner beschäftigt[359]. Auch sie sind trotz ihrer Abkunft von der Herkuleskeule und ihrer Interpretation als „Donaramulett" nur in Frauen- und Kindergräbern belegt. Daß sie aus Geweihsprossen geschnitzt sind, unterstreicht nur noch ihren Amulettcharakter. In zwei Kindergräbern sind sie noch mit krugförmigen Glasperlen vergesellschaftet, die ebenso „wenig das Produkt einer exzentrischen Spielerei ohne tiefere Bedeutung" sind, wenn auch ihr genauer Sinn vorerst verborgen bleibt.

Im frühen Mittelalter sind Amulette wieder ausgesprochen häufig in den Reihengräbern zu finden, ohne daß man sich bisher eingehender mit ihnen beschäftigt hätte[360]. Wir können dies hier selbstverständlich nicht nachholen, sondern müssen uns darauf beschränken, einige Beispiele aufzuzählen, an denen deutlich wird, wie bestimmte Vorstellungen, die wir aus der Eisenzeit kennen, auch jetzt wieder nachweisbar sind.

Besonders beliebt waren bei den Frauen jene mit einem langen Band oder direkt am Gürtel hängenden Taschen, die oftmals mit einer durchbrochenen Zierscheibe verschlossen waren. Ihr Inhalt besteht normalerweise aus kleinen Geräten, die man mit sich führen wollte, und aus Gegenständen mit Amulettcharakter, deren man also im täglichen Leben ebenso bedurfte: Glaswirtel, Millefioriperlen, Knochenscheiben, Kaurimuscheln, seltsam geformte Steine, Silex, Meteoreisen,

---

[353] Dazu zuletzt H. Hingst 1974, 67f.
[354] H. Polenz 1971.
[355] H. Polenz 1971, 73.
[356] H. Polenz 1972, 12 ff.
[357] Vgl. auch W. Meier-Arendt 1968, 37.

[358] So immer noch K. Kaus 1971; etwas vorsichtiger G. Kossack 1954a, 51 Anm. 51.
[359] J. Werner 1964 mit Ergänzungen 1972.
[360] Einzelgruppen bei J. Werner 1964 und 1972; H. Hinz 1966; R. Koch 1970; U. Näsman 1973.

Bohnerz, Hämatit. Auch Altstücke aus früheren Perioden finden sich gelegentlich, vor allem aus Glas[361], aber auch aus Metall[362]. Diese Dinge kamen dann natürlich mitsamt der Tasche auch in das Grab[363].

Die Aufarbeitung der durchbrochenen Zierscheiben durch D. Renner brachte zwar einige Andeutungen über mögliche Sinngehalte der darauf vertretenen Motive[364], doch wurden wesentliche Aspekte dabei vernachlässigt, weil die Behandlung im Grabbrauch nur im Hinblick auf die Trageweise berücksichtigt wurde.

So sind aus dem Reihengräberfeld von Marktoberdorf nur zwei dieser Scheiben bekannt (Gräber 9 und 16)[365], obwohl Taschen an sich häufiger erschlossen werden können. Bei beiden Gräbern handelt es sich um Kindergräber, wobei in Grab 16 die Scheibe ohne Zweifel schon fragmentarisch mitgegeben wurde. Ob die Scheiben hier also tatsächlich in ihrer ursprünglichen Funktion als Taschenverschluß verwendet wurden oder nicht schon – aufgrund des Symbolgehalts der Motive – selbst als „Amulett" anzusehen sind, ist in diesem Fall nicht zu entscheiden.

Offensichtlich ist aber der Amulettcharakter bei zwei durchbrochenen Scheiben im Gräberfeld von Linz-Zizlau, die man jeweils auf der Brust der Kinder in den Gräbern 106 und 139 gefunden hat, während ein geflicktes Exemplar in Grab 72 bei einer Frau in der üblichen funktionellen Lage geborgen wurde[366], ebenso wie das vierte Exemplar aus Grab 48 (Frau und Kind) bei einer Amulettsammlung. Bei Grab 106 waren darum noch drei Riemenzungen sternförmig angeordnet, dazu ein Blechbeschlag, von dem H. Dannheimer ohne Begründung meint, daß er „natürlich keine Kröte" darstelle[367]. Auf der Brust des Kindes von Grab 139 lagen hingegen noch ein Bronzeknopf, ein Bronzering mit Anhängsel, ein dreieckiges Bronzeblättchen und ein rechteckiger Rahmenbeschlag aus Silber. Dieses Grab zeichnet sich ferner noch durch die Beigabe der einzigen Bügelfibeln des ganzen Gräberfeldes aus. Sie lagen zwar an jenen Stellen, wo man sie bei Frauen in der Trachtlage erwarten müßte, nämlich an den Schultern, doch ist es nach dem, was wir gerade über die Trageweise der Bügelfibel wissen[368], ausgeschlossen, daß dieses Kind sie im Leben auch ge-

---

[361] Th. E. Haevernick 1968. – Schon aufgrund dieser eindeutigen Kombinationen wird man die Meinung von Gy. László 1970, 100 skeptisch beurteilen, wonach die auch in entsprechenden awarischen Anhängetaschen gefundenen römischen Glassachen „Rohmaterial sind, das zu Pulver vermahlen werden sollte", das dann für die primitive Herstellung von Glasperlen verwendet worden sei.

[362] z. B. Löhningen (Schaffhausen): geknöpfelter Ring aus dem Tessin (E. Tatarinoff 1920, 137 Abb. 21); Arcy-Sainte-Restitue (Aisne): Dreipaßanhänger (R. Joffroy 1960, 53); Schretzheim, Ldkr. Dillingen, Grab 250: Paukenfibel (J. Naue 1901); Reichenhall Gräber 141, 158, 165, 251: eiserner Knotenarmring, Doppelvogelkopffibel?, Gürtelfragment, geknöpfelter Ring (M. v. Chlingensperg-Berg 1890, 123 mit Taf. 28; 104; 131 mit Taf. 33; 126 mit Taf. 30). Für ähnliches in gallischen Gräbern des 1. Jahrhunderts n. Chr. vgl. G. Chenet 1921.

[363] Vereinzelt finden sich solche Objekte auch bei Männern: Molsheim (Bas-Rhin) Grab R 20, in dem ein Saxkrieger eine Silexpfeilspitze auf der Brust liegen hatte (J. et E. Griess 1954, 85f. Abb. 6); Lavoye (Meuse) Grab 102 mit einer Tasche bei einem Mann, darin eine Bronzepfeilspitze (G. Chenet 1921, 238f.)

[364] Abb. 7a); wahrscheinlich auch in Gräbern von Liverdun (Meurthe-et-Moselle) (ebd. 239 Abb. 7, b–c).

D. Renner 1970, 55ff.; 88: „Somit werden die Scheiben kaum als rein profaner Schmuck verwendet worden sein. Vor allem den figürlich verzierten Scheiben ist ein übelabwehrender Charakter wohl nicht abzusprechen. Als Amulette und Apotropaia getragen, werden sie mit dazu gedient haben, der jeweiligen Trägerin Schutz und Kraft zu verleihen."

[365] R. Christlein 1966, Taf. 3, 19; 5, 14.

[366] H. Ladenbauer-Orel 1960, Taf. 3, Grab 48, 11; 5 Grab 72, 2; 10 Grab 106, 2; 13 Grab 139, 3.

[367] H. Dannheimer 1960, 335 Anm. 15.

[368] Zuletzt G. Zeller 1974. R. Christlein 1973, 169 erwähnt ein gut vergleichbares Mädchengrab aus dem kleinen und reich ausgestatteten Friedhof von Friedberg, Ldkr. Augsburg (jetzt auch kurz R. Christlein 1975). Es besaß „neben einer zum Zeitpunkt der Bestattung etwa 100 Jahre alten Bügelfibel ein byzantinisches Pektoralkreuz aus Silber", also ein auffallendes Fremdstück. Auf diesem Hintergrund müßte man einmal näher untersuchen, was es mit der „Beigabe einer einzelnen, stets weit älteren, oft prunkvollen Bügelfibel" in einigen sehr reichen Frauengräbern des 7. Jahrhunderts auf sich hat (R. Christlein 1973, 158).

tragen hat. Sie wurden also erst zusätzlich ins Grab mitgegeben. Dazu paßt sehr gut, daß sie erstens stark abgenutzt und beschädigt sind (Kategorie „Altstück") und zweitens einem langobardischen Typ angehören, der nördlich der Alpen absolut fremd ist („Fremdstück"). Obwohl die beiden Goldohrgehänge des Kindes östlich-byzantinischer Herkunft sein können, ist bei ihnen der Aspekt des Fremdstückes im Sinne unserer Amulette nicht so einleuchtend nachweisbar.

Die bevorzugte Ausstattung einzelner Kindergräber im germanischen Milieu Süddeutschlands ist schon am Kindergrab von Gundelsheim, Kr. Heilbronn, zu ersehen[369]. Es ist in die Zeit um 300 n. Chr. zu setzen und stellt das reichste frühalamannische „Frauen"-Grab Südwestdeutschlands dar. In ihm war ein 2½- bis 3jähriges Kind in einer Steinsetzung mit leicht abweichender Orientierung (NW-SO statt dem sonst üblichen N-S) mit sechs Fibeln, elf Bernsteinperlen, zwei Glasperlen, einem Muschelanhänger aus Bergkristall und einer Eisendrahtspirale unbekannter Funktion bestattet. Außerdem handelte es sich um ein Einzelgrab; weitere Gräber wurden in der Nähe nicht gefunden.

Dieses Charakteristikum teilt es mit einem Kindergrab aus der Mitte des 4. Jahrhunderts von Salem, Kr. Überlingen[370]. Inmitten eines vorgeschichtlichen Hügelgräberfeldes fand sich in Hügel T als Nachbestattung das Grab eines Kindes mit einer Armbrustfibel, 36 Bernstein- und 34 Glasperlen, einer Schnalle, einer „Hafte", einem Armring und fünf Tongefäßen.

Nicht viel später findet sich bei dem spätrömischen Historiker Ammianus Marcellinus eine Stelle (Res gestae XVI 2, 12), die einen wichtigen Aufschluß gibt: *ipsa oppida, ut circumdata retiis busta, declinant* – „den [ummauerten] Städten gehen sie wie netzumgebenen Gräbern aus dem Weg". H. Hepding hat überzeugend anhand volkskundlicher Überlieferung und einer Quelle vom Ende des 16. Jahrhunderts diese Bemerkung über die Alamannen dahingehend interpretiert, daß es sich bei den erwähnten Gräbern um solche von Frauen, die im Kindbett gestorben waren, handeln dürfte[371]. Also wurde damals ebenfalls die Sonderstellung dieser Personen empfunden und im Grabbrauch dokumentiert, allerdings auf eine Weise, die, wenn sie das einzige Merkmal darstellt, archäologisch nicht erfaßbar ist.

Die Reihe der auffälligen Kindergräber setzt sich fort, solange die Beigabensitte noch geübt wurde. So ist in Grab 53 des 7. Jahrhunderts von Grafing-Öxing, Ldkr. Ebersberg, ein 5- bis 6jähriges Mädchen bestattet[372], das eine feuervergoldete Zwiebelknopffibel spätrömischer Zeitstellung an der Schulter liegen hatte. Eine Trachtfunktion an dieser Stelle kann ausgeschlossen werden, weil der Fibel die Nadel fehlte. Auch hier muß es sich um eine nachträgliche Beigabe handeln. Als Halskette trug das Mädchen einige Glasperlen und zwei zurechtgebogene römische Schnallenbeschläge.

Noch merkwürdiger mutet Grab 41 von Castel Trosino (Ascoli Piceno) an[373]. Hier fand man bei einem Kind (mit zwei Glasperlen: Mädchen?) das einzige Paar Steigbügel des langobardischen Bereichs überhaupt. Überdies handelt es sich dabei nicht um einen byzantinischen Typ, wie noch am ehesten zu erwarten wäre, sondern um den awarischen, allerdings aus Bronze[374]. Wenn also auch bei den Langobarden in Italien Steigbügel bekannt gewesen sein können, im Grabbrauch haben sie jedenfalls keine Rolle gespielt. Um so mehr wird dadurch die Sonderstellung des Mädchens unterstrichen, zumal die Steigbügel mit einem Goldblattkreuz auf der Brust lagen.

---

[369] R. Roeren 1959.
[370] E. Wagner 1899, 71.
[371] H. Hepding 1939, 159.
[372] W. Czysz 1973, 18. Für ergänzende Hinweise

habe ich W. Czysz sehr zu danken.
[373] R. Mengarelli 1902, 239 Abb. 100.
[374] Zur technologischen Problematik vgl. J. Werner 1974, 117.

Erst kürzlich hat sich A.-S. Gräslund mit den Kindergräbern des wikingerzeitlichen Gräberfeldes von Birka (Schweden) beschäftigt[374a]. Auch hier treffen wir auf schon bekannte Einzelheiten: „Bei einer Untersuchung vom Inhalt der 45 sicheren Kindergräber hat man gewisse Gegenstandstypen gefunden, die möglicherweise auf ein Kinderbegräbnis hindeuten: Bronzeschellen, Vorhängeschlösser und Glasspiegel." Während die Schelle, die „durch Vergleiche mit späterem Material ... einer Kinderklapper zugehört haben muß", nicht weiter überrascht und auch bei einem Spiegel ein magisches Element zumindest nicht ausgeschlossen werden kann, mutet doch die Beigabe von Schlüsseln (manchmal noch mit den Schloßbeschlägen) in Kindergräbern etwas merkwürdig an, so daß auch hier eine Durchmusterung des skandinavischen volkskundlichen Materials wünschenswert wäre. Allerdings sind die Schlüssel keineswegs auf Kindergräber beschränkt.

Abweichende Skelettlagen wurden auch in Reihengräbern beobachtet[375], aber nie systematisch zusammengestellt, geschweige denn interpretiert. Wie weit dabei Hockergräber in Frankreich[376] auf Nachwirkungen des gallo-römischen Substrats[377] zurückgehen, muß hier offenbleiben. Dafür gibt es Fälle von Skeletten in Bauchlage, deren Besonderheiten klar zu erkennen geben, daß die damit verbundenen Vorstellungen über die Jahrhunderte wohl dieselben geblieben sind. Auf das gallo-römische Doppelgrab von Caudebec-lès-Elbeuf mit einer schwangeren Frau wurde oben (S. 176) schon hingewiesen[378]. Im Grab 185 der „burgundischen" Nekropole von Monnet-la-Ville wurde ein Skelett in Bauchlage entdeckt[379]. Darüber hinaus waren seine Unterschenkel so an die Oberschenkel gefesselt, daß die Füße auf dem Gesäß lagen. Der linke Arm war unter den Kopf gestreckt, wobei jedoch der Unterarm gänzlich fehlte. Dabei denken die Ausgräber eher an eine Amputation als an eine Bestrafung. Ferner befand sich das Grab zusammen mit dem Kindergrab B 33 ganz am Ostrand der Nekropole.

Auf diesem Hintergrund wird man Grab S 339 neben der ältesten Kirche S. Vitalis I in Esslingen neu interpretieren müssen. In diesem Grab der zweiten Hälfte des 8. Jahrhunderts, also einer Zeit, in der in Südwestdeutschland die Beigabensitte schon erloschen war, war ein 50- bis 60jähriger Mann in Bauchlage bestattet, wobei sich unter seiner Brust zusammenliegend eine Halskette, eine große Kreuzfibel, eine Münzbrosche und ein Paar Ohrgehänge fanden. G. P. Fehring denkt bei der Skelettlage nach dem Beispiel Pippins an einen Büßergestus[380], während F. Stein meint, es müsse sich um eine Art heimlicher Grabausstattung für eine Frau handeln[381]. Man wird demgegenüber zunächst einmal festhalten müssen, daß die Bauchlage des Skeletts ein Indiz für eine Sonderstellung dieses Individuums ist. Wenn die anthropologische Bestimmung richtig ist, müssen die Beigaben tatsächlich einer anderen Person gehören, deren Motive für die Deponierung der Gegenstände der Deutung durch F. Stein nahe kommen können. Aber warum hat gerade dieser Mann als „out-sider" diese Gegenstände mitbekommen? Ob es Zufall ist, daß sich darunter die auffallende

[374a] A.-S. Gräslund 1973.

[375] J. H. Müller 1878, 21ff.; E. Beninger 1931, 777f.; H. Jankuhn 1939; H.-L. Janssen 1942, 178. 191. 194. 201; für etwas ältere Zeit L. Zotz 1932 und 1935, 43ff. Im Gräberfeld von Reichenhall etwa gibt es ein Hockergrab einer Jugendlichen (Grab 373) und zwei beigabenlose Gräber mit dem Skelett in Bauchlage (M. v. Chlingensperg-Berg 1890, 138. 54).

[376] z. B. Molsheim (Bas-Rhin) Grab S 14: J. et E. Griess 1954, 90; Hérouvillette (Calvados): M. Boüard 1968, 356.

[377] z. B. Caudebec-lès Elbeuf (Seine-Maritime): M. Boüard 1966, 267 (sitzend?).

[378] Ohne erkennbare Besonderheit in Bauchlage ein Skelett in Bercenay-en-Othe (Aube): E. Frézouls 1973, 405 Abb. 17.

[379] C. Mercier – M. Mercier-Rolland 1974, 45 mit Taf. 16.

[380] G. P. Fehring 1966, 362 mit Anm. 30.

[381] F. Stein 1966, 381; vgl. auch das Grab 7/1957 von Eislingen, Kr. Göppingen (H. Glöckler 1959), in dem alle Beigaben, außer einem Tongefäß Objekte mit Amulettcharakter (wohl auch die Schnallen und Beschläge), „beisammen in Höhe der Oberschenkel, aber 30 cm tiefer" lagen.

Kreuzfibel befindet, scheint auch fraglich. Hier dürfte sich ein ganzes Knäuel von Vorstellungen vereinigen, dessen Entwirrung jedenfalls nicht so einfach ist, wie es die beiden Autoren – jeder für sich – vorschlagen.

Schließlich machte schon K. Tackenberg[382] auf das Kriegergrab 3 von Orsoy, Kr. Moers, aufmerksam, wo der Unterkiefer zwar *in situ*, der Schädel aber, mit der Blickrichtung zum Kopfende, auf der Brust lag[383]. Die reichen Beigaben und das sonst ungestörte Skelett machen eine Störung durch Raubgrabung unwahrscheinlich. Der Grund für diese abweichende Bestattung ist ohne Zweifel darin zu suchen, daß das Individuum im Kampf mindestens drei tödliche Verletzungen erlitten hat. Offensichtlich rechnete man den Toten unter die Wiedergänger und versuchte, ihn zu bannen. Ob dies schon anläßlich der Bestattung geschah oder erst nachträglich, als irgendwelche Ereignisse diese Meinung aufkommen ließen, ist vom archäologischen Befund, etwa der Tatsache der reichen Beigaben, her nicht zu entscheiden. Wenn wir allerdings davon ausgehen, daß in den Reihengräberfriedhöfen sicherlich mehr im Kampf Gefallene bestattet sind, als wir auffällige Sonderbestattungen haben, wird man doch eher an eine nachträgliche Manipulation denken müssen, die sich vielleicht auf Opfer von heimtückischem Mord oder Totschlag im Streit beschränkte[384].

Noch merkwürdiger ist ein Befund aus dem Reihengräberfriedhof von Mannheim-Straßenheim[385]. In einem ungewöhnlich flach eingetieften Grab fand sich ein männliches Skelett ohne Beigaben, dem beide Füße mit einem Teil der Unterschenkel abgeschlagen und säuberlich im Verband zwischen die Unterschenkel gelegt worden waren. Ob wir hier das Zeugnis einer Bestrafung oder die Bannung eines Wiedergängers vor uns sehen, muß offenbleiben. H.-P. Kraft weist mit Recht auf eine Bestimmung der Lex Baiuvariorum (19, 6) hin, in der das Abtrennen von Gliedmaßen einer Leiche unter Strafe gestellt wird, wobei allerdings aus dem Text nicht hervorgeht, welche Gründe für solche Maßnahmen verantwortlich waren: Bannung eines Wiedergängers oder Gewinnung von Leichenteilen als Talismane oder für Zauberei.

Die Vorstellung vom Wiedergängertum, die in Osteuropa eng mit dem Komplex des Vampirismus zusammenhängt, läßt sich bis in die slawischen Gräberfelder zurückverfolgen[386], wie ja schon J. Banner aufgrund des volkstümlichen Totenglaubens in Ungarn gewisse Beobachtungen an Frühbronzezeitgräbern damit in Verbindung brachte[387].

Damit hat sich der Kreis geschlossen. Wir dürfen als Ergebnis festhalten, daß erstens die Vorstellung, daß bestimmte Tote als Gefährliche Tote zu bewerten und an einer Wiederkehr durch geeignete Maßnahmen zu hindern seien, offenbar durch alle Perioden vorhanden war und anscheinend auch immer zu ähnlichen Maßnahmen geführt hat. Zweitens lassen sich auch in der Behandlung der Kinder im Grabbrauch einige gemeinsame Züge herausstellen: die zuweilen auffallend reiche Ausstattung einzelner Kinder, die Vorliebe für Amulettschmuck im weitesten Sinne, oftmals gut zu erkennen an der Beigabe von wertvollen Altstücken oder Kuriositäten.

Gleichzeitig fällt aber bei der Durchsicht des Materials etwas auf, was hier in der Darstellung wegen der notwendigen Beschränkung auf wenige Einzelbeispiele kaum zum Ausdruck kommt,

[382] K. Tackenberg 1955, 102f.

[383] K. Böhner 1949, 160ff.

[384] Weitere Befunde mit disloziertem Schädel etwa Bern-Bümpliz Grab 210 (O. Tschumi 1940, 218); Bülach (Zürich) Gräber 135 und 178 (J. Werner 1953, 6); Eisenach, Kr. Trier-Saarburg, Grab 13 mit dem

Schädel außerhalb des Sarges (K. Böhner 1958, 266f.).

[385] H.-P. Kraft 1971, 14f.

[386] B. Nechvátal 1967; J. Špaček 1971; Gy. Török 1972.

[387] J. Banner 1927.

daß nämlich trotz des wohl ständigen Vorhandenseins solcher Vorstellungen die damit zu verbindenden Maßnahmen in manchen Perioden auffällig gehäuft erscheinen, in anderen dagegen nur vereinzelt zu beobachten sind. Das hängt nicht nur mit der Quellenlage zusammen, die uns etwa die Beurteilung von Brandgräbern in analoger Weise sehr erschwert, schon eher mit den Bestattungssitten allgemein. J. Werner hat mit Recht darauf hingewiesen, wie sich bei den prismatischen Knochenanhängern das Verbreitungsbild der Grab- und Siedlungsfunde gegenseitig ergänzt[388]. Aber gerade daraus kann man schließen, daß Amulette offenbar doch nicht einfach ins Grab gelangten, weil man sie gerne getragen hat, sondern daß dies auch irgendwie mit Vorstellungen über die Rolle des Amuletts im Grab zusammenhängen muß.

Trotz dieser Einschränkung, zu der auch die Berücksichtigung dessen gehört, daß uns Amulette aus organischem Material entgehen, bleibt die Tatsache bestehen, daß in manchen Perioden Amulette außerordentlich beliebt gewesen sein müssen, in anderen dagegen gerade nur soviel verwendet wurden, daß man die Kontinuität der damit verbundenen Vorstellungen über Sinngehalt und Funktion wahrscheinlich machen kann. In den mitteleuropäischen Metallzeiten sind es zwei Perioden, die uns besonders viele Amulette liefern: die Späthallstatt-/Frühlatènezeit und das Frühmittelalter[389].

AMULETTE IN DEN ANGRENZENDEN REGIONEN

Bevor wir uns mit diesem Problem der zeitlichen Eingrenzung näher befassen, ist es nützlich, zunächst einmal die geographische Verbreitung der geschilderten Phänomene um die Mitte des ersten vorchristlichen Jahrtausends kurz zu umreißen. Dem Ausgangspunkt unserer Untersuchung gemäß wurde natürlich das Augenmerk hauptsächlich auf verwandte Kulturen gerichtet, also auf solche, die man ganz allgemein als keltisch oder frühkeltisch bezeichnen könnte: den westlichen Hallstattkreis und das Gebiet der Latène A-Kultur sowie der Latèneflachgräber. Hier sind verblüffende Ähnlichkeiten in einzelnen Befunden über große Entfernungen hinweg festzustellen.

Auf den Westen beschränkt sind bis jetzt jene Frauen, die sich durch einen durchlochten Gegenstand im Becken auszeichnen (S. 168 ff.). Dafür streuen die Befunde, wo eine Amulettsammlung rechts oder links in Hüfthöhe gefunden wurde, über das ganze Arbeitsgebiet (S. 136 f.), ebenso jene mit der auffälligen Schneckenbeigabe (S. 138 f.). Am frappierendsten ist aber die Ähnlichkeit der Gräber Dürrnberg (1 B) Grab 79 und Brno-Horní Heršpice (161) Grab 4, in denen je ein Mann bestattet ist, an dessen Sonderstellung wegen der Skelettdislozierung bzw. Bauchlage kein Zweifel bestehen kann, und an dessen rechter Schulter jeweils der Leichenbrand eines Kindes oder Jugendlichen mit Beigaben gefunden wurde. Wie weit sich hier Villingen (54) Magdalenenberg Grab 56 (Frau ohne eindeutige Auffälligkeiten und Kinderleichenbrand links vom Oberkörper) und Waldshut (55) Grab 1 (älteres Mädchen mit Glas und Anhänger, in der Halsgegend ein Tongefäß mit unbestimmtem Knochenbrand) anschließen lassen, ist ungewiß.

So einheitlich also das Bild innerhalb des keltischen Kulturbereiches zu sein scheint, so sicher ist es, daß viele Phänomene nicht auf ihn beschränkt sind. Oben wurde schon darauf hingewiesen, daß Körbchenanhänger, Dreipaßanhänger und die Verwendung von Tierzähnen o. ä. nach Norden

[388] J. Werner 1972, 133 f. Ähnliches läßt sich bei urnenfelder- und hallstattzeitlichen Vogelklappern beobachten (G. Kossack 1954a, 51. 84).

[389] Stets betont von R. A. Maier 1961a, 2 f.; 1961b, 359 f.

weit über das von der Latènekultur beeinflußte Thüringen hinausgreifen, wobei allerdings die dort geübte Brandbestattung genauere Beobachtungen über die Behandlung im Grabbrauch unmöglich macht. So ist auch das Brandgräberfeld von Dreitzsch (125) aufgrund mancher Eigenheiten und trotz allgemeiner Übereinstimmungen nicht mehr direkt zum keltischen Kreis zu rechnen, obwohl wir es oben schon wegen seiner geographischen Nähe zu Ranis mitbehandelt haben.

Vorkeltische Kultur im Karpathenbecken

Noch interessanter ist ein Blick nach Osten auf die „thrako-skythischen" Gräberfelder des Karpathenbeckens. Hier steht uns mit dem Gräberfeld I–A von Chotín in der Slowakei wegen der anthropologischen Skelettbestimmungen ein hervorragend dokumentiertes Material zur Verfügung[390].

122 Brandbestattungen stehen etwa 263 Körperbestattungen gegenüber, ohne daß in den Beigaben ein signifikanter Unterschied auszumachen wäre[391]. Von den Körperbestattungen geben 252 Aufschluß über die Skelettlage, wobei die Hockerlage, und zwar auf der rechten Seite, weit gegenüber der gestreckten Rückenlage überwiegt. Die nachstehende Tabelle veranschaulicht jedoch, worauf diese Differenzierung zurückgeht.

	infans juvenis	Frau	Mann	erwachsen	?	Summe
gestreckt	61	9	3	6	7	86
Rückenlage, Beine angezogen	2	3	—	—	1	6
Sonderlagen	—	3	2	—	1	6
linker Hocker	2	3	5	—	—	10
rechter Hocker	55	55	26	4	2	142
Hockerlage, ohne Angaben	—	1	—	—	1	2

Wir haben hier also ein schönes Beispiel für die „Umkehrung eines Prinzips": In einem Milieu, wo die Hockerbestattung das Normale ist, übernimmt die gestreckte Lage die Rolle der Sonderbestattung, die vor allem für Kinder in Frage kommt, aber wiederum nicht ausschließlich, sondern nur knapp überwiegend. Warum auch einige Erwachsene so bestattet sind, läßt sich anhand der Beigaben nicht feststellen. Dasselbe gilt für die wenigen linken Hocker. Von den nur zehn so Bestatteten lagen allerdings allein drei in Grab 170. Erwähnenswert ist ferner der nicht weiter kommentierte Befund am Schädel des Mannes in Grab 198: „Perforation des Stirnbeins von außen." Auch die Gräber, in denen das Skelett auf dem Rücken lag, aber die Beine angehockt nach rechts oder links liegen hatte, lassen keine weiterreichenden Schlüsse zu.

Zwei Frauen und ein unbestimmtes Individuum wurden in sitzender Stellung begraben (Gräber 6, 23, 30). Die Ärmlichkeit der Ausstattung bzw. Beigabenlosigkeit ist in diesem Gräberfeld zu häufig, als daß dies bei den erwähnten drei Gräbern auffallen müßte. Der Mann in Grab 269 mit normaler Ausstattung, darunter acht Pfeilspitzen, wurde mit weit ausgewinkelten Beinen gefunden, entsprechend etwa dem Mann in Dürrnberg (1 B) Grab 86/1.

---

[390] M. Dušek 1966.

[391] Immerhin finden sich in Brandgräbern keine Kaurimuscheln. Allein bei den Schläfenringen zeichnet sich eine Differenzierung ab: In den Skelettgräbern fanden sich 16 Exemplare aus Bronze und nur 3 silberne oder versilberte, in den Brandgräbern dagegen 1 bronzener, aber 10 silberne oder versilberte.

Dicht nebeneinander und am Gräberfeldrand kamen die beiden Gräber 195 und 182 zutage, deren Skelette in Bauchlage gefunden wurden. Die Frau in Grab 195 hatte dabei auch die Gliedmaßen unter den Körper gezogen und nur ein Gefäß als Beigabe. In Grab 182 lag ein beigabenloser Mann „in gestreckter Bauchlage, das Gesicht emporgehoben, so daß es geradeaus blickte. Der rechte Arm auf den Rücken gelegt, der linke unter dem Rumpf gewinkelt". Hier lautet nun die anthropologische Bestimmung lapidar[392]: „Alter maturus, Mongole" – ein in der Fremde Verstorbener?!

Dislozierung von Gliedmaßen kommt nur einmal vor. In Grab 2 war der Grubenboden schräg hergerichtet, das Kopfende des gestreckten Skeletts (männlich, matur) lag etwa 85 cm höher als das Fußende (vgl. dazu S. 171!). „Der Schädel mit den Halswirbeln neben dem rechten Ellbogen abgestellt. Rechter Unterarm und der ganze linke Arm fehlten. Das linke Bein über das rechte gelegt. Zehenglieder fehlten." Rechts vom Schädel fanden sich zwei singuläre Eisenstücke (Funktion?), ein flacher Sandstein, drei Kaurimuscheln, ein Tonwirtel, 13 Glasperlen und der einzige rundbodige Körbchenanhänger des Gräberfeldes (irrtümlich als Bestandteil des Pferdegeschirrs angesprochen). An anderen Stellen lagen noch ein flacher Tonwirtel und ein kleiner Topf[393]. Bei der Besprechung dieses Befundes kann M. Dušek auf etliche Fälle intentioneller Skelettmanipulation im Gräberfeld von Szentes-Vekerzug[394] hinweisen.

Westlichen Einfluß verrät das Brandgrab 56, aus dem ein doppelt gearbeitetes und ein einfaches buckelverziertes Klapperblech, Reste einer Doppelpaukenfibel (nach der Spirallänge), weitere, durch das Feuer deformierte Bronzestückchen und Scherben stammen[395]. Gerade diese beiden Gräber sind auch für die Datierung wichtig. Obwohl Dušek eine Datierung des Gräberfeldes zwischen das zweite Viertel des 4. und den Beginn des 3. Jahrhunderts vorschlägt[396], wird man doch aufgrund der Fibel und des Anhängers trotz einzukalkulierender Verspätungen den Beginn der Belegung noch in der zweiten Hälfte des 5. Jahrhunderts v. Chr. annehmen dürfen.

Allgemein fällt unter den Beigaben der übermäßige Reichtum an Glas- und Tonperlen, Tonwirteln und durchbohrten Kaurimuscheln auf, wobei Perlen und Muscheln, vor allem aber Tierzähne, gelegentlich auch in Männergräbern vorzukommen scheinen. Eine Bevorzugung der Kindergräber ist weder nach dem Anteil noch nach der absoluten Menge dieser Beigaben festzustellen.

Demselben Kulturkreis, wenn auch in einer etwas anderen Ausprägung, gehört das Gräberfeld von Szentlőrinc, Kom. Pécs, in Südungarn an[397]. Die zahlreichen Tierkopffibeln vom ostalpinen Typ verweisen es in die Spätphase der dortigen Hallstattkultur, die E. Jerem etwa zwischen 440 und 340 v. Chr. ansetzt[398].

An eigentlichen Amuletten finden sich dort nur zwei durchlochte Steine im Doppelgrab 3 (beide Individuen 30–35 Jahre) und in Grab 40, dem einer 30- bis 35jährigen Frau, über dem noch eine Brandschicht mit einem weiteren, 30jährigen Individuum festgestellt wurde. Sehr häufig sind Glas- und Bernsteinperlen, wobei die Gräber von Kindern (7 von 14) und jungen Frauen (Gräber 21/22, 41, 43) gegenüber den sonstigen Frauengräbern (9 von 25) in der Überzahl sind, ohne daß aber

---

[392] M. Dušek 1966, 59.
[393] Ebd. 10 Abb. 1; 45; Taf. 1, 1–9.
[394] Ebd. 19f.; M. Parducz 1954, 50; 1955, 13.
[395] M. Dušek 1966, 77 mit Taf. 19, 1–8.
[396] Ebd. 36.

[397] E. Jerem 1968.
[398] Ebd. 193f. In Abb. 18 ist in der Tabelle etwas durcheinander gekommen; vermutlich ist die Spalte „Kossack" um 100 Jahre zu jung eingetragen.

weitere Unterscheidungen, etwa nach der Anzahl oder dem Variantenreichtum der Perlen, begründbar wären. Ein Hundeeckzahn stammt mit Bernsteinperlen aus Grab 15 (7–8 Jahre), fünf Pferdezähne aus dem Brandgrab 46 einer Frau, dazu acht Bernsteinperlen, und schließlich ein Silexabspliß zusammen mit Bernstein, Glas und einer Silberblechperle aus dem mit 1–5 Jahren jüngsten Kindergrab 44 des Gräberfeldes. Dabei stimmt das Vorkommen dieses einzigen Gegenstandes aus Silber gerade in diesem Grab mit unseren Beobachtungen an den keltischen Gräberfeldern überein (S. 133).

An seltsamen Bestattungssitten werden vermerkt: ein beigabenloser, 35- bis 40jähriger Mann in Grab 17, dessen Langknochen säuberlich nebeneinander deponiert worden waren („as if the dead had to be buried to a fixed small area"), und das Doppelgrab 21/22, in dem zwei gleichalte (20–25 Jahre) Frauen bestattet waren, die nach der Analyse der übrigen anthropologischen Merkmale „sehr wahrscheinlich eineiige Zwillinge" waren. Dabei fehlte dem Skelett 22 der Schädel, obwohl der Unterkiefer und die übrigen Knochen nicht gestört schienen. An Beigaben sind nur Bernsteinperlen, eine Fibel und eine Amphore vorhanden. Der auf der Brust liegende Schädel der alten Frau in Grab 29 kann angeblich durch wühlende Tiere dorthin geraten sein. In Grab 42 lag eine 35- bis 40jährige Frau, bei der sich Schädelreste und Zähne eines etwa 3jährigen Knaben fanden, die Spuren von Feuereinwirkung zeigten. Mit insgesamt 64 Perlen war dieses Grab am reichsten mit Glas ausgestattet.

Südostalpine Hallstattkultur

Die Situation in Slowenien läßt sich leider nicht so gut überblicken, weil die alten Grabungen keine ausreichenden Daten liefern können und die neuesten Grabungen in den großen Hügeln von Stična und Novo mesto noch unveröffentlicht sind. Außerdem sind in ihnen die Skelette durch die Ungunst des Bodens nicht erhalten, so daß auch hier die Aussagemöglichkeiten beträchtlich eingeschränkt sein werden.

Nichtsdestoweniger sei auf Novo mesto Grab II,8 aufmerksam gemacht[399], wo der gesamte Schmuck der Toten rechts von ihrer Brust auf einem Haufen gelegen hat. Dabei war ein Goldblechdiadem in mehrere Stücke für eine sekundäre Verwendung zerschnitten worden. Daß Slowenien zu den Zentren der europäischen Glasindustrie dieser Zeit gehört, hat Th. E. Haevernick jüngst erst wieder unterstrichen[400]. Auch das große Gräberfeld von Most na Soči (S. Lucia) mit seinen zahlreichen Funden harrt noch einer modernen Veröffentlichung.

Allgemein betrachtet, sind Bronzegegenstände mit formbedingtem Amulettcharakter nicht allzu häufig, wenn man von der hallstättischen Tradition der Rasseln und Klapperbleche absieht. Es gibt rundbodige[401] und profilierte[402] Körbchenanhänger sowie Dreipaßanhänger[403], deren weitere Ver-

---

[399] T. Knez 1974. Nach T. Knez 1971, Abb. 10 müßte auch Grab III, 33 in diese Kategorie gehören.

[400] Th. E. Haevernick 1974b. Einige besonders reiche und auffallende Glasfunde bei A. Mahr 1934, Taf. 23, 130. 131. 134; F. Starè 1953, Taf. 4; F. Starè 1955, Taf. 33; T. Knez 1971, Abb. 30. 33. 34. 40.

[401] F. Starè 1955, Taf. 66, 1; C. Marchesetti 1893, Taf. 11, 3; 12, 2; 16, 12; 24, 33 (spitzbodig).

[402] A. Mahr 1934, Taf. 23, 136; F. Starè 1955, Taf. 94, 2; C. Marchesetti 1893, Taf. 24, 32. 34.

[403] V. Starè 1961, Taf. 3, 4–5; 12, 31; F. Starè 1963, 398 Abb. 8, 1–7; Taf. 6, 11–12; 12, 2; C. Marchesetti 1893, Taf. 24, 27. Aus der Steiermark ist ein Dreipaßanhänger noch in mittellatènezeitlichem Zusammenhang überliefert: W. Modrijan 1958, 9 Abb. 3, 5.

breitung nach Südosten hier nur angedeutet werden kann[404]. Noch seltener scheinen Kauri-muscheln[405] zu sein.

Oberitalien

Im Raume südlich der Alpen und nördlich des Apennin wurde zu der uns hier beschäftigenden Zeit die Brandbestattung geübt, abgesehen von der Südschweiz und dem Picenum. Aus diesem Grund ist die Basis für verwertbare Beobachtungen zum Grabbrauch ohnehin sehr schmal, wobei erschwerend der ungenügende Publikationsstand für die umfangreichen Nekropolen von Este und Bologna hinzukommt. Zu allem Überfluß wurden in Este anscheinend die als Grabanlagen verwendeten Steinkisten öfters mehrmals belegt oder gar als Familiengräber benutzt, so daß auch über die Zusammengehörigkeit mancher Funde nicht mit Sicherheit entschieden werden kann[406]. So müssen wir uns mit einem kursorischen Überblick über das überhaupt vorhandene Amulett-material und seine Zeitstellung begnügen.

In Este begegnen uns hauptsächlich dieselben Anhängerformen wie schon in Slowenien und auch nördlich der Alpen: Körbchenanhänger verschiedener Form[407], Dreipässe[408] und Schuh-anhänger[409]. Diese sind nach den Grabzusammenhängen nicht vor die Stufe Este III mitte nach O.-H. Frey zu datieren[410], also nicht vor das späteste 6. Jahrhundert v. Chr., und reichen sicher noch weit in das 5. Jahrhundert hinein. Auch ein Handamulett gehört nach der Fibel, in die es einge-hängt war, in diese Zeit[411]. In vielen älteren Gräbern tauchen die uns schon bekannten Klapper-bleche auf, meist mit einer Buckelverzierung. Erwähnenswert sind jedoch noch einige – wenigstens nach dem veröffentlichten Material zu urteilen – seltene Stücke aus dem 7. Jahrhundert v. Chr.: ein Vögelchen aus Bein[412], eine größere Silexpfeilspitze[413], zwei bronzedrahtumwickelte Eber-hauer[414] und aus dem Grab Casa di Ricovero 234 eine ganze Sammlung von Amuletten: 18 Fayence-figürchen östlicher Herkunft, viele weiße Glasringerl, durchlochte Korallenäste, verschieden ge-formte Anhänger und ein kreisaugenverziertes Messer aus Bein, 22 Bernsteinperlen und zwei große, verzierte Glasperlen[415].

Etwas später zu datieren ist das Grab Casa di Ricovero 232, aus dem zwei kugelige Anhänger aus Bein mit einer Schlaufe, Bernstein- und Korallenperlen und Glasringerl stammen, dazu auch eine Drahtfibel mit Bernsteinbügel, in deren Nadel ein Bronzeringchen und ein Bernsteinöse einge-hängt waren, welch letztere wiederum zur Befestigung von drei prismatischen beinernen An-hängern diente[416]. Noch etwas jünger sind ein kleiner, dreieckiger, ein keulenförmiger und ein schematisiert-menschengestaltiger Anhänger und ein Messerchen, alles aus Bein und ritzverziert,

[404] Vgl. etwa F. Lo Schiavo 1970, Taf. 10, 5; 11, 9.13; 15, 19 (Prozor); W. Radimský 1895, 101 Abb. 198; 157 Abb. 476 (spitzbodiger Körbchenanhänger aus Zinn?, in einen Schuh endend!); 170 Abb. 534; R. Drechsler-Bižić 1958, Taf. 12, 97 (Vrebac); R. Drechsler-Bižić 1961, Taf. 6, 10; 7, 6; 13, 2; V. Lahtov – J. Kastelic 1957, Taf. 11, 33.

[405] F. Starè 1953, 274 Taf. 2, 3; F. Starè 1955, Taf. 58, 1–2.

[406] Mit Nachdruck weist G. Mansfeld 1971, 419f. darauf hin.

[407] Rundbodig: O.-H. Frey 1969, 22 Abb. 9, 2; Taf. 30, 8; 31, 11; 34, 12. – Spitzbodig: A. Alfonsi

1922, 41 Abb. 36; O.-H. Frey 1969, Taf. 33, 25. – Profiliert: Ebd. 23 Abb. 10, 4; Taf. 33, 23–24.

[408] O.-H. Frey 1969, 22 Abb. 9, 3; Taf. 29, 7; 33, 19.

[409] Ebd. 22 Abb. 9, 1.

[410] Ebd. 21.

[411] A. Alfonsi 1922, 52 Abb. 45.

[412] O.-H. Frey 1969, Taf. 7, 5.

[413] Ebd. Taf. 6, 23.

[414] Ebd. 14 Abb. 2, 21.

[415] Ebd. Taf. 9, 7–14.

[416] Ebd. Taf. 26, 1–6.9.

im Grab 92 vom Fondo Rebato[417]. Die Bronzebeilanhänger[418] aus Rebato Grab 187 und Carceri Grab 48 können ihre Verwandtschaft zu ähnlichen Typen in Bologna[419] nicht verleugnen, während der menschengestaltige, kreisaugenverzierte Anhänger[420], ebenfalls aus Carceri Grab 48, mit anderen süd- und inneralpinen Formen in Verbindung zu bringen ist[421].

In Bologna scheint Amulettschmuck der uns interessierenden Ausprägung noch seltener zu sein, was wohl damit zusammenhängt, daß seit dem 6. Jahrhundert v. Chr. allmählich die Ausstattung der Toten mit ihrem Trachtzubehör zurückgeht. Im Gräberfeld von der Certosa[422], das im wesentlichen das 5. Jahrhundert v. Chr. umfaßt, gibt es, gemessen an der Zahl der Gräber und auch der Keramikbeigabe, nur mehr sehr wenig Metallbeigaben und andere Kleinfunde.

Für die westliche Po-Ebene mit der Golasecca-Kultur habe ich an anderer Stelle schon einmal einige Formen des Anhängerschmucks zusammengestellt: rundbodige, spitzbodige und profilierte Körbchenanhänger, Schuhanhänger und die dort recht seltenen Dreipässe[423]. Die Verbreitung der Körbchen- und Schuhanhänger weist eine erstaunliche Dichte auf, selbst wenn man in Rechnung stellt, daß aus der Südschweiz um Bellinzona zahlreiche Gräberfelder mit oft sehr vielen Gräbern bekannt sind.

Außer diesen Formen gibt es in der Golasecca-Kultur an Bemerkenswertem nur noch die etwa 20 durchbohrten Schweinephalangen aus dem Grab 1/1885 von der Ca'Morta bei Como[424] mit dem im frühen Este-Stil verzierten Bronzedeckel, einige Vierpaßscheiben eines weiter verbreiteten Typs[425], eine bestimmte Variante der beliebten Kettengehänge, bei der ein oder mehrere Korallenstückchen Verwendung fanden[426], und schließlich zwei größere, halbmondförmige Anhänger aus Koralle in einem Grab von der Ca'Morta[427]. In einem Grab von Castaneda im Misox fand man in einem Näpfchen aus Buchenholz „sehr viel blauen Farbstoff, der weit über das Näpfchen hinaus die Erde blau gefärbt hatte". Es handelte sich dabei um kohlensaures Kupfer, was schon zu der Vermutung führte, „daß Blau immer die Farbe gegen Dämonen gewesen und vielleicht als Schutz gegen solche dem Toten mitgegeben worden sei[428].

Es liegt auf der Hand, daß bei der geschilderten Art der Quellenüberlieferung in Oberitalien ganze Kategorien unserer Amulette nur unter besonderen Umständen zu identifizieren sein werden: Altstücke, unbrauchbar gemachte Gegenstände, Ringe mit Gußnaht und ähnliches, bei dem es entweder auf die Sicherheit des Grabzusammenhanges, eine genaue Beschreibung der äußeren Beschaffenheit oder einen guten Erhaltungszustand ankommt. Obwohl die Bronzen normalerweise unverbrannt beigegeben wurden, sind doch viele so fragmentarisch erhalten, daß sich der Grad der Intentionalität dieses Zustandes nur schwer abschätzen läßt, wenn man die Umstände der Fundbergung nicht kennt.

---

[417] Ebd. Taf. 15, 15–18.

[418] Ebd. Taf. 13, 21; 28, 14.

[419] O. Montelius 1895, Taf. 83, 10.

[420] O.-H. Frey 1969, Taf. 28, 13.

[421] M. Primas 1966, 203 f.

[422] A. Zannoni 1876.

[423] L. Pauli 1971 b, 54 ff. mit Karten 9–10. Zu ergänzen sind mehrere rundbodige Körbchenanhänger aus Como „Ca' Morta" Grab VIII/1926 (R. De Marinis – D. Premoli Silva 1969, 194 Taf. 22, 19), Grab I/1927 (ebd. 199 Taf. 27, 10) und Como „Ronchetto" (G. Luraschi u. a. 1973, 169 mit Taf. 6, 7, Siedlungsfund), sowie ein profilierter Körbchenanhänger aus

Como „Ca' Morta" Grab I/1927 (Abbildung wie oben). – Der Vollständigkeit halber noch ein weiterer rundbodiger Körbchenanhänger aus Frankreich: Lavoye (Meuse) „Champ Lécaillon" Grab 1 des 1. Jh. n. Chr.: G. Chenet 1921, 238 Abb. 6.

[424] R. De Marinis – D. Premoli Silva 1969, 181 Taf. 9, 5 (früher als Grab von „Grandate" bezeichnet).

[425] M. Primas 1966, 205.

[426] M. Primas 1970, 37 Abb. 9 A 4; Taf. 11 C 5; L. Pauli 1971 a, Taf. 13, 4; 26, 5 (Koralle ausgefallen); mehrere Exemplare aus Golasecca im Museum Varese.

[427] G. Baserga 1929, 28 Abb. 10–11.

[428] K. Keller-Tarnuzzer 1928, 51; 1929, 73.

Der kurze Rundgang durch benachbarte Regionen unseres Untersuchungsgebietes ist in mancher Hinsicht lehrreich. Erstens zeigt er, daß gerade bestimmte Formen des Anhängerschmucks eine viel größere Verbreitung haben, vor allem die Körbchen- und Dreipaßanhänger, dann aber natürlich auch die Verwendung bestimmter Materialien in diesem Zusammenhang, also Glas, Bernstein, Bein, Koralle. Zweitens werden trotzdem Unterschiede in der Intensität dieses Brauchtums deutlich, Bevorzugungen gewisser Materialien und Formen. Drittens aber müssen wir die bedauerliche Feststellung machen, daß außerhalb des Gebietes der mitteleuropäischen Hallstatt- und Latènekultur die Bedingungen für eine analoge Analyse und Interpretation derzeit nicht gegeben sind: in Italien Brandbestattung, so gut wie keine Leichenbranduntersuchungen, überwiegend alte Grabungen; in der Südschweiz zwar Skelettgräber, aber fast alle aus alten Grabungen, deren Quellenwert sehr eingeschränkt ist; in Slowenien wegen der Bodenverhältnisse keine erhaltenen Skelette. Einzig im Bereich der karpathenländischen Gräberfelder sind die Voraussetzungen etwas günstiger; hier wäre noch ein Feld für weiterführende Untersuchungen mit ähnlicher Zielsetzung.

CHRONOLOGISCHE ABGRENZUNG

Um Anhaltspunkte dafür zu gewinnen, ob die Amulettfreudigkeit der Späthallstatt- und Frühlatènezeit auf Anstöße von außen zurückgeht, müssen wir auch noch kurz die Chronologie einzelner Erscheinungen betrachten. Zunächst ist es wohl sicher, daß die Vorstellung von den Gefährlichen Toten zu allen Zeiten im Schwange war. Einige Sonderbestattungen von Hallstatt (187) gehören noch nach Hallstatt C; für eine genaue Datierung der Befunde aus der Oberpfalz, Beilngries (132) und Fischbach (135) muß man deren endgültige Bearbeitung abwarten. Der Sonderfriedhof von Großeibstadt mit seinen unklaren Skelettbefunden ist ebenfalls überwiegend in Hallstatt C belegt worden[429]. Eine kontinuierliche Rückverfolgung solcher Sitten ist durch die Brandbestattung während der Urnenfelderzeit und die ausgesprochen ungenügende Dokumentation der Befunde aus der Hügelgräberbronzezeit derzeit nicht möglich, erst in der Frühbronzezeit mit ihren Flachgräberfeldern wären die entsprechenden Bedingungen wieder gegeben[430].

In Frankreich, am Dürrnberg (Grab 24/1) und in der Slowakei sind Sonderbestattungen noch in Latène C belegt, während in den darauffolgenden Perioden durch die Brandbestattung oder das Fehlen von regelrechten Friedhöfen überhaupt die Erkenntnismöglichkeiten wieder stark eingeschränkt sind. Erst in spätrömischer und frühmittelalterlicher Zeit[431] sind abweichende Skelettlagen als Indiz für Sonderbestattungen wieder nachweisbar. Wenn auch in Frankreich die Kontinuität von der vorgeschichtlichen über die gallo-römische Periode vorhanden ist, müßte man für die rechtsrheinischen Gebiete einen möglichen Einfluß des germanischen Elements überprüfen.

[429] G. Kossack 1970, 119.
[430] Die Bemerkungen von F. Stein 1968, 35 zu „Unregelmäßigkeiten" bei Kindern und Jugendlichen im Gräberfeld von Gemeinlebarn beziehen sich nur auf Beigabenkombinationen und die geschlechtsdifferenzierte Orientierung; sie wären gewiß noch ausbaufähig.
[431] Siehe oben S. 189 f. Drei Fälle von abweichenden Skelettlagen im Gräberfeld des 4. Jahrhunderts von

Dieulouard-Scarponne (Meurthe-et-Moselle) seien hier noch kurz erwähnt (R. Billoret 1974, 339): einmal Bauchlage, einmal Bauchlage mit dem Schädel unter dem linken Bein, einmal der Schädel zwischen den Unterschenkeln. Im spätrömischen Gräberfeld von Neuburg a. D., allerdings mit starker germanischer Bevölkerungskomponente, gibt es zwei Hockergräber mit beigabenlosen Männern (Hinweis E. Keller, München).

Etwas anders stellt sich die Situation dar, betrachten wir Formen, Materialien und Häufigkeit der Amulette in den Gräbern. Es besteht kein Zweifel, daß mit der Frühlatènezeit ein neuer, kräftiger Anstoß zu verspüren ist, der sich auch in der bevorzugten Behandlung vieler Kindergräber bemerkbar macht. Glücklicherweise haben wir in dem Material von Villingen (54) Magdalenenberg einen Komplex vor uns, der chronologisch auf Hallstatt D 1 beschränkt ist und kaum noch nach Hallstatt D 2 hineinreichen dürfte, damit also auf jeden Fall vor die ältesten Latènegräber zu datieren ist. Aber auch hier finden wir schon wichtige Phänomene ausgeprägt, die uns dann in der Latènekultur öfters begegnen: Skelettdislozierung mit Amulettbeigabe und Ringe mit Gußnähten bei Kindern. Ebenfalls nach Hallstatt D 1 ist das Wagengrab VI von Hundersingen (31a) Hohmichele mit seinen vier Eberhauern und den übrigen Amuletten zu setzen. Etwa ebenso alt werden das Grab aus Söllingen (50) mit den Bärenzähnen und dem durchlochten Stein sowie die Gräber von Kurzgeländ (75) Hügel 19, Grab 6 und Hügel 41, Grab 4 sein. Noch nach Hallstatt C zu datieren sind die auffälligen Kindergräber 34 und 84 von Nynice (155).

Da nach unseren Vorstellungen die letzte Phase von Hallstatt D 2 schon gleichzeitig mit den ältesten Frühlatènegräbern sein dürfte[432], die Funde innerhalb von Hallstatt D 2 aber nicht entsprechend genau differenzierbar sind, dürfen wir Hallstatt D 2-Gräber nicht als Indiz für einen zeitlichen Vorsprung des südwestdeutschen Hallstattkreises gegenüber der Latènekultur hinsichtlich des verstärkten Amulettwesens heranziehen. Dasselbe gilt natürlich erst recht für die vielen Hallstatt D 3-Gräber mit Amuletten.

Bei der Behandlung der Befunde vom Dürrnberg (1 A) und Münsingen (2) wurde schon darauf verwiesen, daß die bevorzugte Behandlung der Kindergräber und die damit eng verbundene Amulettbeigabe offensichtlich nicht durch die ganze Latènezeit anhält. Während man für die Beobachtung am Dürrnberg noch ins Feld führen könnte, daß es dort bis jetzt zwar sehr viele Latène A-Kindergräber, aber so gut wie keines aus den Stufen Latène B und C gebe (was natürlich durchaus analog interpretiert werden könnte), ist doch der Fall in Münsingen eindeutig, wo der Anteil der Kindergräber einigermaßen konstant bleibt[433].

Auch in den anderen Flachgräberfeldern der Schweiz ist diese Feststellung zu treffen: Ab der Phase Latène B 2 geht die Anzahl der auffällig ausgestatteten Gräber von Kindern, Jugendlichen und jungen Frauen rapide zurück, um schließlich jenen Stand zu erreichen, der zwar durch einige Einzelbefunde charakterisiert ist, aber nur gerade noch die Kontinuität der damit verbundenen Vorstellungen beweist. Wichtig ist in diesem Zusammenhang, daß sich die keltischen Flachgräberfelder des östlichen Mitteleuropa ebenfalls dieser Tendenz gänzlich anschließen.

Nichtsdestoweniger bleibt die Feststellung bestehen, daß trotz gewisser Vorläufer wohl doch erst mit der Latènezeit das so charakteristische Verhaltensmuster bezüglich der Amulette richtig einsetzt. Am deutlichsten ist dies daran, daß erst jetzt jene Amulette auftauchen, die sich durch ihre sinnfällige Form sogleich als solche zu erkennen geben: Rähmchen, Rad-, Schuh- und Beilanhänger, menschen- und tiergestaltige Figürchen, Ringwürfel, Drei- und Vierpässe und Körbchenanhänger. Neu ist auch die Verwendung von ganzen Hirschrosenscheiben[434]. Die unverhältnismäßige Steigerung des Glas- und Bernsteingebrauchs wird ebenfalls damit zusammenhängen, wie das synchrone Verhalten im Laufe der Latènezeit andeutet (vgl. S. 30.37).

---

[432] L. Pauli 1972, 58 ff.
[433] U. Schaaff 1966, 57f. Abb. 5–6.

[434] R. A. Maier 1961b, 360 Anm. 22; in galloörmischem Zusammenhang: J.-J. Hatt 1955 und W. Deonna 1956.

Amulettglaube und soziologischer Hintergrund

Unter diesen Voraussetzungen scheint es erlaubt, aus unseren Beobachtungen an den Gräbern auch Rückschlüsse auf eine gesteigerte Wertschätzung und Verwendung der Amulette im täglichen Leben allgemein zu wagen. Dann jedoch drängt sich die Frage nach der Ursache dieses Phänomens von selbst auf. Aus unserem eigenen Material vermögen wir dazu nur wenig Dienliches abzulesen: allenfalls eine deutliche Beziehung einzelner Formen zu gleichzeitigen oder auch älteren Entsprechungen im Süden und Südosten. Aber hier handelt es sich ja nicht um Weitergabe von beliebigen Gegenständen oder gar Handel, sondern offenbar um eine Übernahme oder Intensivierung geistig-religiöser Vorstellungen, für die eine gewisse Bereitschaft vorhanden gewesen sein muß.

So bleibt uns nichts anderes übrig, wollen wir zu weiterführenden Aussagen gelangen, als danach Umschau zu halten, ob es eine Art Theorie des Amulettglaubens gibt, die vor allem geeignet ist, seiner Periodizität gerecht zu werden. Aus ihrer umfassenden Bearbeitung der Amulette haben L. Hansmann und L. Kriss-Rettenbeck zu diesem Thema folgendes Ergebnis gewonnen[435]:

„Der erstaunlichen Vielfalt der altorientalischen Amulette entsprechen ägyptische, hellenistische, spätrömische Zeiten, der Fülle und den Grabfunden folgend zu schließen, auch die Nach-Völkerwanderungszeit, sowie das 16. und 17. Jahrhundert in Mitteleuropa. Seit der Spätantike sind es Perioden schwindenden Autoritätsglaubens ohne dynamische Perspektiven eindeutiger religiöser Dogmen oder deren formalistischer Erschlaffung. Je kräftiger die Kategorien des Privatreligiösen, des Autosuggestiven sich erweisen, desto häufiger entstehen die Sammlungen des auswechselbaren, zu spezieller Bedrohung getragenen Amuletts, entstehen die kosmobiologischen Arsenale im Kleinen. Es sind außer den Phasen zweipoliger Religiosität, der Zurschaustellung einer Verweltlichung aber auch Zeiten handelspolitischer Expansion, des Austauschs, des Reisens, der erweiterten Horizonte, in denen sich ein geistiges Vakuum auffüllt mit Fremdem und Neuem, mit Sektierertum, magischer und okkulter Praxis, auch Kriegszeiten mit dem Absinken alter Eliten und freier Gesellschaftsschichten, kurz alle sozial-morphologischen Trümmerfelder, in denen das Einsickern auf mannigfachen Wegen möglich ist. Fremdes und Altvertrautes gewinnt in der Dämonisierung aller Lebensbereiche an Heilsuggestion ... Je größer die Gefahr, je ungewisser die Zukunft, desto intensiver die Hinwendung zum Amulett ... Dann erweisen sich plötzlich autonome Traditionen als überraschend formbar, zumal wenn nur der Tausch von Gestalt und Stoff vorgenommen, die eigentliche Kette gewisser Altvorstellungen aber nicht unterbrochen wird."

Daß auch die Mitte des letzten vorchristlichen Jahrtausends zu diesen Perioden der Amuletthäufung gehört, mußte den beiden Autoren zwangsläufig entgehen, da bisher nur sehr kleine Ansätze zu Untersuchungen in dieser Richtung vorhanden waren[436] und die wirklich aussagekräftigen Neufunde erst in den letzten Jahren zutage kamen. Um so reizvoller ist es, die Charakterisierung dieser Perioden mit unseren Kenntnissen über die politisch-soziologisch-religiösen Zustände jener Zeit zu vergleichen, zumal auch schon R. A. Maier darauf hinwies, daß die verschiedenen „Renaissancen" des Naturaliengebrauchs im besonderen und damit des Amulettglaubens im allgemeinen „mehr oder minder mit Perioden äußerer und innerer Umschichtungen zusammenfallen"[437].

---

[435] L. Hansmann – L. Kriss-Rettenbeck 1966, 232f. 359f.

[436] Am ehesten noch R. A. Maier 1961a und 1961b,

[437] R. A. Maier 1961a, 3.

Dazu müssen wir nun doch etwas genauere absolutchronologische Zeitansätze ein-
führen, um vor allem den Beginn dieser Periode festzulegen. Wir gehen hier, ohne es an dieser
Stelle noch einmal zu begründen[438], von einem frühen Datum für den Beginn der Latènekultur
aus, nämlich den Jahren um oder kurz nach 500 v.Chr. Voll in das 5. Jahrhundert gehören auch
die Funde der Phase Hallstatt D 3, die am leichtesten mit Hilfe der Fußzierfibeln zu umschreiben
ist. Der Unterschied in der Terminologie beruht darauf, daß nicht alle Gebiete Mitteleuropas zur
gleichen Zeit die Latènekultur übernommen haben. Da fast alle einigermaßen reichen Amulett-
gräber der südwestdeutschen Hallstattkultur erst der Phase Hallstatt D 3 angehören und vor
allem durch die Neuformen charakterisiert sind, wird der Einfluß, der zu der beschriebenen Ent-
faltung des Amulettglaubens führte, zwar schon im Laufe des 6. Jahrhunderts spürbar gewesen
sein, seine volle Auswirkung aber erst gegen dessen Ende oder tatsächlich erst im 5. Jahrhundert
erfahren haben.

Eine der aufgezählten Charakteristiken trifft auf jeden Fall zu, ohne daß wir es hier *in extenso*
belegen müssen: Späthallstatt/Frühlatène waren „Zeiten handelspolitischer Expansion,
des Austausches, des Reisens, der erweiterten Horizonte". Auch wenn sich Kontakte
zum Mittelmeerraum selbstverständlich schon in der Urnenfelder- und älteren Hallstattzeit nachweisen lassen[439], so ist doch erst im 6. Jahrhundert mit so engen Beziehungen zu rechnen, daß die
Übertragung geistiger Phänomene mit weitreichenden Wirkungen erwartet werden kann[440]. Vor-
aussetzung ist dazu der unmittelbare persönliche Kontakt größerer Personenkreise mit dem
Neuen.

Vorerst können wir dies allerdings nur an Einzelpersonen auf dem Umweg über ihre Werke
nachweisen. So muß etwa der Auftraggeber und wohl auch der Baumeister der Lehmziegelmauer
von der Heuneburg (Periode IV b, nicht viel vor 550 v.Chr.) die mediterranen Vorbilder mit
eigenen Augen gesehen haben[441]. Ebenso ist die Stele des Grabhügels von Hirschlanden (wohl zu
Grab 13 gehörig, also um oder kurz nach 500 v.Chr.)[442] ohne einen Aufenthalt des Bildhauers im
Süden undenkbar. Auch bei den Herstellern der Bronzesitulen des 5. Jahrhunderts v.Chr. im
Rheinischen Schiefergebirge meinten wir eine Mobilität von Personen feststellen zu können[443].
Weitere Beweise für den gewaltigen Aufschwung von Handel und Verkehr sind die zahlreichen
mediterranen Importwaren nördlich der Alpen[444], wie wir sie in dieser Menge vorher überhaupt
nicht und später erst wieder nach der Eroberung halb Mitteleuropas durch die Römer kennen.

Schwieriger ist die Beurteilung der politischen Zustände, weil diese nicht unmittelbar aus
den Bodenfunden erschlossen werden können und daher einen größeren Spielraum für Interpretationsmöglichkeiten und – um es deutlicher zu sagen – Spekulationen bieten. Fest steht zunächst einmal, daß das 6. und 5. Jahrhundert v.Chr. zu jenen Perioden zählen, in denen die Höhensiedlungen und Befestigungen wieder aufgesucht oder gar erst neu angelegt werden. Dies ist über
ganz Mitteleuropa hin zu verfolgen[445]; der Gegensatz zu Hallstatt C und Latène B–C ist eindeutig.
Über die Gründe dafür tappen wir weitgehend im Dunkeln. W. Kimmig vermutet[446], „daß auch
der sich schon früh entwickelnde polis-Gedanke, zunächst mehr vom konstruktiv-planerischen

---

[438] L. Pauli 1972, 58 ff.

[439] L. Pauli 1971 b, 4 ff.

[440] Recht ausführlich zuletzt wieder W. Kimmig
1974 a.

[441] Sehr anschaulich W. Kimmig 1968, 47 ff.; ähnlich gewertet von K. J. Narr 1972, 211 ff. – Etwas ausführlicher zu diesem Problem der „persönlichen Süd-

kontakte" W. Dehn 1974, 12 ff.

[442] H. Zürn 1964 und 1969.

[443] L. Pauli 1971 b, 16 ff.

[444] Zuletzt W. Kimmig 1974 a.

[445] W. Kimmig 1969, 96.

[446] Ebd. 97.

und weniger vom sozialpolitischen her, mit seiner ummauerten Siedlung und einer häufig in ihr liegenden Akropolis-Burg, mit großer Wahrscheinlichkeit auch die Wohn-Vorstellungen der hallstättischen Gruppen nordwärts der Alpen nachhaltig beeinflußt hat". Das mag für einzelne neue Züge der späthallstättischen Befestigungen zutreffen, die Erscheinung als solche vermag es nicht zu erklären. Wir müssen voraussetzen, daß in der Tat ein Bedürfnis danach bestand, mit den neuen oder erneuerten Befestigungen die Sicherheit einzelner oder aller Bevölkerungsgruppen zu erhöhen.

Halten wir uns das Schicksal der Heuneburg vor Augen, in der allein Ausgrabungen in ausreichendem Maße vorgenommen und auch veröffentlicht sind[447], so ist daran nicht zu zweifeln. Die Neubenutzung des Plateaus setzt im frühen 6. Jahrhundert mit der Erbauung einer Holz-Erde-Befestigung ein, die bald durch die bekannte Lehmziegelmauer der Perioden IV b-a ersetzt wird. Ihr muß man eine etwas längere Lebensdauer zubilligen, bis sie schließlich am Beginn der Phase Hallstatt D 2, also etwa gegen 540 v. Chr., durch eine große Brandkatastrophe zerstört wird. E. Gersbach bringt damit auch den Untergang der Außensiedlung vor den Toren der Burg in Verbindung, auf deren einplanierten Resten dann die neuen Herren der Burg demonstrativ ihre Grabhügel errichtet hätten[448]. Nach dieser Episode der Lehmziegelmauer verwendete man für alle folgenden Befestigungen wieder die einheimische Holz-Erde-Technik. Nehmen wir das Ende der Heuneburgsiedlung um oder kurz nach 400 v. Chr. an[449], sehen wir uns mit der Tatsache konfrontiert, daß sich nach den bisher veröffentlichten Grabungsbefunden noch mindestens sechs Befestigungsphasen in die verbleibenden 150 Jahre teilen[450]. Ob diese rasche Aufeinanderfolge immer neuen Zerstörungen durch Kämpfe oder aber nur der konstruktiv bedingten Baufälligkeit solcher Wälle zuzuschreiben ist, geht aus den Veröffentlichungen nicht hervor. Gelegentliche Hinweise auf Zerstörungen von Gebäuden im Innenraum durch Brand[451] lassen sich dafür vorerst nicht verwerten.

Wenn wir diesen Befund von der Heuneburg als repräsentativ wenigstens für die nordwestalpine Hallstattkultur nehmen wollen, und bei dem derzeitigen Forschungsstand bleibt uns nichts anderes übrig, scheinen diese Zeiten nicht so friedlich gewesen zu sein, wie man sie sich aufgrund des idyllischen Bildes vom weltaufgeschlossenen, handeltreibenden Hallstatt-„Fürsten" unwillkürlich vorstellt. Allerdings ist die Zeit noch lange nicht reif, um wenigstens mit einiger Wahrscheinlichkeit sagen zu können, wo wir mit großräumigen Machtkämpfen, Streitigkeiten zwischen einzelnen Adelsgeschlechtern oder inneren Umwälzungen zugunsten bis dahin unterprivilegierter Schichten zu rechnen haben. Wenn wir uns jedoch das plötzliche Ende der Höhensiedlungen und besonders jener, die als „Herrensitze" in Frage kommen, und den eklatanten Gegensatz zu der aus den nachfolgenden Latène B-Gräberfeldern abzuleitenden Sozialstruktur vor Augen halten, ist die zuletzt genannte Möglichkeit nicht von vornherein auszuschließen[452].

[447] W. Kimmig – E. Gersbach 1966; W. Kimmig 1968; W. Kimmig – E. Gersbach 1971; W. Kimmig 1971; W. Kimmig 1975.

[448] E. Gersbach 1969.

[449] Bei einer Übertragung der Verhältnisse in Nordwürttemberg nach L. Pauli 1972, 58 ff. Die Datierungsvorschläge der Heuneburgforschung selbst wechseln in immer kürzeren Abständen. Datiert W. Kimmig 1974b – entgegen früheren Ansätzen – ein scheibengedrehtes Gefäß von der Heuneburg erst in die Zeit „um 400 v. Chr.", so nimmt er 1975, 198. 204 das Ende der Siedlung in der „zweiten Hälfte des 5. Jahr-

hunderts" an. Dafür wird ebd. 199 ohne jegliche Begründung die Lehmziegelmauer in die Zeit „um 500 v. Chr." verlegt, was zu beträchtlichen, aber nicht diskutierten Konsequenzen für die relative Abfolge der Gräber und Phasen innerhalb von Hallstatt D führen müßte.

[450] W. Kimmig – E. Gersbach 1966, 109.

[451] Ebd. 118; W. Kimmig 1971, 1140.

[452] Sehr wichtig, wenn auch aufgrund der neueren Forschungsergebnisse dringend neu zu überdenken ist der Ansatz von U. Kahrstedt 1938.

Für eine Beurteilung des r e l i g i ö s e n A s p e k t s der Amuletthäufigkeit fehlen uns vollends festere Anhaltspunkte, weil wir über die Religion der damaligen Zeit in dem Sinne, wie sie L. Hansmann und L. Kriss-Rettenbeck beschreiben, so gut wie nichts wissen. Die Folgerung, daß man eben aus dem Auftreten der Amulette auf „schwindenden Autoritätsglauben" oder „zweipolige Religiosität" schließen könnte, wäre nichts als ein Zirkelschluß, dessen inhaltliches Ergebnis außerdem nach wie vor gleich Null ist, weil wir weder etwas über die Ausprägung der Religion vor einer solchen Krise noch etwas über die erfolgten Änderungen danach wissen.

Uns bleibt allein die Möglichkeit zu untersuchen, ob sich im verwendeten S y m b o l g u t eine Verschiebung von ganzen Symbolkomplexen oder Einzelmotiven abzeichnet, die als indirekte Zeugnisse neuer Strömungen in der Religion gelten könnte. Über das Symbolgut der Urnenfelder- und Hallstattzeit in Mitteleuropa wissen wir dank der zusammenfassenden Arbeit von G. Kossack gut Bescheid[453]. Eines der charakteristischsten Symbole ist der Vogel, und zwar fast immer unmißverständlich als Wasservogel dargestellt. Daß er eng mit den religiösen Vorstellungen, ja vielleicht sogar mit bestimmten Gottheiten zusammenhängt, daran besteht kein Zweifel[454]. In zahlreichen Fällen taucht er in Verbindung mit dem „Sonnenrad" auf oder wird durch Verdoppelung zur Vogel- oder Vogelsonnenbarke umgestaltet.

Nun weist schon Kossack darauf hin, daß gerade im Westhallstattkreis dieses Symbolgut ohnehin recht selten ist, und zieht daraus den Schluß[455]: „Die Spärlichkeit entsprechenden Fundstoffes in der westlichen Hallstattkultur ist in ihrer Bildfeindlichkeit, ihrer abstraktgeometrischen, ‚ornamentalen' Darstellungsweise begründet, die keinesfalls zufällig, sondern der Ausdruck einer ganz bestimmten geistigen Veranlagung ist, der die gestaltliche Erfassung überirdischer Kräfte fremd war."

Trotzdem und gerade deswegen kann man sehr klar sehen, daß einerseits die bildfreudige Frühlatènekunst etwas völlig Neues darstellt, worauf wir gleich noch näher zu sprechen kommen, andererseits aber die alten Symbole fast gänzlich verschwinden. So gibt es nur drei eng umrissene Fundgruppen, die durch die Weiterverwendung des traditionellen Wasservogels gekennzeichnet sind.

Als erstes sei ein Typ der durchbrochenen Gürtelhaken angeführt, dessen Hauptmotiv, zwei gegenständige Vierfüßler, in einigen Fällen zu S-Spiralen mit Vogel- oder Pferdeköpfen abgewandelt und durch die Hinzufügung von kleinen Wasservögeln ergänzt wird[456]. Die Verbreitung dieses Typs wie auch der engeren Variante zeigt jedoch, daß es sich um Produkte des subalpinen Gebietes und der Po-Ebene handelt, zwar nach Konstruktion und Verzierungsschema auf Anregungen von jenseits der Alpen zurückgehend, aber dann völlig selbständig gestaltet, vor allem was den Motivschatz angeht. Wenn wir sehen, daß auch für die Attaschenverzierung von zweifelsfrei im Tessin hergestellten Schnabelkannen das Doppelvogelmotiv herangezogen wurde[457], dann wird klar, daß wir in Oberitalien mit einer ungebrochenen Tradition des Urnenfeldervogels[458] bis in das 5. Jahrhundert v. Chr. (oder sogar noch etwas länger) rechnen müssen. Die angeführten Gürtelhaken haben also nicht als Produkte keltischer Kunst im engeren Sinne zu gelten.

Die zweite Fundgruppe bildet jene Variante der Vogelkopffibeln, die als „späthallstättische Vogelkopffibeln" bezeichnet werden. Sie unterscheiden sich von den Frühlatène-Vogelkopffibeln

[453] G. Kossack 1954a.
[454] E. Sprockhoff 1954, 40ff. 67ff.
[455] G. Kossack 1954, 78.
[456] Der Typ allgemein: P. Jacobsthal 1944, Taf. 170f., Nr. 360–363; J. V. S. Megaw 1970, Nr. 95–99. Die drei Exemplare mit Wasservögeln stammen aus

S. Polo d'Enza (Reggio Emilia), Castaneda (Ticino) und Hölzelsau b. Kufstein (Tirol): J. V. S. Megaw 1970, Nr. 95–97.
[457] P. Jacobsthal – A. Langsdorff 1929, 41ff. 55ff. mit Taf. 21–24; M. Primas 1973, 79 Abb. 3.
[458] G. Kossack 1954a, 69ff. 75f.

durch einen quergekerbten Bügel und vor allem einen stark stilisierten Kopf, der in allen Fällen als Kopf eines Wasservogels zu identifizieren ist. Ihre Verbreitung[459] weist sie als charakteristische Form des südwestdeutsch-burgundischen Späthallstattkreises aus, die nur als Imitation der Frühlatène-Vogelkopffibeln verständlich ist[460], bei der hallstättische Elemente zur Ausgestaltung eines fremden Fibelschemas verwendet wurden. Hier wird also die Bildfeindlichkeit des Westhallstattkreises in seiner spätesten Phase etwas aufgeweicht[461], doch wird die Anregung eigenständig oder besser: traditionell verarbeitet, indem man den alten Wasservogel an die Stelle der Raubvogel- oder sonstigen Tier- und Maskenköpfe der Frühlatènefibeln setzt. Demgemäß sind diese Fibeln ebenfalls nicht unter jene Gegenstände zu rechnen, mit denen man die keltische Kunst umschreiben möchte.

Allein die dritte Fundgruppe ist durch Verbreitung und Fundkombination eng mit der Frühlatènekultur verbunden. Es handelt sich dabei um etliche Halsringe des Marnegebietes, die sich durch eine aufgesetzte plastische Verzierung auszeichnen. Die uns interessierende Variante zeigt nicht den einfachen oder komplizierten Ösenbesatz[462], sondern verwendet das Vogelmotiv. Dabei sind stets Wasservögel dargestellt, und zwar in Verbindung mit dem Sonnenrad, einmal sogar als Vogelsonnenbarke[463]. Das Erstaunliche dabei ist, daß diese Ringe in einem Gebiet hergestellt wurden, in dem in den vorhergehenden Perioden dieses Motiv, das ja viel weiter östlich seinen Ursprung hat[464], nicht belegt ist[465] und auch in der weiteren Umgebung offenbar nur an importierten Einzelstücken festgestellt werden kann[466]. Da jedoch eine Ableitung diese Ringe aus einem anderen Gebiet auszuscheiden hat, müssen wir daraus den Schluß ziehen, daß uns durch die Fundsituation offenbar doch ganze Überlieferungsstränge verborgen bleiben können. Möglicherweise läßt auch hier, wie bei den Vogelkopffibeln, erst die Aufweichung der „westhallstättischen Bilderfeindlichkeit" unter dem Einfluß der Latènekultur alte Formen und Inhalte manifest werden.

Fassen wir diese Beobachtungen zusammen, so hat es den Anschein, daß mit der Frühlatènekunst tatsächlich auch die Verwendung der alten Symbole fast gänzlich aufhört und an deren Stelle neue Elemente treten, und zwar nicht im Sinne eines einfachen Austausches von beliebigen Symbolen, sondern einer umfassenden Neuorientierung der künstlerischen Auffassung. Ein größerer Gegensatz als zwischen der bilderfeindlichen Hallstattkunst im Westen und der am Nordrande dieses Gebietes aufkommenden Latènekunst mit ihrer Vorliebe für plastische Ausgestaltung der Gebrauchsgegenstände, für die Verwendung von Tier- und Menschenköpfen, für die Umsetzung pflanzlicher Motive aus dem mediterranen Kulturkreis, wie etwa die Palmetten, ist nicht denkbar. Nach dem, was wir über die Rolle des hallstättischen Symbolgutes wissen und über die magischen Aspekte der Frühlatènekunst gleich noch ausführen werden, wird man wohl annehmen dürfen, daß sich in diesem Gegensatz auch eine Änderung wesentlicher religiöser Vor-

---

[459] O.-H. Frey 1971a, 364 Abb. 5; G. Mansfeld 1973, 254f. Fibel-Fundlisten 281–282.

[460] Zu den chronologischen Problemen L. Pauli 1972, 64f. Wie weit bei einigen westlichen Frühlatène-Vogelkopffibeln die Darstellung von Wasservögeln beabsichtigt ist, läßt sich schwer sagen, weil der Übergang zu eindeutigen Masken und Fratzen fließend ist. Vgl. U. Schaaff 1971, 82 Abb. 13,2; 89 Abb. 19,1; 96 Abb. 23,6.

[461] Die anthropomorphen Grabstelen, vor allem die von Hirschlanden (vgl. Anm. 442), hängen mit dem Totenkult zusammen, sind also nur bedingt hiermit zu vergleichen. Vgl. dazu auch G. Kossack 1954a, 83.

[462] D. Bretz-Mahler 1971, Taf. 55–57.

[463] Ebd. Taf. 60–61; P. Jacobsthal 1944, Taf. 138, Nr. 239–240.

[464] G. Kosasack 1954a, 79ff.

[465] Allein die beiden späthallstättischen Vogelkopffibeln von Chouilly (Marne) „Les Jogasses" gehören in diesen Zusammenhang (P.-M. Favret 1936, 90 Abb. 34).

[466] G. Kossack 1954a, 100ff. Nr. H 30.37.47.114. 135.160.

stellungen manifestiert. So können wir zwar die Tatsache einer Veränderung wahrscheinlich machen, aber über deren konkreten Inhalt nach wie vor nur sehr wenig aussagen.

Nach dieser kurzen Skizzierung der inneren Verhältnisse am Übergang von Hallstatt- zu Latènekultur wollen wir noch untersuchen, wie weit ein Anstoß von außen für die Intensivierung des Amulettglaubens verantwortlich gemacht werden kann, ob es also mehr als nur ein zufälliges Zusammentreffen ist, daß gleichzeitig eine bereitwillige Öffnung Mitteleuropas für mediterrane Kultureinflüsse stattfindet. Zunächst ist festzuhalten, daß im Mittelmeerraum der Amulettglaube immer sehr stark ausgeprägt war[467], eigentlich bis in unsere Tage, wenn auch sogar dort eine gewisse Periodizität zu erkennen ist[468].

Sodann weisen Einzelformen, vor allem die Körbchenanhänger und die Dreipässe, nach Oberitalien und in den nordwestlichen Balkan, wo sie etwas früher auftreten als im nördlichen Alpenvorland. Auch die Schuhanhänger sind beiderseits der Alpen beliebt gewesen, wobei sich eine trachtgeschichtlich interessante Trennung nach der Form des Schuhes ergibt: Schuhe mit flach abfallendem Rist in Südtirol, der Golasecca-Kultur und im westlichen Mitteleuropa *(Abb. 17, 25)*[469], Schnabelschuhe dagegen in Este und im östlichen Mitteleuropa *(Abb. 3, 26)*[470], hier ergänzt durch einige Fibeln in dieser Gestalt *(Abb. 21)*.

Ferner setzt gerade in Este der „Amuletthorizont", also das häufige Auftreten von Amuletten in Gräbern, offenbar schon in der zweiten Hälfte des 7. Jahrhundert v. Chr. ein, just zu einer Zeit, in der sich Este bereitwillig etruskischen und ostmediterranen Einflüssen zu öffnen beginnt[471]. Ob dann etwa der keulenförmige Anhänger aus Este-Rebato Grab 92 aus der Zeit um 600 als direkter Vorläufer der ostfranzösischen Stücke angesehen werden darf, ist angesichts der – fast schon – Zeitlosigkeit solcher Formen schwer zu entscheiden, zumal das allerdings unsicher überlieferte Stück aus Beilngries (132) Im Ried-West Grab 89 eine zeitliche Zwischenstellung einnehmen könnte. Ähnliches gilt auch für die Beilanhänger in Form eines geschäfteten Beiles, die sich in Italien durch Grabfunde gut auf die erste Hälfte des 7. Jahrhunderts v. Chr. eingrenzen lassen[472], aber durch die Anbringung eines Vögelchens über der Klinge als durchaus eigenständige Variante erweisen, wobei es daneben noch die Gruppe der Beilanhänger in Form der Beilklinge allein[473] gibt. Ein direkter Zusammenhang mit den beiden Beilanhängern vom Dürrnberg *(Abb. 3, 28; 5, 9)* ist wegen der zeitlichen Differenz unmöglich.

Aus diesen Übereinstimmungen und doch zugleich Differenzen müssen wir schließen, daß Mitteleuropa, stünde ein kräftiger mediterraner Einfluß hinter der Intensivierung des Amulettglaubens, nicht einfach mit den neuen Vorstellungen auch die dazugehörigen Formen in allen Einzelheiten übernommen haben kann, sondern sie rasch den einheimischen Gegebenheiten ange-

[467] O. Jahn 1855; K. Meisen 1950. Vgl. etwa das ungemein reich mit Amuletten und Glas ausgestattete Grab EE 7–8B (3–4jähriges Kind) von Veio: A. Cavallotti Batchvarova 1967, 125 Abb. 23; 127ff. Abb. 24 unten. 25. 26.

[468] L. Hansmann – L. Kriss-Rettenbeck 1966, 232.

[469] L. Pauli 1971b, 56f. mit Karte 10. Südtirol: M. Hoernes 1887, 223 Abb. 42 (Cavedine); M. Much 1889, 149 Taf. 65, 15 (Mechel).

[470] F. Schwappach 1967. Ein Schnabelschuh aus Bernstein stammt allerdings auch aus dem Kindergrab von Bargen (19) Hügel E, Grab 3.

[471] O.-H. Frey 1969, 62ff. 77ff.

[472] Bologna-Romagnoli Grab 10: O.-H. Frey 1969, 36 Abb. 18, 12–13; Novilara – Le Tombe: F. Gamurrini 1892, 16; Anzio (Roma): P. G. Gierow 1961, 256 Abb. 6; S. Martino (Roma): R. Paribeni 1906, 396 Abb. 21; G. Kossack 1954a, Taf. 12, 9; Caracupa, Grab einer jungen Frau, dabei noch ein Hammeramulett, ein Vogelanhänger und zwei Bernsteinanhänger: L. Savignoni – R. Mengarelli 1903, 321 Abb. 38.

[473] Vgl. Anm. 418–419; für Mittelitalien z. B. P. G. Gierow 1961, 256 Abb. 6 (in Form eines oberständigen Lappenbeiles). Ein Miniaturlappenbeil auch in Hallstatt (187) Brandgrab 317.

paßt oder gar alte, nur noch schwach vorhandene Traditionen neu belebt hat. Auf diese Weise können an weit entfernten Orten zu unterschiedlichen Zeitpunkten ganz ähnliche Amulette auftauchen, ohne daß immer zwischen einer Übernahme und einer Konvergenz aufgrund der überall sehr ähnlichen Grundvorstellungen über die magischen Kräfte bestimmter Formen und Stoffe entschieden werden könnte[474].

MAGISCHE ELEMENTE IN DER KELTISCHEN KUNST

Interpretieren wir also den gesteigerten Gebrauch von Amuletten in der Frühlatènezeit überwiegend als einen Ausdruck neuer geistig-religiöser Strömungen im weitesten Sinne, ergibt sich die Frage von selbst, ob nicht auch wesentliche Eigenheiten der frühkeltischen Kunst in diesem Zusammenhang zu sehen sind. In erster Linie könnte dies für die fast schon manische Beliebtheit von Masken, Fratzen und Tierköpfen im keltischen Kunsthandwerk zutreffen[475]. Vor allem Fibeln, Ringe, Gürtelhaken und Trinkgeschirr werden damit verziert. Die oft ins Groteske übersteigerten Darstellungen im Gegensatz zu stilisierten, aber durchaus wirklichkeitsgetreuen Abbildungen[476] lassen um so mehr die Absicht erkennen, die nicht auf künstlerischer Unfähigkeit beruht. Die Rolle von Masken und Fratzen auf Gegenständen des täglichen Lebens und auch des kultischen Gebrauchs läßt sich in vielen Kulturkreisen ähnlich bestimmen: Sie werden verstanden als apotropäische Maßnahme, zur Abwehr aller möglichen bösen Einflüsse[477]. Der Aspekt der spielerisch-ästhetischen Ausgestaltung ist demgegenüber sehr gering zu veranschlagen.

Wenn wir uns die Schuhfibel aus Grab 49 vom Dürrnberg *(Abb. 21, 1)* ansehen, in der ein damals jedem verständliches Symbol, der Schuh, als Grundform *(Abb. 21, 2)* verwendet und durch

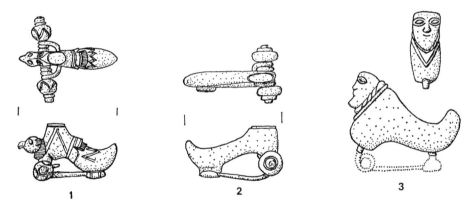

Abb. 21. Schuhfibeln vom Dürrnberg bei Hallein (1 Grab 49; 2 Grab 70/2) und aus Hallstatt (3). – 1–2 Bronze; 3 Bernstein. M. 1 : 1.

[474] Sehr deutlich an den Beilanhängern. Vgl. auch R. Forrer 1948 und P. Paulsen 1939, 159 ff.

[475] P. Jacobsthal 1944; J. V. S. Megaw 1970.

[476] Etwa die Eberfibel aus Dürrnberg Grab 37/2 (E. Penninger 1972, Taf. 34, 1; 111, 4) und der Beschlag einer Holzkanne aus Grab 44/2 (ebd. Taf. 48, 41; 113, 3).

[477] J. H. F. Kohlbrugge 1926; zum Gorgoneion im griechischen Bereich O. Jahn 1855, 57 ff.

den meisterhaft durchgebildeten Kopf eines Fabelwesens (mit Raubvogelschnabel und großen, runden Ohren) an einer für die praktische Funktion eines Schuhes völlig absurden Stelle ergänzt wird, dann ist dies nur so zu erklären, daß hier einfach zwei mögliche Wege der Gestaltung einer Fibel als Träger eines apotropäischen Symbolgehalts kombiniert wurden. In dem sehr gut vergleichbaren, aber leider verschollenen Stück von Hallstatt *(Abb. 21, 3)* tritt sogar noch das Material Bernstein als dritter Faktor hinzu. Eine analoge Bildung findet sich bei dem Beilanhänger aus Grab 77/3 *(Abb. 5, 9)*, dessen Wirkung durch eine Kopfdarstellung verstärkt wird.

Diese Erkenntnis, daß die frühkeltische Kunst beredter Ausdruck eines bestimmten Verhältnisses „zu Gott und Welt" ist, ist selbstverständlich nicht neu, sondern wurde von jedem, der sich eingehender mit dieser Kunst befaßte, immer wieder als Charakteristikum herausgestellt.

P. Jacobsthal formuliert es folgendermaßen[478]: „Das Menschenbild in der La Tènekunst beschränkt sich auf Masken und Fratzen, sie und die Tiere sind der Ausdruck einer düsteren δεισιδαιμονία, und von hier aus und nur von hier aus versteht man dann auch das, was man so unzutreffend ‚Ornament' nennt. In diesen Mustern ist nicht die lichte, fast mathematische Klarheit, der Sinn für Maß und Ebenmaß, der allem griechischen Ornament innewohnt, sondern Drang, Unrast, und daneben oft ein Hang zu Tüftelei und Spiel. Schriftliche Überlieferung versagt ganz, aber diese Kunstwerke sind Urkunde genug, sie sagen sehr viel aus über das Verhältnis der Kelten zu Gott und Welt."

Bei K. Schefold finden wir einen interessanten Hinweis auf ähnliches im griechischen Bereich[479]: „Um so tiefer muß das Interesse der Kelten für diese Ornamente wurzeln; es scheint eine religiöse Bewegung dahinter zu stehen, wie sie in Athen als Ursache des ‚zweiten orientalisierenden Stils' nachweisbar ist ... Mit Einflüssen ist hier nichts zu erklären."

Und schließlich können wir J. V. S. Megaw zustimmen, wenn er meint[480]: „Iron Age and particularly La Tène Art is predominantly a religious art, though of course not in the more strictly didactic sense of Early Christian art. La Tène art employs an iconography which imbues even the simplest objects with a degree of the mysterious or indeed the divine." – Allerdings auch darin: „we are far from understanding the full significance of Celtic myth or symbolism."

Damit ist auch schon angedeutet, wie sich eine auf den ersten Blick davon grundverschiedene Richtung der keltischen Kunst damit verträgt, nämlich die Verwendung von mathematisch-geometrisch höchst komplizierten Zirkelkonstruktionen für die Komposition von Verzierungen, die jüngst M. de Wilde eingehend untersucht hat[481]. Da auch der Dürrnberg ein hervorragendes Beispiel in Form einer durchbrochenen Scheibenfibel geliefert hat, seien hier Fibel und Rekonstruktion des geometrischen Aufbaus vorgestellt *(Abb. 22)*, ohne jedoch weiter auf Einzelheiten einzugehen.

Niemand wird hier unterstellen wollen, daß es sich bei dieser Verzierungsweise nur um eine Spielerei besonders abstrakt veranlagter Köpfe handele. Daß es nur wenige Gegenstände gibt, auf denen sie mit dem anderen oben erläuterten Gestaltungsprinzip der keltischen Kunst kombiniert vorkommt, erklärt sich daraus, daß sie flächendeckend eingesetzt wird, während Masken, Fratzen usw. überwiegend von der plastischen Ausgestaltung leben. Stücke wie die Kannen von Reinheim[482] und Waldalgesheim[483] zeigen dies deutlich genug. Inwieweit bei Einzelmotiven, die zwar mit dem Zirkel konstruierbar sind, aber sich optisch schon verselbständigt haben und mit Masken

[478] P. Jacobsthal 1934, 44.
[479] K. Schefold 1950, 13 f.
[480] J. V. S. Megaw 1970, 38.

[481] M. de Wilde 1975.
[482] J. Keller 1965, Taf. 19–25.
[483] P. Jacobsthal 1944, Taf. 189–192, Nr. 387.

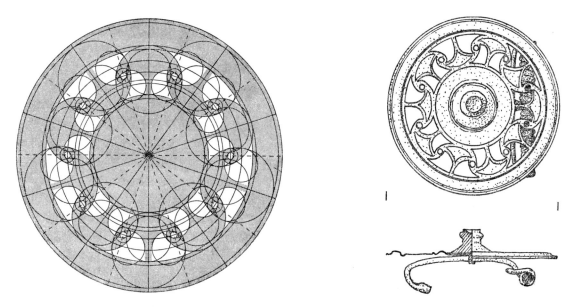

Abb. 22. Die Scheibenfibel vom Dürrnberg bei Hallein Grab 42/1 und ihre geometrische Konstruktion.
Fibel M. 1 : 1.

kombiniert vorkommen[484], die dahinter stehende Konstruktion noch als solche empfunden wurde, sei dahingestellt. Bei den ostfranzösischen Phaleren, wo durch das Umschlagen der Komposition in florale Motive die zugrundeliegende Konstruktion optisch nur mehr zu erahnen ist[485], fragt man sich unwillkürlich, was hier dem Kunsthandwerker wichtiger war: die Klarheit der Konstruktion auf der Basis mathematischer Prinzipien oder die Verschlüsselung eben dieser Konstruktion bis hin zur Unkenntlichkeit. Damit aber nähern wir uns schon wieder jenem Bereich, der durch Darstellungen oder Handlungen mit einem magischen Zweck charakterisiert ist.

Wie eng alle diese Dinge zusammenhängen, sollte man eigentlich auch daraus schließen dürfen, daß sie chronologisch eine Einheit bilden. Wie die Verwendung der Amulette im Grabbrauch ab der Phase Latène B 2 schlagartig zurückgeht, so werden die Fibeln, Gürtelhaken und Ringe sogar schon etwas früher zu einfachen Gebrauchsgegenständen, deren Verzierung durch Masken oder Tierköpfe weitgehend verschwindet und, vor allem bei Ringen, der Wellenranke Platz macht[486]. Die Zirkelkonstruktion schließlich wird ebenfalls für die Verzierung der uns auffindbaren Gegenstände aufgegeben, wenn auch die Technik als solche, wie ihr Nachleben in der inselkeltischen Kunst zeigt[487], nicht verloren ging.

ZUR HISTORISCHEN SITUATION IN MITTELEUROPA
UM DIE MITTE DES LETZTEN VORCHRISTLICHEN JAHRTAUSENDS

Nun gibt es jedoch ein Gebiet, in dem die Frühlatènekunst nie richtig Fuß gefaßt hat, obwohl dort der ausgeprägte Amulettschmuck sehr beliebt war: das Gebiet der südwestdeutschen Späthallstatt-

---

[484] Vor allem bei den Fibeln mit Goldblechauflage: Ebd. Taf. 21f., Nr. 20–22.
[485] Etwa ebd. Taf. 113ff.

[486] Ebd. Taf. 124ff.
[487] P. R. Lowery – R. D. A. Savage – R. L. Wilkins 1974.

kultur vom Nordrand der Alpen bis Nordwürttemberg[488], aber auch die westlich anschließenden verwandten Kulturen des Elsaß und Burgunds einschließlich der Latène A-Flachgräber der Schweiz. Aber eben dieses Gebiet war es auch, das im Laufe des 6. Jahrhunderts v. Chr. die Beziehungen zum Süden intensiviert hat, während der nördlich anschließende Frühlatènekreis sicher erst im beginnenden 5. Jahrhundert die direkten Kontakte aufnahm. Daß die Ablehnung der Frühlatènekultur und der sie wesentlich charakterisierenden Kunst auf eine bewußte Entscheidung der herrschenden Schichten der südwestdeutschen Region zurückgeht, habe ich an anderer Stelle mit Hilfe einer Trachtanalyse nachzuweisen versucht[489]. Allein das reiche Grab vom Kleinaspergle[490], Gde. Asperg, Kr. Ludwigsburg, ist mit den „Fürstengräbern" des Mittelrheins zu vergleichen. Daß dort wiederum die Amulettbeigabe nicht so ausgeprägt erscheint, ist gewiß darauf zurückzuführen, daß die Kindergräber nur in seltenen Fällen eine bevorzugte Behandlung erfuhren. Gräber wie Reinheim (96) und Wallerfangen (99) lassen erkennen, daß die entsprechenden Vorstellungen auch zwischen Saar und Mittelrhein geläufig waren.

Die menschen- und tiergestaltigen Anhänger der Späthallstattkultur (vgl. *Abb. 13, 1.8.9.12–15. 31.32*; aber auch in Reinheim: *Abb. 17, 23.24*) haben in künstlerischer Hinsicht mit den Erzeugnissen der Latènekultur nichts zu tun. Außerdem ist bei den Menschfigürchen fast immer das Geschlecht deutlich markiert, eine Eigenheit, die in den Darstellungen der Latènekunst kaum begegnet[491], wenn auch ganze Menschendarstellungen hier selten sind[492]. Auch die oben besprochenen „späthallstättischen Vogelkopffibeln" zeigen sehr schön die zurückhaltende Reaktion dieses Gebietes auf die neuen Einflüsse.

So sehen wir uns mit der Tatsache konfrontiert, daß die Verbindung von Amulettglaube, in dem sich verstärkt magische Vorstellungen widerspiegeln, und entsprechenden Zügen im Kunsthandwerk nicht so eng gewesen sein kann, daß in allen Regionen das eine zwangsläufig das andere nach sich gezogen hätte.

Dies könnte seinen Grund darin haben, daß beides zwar eng verwandt ist, aber trotzdem – vor allem wenn ein Anstoß von außen wesentlich dafür verantwortlich gewesen sein sollte – nicht zusammen übernommen wurde. Dafür spräche, daß dem Hallstattkreis wahrscheinlich ein geringer zeitlicher Vorsprung in der Amuletthäufung zukommt, obwohl die feinchronologischen Fragen noch nicht ganz geklärt werden können. Außerdem läßt sich an der Verbreitung gewisser Amulettformen feststellen, daß die Verbindungen dieser Region in dieser Hinsicht eher nach Oberitalien oder zum nordwestlichen Balkan weisen als direkt nach Mittelitalien oder an die südfranzösische Küste. Sind auch die Südbeziehungen der Frühlatènekultur unbestritten, so kristallisiert sich doch immer mehr heraus, daß einige nicht unwichtige Elemente von den seit etwa 550 v. Chr. auf den Balkan vorgedrungen Skythen und verwandten Gruppen übernommen wurden, ja zum Teil sogar offenbar direkt auf kleinasiatische Vorbilder zurückgehen.

---

[488] Nordgrenze bei L. Pauli 1972, 5 Abb. 1 mit der Begründung 81 ff., bes. 90 f.

[489] Ebd. 135 ff.

[490] P. Jacobsthal 1944, Taf. 16–17; 22; 26–28; 188: Nr. 16.17.22.23.32.385; O. Paret 1948.

[491] Ithyphallisch ist nur der Reiter auf dem Blech von Kärlich wiedergegeben (H.-E. Joachim 1970, 95 Abb. 1), wie ja auch die Kriegerstele von Hirschlanden (vgl. Anm. 442). Zur Phallussymbolik mittelrheinischer Latènestelen jetzt H.-E. Joachim 1974.

[492] Plastisch ausgeführt nur die Maskenfibel von Manětín – Hrádek (E. Soudská 1968; J. V. S. Megaw 1970, Nr. 31). Die Figürchen auf der Holzkanne von Dürrnberg Grab 46/2 (E. Penninger 1972, Taf. 52, 28–29; 110, 1–2) wirken sehr unbeholfen, so daß nicht zu entscheiden ist, ob die Tatsache, daß das größere von ihnen möglicherweise Merkmale beider Geschlechter, das kleinere dagegen überhaupt keine aufweist, auf Absicht beruht.

Für die Sitte der Trinkhornbeigabe in den Latènegräbern hat man immer schon auf ganz analoge Gebräuche bei den Skythen und anderen Randvölkern der Antike verwiesen[493], während U. Schaaff neuerdings die Spitzhelme von urartäisch-nordwestiranischen Vorbildern ableiten möchte[494]. Für beides ist jedenfalls entsprechendes im eigentlichen Mittelmeerraum nicht belegt. Für einen bestimmten Augenperlentyp, wie er etwa aus den Gräbern von Saint-Sulpice (6) Grab 22 und Reinheim (96; *Abb. 17, 1.3*) bekannt ist, nimmt Th. E. Haevernick einen Ursprung in Südrußland an[495]. Angesichts des merkwürdigen Verbreitungsbildes, wonach der Balkan und Oberitalien nicht nur von diesem engeren Typ übersprungen werden, sondern sogar eine eigene Variante ausgebildet haben, muß man sich jedoch fragen, ob nicht mehr dahintersteckt als ein einfaches Einströmen auf den üblichen Handelswegen von Osten. Ein Epizentrum der Produktion im Westen scheint demnach nicht mehr undenkbar zu sein; es reicht ja eine einzige Person, die die entsprechenden Kenntnisse besaß.

Für die wenigen Kaurimuscheln in Mitteleuropa ist eine östliche Herkunft angesichts ihrer Beliebtheit in den „thrako-skythischen" Gräberfeldern wahrscheinlicher[496] als eine italische, zumal sie im Süden nicht einmal häufig vorkommen[497]. Hingegen ist bei orientalisierenden Motiven in der Kunst[498] immerhin eine Vermittlung durch Bologna oder Este möglich[499].

Diese Differenzierungen berechtigen jedoch nicht zu dem Schluß, daß Amulettglaube und die spezifische Latènekunst auf verschiedene Anstöße von außen zurückgingen. Vielmehr müssen wir den Hinweis weiter verfolgen, daß sich der südwestdeutsche Hallstattkreis trotz seiner Empfänglichkeit für den Amulettglauben so ablehnend gegenüber der Latènekunst verhielt.

Hier spielen jene Probleme mit hinein, die mit der Ethnogenese des „keltischen Volkes" verknüpft sind. Für ihre ausgewogene Diskussion ist unbedingt der Dualismus des südwestdeutschen Hallstattkreises und des sich nördlich anschließenden Frühlatènekreises im Auge zu behalten[500]. Nichtsdestoweniger erweisen sich diese beiden Gebiete in der religiösen Sphäre, soweit diese durch den Amulettglauben bestimmt wird, als eine festgefügte Einheit.

Daß der Frühlatènekreis mit seiner radikal neuen Kunst, deren magische Elemente unverkennbar sind, dann einen eigenen Weg beschritt, kann schwerlich als Zufall gewertet werden, sondern muß mit den politisch-sozioökonomischen Umständen erklärt werden, unter denen die Ausbildung der Frühlatènekultur vor sich ging. Dies ausführlicher zu erörtern, ist hier weder der Ort noch ermutigt die derzeitige Quellenlage zu solchem anspruchsvollem Vorhaben. Dennoch ist es nicht allzu gewagt, gerade für das 5. Jahrhundert v. Chr. eine Periode innerer Umwälzungen anzunehmen, vielleicht nicht mit der Betonung auf „Kriegszeiten mit dem Absinken alter Eliten und freier Gesellschaftsschichten", sondern eher umgekehrt unter dem Gesichtspunkt, daß andere und wohl auch breitere Gesellschaftsschichten das bestimmende Element in den Sozialverbänden zu werden versuchten[501].

---

[493] P. Jacobsthal 1934, 22; A. Haffner 1975 (im Druck); zu späturnenfelderzeitlichen Vorläufern G. Kossack 1954a, 56ff.

[494] U. Schaaff 1973, 105f.

[495] Th. E. Haevernick 1972.

[496] Sie sind noch im Weichselmündungsgebiet von mehr als 25 Fundorten bekannt, was als Indiz für einen weitreichenden Bernsteinhandel gewertet wird: H. Grünert 1973, 121.

[497] O. Montelius 1895, Taf. 83, 12 (Bologna-Arnoaldi); 102, 12 (Bologna-Certosa); 1904, Taf. 158, 3 (Atri, Prov. Teramo); 343, 4 (Cerveteri, Prov. Roma).

[498] Vor allem der „Herr der Tiere" und „Tiere am Lebensbaum": P. Jacobsthal 1944, Taf. 167, Nr. 350; 170f., Nr. 359–363; T. G. E. Powell 1966; J. V. S. Megaw 1970, Nr. 62.64.95–99.

[499] Vgl. etwa O.-H. Frey 1969, 77f.

[500] E. Sangmeister 1960, 91ff.; J. Filip 1973.

[501] U. Kahrstedt 1938.

Möglicherweise ergibt sich hieraus ein neuer Ansatz zum besseren Verständnis der keltischen Kunst. Wenn wir im Titel dieser Arbeit den Begriff des „Volksglaubens" verwendet haben, so tragen wir damit dem Umstand Rechnung, daß die beschriebenen Erscheinungen nur lose mit dem verbunden sind, was man als „keltische Religion" bezeichnet[502], also den vielfältigen und verworrenen Götterhimmel mit den damit verknüpften Kulten. Selbstverständlich sind die Grenzen fließend, wenn wir etwa an die Verehrung von Naturobjekten, wie Bäumen, Bergen und Quellen, denken, ohne daß ihnen jeweils eine bestimmte Gottheit zugeschrieben wird. Die Rolle, die der Amulettglaube nachprüfbar in anderen Kulturen spielt, verweist ihn an den Rand der Religion, in einen Bereich, in dem magische Kräfte wirksam sind, die der Mensch beeinflussen und sich nutzbar machen zu können glaubt. Auch die geschilderten Einzelheiten des Bestattungsbrauches, vor allem der Glaube an die Gefährlichkeit einzelner Toter, gehören einer Vorstellungswelt an, die wohl unterhalb des kodifizierten Totenglaubens anzusiedeln ist, auch wenn man natürlich mit Rückschlüssen von Verhältnissen unter Hochreligionen vorsichtig sein muß und unsere Kenntnisse über die Jenseitsvorstellungen der Kelten recht dürftig sind[503].

Diese Trennung des Amulettglaubens als „Volksglaube" im Gegensatz zu den „offiziellen" Religionen läßt sich bis zu den Babyloniern und Ägyptern zurückverfolgen. Bestimmt nun aber vorwiegend die Oberschicht einer Gesellschaft den Charakter der Kunst, so drängt sich der Gedanke auf, daß mit der neuen herrschenden Schicht der Frühlatènekultur alte, während der Hallstattkultur nur in Einzelheiten des Grabbrauches erkennbare Vorstellungen auch den Weg in die Kunst und das Kunsthandwerk gefunden haben könnten[504]. Daß bildliche Vorlagen und gewisse Ausdrucksmittel aus mediterranen oder reiternomadischen Kulturen übernommen wurden, ändert nichts an dem so eigenständigen Charakter der keltischen Kunst, der damit eine wichtige Rolle beim Versuch der Definierung eines „keltischen Volkes" zukommen muß[505]. Auf der anderen Seite wird nun auch verständlich, warum bei einer in der skizzierten Weise mit der Politik verknüpften Kunst der konservative Hallstattkreis Südwestdeutschlands dem Neuen so ablehnend gegenüberstehen mußte und dies mittels seiner Machtposition auch etwa ein Jahrhundert lang durchhalten konnte.

Damit sind wir bei dem Unterfangen, die Rolle der Amulettbeigabe in den Gräbern um die Mitte des letzten vorchristlichen Jahrtausends näher zu bestimmen, unversehens auf Zusammenhänge mit Problemen gestoßen, die weit über diesen Ansatz hinausgehen und an die Grundfragen unserer Wissenschaft rühren, wenn sie es sich zur Aufgabe macht, aus den materiellen Hinterlassenschaften des vorgeschichtlichen Menschen Anhaltspunkte für eine Rekonstruktion seiner geistigen Vorstellungswelt zu gewinnen.

Das 6. und das 5. Jahrhundert v.Chr. erweisen sich aufgrund mannigfacher Indizien als eine Periode des Umbruchs, bei dem wichtige Einzelheiten deswegen besonders gut erkennbar sind, weil er nicht gleichzeitig über weite Gebiete hin erfolgte. Es lassen sich im Gegenteil ganz gegensätzliche Reaktionen in den einzelnen Regionalkulturen beobachten. In Südwestdeutschland und Burgund bildet sich im 6. Jahrhundert eine starke soziale Differenzierung aus, die in den „Fürsten-

[502] Überblick bei H. Hubert 1932b, 273ff.; T. G. E. Powell 1959, 124ff.; J. de Vries 1961; A. Grenier 1970, 283ff.

[503] J. de Vries 1961, 248ff.

[504] Die Plötzlichkeit dieses Phänomens könnte in der Tat damit zusammenhängen, daß nur wenige Künstler oder Werkstätten aktiv an der Ausprägung der neuen Kunst beteiligt waren. Dazu sehr anschaulich E. Wahle 1952, 106ff.

[505] Konsequent durchgeführt von R. Pittioni 1959.

gräbern" mit ihren reichen Beigaben ihren materiellen Ausdruck findet[506]. Gleichzeitig werden auch die dazugehörigen „Herrensitze" angelegt, deren weitgespannte Beziehungen zum Süden an den Funden evident sind[507]. Der äußere Glanz kann jedoch nicht darüber hinwegtäuschen, daß sich eine Krise anbahnt, welche die Religion und die politisch-sozialen Strukturen erfaßt. Wir dürfen nicht vergessen, daß – nach den Funden zu urteilen – in Italien schon vor 400 v. Chr. erste Anzeichen einwandernder Kelten festzustellen sind[508] und mit der Stufe Latène B die Ostwanderung auf den Balkan einsetzt.

Die Wanderungssage der Kelten (Livius V, 33–34) berichtet einerseits von einer Übervölkerung „Galliens", der Bereitschaft junger Leute, anderswo ihr Glück zu versuchen, und andererseits von den Verlockungen des Südens, an denen man teilhaben wollte. Die keltischen Gräberfelder der Stufe Latène B lassen eine gänzlich andere Sozialstruktur erkennen als die Späthallstattkultur. Sie deuten auf eine egalitäre Gemeinschaft von Kriegern ohne herausragende Personengruppen, wenigstens soweit sich dies im Grabbrauch dokumentiert. Soziale Unterschiede muß es natürlich gegeben haben, aber deren fehlende Manifestierung im Grabbrauch läßt doch einen Schluß auf eine veränderte Einstellung zu.

Auf diesem Hintergrund wird auch die Entwicklung des Amulettglaubens dieser Zeit verständlich. Seine rasche Intensivierung gegen Ende des 6. und im Laufe des 5. Jahrhunderts kündigt den kommenden Umbruch an, das Ende der Späthallstattkultur, auch wenn sich sonst äußerlich zunächst scheinbar nichts ändert. Die Neukonsolidierung der sozialen Strukturen in anderer Form bewirkt dann auch wieder den ebenso raschen Rückgang des Amulettglaubens ab der zweiten Hälfte des 4. Jahrhunderts v. Chr.

Hand in Hand damit muß auch eine Umwälzung in der religiösen Sphäre vor sich gegangen sein, die das Ende der urnenfelder- und hallstattzeitlichen Religion, erkennbar an ihrem Symbolgut, herbeiführte. Einzelne Elemente mögen noch in die neuen Vorstellungen integriert worden sein, aber der Gegensatz zu der im Latènestil sich manifestierenden Gedankenwelt ist doch unverkennbar.

Daß wir es hier mit komplexen Vorgängen zu tun haben, die durchaus handfeste politische Hintergründe hatten, beweist die Tatsache, daß der südwestdeutsch-burgundische Hallstattkreis sich rund ein Jahrhundert gegen die Einflüsse der Latènekultur behaupten wollte und konnte[509]. Trotzdem ist es noch schwierig, diese Hintergründe genauer zu benennen. Wenn die Latènekultur im Mittelrheingebiet entstanden ist, wofür sehr viel spricht, ist sie unbedingt im Zusammenhang mit der dort gleichzeitig aufblühenden Eisenindustrie (natürlich im damals möglichen Rahmen) zu sehen[510]. Die neue Kunst kann ihre sehr direkten Verbindungen zum mediterranen Raum nicht verleugnen. Andere mediterrane Züge sind in der Übernahme einer neuen Trinksitte (Kanne statt Eimer mit Schöpfer)[511], in der Bestattung mit Streitwagen (statt mit dem vierrädrigen Wagen der ἐκφορά)[512] zu erkennen. Dabei ist aber zunächst die soziale Abstufung durchaus noch der späthallstättischen ähnlich gewesen, insofern nämlich auch im Mittelrheingebiet die „Fürstengräber" sich deutlich von den übrigen einfachen Bestattungen absetzen lassen.

[506] Zum Gegensatz zu weiter östlich gelegenen Hallstattgruppen vgl. G. Kossack 1954a, 54; 1970, 158f.

[507] W. Kimmig 1969.

[508] O.-H. Frey 1971a, 370ff.; kurz angedeutet auch in O.-H. Frey 1971b. Der frühere Ansatz von J.-J. Hatt 1960 orientiert sich mehr an einer zweifelhaften Textüberlieferung als an den archäologischen Funden.

[509] L. Pauli 1972, 58ff. 135ff.

[510] J. Driehaus 1965; für die Oberpfalz und vor allem Böhmen vgl. L. Pauli 1974, 119ff. 123f.

[511] J. Driehaus 1966, 42ff.; G. Kossack 1964.

[512] G. Kossack 1970, 155ff.; P. Harbison 1969.

Trotzdem muß der Gegensatz zu den politischen und kulturellen Verhältnissen weiter südlich
so grundlegend gewesen sein, daß ein Ausgleich oder eine Annäherung lange nicht möglich war,
ja im Grunde erst dadurch erzielt wurde, daß die südwestdeutsche Späthallstattkultur ihr Ende
fand und die ziemlich gleichförmige Latène B-Kultur ganz Mitteleuropa überzog. Dabei spielen
jedoch wiederum genau jene Gebiete, in denen die Latène A-Kultur entstand oder doch bereitwillig
übernommen wurde, insofern eine Sonderrolle, als dort die Latène B-Kultur nicht so stark ausgeprägt auftritt oder fast gänzlich fehlt[513].

Wenn also die Umwälzungen dieser Periode auf politische und soziale Umschichtungen und
neue Strömungen in der Religion zurückgehen, so ist doch noch zu fragen, ob das zeitliche Zusammentreffen mit der Intensivierung der Kontakte zum mediterranen Raum nur zufällig ist. Es
ist nämlich durchaus möglich, daß dabei unversehens auch politische Ideen den Weg nach Norden
gefunden haben. Angesichts der innenpolitischen Umwälzungen mit ihren bekannten militärisch-
technischen und demographischen Voraussetzungen und Implikationen, wie sie während des
7. und 6. Jahrhunderts v. Chr. in Griechenland und dann in Etrurien mit Rom stattfanden[514], ist
diese Frage hier allerdings nur anzudeuten, nicht aber auszudiskutieren. Für den Amulettglauben
selbst werden diese Südkontakte nur einige Anregungen gegeben haben; als auslösendes Moment
haben sie nicht zu gelten.

So hat sich im Laufe unserer Untersuchung der Amulettglaube als aufschlußreiches Indiz für bestimmte politische, gesellschaftliche und religiöse Situationen erwiesen, deren innere Zusammenhänge und Wechselspiele noch weiterer Erforschung bedürfen. Ähnliche Studien an Materialien
der Frühbronzezeit oder des Frühmittelalters in Mitteleuropa könnten mit Sicherheit noch weiteren
Aufschluß liefern. Der Charakter des übermäßigen Amulettglaubens als Reaktion des Volksglaubens auf Perioden innerer und äußerer Unsicherheit erlaubt es, ihn mit der nötigen Vorsicht als er-
gänzenden Baustein zur Rekonstruktion der Lebensumstände des vor- und frühgeschichtlichen
Menschen heranzuziehen und trotz der unserer Wissenschaft eigenen Beschränkung der Quellen
auf die materiellen Hinterlassenschaften ein Stück weiter auf dem Weg mit dem Ziel einer Beschreibung von „Geschichte" voranzuschreiten.

Der Dürrnberg bei Hallein bietet dafür ein besonders geeignetes Untersuchungsfeld. Seine Gräber
lehren uns, daß, worauf wir immer wieder hinweisen mußten, allgemeine Tendenzen in der Entwicklung und Intensität von Kulturphänomenen regional oder gar lokal doch wieder unterschiedlich stark ausgeprägt sind. Es ist kein Zufall, daß dieses Material, wie im Vorwort angedeutet, den
Anstoß zu der vorliegenden Untersuchung gab. Wir finden in Mitteleuropa nichts Vergleichbares,
was die relative Anzahl der Gräber mit Beigaben angeht, deren Amulettcharakter offensichtlich
und deren Fülle staunenswert ist, oder mit abweichenden Bestattungssitten, die sich in einer ungewöhnlichen Behandlung des Toten dokumentieren.

Wenn auch die Gräberfelder von Singen (47), Manre (117) und Guntramsdorf (180) mit ihren
vielen Sonderbestattungen derzeit einer weitergehenden Interpretation nicht zugänglich sind, so
vermag uns doch die Anthropologie bei der Antwort auf die Frage, warum gerade die Leute am
Dürrnberg in so auffallender Weise magischem Gedankengut anhingen, eine wertvolle Hilfe zu
geben. Daß für das Gräberfeld von Hallstatt ähnliche Überlegungen zutreffen könnten, steht zu
vermuten.

---

[513] Die damit verbundenen Probleme können hier
nicht weiter behandelt werden; kurze Andeutungen
dazu bei W. Dehn 1971.

[514] J. Hasebroek 1931, 158 ff.; U. Kahrstedt 1938;
G. Kossack 1959, 93 ff.

Die Analyse des Skelettmaterials durch I. Schwidetzky ergab einen „hohen Anteil der in spät-juvenilem und frühadultem Alter Gestorbenen; er ist besonders hoch bei den Frauen und erheblich höher als bei eisenzeitlichen und römerzeitlichen Vergleichsbevölkerungen". Man dürfe getrost damit rechnen, daß für den Dürrnberg dieselbe „extrem unsaubere Lebensweise" mit schlechten hygienischen Verhältnissen, wie sie in Hallstatt nachweisbar sind, gegolten habe. Dann sei aber auch eine sehr hohe Kindersterblichkeit zu vermuten; das Fehlen von Säuglingsgräbern hängt sicherlich mit auch andernorts zu beobachtenden Bestattungssitten zusammen.

Was dies jedoch konkret für die damaligen Menschen bedeutete, führt Schwidetzky mit ein-dringlichen Worten aus: „Man muß annehmen, daß die Mehrzahl, wenn nicht alle jungverstorbenen Frauen im Kindbett gestorben sind, die unter 20jährigen vermutlich oft im ersten Kindbett. Dazu kommt eine sicherlich sehr hohe Säuglings- und Kleinkindersterblichkeit, die gleichfalls in starkem Maße mit den hygienischen Verhältnissen korreliert ist. Ein solches Risiko konnte auch den damals Lebenden nicht verborgen bleiben, und es muß sich auf die Lebensstimmung der Bevölkerung, insbesondere der Frauen ausgewirkt haben. Eine fatalistische Einstellung zu Leben und Tod mag die Folge gewesen sein. Nimmt man noch die schwere Arbeit in den Salzbergwerken hinzu, so kann man sich für die Mehrzahl der Bevölkerung kaum eine fröhliche Diesseitigkeit, ein zukunfts-freudiges Planen für Kinder und Kindeskinder vorstellen. Man muß sich auch fragen, wie die Ver-bindung zwischen Mann und Frau beschaffen sein konnte, wenn die Wahrscheinlichkeit für eine längere Ehedauer gering war; wie sich die Eltern und insbesondere die Mütter zu ihren Kindern einstellten, die ihnen oft nur für kurze Zeit blieben. Nicht nur ein geringes Maß an technischen Lebenshilfen, sondern auch ein größeres Maß an menschlichen Belastungen kennzeichnet die Dürrnberger Bevölkerung im Vergleich mit der unseren."[515]

Darum griffen diese Menschen zu jedem Mittel, das ihnen Hilfe und Trost bei der Bewältigung ihrer drückend schwierigen Lebensumstände, die dann noch von einer zeitweiligen Unsicherheit der allgemeinen Verhältnisse in ganz Mitteleuropa überlagert wurden, versprach. Was ihnen eine mehr oder minder abstrakte Religion nicht in ausreichendem Maße bieten konnte, suchten sie im Volksglauben, dessen magische Elemente und Praktiken durch die Jahrtausende gleich geblieben sind.

[515] I. Schwidetzky in: L. Pauli, Der Dürrnberg bei Hallein III. München Beitr. z. Vor- u. Frühgesch. 18 (im Satz).

LITERATURVERZEICHNIS

Gy. Acsádi – J. Nemeskéri, History of Human Life Span and Mortality (Budapest 1970).

H. Adler, Das urgeschichtliche Gräberfeld Linz – St. Peter. Teil 1: Materialvorlage. Linzer Arch. Forsch. 2 (Linz 1965).

H. Adler, Zur Ausplünderung langobardischer Gräberfelder in Österreich. Mitt. Anthr. Ges. Wien 100, 1970, 138–147.

Dr. Aigremont, Fuß- und Schuh-Symbolik und -Erotik. Folkloristische und sexualwissenschaftliche Untersuchungen (Leipzig 1909).

A. Alfonsi, Este. Scoperte archeologiche nella necropoli atestina del nord, riconosciuta nel fondo Rebato. Not. Scavi 1922, 3–54.

R. Andrée, Trudensteine. Zeitschr. Ver. f. Volkskde. Berlin 3, 1903, 295–298.

R. Andrée, Ethnologische Betrachtungen über Hockerbestattung. Archiv f. Anthr. N.F. 6, 1907, 282 bis 307.

E. Aner – K. Kersten, Die Funde der älteren Bronzezeit des Nordischen Kreises in Dänemark, Schleswig-Holstein und Niedersachsen 1. Frederiksborg und Københavns Amt (København/Neumünster 1973).

C. Ankel, Stein- und eisenzeitliche Funde aus einem Grabhügel „An der Ludwigseiche" bei Ober-Ramstadt, Kr. Darmstadt. Fundber. aus Hessen 10, 1970, 69–76.

W. Artelt, Keltische Leichenzerstückelung nach neuen Funden. Die medizinische Welt 5, 1931, 33–35.

H. Aubin – Th. Frings – J. Müller, Kulturströmungen und Kulturprovinzen in den Rheinlanden. Geschichte – Sprache – Volkskunde (Bonn 1926, erw. Neuausgabe 1966).

A. Auerbach, Die vor- und frühgeschichtlichen Altertümer Ostthüringens (Jena 1930).

M. Babeş, Die relative Chronologie des späthallstattzeitlichen Gräberfeldes von Les Jogasses, Gemeinde Chouilly (Marne). Saarbrücker Beitr. z. Altkde. 13 (Bonn 1974).

Dr. Baffet, A propos de quelques sépultures gauloises. Mém. Soc. Agr., Comm., Sc. et Arts de la Marne 2. Ser. 15, 1911–1912, 179–186.

J. Banner, A magyarországi zsugoritott temetkezések. Die in Ungarn gefundenen Hockergräber. Dolgozatok Szeged 3, 1927, 1–122.

F. Barthélemy, Récherches archéologiques sur la Lorraine avant l'histoire (Paris/Nancy 1889).

G. Baserga, Tomba con carro ed altre scoperte alla Ca'Morta. Rivista Arch. Como 96–98, 1929, 25–44.

A. Batchvarova – M. Wheeler, Veio. Ottava campagna di scavo (Maggio–Giugno 1965). Not. Scavi 1970, 178–239.

J. de Baye, Sépulture gauloise de Saint-Jean-sur-Tourbe (Marne), in: 10ème Congrès intern. d'Anthr. et d'Arch. préhist. Paris 1889 (Paris 1891) 311–319.

A. Beck – J. Biel, Untersuchungen in einer Grabhügelgruppe bei Wilsingen, Kreis Münsingen. Fundber. aus Baden-Württemberg 1, 1974, 180–204.

H. Behaghel, Die Eisenzeit im Raume des rechtsrheinischen Schiefergebirges (Wiesbaden 1943).

G. Behrens, Bodenurkunden aus Rheinhessen 1 (Mainz 1927).

R. Beitl, Der Kinderbaum. Brauchtum und Glaube um Mutter und Kind (Berlin 1942).

B. Benadik, Laténské pohřebiště ve Veľké Mani na Slovensku. Arch. Rozhledy 5, 1953, 157–167. 185–189 Abb. 81–89.

B. Benadik, Keltské pohrebisko v Bajči-Vlkanove (Ein keltisches Gräberfeld in Bajč-Vlkanovo). Slovenska Arch. 8, 1960, 393–451.

B. Benadik, Zur Frage der chronologischen Beziehungen der keltischen Gräberfelder in der Slowakei. Slovenska Arch. 11, 1963, 339–390.

B. Benadik – E. Vlček – C. Ambros, Keltské pohrebiská na juhozápadnom Slovensku. Keltische Gräberfelder der Südwestslowakei. Arch. Slovaca Fontes 1 (Bratislava 1957).

E. Bendann, Death Customs. An Analytical Study of Burial Rites (New York 1930).

E. Beninger, Die Leichenzerstückelung als vor- und frühgeschichtliche Bestattungssitte. Anthropos 26, 1931, 769–781.

E. Beninger – H. Mitscha-Märheim, Der Langobardenfriedhof von Poysdorf, NÖ. Arch. Austriaca 40, 1966, 167–187.

L. Bérard, Cimetière gaulois de Mairy-Sogny. Bull. Soc. Arch. Champenoise 7, 1913, 109–120.

F. Berg, Das Flachgräberfeld der Hallstattkultur von Maiersch. Veröffentl. österr. Arbeitsgem. f. Ur- u. Frühgesch. 4 (Wien 1962).

R. Billoret, Circonscription de Lorraine. Gallia 32, 1974, 335–366.

K. Bittel, Die Kelten in Württemberg. Röm.-Germ. Forsch. 8 (Berlin/Leipzig 1934).

K. Böhner, Die fränkischen Gräber von Orsoy, Kr. Mörs. Bonner Jahrb. 149, 1949, 146–196.

K. Böhner, Die fränkischen Altertümer des Trierer Landes. Germ. Denkmäler d. Völkerwanderungszeit Ser. B, 1 (Berlin 1958).

Bosteaux frères, Fouilles à Prosnes (1928). Bull. Soc. Arch. Champenoise 23, 1929, 5–7.

Ch. Bosteaux-Paris – G. Logeart, Excursion et fouille d'un cimetière hallstattien à Aussonce (Ardennes). Bull. Soc. Arch. Champenoise 2, 1908, 35–37.

M. de Boüard, Circonscription de Haute et Basse Normandie. Gallia 24, 1966, 257–273.

M. de Boüard, Circonscription de Haute et Basse Normandie. Gallia 26, 1968, 347–372.

J. Bouzek, Openwork „Bird-cage" bronzes, in: The European Community in Later Prehistory. Studies in Honour of C. F. C. Hawkes (London 1971) 77–104.

J. Bouzek, Laténský kostrový hrob bojovníka v Praze-Bubenči, ul. Ve Struhách (Ein latènezeitliches Kriegergrab in Prag-Bubeneč, Gasse „Ve Struhách"). Arch. Rozhledy 26, 1974, 587–592.

H. Breeg, Gräber der Hallstattzeit bei Ebingen auf der Schwäbischen Alb. Mannus 30, 1938, 405–413.

D. Bretz-Mahler, Observations sur quelques cimetières de La Tène I. Bull. Soc. Arch. Champenoise 50, 2, 1957, 3–5.

D. Bretz-Mahler, Monographie des fouilles de Prosnes. Bull. Soc. Arch. Champenoise 56, 1963, 18–39.

D. Bretz-Mahler, La civilisation de La Tène I en Champagne. Le facies marnien. Gallia Suppl. 23 (Paris 1971).

H. Breuil – P. de Goy, Note sur une sépulture antique de la rue de Dun. Mém. Soc. d. Antiqu. du Centre 27, 1903, 155 ff.

A. Brisson, Sépultures gauloises de Corroy (Marne). Bull. Soc. Arch. Champenoise 29, 1935, 85–91.

A. Brisson, Notes sur la nécropole gauloise de Villeneuve-Renneville. La fosse au cerf. Bull. Soc. Arch. Champenoise 50, 1957, 9–12.

A. Brisson – J.-J. Hatt, Les nécropoles hallstattiennes d'Aulnay-aux-Planches (Marne). Revue Arch. de l'Est et du Centre-Est 4, 1953, 193–233.

A. Brisson – J.-J. Hatt, Le cimetière de la Tempête à Normée (Marne). Mém. Soc. Agr., Comm., Sc. et Arts du Dép. de la Marne 84, 1969, 21–37.

A. Brisson – J.-J. Hatt – P. Roualet, Cimetière de Fère-Champenoise, Faubourg de Connantre. Mém. Soc. Agr., Comm., Sc. et Arts du Dép. de la Marne 85, 1970, 7–26.

A. Brisson – P. Roualet – J.-J. Hatt, Le cimetière gaulois La Tène Ia du Mont-Gravet, á Villeneuve-Renneville (Marne). Mém. Soc. Agr., Comm., Sc. et Arts du Dép. de la Marne 86, 1971, Taf. 1–33 (Tafeln) und 87, 1972, 7–48 (Text).

A. Cavallotti Batchvarova, Veio. Sesta campagna di scavo (Maggio–Giugno 1964). Not. Scavi 1967, 107–170.

G. Chenet, Dépôt d'objets de l'âge du bronze et du premier âge du fer dans des sépultures d'époques plus récentes. Revue des Études anciennes 23, 1921, 232–242.

M. Chleborád, Gallské pohřebiště u Bučovic (u Lišek) (Gallische Begräbnisstätte bei Bučovice, Ried „bei den Füchsen"). Ročenka spořitelny m. Bučovic (Jahrb. d. Sparkasse Bukovitz) 1930, 2–19.

M. v. Chlingensperg-Berg, Das Gräberfeld von Reichenhall in Oberbayern (Reichenhall 1890).

R. Christlein, Das alamannische Reihengräberfeld von Marktoberdorf im Allgäu. Materialh. z. Bayer. Vorgesch. 21 (Kallmünz 1966).

R. Christlein, Besitzabstufungen zur Merowingerzeit im Spiegel reicher Grabfunde aus West- und Süddeutschland. Jahrb. RGZM. 20, 1973, 147–180.

R. Christlein, Römische Villa urbana und Adelsgrablege des frühen Mittelalters von Friedberg bei Augsburg, in: Das neue Bild der alten Welt. Archäologische Bodendenkmalpflege und archäologische Ausgrabungen in der Bundesrepublik Deutschland von 1945–1975 (= Kölner Römer-Illustrierte 2, 1975) 227.

B. Chropovský, Príspevok k osídleniu jz. Slovenska v dobe laténskej. Arch. Rozhledy 6, 1954, 316–319.

M. Čižmář, Společenská struktura moravských keltů podle výzkumu pohřebišť (Die Gesellschaftsstruktur der Kelten in Mähren im Lichte der Erforschung von Gräberfeldern). Časopis Moravského Musea (Brno) 57, 1972, 73–81.

M. *Claus*, Die Thüringische Kultur der älteren Eisenzeit (Grab-, Hort- und Einzelfunde). Irmin 2–3, 1940–1941 (Jena 1942).

W. *Coblenz*, Aunjetitzer Grabbeigabe als Urne in einer jüngstbronzezeitlichen Bestattung. Ausgrabungen u. Funde 19, 1974, 89–94.

N. *Creel*, Die Skelettreste aus dem Reihengräberfriedhof Sontheim an der Brenz, in: Chr. Neuffer-Müller, Ein Reihengräberfeld in Sontheim an der Brenz (Kr. Heidenheim). Veröffentl. Staatl. Amt f. Denkmalpfl. Stuttgart, Reihe A, 11 (Stuttgart 1966) 73–103.

W. *Czysz*, Ein bajuwarisches Reihengräberfeld des 7. Jahrhunderts in Öxing. Grafinger heimatkdl. Schriften 7 (Grafing 1973).

H. *Dannheimer*, (Besprechung von H. Ladenbauer-Orel 1960) in: Bayer. Vorgeschichtsbl. 25, 1960, 333–340.

A. *Dauber*, Ausgrabung von zwei Grabhügeln bei Huttenheim (Bruchsal). Badische Fundber. 15, 1939, 64–73.

J. *Déchelette*, Manuel d'archéologie préhistorique, celtique et gallo-romaine. Bd. 1 (Paris 1908); 2, 1 (1910); 2, 2 (1913); 2, 3 (1914).

W. *Deecke*, Jahresbericht 1933. Badische Fundber. 10, 1934, 138–176.

W. *Dehn*, Kreuznach. Kat. west- und süddt. Altertumsslg. 7, 1–2 (Frankfurt 1941).

W. *Dehn*, Der Hortfund von Steindorf, Kreis Wetzlar. Fundber. aus Hessen 7, 1967, 55–65.

W. *Dehn*, Probleme der Frühlatènekultur, in: Actes du VIIe Congrès intern. des Sciences préhist. et protohist. Praha 1966, Bd. 2 (1971) 799–800.

W. *Dehn*, Einige Bemerkungen zu Gesellschaft und Wirtschaft der Späthallstattzeit. „Transhumance" in der westlichen Späthallstattkultur?, in: Historische Forschungen für Walter Schlesinger (Köln/Wien 1974) 1–18.

W. *Deonna*, Cimetières de Bébés. Revue Arch. de l'Est et du Centre-Est 5, 1955, 231–247.

W. *Deonna*, Talismans en bois de Cerfs. Ogam 8, 1956, 3–14.

L. *Domečka*, Latènské kostrové hroby v Holohlavech. Památky Arch. 40, 1934–1935, 110.

W. *Drack*, Ältere Eisenzeit der Schweiz. Kanton Bern, 1.–3. Teil. Materialh. z. Ur- u. Frühgesch. d. Schweiz 1–3 (Basel 1958 [a], 1959, 1960).

W. *Drack*, Wagengräber und Wagenbestandteile aus Hallstattgrabhügeln in der Schweiz. Zeitschr. f. Schweiz. Arch. u. Kunstgesch. 18, 1958 [b], 1–67.

W. *Drack*, Ältere Eisenzeit der Schweiz. Die Westschweiz: Kantone Freiburg, Genf, Neuenburg, Waadt und Wallis. Materialh. z. Ur- u. Frühgesch. d. Schweiz 4 (Basel 1964).

W. *Drack*, Anhängeschmuck der Hallstattzeit aus dem Schweizerischen Mittelland und Jura. Jahrb. Schweiz. Ges. f. Urgesch. 53, 1966–1967, 29–61.

W. *Drack*, Die Gürtelhaken und Gürtelbleche der Hallstattzeit aus dem Schweizerischen Mittelland und Jura. Jahrb. Schweiz. Ges. f. Urgesch. 54, 1968–1969, 13–59.

W. *Drack*, Zum bronzenen Ringschmuck der Hallstattzeit aus dem Schweizerischen Mittelland und Jura. Jahrb. Schweiz. Ges. f. Urgesch. 55, 1970, 23–87.

R. *Drechsler-Bižić*, Naselje i grobovi preistoriskih Japoda u Vrepcu (Die Siedlung und die Gräber der urgeschichtlichen Japoden in Vrebac). Vjesnik Arh. Muz. Zagreb 3. Ser. 1, 1958, 35–60.

R. *Drechsler-Bižić*, Rezultati istraživanja japodske necropole u Kompolju 1955–1956. Godine (Ergebnisse der in den Jahren 1955/56 durchgeführten Ausgrabungen in der japodischen Nekropole von Kompolje). Vjesnik Arh. Muz. Zagreb 3. Ser. 2, 1961, 67–114.

J. *Driehaus*, „Fürstengräber" und Eisenerze zwischen Mittelrhein, Mosel und Saar. Germania 43, 1965, 32–49.

J. *Driehaus*, Zur Verbreitung der eisenzeitlichen Situlen im mittelrheinischen Gebirgsland. Bonner Jahrb. 166, 1966, 26–47.

A. *Dungel*, Ausgrabungen bei Kuffern. Jahrb. f. Altkde. 1, 1907, 86–95.

J. *Dupuis*, Le cimetière celtique de la Motelle de Germiny à St-Clément-à-Arnes (Ardennes). Bull. Soc. Arch. Champenoise 20, 1926, 42–51.

M. *Dušek*, Thrakisches Gräberfeld der Hallstattzeit von Chotín. Arch. Slovaca Fontes 6 (Bratislava 1966).

M. *Ebert*, Die Bootsfahrt ins Jenseits. Prähist. Zeitschr. 11–12, 1919–1920, 179–196.

M. *Eckstein*, (Fundbericht über Neuburg a. D.) in: Bayer. Vorgeschichtsbl. 18–19, 1951–1952, 273.

H. *Edelmann*, Hügelgräber der schwäbischen Alb. Prähist. Bl. 13, 1901, 1–3.

S. *Ehrhardt* – P. *Simon*, Skelettfunde der Urnenfelder- und Hallstattkultur in Württemberg und Hohenzollern. Naturwiss. Unters. z. Vor- u. Frühgesch. in Württ. u. Hohenz. 9 (Stuttgart 1971).

P. Endrich, Neue latènezeitliche Funde aus Mainfranken. Mainfränk. Jahrb. f. Gesch. u. Kunst 4, 1952, 308–311.

K. Engelhardt, Latènezeitliche Gräber aus Ossarn, p. B. St. Pölten, NÖ. Arch. Austriaca 45, 1969, 26–48.

H.-J. Engels, Die Hallstatt- und Latènekultur in der Pfalz. Veröffentl. d. Pfälz. Ges. z. Förderung d. Wiss. 55 (Speyer 1967).

J. R. Erl, Die Dietersberghöhle bei Egloffstein. Abhandl. Naturhist. Ges. Nürnberg 26, H. 5 (Nürnberg 1953).

P.-M. Favret, Le cimetière Marnien du „Chemin des Dats", com. de Saint-Memmie (Marne). Mém. Soc. Agr., Comm., Sc. et Arts de la Marne 2. Ser. 20, 1922–1924, 435–444.

P.-M. Favret, La nécropole hallstattienne des Jogasses à Chouilly (Marne). Revue Arch. 5. Ser. 25, 1927, 326–348; 26, 1927, 80–146.

P.-M. Favret, Les nécropoles des Jogasses à Chouilly (Marne). Préhistoire 5, 1936, 24–118.

G. P. Fehring, Frühmittelalterliche Kirchenbauten unter St. Dionysius zu Esslingen am Neckar. Germania 44, 1966, 354–374.

J. Ferrier, Pendeloques et amulettes d'Europe. Anthologie et réflexions (Périgueux 1971).

J. Filip, Keltové ve střední Europě (Die Kelten in Mitteleuropa). Mon. Arch. 5 (Praha 1956).

J. Filip, Die keltische Zivilisation und ihr Erbe (Praha 1961).

J. Filip, Le problème de la double origine des Celtes en Europe centrale. Études celtiques 13, 1973, 583–593.

J. Fink, Flachgräber der Mittellatèneperiode bei Manching (Bezirksamt Ingolstadt). Beitr. z. Anthr. u. Urgesch. Bayerns 11, 1895, 34–41.

O. Förtsch, Hallstattzeitliche Skelettgräber von Hainrode bei Wolkramshausen, von Merseburg, aus der Klosterstraße in Halle, von Tarthun bei Egeln und vom Weinberge bei Memleben. Jahresschr. Halle 3, 1904, 42–54.

R. Forrer, Ein figürlicher Schalenstein aus einem Tène-Grabhügel bei Heidolsheim. Anz. f. Elsässische Altkde. 1–4, 1909–1912, 317–330.

R. Forrer, Die helvetischen und helveto-römischen Votivbeilchen der Schweiz. Schriften z. Ur- u. Frühgesch. d. Schweiz 5 (Basel 1948).

L. Franz, Totenglaube und Totenbrauch. Sudeta 4, 1928, 165–190.

J. G. Frazer, The Fear of the Dead in Primitive Religion 1–3 (London 1933, 1934, 1936).

O.-H. Frey, Die Zeitstellung des Fürstengrabes von Hatten im Elsaß. Germania 35, 1957, 229–249.

O.-H. Frey, Die Entstehung der Situlenkunst. Studien zur figürlich verzierten Toreutik von Este. Röm.-Germ. Forsch. 31 (Berlin 1969).

O.-H. Frey, Fibeln vom westhallstättischen Typus aus dem Gebiet südlich der Alpen. Zum Problem der keltischen Wanderung, in: Oblatio. Raccolta di studi di antichità ed arte in onore di A. Calderini (Como 1971 [a]) 355–386.

O.-H. Frey, Zu dem durchbrochenen Gürtelhaken aus dem Fürstengrab von Worms-Herrnsheim. Arch. Korrespondenzbl. 1, 1971 [b], 203–205.

E. Frézouls, Circonscription de Champagne-Ardenne. Gallia 31, 1973, 393–421.

J. Frick, Mutter und Kind bei den Chinesen in Tsinghai. Anthropos 50, 1955, 337–374. 659–701.

E. Frickhinger, Zur Vor- und Frühgeschichte Schwabens. Das Schwäb. Museum 1930, 153–160.

Fundbericht 1891 zu Tailfingen, Kr. Balingen: Prähist. Bl. 3, 1891, 25–26 („Ebingen").

Fundbericht 1904 zu Höchstetten (Bern): Anz. f. Schweiz. Altkde. N.F. 5, 1903–04, 224–225.

Fundbericht 1912 zu Möglingen, Kr. Öhringen: Fundber. aus Schwaben 20, 1912, 24–25.

Fundbericht 1936 zu Farschweiler, Kr. Trier-Saarburg: Trierer Zeitschr. 11, 1936, 214.

Fundbericht 1950 a zu Deckenpfronn, Kr. Calw: Fundber. aus Schwaben N.F. 11/1, 1938–50, 68–71.

Fundbericht 1950 b zu Tailfingen, Kr. Böblingen: Fundber. aus Schwaben N.F. 11/1, 1938–50, 82–83.

Fundbericht 1950 c zu Nagold „Vorderer Lehmberg": Fundber. aus Schwaben N.F. 11/1, 1938–50, 94–95.

Fundbericht 1952 zu Cama (Graubünden): Jahrb. Schweiz. Ges. f. Urgesch. 42, 1952, 76–77.

Fundbericht 1958 zu Fischbach, Ldkr. Burglengenfeld, Hügel I: Bayer. Vorgeschichtsbl. 23, 1958, 163–165.

Fundbericht 1959 a zu Gerlingen, Kr. Leonberg: Fundber. aus Schwaben N.F. 15, 1959, 153–155.

Fundbericht 1959 b zu Großaltdorf, Kr. Schwäb. Hall: Fundber. aus Schwaben N.F. 15, 1959, 155.

Fundbericht 1962 zu Senkofen, Ldkr. Regensburg: Bayer. Vorgeschichtsbl. 27, 1962, 234.

J. Gaisberger, Die Gräber bei Hallstatt im österreichischen Salzkammergute. Beilage zum 10. Ber. über das Museum Francisco-Carolinum (Linz 1848).

G. F. Gamurrini, Necropoli italica riconosciuta in contrada „le tombe" nel territorio pesarese, in prossimità dell'abitato di Novilara. Not. Scavi 1892, 14–19.

F. Garscha – A. Dauber, (Fundbericht über Singen, Kr. Pforzheim) in: Badische Fundber. 19, 1951, 173–174.

P. Geiger, Die Behandlung der Selbstmörder im deutschen Brauch. Schweiz. Archiv f. Volkskde. 26, 1926, 145–170.

F. Gember, (Fundbericht über Brühl, Kr. Mannheim) in: Badische Fundber. 21, 1958, 253–254.

F. Gember – A. Dauber, (Fundbericht über Neckarhausen, Kr. Mannheim) in: Badische Fundber. 21, 1958, 254–255.

E. Gersbach, Heuneburg – Außensiedlung – jüngere Adelsnekropole. Eine historische Studie, in: Marburger Beiträge zur Archäologie der Kelten (Festschr. W. Dehn). Fundber. aus Hessen, Beih. 1 (Bonn 1969) 29–34.

E. Gersbach, Urgeschichte des Hochrheins (Funde und Fundstellen in den Landkreisen Säckingen und Waldshut). Badische Fundber., Sonderh. 11 (Freiburg i. B. 1969 [Tafelband] und 1970 [Textband]).

V. Geupel – H. Kaufmann, Der bronzezeitliche Hügel mit latènezeitlichen Nachbestattungen aus der Harth bei Zwenkau. Arbeits- u. Forschungsber. z. Sächs. Denkmalpfl. 16–17, 1967, 213–246.

I. Gierl, Trachtenschmuck aus fünf Jahrhunderten (Rosenheim 1972).

P. G. Gierow, La necropoli laziale di Anzio. Bull. Paletn. Ital. 69–70, 1960–61, 243–257.

R. Giessler – G. Kraft, Untersuchungen zur frühen und älteren Latènezeit am Oberrhein und in der Schweiz. 32. Ber. RGK. 1942, 20–115.

H. Glöckler, (Fundbericht über Eislingen, Kr. Göppingen) in: Fundber. aus Schwaben N.F. 15, 1959, 182–183.

P. Goeßler, Petits bronzes figurés à représentations humaines de l'époque de La Tène découverts en Wurtemberg. Préhistoire 1, 1932, 260–270.

P. Goeßler, Neues aus Nagolds frühester Geschichte. Ein Grabfund aus dem 4. Jahrhundert v. Chr. Aus der Schwarzwaldheimat 2, 2 (1940).

A. Goetze – P. Höfer – P. Zschiesche, Die vor- und frühgeschichtlichen Altertümer Thüringens (Würzburg 1909).

I. Goldziher, Eisen als Schutz gegen Dämonen. Archiv f. Religionswiss. 10, 1907, 41–46.

G. Goury, L'enceinte d'Haulzy et sa nécropole. Les étapes de l'humanité I, 2 (Nancy 1911).

A.-S. Gräslund, Barn i Birka (Kindergräber in Birka). Tor 15, 1972–73, 161–179.

A. Grenier, Les Gaulois. P.te Bibl. Payot 157 (Paris 1970).

J. et E. Griess, Le cimetière mérovingien du Zich de Molsheim (Bas-Rhin). Cahiers d'Arch. et d'Hist. d'Alsace 134, 1954, 73–96.

L. V. Grinsell, Early Funerary Superstitions in Britain. Folk-Lore 64, 1953, 271–281.

J. V. Grohmann, Apollo Smintheus und die Bedeutung der Mäuse in der Mythologie der Indogermanen (Prag 1862).

N. Groß – A. Haffner, Ein Gräberfeld der jüngeren Hunsrück-Eifel-Kultur von Losheim, Kr. Merzig-Wadern. 16. Ber. Staatl. Denkmalpfl. Saarland 1969, 61–103.

J. Gruaz, Le cimetière gaulois de Saint-Sulpice (Vaud). Anz. f. Schweiz. Altkde. N.F. 16, 1914, 258–275.

L. Grünenwald, Speier. Historisches Museum der Pfalz, Erwerbungen im Jahre 1899. Westdt. Zeitschr. 19, 1900, 379–383.

H. Grünert, Zur Bedeutung der früheisenzeitlichen Gesellschaften Süd- und Südosteuropas für die Gentilgesellschaften im nördlichen Mitteleuropa, in: Actes du VIIIᵉ Congrès intern. des Sciences préhist. et protohist. Beograd 1971, Bd. 3 (1973) 119–125.

W. U. Guyan, Das Grabhügelfeld im Sankert bei Hemishofen. Schr. d. Inst. f. Ur- u. Frühgesch. d. Schweiz 8 (Basel 1951).

C. Haberland, Altjungfernschicksal nach dem Tode. Globus 34, 1878, 205–206.

R. Hachmann, Besprechung von: Vl. Dumitrescu, Necropola de incineratie din epoca bronzului de la Cîrna. Germania 46, 1968, 368–370.

R. Hachmann, Die Goten und Skandinavien. Quellen u. Forsch. z. Sprach- u. Kulturgesch. d. germ. Völker N.F. 34 (Berlin 1970).

A. Häusler, Übereinstimmungen zwischen den Bestattungssitten von Jäger- und Fischergruppen und der Kulturen des donauländischen Kreises. Arbeits- u. Forschungsber. z. Sächs. Denkmalpfl. 13, 1963, 51–72.

A. Häusler, Zum Verhältnis von Männern, Frauen und Kindern in Gräbern der Steinzeit. Arbeits- u. Forschungsber. z. Sächs. Denkmalpfl. 14–15, 1966, 25–73.

A. Häusler, Kritische Bemerkungen zum Versuch soziologischer Deutungen ur- und frühgeschichtlicher Gräberfelder – erläutert am Beispiel des Gräberfeldes von Hallstatt. Ethnogr.-Arch. Zeitschr. 9, 1968, 1–30.

A. Häusler, Die Gräber der älteren Ockergrabkultur zwischen Ural und Dnepr (Halle 1974).

Th. E. Haevernick, Perlen und Glasbruchstücke als Amulette. Jahrb. RGZM. 15, 1968, 120–133.

Th. E. Haevernick, Perlen mit zusammengesetzten Augen („compound – eye – beads"). Prähist. Zeitschr. 47, 1972, 78–93.

Th. E. Haevernick, Die Glasfunde aus den Gräbern vom Dürrnberg, in: F. Moosleitner – L. Pauli – E. Penninger 1974, 143–152 (1974 a).

Th. E. Haevernick, Zu den Glasperlen in Slowenien. Situla 14–15, 1974 [b], 61–65.

A. Haffner, Das Frühlatène-Gräberfeld von Theley. 11. Ber. Staatl. Denkmalpfl. Saarland 1964, 121–147.

A. Haffner, Späthallstattzeitliche Funde aus dem Saarland. 12. Ber. Staatl. Denkmalpfl. Saarland 1965, 7–33.

A. Haffner, Ein Grabhügel der Späthallstattzeit von Riegelsberg, Landkreis Saarbrücken (Mit einem Beitrag zur Chronologie der Späthallstattzeit). 16. Ber. Staatl. Denkmalpfl. Saarland 1969, 49–60.

A. Haffner, Die westliche Hunsrück-Eifel-Kultur. Röm.-Germ. Forsch. 36 (Berlin 1975, im Druck).

G. Hager – J. A. Mayer, Die vorgeschichtlichen und merovingischen Altertümer des bayerischen Nationalmuseums. Kat. Bayer. Nationalmus. 4 (München 1892).

L. Hansmann – L. Kriss-Rettenbeck, Amulett und Talisman. Erscheinungsform und Geschichte (München 1966).

P. Harbison, The Chariot of Celtic Funerary Tradition, in: Marburger Beiträge zur Archäologie der Kelten (Festschr. W. Dehn). Fundber. aus Hessen, Beih. 1 (Bonn 1969) 34–58.

J. Hasebroek, Griechische Wirtschafts- und Gesellschaftsgeschichte bis zur Perserzeit (Tübingen 1931; Nachdruck: Hildesheim 1966).

J.-J. Hatt – H. Ulrich, Fouille des tumuli 29 et 31 dans la Forêt de Brumath. Cahiers d'Arch. et d'Hist. d'Alsace 38, 1947, 40–46.

J.-J. Hatt, Et omnes stellas ex omnibus alcinis. Talismans gallo-romanins en bois de cerf ou d'élan trouvés dans les tombes. Revue Arch. de l'Est et du Centre-Est 6, 1955, 55–59.

J.-J. Hatt, Les invasions celtiques en Italie du Nord. Leur chronologie. Bull. Soc. Préhist. Franç. 57, 1960, 362–371.

J. Heierli, Vorrömische Gräber im Canton Zürich. Anz. f. Schweiz. Altkde. 6, 1888–1891, 4–6. 34–39. 66–67. 98–104. 145–153. 190–192. 290–297. 316–319.

J. Heierli, Die Grabhügel von Unter-Lunkhofen, Kt. Aargau. Anz. f. Schweiz. Altkde. N.F. 8, 1906, 1–12. 89–96.

H. Heine, Elementargeister, in: Heinrich Heine Werke Bd. 2 (Frankfurt a. M. 1968) 653–707.

H. Heintel, Zwei mittelalterliche Säuglingsbestattungen aus Wernswig, Kr. Fritzlar-Homberg. Fundber. aus Hessen 1, 1961, 127–129.

G. F. Heintz, Les tertres funéraires celtiques de la „Willermatt" près Hilsenheim (Bas-Rhin). Cahiers d'Arch. et d'Hist. d'Alsace 40, 1949, 241–246.

G. F. Heintz, Observations archéologiques à Achenheim-Bas de 1936 à 1952. Cahiers d'Arch. et d'Hist. d'Alsace 133, 1953, 53–66.

B. Heintze, Bestattung in Angola – Eine synchronisch-diachronische Analyse. Paideuma 17, 1971, 145–205.

W. Heissig, Mongolisches Schrifttum im Linden-Museum. Tribus 8, 1959, 39–56.

W. Heissig, Ein mongolisches Handbuch für die Herstellung von Schutzamuletten. Tribus 11, 1962, 69–83.

J. Hellich, Pohřebiště latenské v Dobšicích blíže Libněvsi. Památky Arch. 19, 1900–01, 89–110.

H. Hepding, Das Begräbnis der Wöchnerin, in: Volkskundliche Beiträge (Festschr. R. Wossidlo) (Neumünster 1939) 151–165.

H. Hepding, Das Begräbnis der Wöchnerin. Hess. Bl. f. Volkskde. 38, 1940, 133–134.

H. Hingst, Jevenstedt. Ein Urnenfriedhof der älteren vorrömischen Eisenzeit im Kreise Rendsburg-Eckernförde, Holstein. Offa-Bücher 27 (Neumünster 1974).

H. Hinz, Am langen Band getragene Bergkristallanhänger der Merowingerzeit. Jahrb. RGZM. 13, 1966, 212–230.

F. R. Hodson, The La Tène Cemetery at Münsingen-Rain. Catalogue and Relative Chronology. Acta Bernensia 5 (Bern 1968).

K. Hörmann, Vorgeschichtliche Leichendörrung, die Mittelstufe zwischen Bestatten und Verbrennen, in: Schumacher-Festschrift (Mainz 1930) 77–79.

M. Hoernes, Zur prähistorischen Formenlehre, Zweiter Theil, in: Mitt. Prähist. Komm. Wien 1,4 (Wien 1887) 181–235.

P. Hörter, Grabfunde der Latène-Zeit im Museum zu Mayen (Rhld.). Mannus 10, 1918, 231–242.

F. Holter, Die Hallesche Kultur der frühen Eisenzeit. Jahreschr. Halle 21, 1933.

F. Horst, Hallstattimporte und -einflüsse im Elb-Havel-Gebiet. Zeitschr. f. Arch. 5, 1971, 192–214.

H. Hubert, La collection Moreau au Musée de Saint-Germain. Revue Arch. 3. Ser. 41, 1902, 167–206 und 4. Ser. 8, 1906, 337–371.

H. Hubert, Les Celtes. 2 Bde. (Paris 1932).

H.-J. Hundt, Versuch zur Deutung der Depotfunde der nordischen jüngeren Bronzezeit. Jahrb. RGZM. 2, 1955, 95–140.

I. v. Hunyady, Kelták a Kárpátmedencében. Die Kelten im Karpathenbecken. Diss. Pann. II, 18 (Budapest 1944).

I. v. Hunyady, Kelták a Kárpátmedencében. Leletanyag (Die Kelten im Karpathenbecken. Funde). Régészeti Füzetek 2 (Budapest 1957).

P. Jacobsthal, Einige Werke keltischer Kunst. Die Antike 10, 1934, 17–45.

P. Jacobsthal, Early Celtic Art (Oxford 1944; Nachdruck 1969).

P. Jacobsthal – A. Langsdorff, Die Bronzeschnabelkannen (Berlin 1929).

O. Jahn, Über den Aberglauben des bösen Blicks bei den Alten. Ber. Verhandl. Kgl. Sächs. Ges. d. Wiss. zu Leipzig, phil.-hist. Cl. 7, 1855, 28–110.

H. Jankuhn, Eine stein-bronzezeitliche Grabsitte und ihr Fortleben im späteren Brauchtum. Offa 4, 1939, 92–108.

H.-L. Janssen, Die Toten in Brauchtum und Glauben der germanischen Vorzeit. Mitt. Anthr. Ges. Wien 72, 1942, 1–231.

B. Jelínek, Aus den Gräberstätten der liegenden Hocker. Mitt. Anthr. Ges. Wien 14, 1884, 175–194.

E. E. Jensen, Im Lande der Gada. Wanderungen zwischen den Volkstrümmern Südabessiniens (Stuttgart 1936).

E. Jerem, The Late Iron Age Cemetery of Szentlőrinc. Acta Arch. Hung. 20, 1968, 159–208.

H.-E. Joachim, Unbekannte Wagengräber der Mittel- bis Spätlatènezeit aus dem Rheinland, in: Marburger Beiträge zur Archäologie der Kelten (Festschr. W. Dehn). Fundber. aus Hessen, Beih. 1 (Bonn 1969) 84–111.

H.-E. Joachim, Zur frühlatènezeitlichen Reiterfigur von Kärlich, Ldkr. Koblenz. Jahrb. RGZM. 17, 1970, 94–103.

H.-E. Joachim, Ein Hügelgräberfeld der Jüngeren Hunsrück-Eifel-Kultur von Brachtendorf bei Cochem. Zum Frühlatène im Rheinland. Bonner Jahrb. 171, 1971, 59–113.

H.-E. Joachim, Ein Körpergrab mit Ösenhohlring aus Neuwied, Stadtteil Heimbach-Weis. Nochmals zur Späthallstatt-Tracht im Rheinischen Gebirge. Trierer Zeitschr. 35, 1972, 89–108.

H.-E. Joachim, Zur Deutung der keltischen Säulen von Pfalzfeld und Irlich. Arch. Korrespondenzbl. 4, 1974, 229–232.

R. Joffroy, Un tumulus à Essarois (Côte-d'Or): Le tumulus de Bas de Comet, in: XVème Congrès préhist. de France. Poitier—Angoulême 1956 (1957) 588–594.

R. Joffroy, L'oppidum de Vix et la civilisation hallstattienne finale dans l'Est de la France (Paris 1960).

R. Joffroy, Le grand tumulus de Larrey. Bull. Soc. Arch. et Hist. Châtillonnaise 4. Ser. 5–6, 1964–65, 183–190.

J. Joly, Un cimetière gallo-romain de bébés à Alise-Sainte-Reine (Côte-d'Or). Revue Arch. de l'Est et du Centre-Est 2, 1951, 119–120.

J. Joly, L'âge du Fer dans le Haut Auxois. Les tumulus de Combe Barré. Mém. Comm. Antiquités du Dép. de la Côte-d'Or 23, 1947–53, 116–134.

J. Joly, Quelques sépultures du cimetière de bébés de la Croix Saint-Charles sur le Mont Auxois (com. de Alise, Côte-d'Or). Revue Arch. de l'Est et du Centre-Est 5, 1954, 92–98.

W. Jorns, Die Hallstattzeit in Kurhessen. Veröffentl. Kurhess. Landesamt f. Vor- u. Frühgesch. Marburg (Marburg 1939). Ohne das Fundverzeichnis auch erschienen in Prähist. Zeitschr. 28–29, 1937–38, 15–80.

W. Jorns, Zur östlichen Abgrenzung der Hunsrück-Eifel-Kultur. Trierer Zeitschr. 16–17, 1941–42, 67–91.

W. Jorns, Fundchronik des Landesarchäologen von Hessen für die Zeit vom 1. 1.–31. 12. 1967. Regierungsbezirk Darmstadt. Fundber. aus Hessen 8, 1968, 83–101.

Dr. Jourdin, Note sur trois crânes préhistoriques dont un trépané pendant la vie (Tumulus du bois de la Jeune Ronce, à Couchey). Revue Préhist. de l'Est de la France 3, 1908, 2–9.

U. Kahrstedt, Eine historische Betrachtung zu einem prähistorischen Problem. Prähist. Zeitschr. 28–29, 1937–38, 401–405.

K. Kaiser – L. Kilian, Fundberichte aus der Pfalz für die Jahre 1956–1960. Mitt. Hist. Ver. Pfalz 66, 1968, 5–135.

O. Kandyba, Vyloupené latènské hroby v Kobylisích. Obzor praehist. 9, 1930–35, 106–116.

E. Kapff, Neue Funde vom „Altenburger Feld" bei Cannstatt. Fundber. aus Schwaben 8, 1900, 75–77.

H. Kaufmann, Die vorgeschichtliche Besiedlung des Orlagaues. Katalog und Tafeln. Veröffentl. Landesmus. f. Vorgesch. Dresden 8 (Leipzig 1959).

H. Kaufmann, Die vorgeschichtliche Besiedlung des Orlagaues. Text. Veröffentl. Landesmus. f. Vorgesch. Dresden 10 (Berlin 1963).

H. Kaufmann, Der Siebheber von Ranis, Kr. Pößneck, und andere derartige Geräte aus vorrömischer Zeit. Jahresschr. Halle 53, 1969, 437–454.

K. Kaus, Hallstattzeitliche Tonrassel. Kinderspielzeug, Kultgerät oder Musikinstrument? Mitt. Österr. Arbeitsgem. f. Ur- u. Frühgesch. 22, 1971, 81–83.

J. Keller, Das keltische Fürstengrab von Reinheim 1. Ausgrabungsbericht und Katalog der Funde (Mainz 1965).

K. Keller-Tarnuzzer, Jahresbericht der Schweizerischen Gesellschaft für Urgeschichte 20, 1928.

K. Keller-Tarnuzzer, Jahresbericht der Schweizerischen Gesellschaft für Urgeschichte 21, 1929.

W. Kersten, Der Beginn der La-Tène-Zeit in Nordostbayern. Prähist. Zeitschr. 24, 1933, 96–174.

L. Kilian, Untersuchungen auf dem Mehrperiodengräberfeld von Dannstadt, Kreis Ludwigshafen. Mitt. Hist. Ver. Pfalz 71, 1974, 11–52.

W. Kimmig, Die Heuneburg an der oberen Donau. Führer z. vor- u. frühgesch. Denkm. in Württ. u. Hohenz. 1 (Stuttgart 1968).

W. Kimmig, Zum Problem späthallstättischer Adelssitze, in: K.-H. Otto – J. Herrmann (Hrsg.), Siedlung, Burg und Stadt. Studien zu ihren Anfängen (Festschr. P. Grimm). Dt. Akad. d. Wiss. Berlin, Schr. d. Sektion f. Vor- u. Frühgesch. 25 (Berlin 1969) 95–113.

W. Kimmig, Frühe Kelten an der oberen Donau. Bild der Wissenschaft 1971, 1133–1143.

W. Kimmig, Zum Fragment eines Este-Gefäßes von der Heuneburg an der oberen Donau. Hamburger Beitr. z. Arch. 4, 1974 [a], 33–96.

W. Kimmig, Zwanzig Jahre Heuneburg-Forschung. Tübinger Universitätszeitung Nr. 8 vom 15. 12. 1974 [b], 10–15.

W. Kimmig, Die Heuneburg an der oberen Donau, in: Ausgrabungen in Deutschland, gefördert von der Deutschen Forschungsgemeinschaft 1950–1975, Teil 1. RGZM. Monogr. 1,1 (Mainz 1975) 192–211.

W. Kimmig – E. Gersbach, Die neuen Ausgrabungen auf der Heuneburg. Germania 44, 1966, 102–136.

W. Kimmig – E. Gersbach, Die Grabungen auf der Heuneburg 1966–1969. Germania 49, 1971, 21–91.

J. E. King, Infant Burial. Class. Revue (London) 17, 1903, 83–84.

W. Klingbeil, Kopf- und Maskenzauber in der Vorgeschichte und bei den Primitiven (Berlin 1932).

O. Klose, Neue Grabfunde der Hallstatt- und Latènezeit vom Dürrnberg bei Hallein, Salzburg. Wiener Prähist. Zeitschr. 19, 1932, 39–81.

T. Knez, Prazgodovina Novega mesta (Novo mesto in der Vorgeschichte). Ausstellungskatalog (Novo mesto 1971).

T. Knez, Halštatski zlati diadem iz Novega mesta (Ein hallstattzeitliches Golddiadem aus Novo mesto). Situla 14–15, 1974, 115–118.

H. Knöll, Drei latènezeitliche Nachbestattungen aus einem oberbayerischen Grabhügelfeld. Prähist. Zeitschr. 34–35, 2. Hälfte, 1949–50, 234–245.

R. Koch, Waffenförmige Anhänger aus merowingerzeitlichen Frauengräbern. Jahrb. RGZM. 17, 1970, 285–293.

U. Koch, Grabräuber als Zeugen frühen Christentums. Arch. Nachr. aus Baden 11, 1973, 22–26.

U. Koch, Beobachtungen zum frühen Christentum an den fränkischen Gräberfeldern von Bargen und Berghausen in Nordbaden. Arch. Korrespondenzbl. 4, 1974, 259–266.

O. Koenig, Kultur und Verhaltensforschung. dtv 614 (München 1970).

J. H. F. Kohlbrugge, Tier- und Menschenantlitz als Abwehrzauber (Bonn 1926).

G. Kossack, Studien zum Symbolgut der Urnenfelder- und Hallstattzeit Mitteleuropas. Röm.-Germ. Forsch. 20 (Berlin 1954 [a]).

G. Kossack, Pferdegeschirr aus Gräbern der älteren Hallstattzeit Bayerns. Jahrb. RGZM. 1, 1954 [b], 111–178.

G. Kossack, Südbayern während der Hallstattzeit. Röm.-Germ. Forsch. 24 (Berlin 1959).

G. Kossack, Gräberfelder der Hallstattzeit an Main und Fränkischer Saale. Materialh. z. Bayer. Vorgesch. 24 (Kallmünz 1970).

J. Koty, Die Behandlung der Alten und Kranken bei den Naturvölkern. Forsch. z. Völkerpsych. u. Soziologie 13 (Stuttgart 1934).

W. Krämer, (Fundbericht über Weltenburg, Ldkr. Kelheim) in: Bayer. Vorgeschichtsbl. 16, 1942, 65.

W. Krämer, Eine Siedlung der Frühlatènezeit in Straubing a. d. Donau (Niederbayern). Germania 30, 1952, 256–262.

W. Krämer, Das keltische Gräberfeld von Nebringen (Kreis Böblingen). Veröffentl. d. Staatl. Amtes f. Denkmalpfl. Stuttgart, Reihe A, 8 (Stuttgart 1964).

G. Kraft, Der keltische Friedhof von Singen a. H. Germania 14, 1930 [a], 77–82.

G. Kraft, Ausgrabungen und Funde bei Singen a. H. Forschungen und Fortschritte 6, 1930 [b], 61–62.

G. Kraft, (Vortragsresumé über das Gräberfeld von Singen a. H.) in: Bonner Jahrb. 135, 1930 [c], 161–162.

H.-P. Kraft, Vier außergewöhnliche vor- und frühgeschichtliche Grabbefunde. Arch. Nachr. aus Baden 7, 1971, 8–15.

K. Kromer, Das Gräberfeld von Hallstatt (Firenze 1959).

K. Kromer, Ein hallstattzeitliches Wagengrab aus Amstetten, N.Ö. Mitt. Anthr. Ges. Wien 90, 1960, 105–107.

Ph. Kropp, Latènezeitliche Funde an der keltisch-germanischen Völkergrenze zwischen Saale und Weißer Elster. Mannus-Bibl. 5 (Würzburg 1911).

O. Kunkel, Ein frühlatènezeitliches Frauengrab bei Burggrumbach, Ldkr. Würzburg (Ufr.). Germania 30, 1952, 429–430.

O. Kunkel, Die Jungfernhöhle bei Tiefenellern. Eine neolithische Kultstätte auf dem Fränkischen Jura bei Bamberg. Münchner Beitr. z. Vor- u. Frühgesch. 5 (München 1955).

N. Kyll, Die Bestattung der Toten mit dem Gesicht nach unten. Trierer Zeitschr. 27, 1964, 168–183.

H. Ladenbauer-Orel, Linz-Zizlau. Das baierische Gräberfeld an der Traunmündung (Wien 1960).

V. Lahtov – J. Kastelic, New Researches at Trebenište. Lihnid goditschen Sbornik na narodniot muzej vo Ohrid (Jahrb. d. Mus. Ohrid) 1, 1957, 5–58.

R. Lasch, Die Verbleibsorte der Seelen der im Wochenbette Gestorbenen. Globus 80, 1901, 108–113.

Gy. László, Steppenvölker und Germanen. Kunst der Völkerwanderungszeit (Wien/Budapest 1970).

G. Laube, Ein Mittel-Latène-Grab in Liebshausen (Bezirk Bilin). Sudeta 5, 1929, 63–64.

F. Laux, Die Bronzezeit in der Lüneburger Heide. Veröffentl. Urgesch. Slg. d. Landesmus. Hannover 18 (Hildesheim 1971).

E. Lehmann, Knowiser Kultur in Thüringen und vorgeschichtlicher Kannibalismus, in: Mannus-Ergänzungsbd. 7 (Leipzig 1929) 107–122.

L. Lepage, Le cimetière hallstattien de Charvais à Heiltz-l'Évêque (Marne). Revue Arch. de l'Est et du Centre-Est 17, 1966, 70–87.

L. Lerat, Circonscription de Franche-Comté. Gallia 26, 1968, 435–472.

E. Leuzinger, Wesen und Form des Schmuckes afrikanischer Völker (Diss. Zürich 1950).

Chr. Liebschwager, Ein Frühlatènegrab von Mauchen, Ldkr. Waldshut. Badische Fundber. 23, 1967, 73–81.

L. Lindenschmit, Die vaterländischen Alterthümer der Fürstlich Hohenzoller'schen Sammlungen zu Sigmaringen (Mainz 1860).

L. Lindenschmit, Originalsammlung des Vereins zur Erforschung der rheinischen Geschichte und Altertümer (Bericht von Mitte 1890 bis Mitte 1891). Westd. Zeitschr. 10, 1891, 397–400.

L. Lindenschmit, Mainz. Sammlung des Vereins zur Erforschung der rheinischen Geschichte und Altertümer (Bericht von Mitte 1901 bis Mitte 1902). Westd. Zeitschr. 21, 1902, 421–437.

I. Linfert-Reich, Die Frau von Peiting, in: Das neue Bild der alten Welt. Archäologische Bodendenkmalpflege und archäologische Ausgrabungen in der Bundesrepublik Deutschland von 1945–1975 (= Kölner Römer-Illustrierte 2, 1975) 290–291.

G. Lobjois, La nécropole de Pernant (Aisne), in: Celticum 18 (Rennes 1969) 1–284.

F. Lo Schiavo, Il gruppo liburnico-japodico. Per una definizione nell'ambito della protostoria balcanica. Atti Accad. Naz. dei Lincei. Memorie, Cl. di Scienze mor., stor. e fil., Ser. 8, 14 (Roma 1970) 363–525 (= Heft 6).

P. R. Lowery – R. D. A. Savage – R. L. Wilkins, Notes on the Techniques of Decoration of the Backs of the British Series of Bronze Mirrors, and of the Contruction of the Design on the Holcombe Mirror. Archaeologia 105, 1974 (im Druck).

K. Ludikovský, Bohatý hrob ženy z keltského pohřebiště v Blučině, okr. Brno-Venkov (Ein reiches Frauengrab aus dem keltischen Friedhof in Blučina, Bez. Brno-Land). Památky Arch. 61, 1970, 519–535.

G. Luraschi u. a., Insediamenti di Como preromana. Aggiornamento. Rivista Arch. Como 152–155, 1970–73, 133–192.

A. Mahr, Die prähistorischen Sammlungen des Museums zu Hallstatt. Mat. z. Urgesch. Österreichs 1 (Wien 1914).

A. Mahr, Prehistoric Grave Material from Carniola (New York 1934).

F. Maier, Geometrisch verzierte Gürtelbleche aus Gräbern der späten Hallstattzeit von Singen am Hohentwiel (Ldkr. Konstanz). Germania 35, 1957, 249–265.

F. Maier, Zur Herstellungstechnik und Zierweise der späthallstattzeitlichen Gürtelbleche Südwestdeutschlands. 39. Ber. RGK. 1958, 131–249.

F. Maier, Bemerkungen zu einigen späthallstattzeitlichen Armringen mit Schlangenkopfenden. Fundber. aus Schwaben N.F. 16, 1962, 39–44.

R. A. Maier, Naturalien in schmuck-, amulett- und idolhafter Verwendung. Vortrag Tutzing 1961 [a] (Privatdruck).

R. A. Maier, Zu keltischen Würfelfunden aus dem Oppidum von Manching. Germania 39, 1961 [b], 354–360.

R. A. Maier, Eine vorgeschichtliche Felsspaltenfüllung im Fränkischen Jura mit Sach-, Tier- und Menschenresten. Bayer. Vorgeschichtsbl. 30, 1965, 262–268.

R. A. Maier, Versuche über Traditionen des „Stoffwerts" von Tierknochen und Traditionen primitiven „Tierdenkens" in der Kultur- und Religionsgeschichte (München 1969).

H. Maisant, Der Kreis Saarlouis in vor- und frühgeschichtlicher Zeit. Saarbrücker Beitr. z. Altkde. 9 (Bonn 1971).

H. Maisant, Die Öffnung von drei Grabhügeln der späten Hallstattzeit auf der „Steinrausch" in Saarlouis-Fraulautern 1970/71. 19. Ber. Staatl. Denkmalpfl. Saarland 1972, 43–64.

H. Maisant, Grabhügel der Hallstattzeit in Saarlouis-Fraulautern. Zweite Grabungskampagne auf der „Steinrausch" (1972/73). 20. Ber. Staatl. Denkmalpfl. Saarland 1973, 61–106.

G. Mansfeld, (Besprechung von O.-H. Frey 1969) in: Fundber. aus Schwaben N.F. 19, 1971, 417–422.

G. Mansfeld, Die Fibeln der Heuneburg 1950–1970. Ein Beitrag zur Geschichte der Späthallstattfibel (Heuneburgstudien 2). Röm.-Germ. Forsch. 33 (Berlin 1973).

C. Marchesetti, Scavi nella necropoli di S. Lucia (1885–1892) (Trieste 1893).

J. Maringer, Menschenopfer im Bestattungsbruch Alteuropas. Anthropos 37–38, 1942–43, 1–112.

R. De Marinis – D. Premoli Silva, Revisione di vecchi scavi nella necropoli della Ca'Morta. Rivista Arch. Como 150–151, 1968–69, 99–200.

S. Martin-Kilcher, Zur Tracht- und Beigabensitte im keltischen Gräberfeld von Münsingen-Rain (Kt. Bern). Zeitschr. f. Schweiz. Arch. u. Kunstgesch. 30, 1973, 26–39.

L. v. Márton, A korai La Tène-kultura Magyarországon (Die Frühlatènezeit in Ungarn). Arch. Hung. 11 (Budapest 1933).

L. v. Márton, A korai La Tène sírok leletanyaga (Das Fundinventar der Frühlatènegräber). Dolgozatok Szeged 9–10, 1933–34, 93–165.

J. Matiegka, Nálezy Laténeské ze severozapadních Čech. Památky Arch. 17, 1896, 271–284.

M. Mazálek – E. Vlček, Trepanovaná středolaténská lebka z Vícemilic na Moravě (Ein latènezeitlicher trepanierter Schädel von Vícemilice). Památky Arch. 44, 1953, 339–346.

J. Meduna, Laténské pohřebište v Brně-Horních Heršpicích (Ein latènezeitliches Gräberfeld in Brno – Horní Heršpice). Památky Arch. 61, 1970, 225–235.

J. V. S. Megaw, Art of the European Iron Age. A Study of the Elusive Image (Bath 1970).

W. Meier-Arendt, Zwei spätlatènezeitliche Brandgräber bei Ginsheim-Gustavsburg, Kreis Groß-Gerau. Fundber. aus Hessen 8, 1968, 32–38.

K. Meisen, Der böse Blick und andere Schadenzauber in Glaube und Brauch der alten Völker und frühchristlicher Zeit. Rhein. Bl. f. Volkskde. 1, 1950, 144–177.

R. Mengarelli, La necropoli di Castel Trosino presso Ascoli Piceno. Mon. Ant. 12, 1902, 145–380.

C. Mercier – M. Mercier-Rolland, Le cimetière burgonde de Monnet-la-Ville. Ann. Litt. Univ. Besançon 156 (Paris 1974).

J.-P. Millotte, Le Jura et les Plaines de Saône aux âges des métaux. Ann. Litt. Univ. Besançon 59 (Paris 1963).

J.-P. Millotte, Carte archéologique de la Lorraine (Ages du Bronze et du Fer). Ann. Litt. Univ. Besançon 73 (Paris 1965).

H. Mitscha-Märheim – R. Pittioni, Zur Besiedlungsgeschichte des unteren Grantales. Mitt. Anthr. Ges. Wien 64, 1934, 147–173.

W. Modrijan, Ein Grab der La-Tène-Zeit in der Steiermark. Schild von Steier 8, 1958, 7–13.

R. Mohr, Totenbrauch, Totenglaube und Totenkult um den oberen Nil und Victoria-See. Anthropos 56, 1962, 252–266.

O. Montelius, Civilisation primitive en Italie depuis l'introduction des métaux 1 (Stockholm 1889); 2 (1904 [Tafeln] und 1910 [Text]).

F. Moosleitner – L. Pauli – E. Penninger, Der Dürrnberg bei Hallein 2. Katalog der Grabfunde aus der Hallstatt- und Latènezeit. Zweiter Teil. Münchner Beitr. z. Vor- u. Frühgesch. 17 (München 1974).

L. Morel, La Champagne souterraine. Matériel et documents. Résultat de 35 années de fouilles archéologiques dans la Marne (Reims 1898).

F. Morton, Neue Funde aus Hallstatt. Arch. Austriaca 10, 1952, 45–52.

V. Moucha, Latènezeitliche Gräber aus Sulejovice in Nordwestböhmen. Arch. Rozhledy 21, 1969, 596–617.

M. Much, Kunsthistorischer Atlas 1 (Wien 1889).

J. H. Müller, Die Reihengräber zu Rosdorf bei Göttingen (Hannover 1878).

Chr. Müller – A. Herrnbrodt, Die latènezeitlichen und römischen Funde in Wesseling, Landkreis Bonn. Bonner Jahrb. 159, 1959, 26–46.

A. Naef, Le cimetière gallo-helvète de Vevey. Anz. f. Schweiz. Altkde. N.F. 3, 1901, 15–30. 105–114; 4, 1902–03, 18–44. 260–270.

U. Näsman, Vapenminiatyrer från Eketorp (Miniatur weapons from Eketorp, Öland). Tor 15, 1972–73, 94–102.

A. Nagel, Eröffnung eines Hügelgrabes bei Matzhausen, Bez.-Amt Burglengenfeld. Zeitschr. f. Ethn. 20, 1888, Verh. 25–28.

K. J. Narr, Das Individuum in der Urgeschichte. Saeculum 23, 1972, 252–265.

J. Naue, Bericht über die im Jahre 1888 im Auftrag und mit Unterstützung der „Commission für Erforschung der Urgeschichte Bayerns" vorgenommenen Ausgrabungen zwischen Ammer- und Staffelsee. Prähist. Bl. 3, 1891, 36–39. 49–53. 65–68. 81–85.

J. Naue, Neue Grabhügelfunde in Oberbayern. Prähist. Bl. 8, 1896, 49–57.

(J. Naue), Bronzepaukenfibel aus einem alemannischen Reihengrabe bei Schretzheim (b. Dillingen a. Donau). Prähist. Bl. 13, 1901, 85–86.

J. Naue, Funde aus oberbayerischen Grabhügeln. Prähist. Bl. 18, 1906, 1–6.

S. Nebehay, Das latènezeitliche Gräberfeld von der Flur Mühlbachäcker bei Au am Leithagebirge, p. B. Bruck a. d. Leitha, NÖ. Arch. Austriaca 50, 1971, 138–175.

S. Nebehay, Zwei weitere Latènegräber von der Flur Mühlbachäcker bei Au a. L., NÖ. Arch. Austriaca 53, 1973 [a], 19–24.

S. Nebehay, Das latènezeitliche Gräberfeld von der Kleinen Hutweide bei Au am Leithagebirge, p. B. Bruck a. d. Leitha, NÖ. Arch. Austriaca, Beih. 11 (Wien 1973 [b]).

B. Nechvátal, „Vampyrismus" na pohřebišti v Radomyšli (Der Vampirismus auf dem Gräberfeld in Radomyšl). Arch. Rozhledy 19, 1967, 478–489.

H. Neubauer, (Fundbericht über Otzing, Ldkr. Deggendorf) in: Bayer. Vorgeschichtsbl. 16, 1942, 63–64.

B. Normand, L'âge du fer en Basse-Alsace. Publ. Soc. Savante d'Alsace et des Régions de l'Est. Recherches et Documents 14 (Strasbourg 1973).

K. Nuglisch, Das bronzezeitliche Gräberfeld von Heldrungen, Kr. Artern. Jahresschr. Halle 44, 1960, 135–179.

R. Ortmann, Skelettgräber der Latènezeit aus Schafstädt, Kreis Merseburg. Jahresschr. Halle 15, 1927, 56–59.

M. Párducz, Le cimetière hallstattien de Szentes-Vekerzug I–III. Acta Arch. Hung. 2, 1952, 143–172; 4, 1954, 25–91; 6, 1955, 1–22.

O. Paret, Das Hallstattgrab von Sirnau bei Esslingen, Württemberg. Germania 20, 1936, 246–252.

O. Paret, Weitere Hallstattgräber bei Ebingen. Fundber. aus Schwaben N.F. 9, 1935–38, 47–50.

O. Paret, Das Kleinaspergle. Ein Fürstengrabhügel der Späthallstattzeit. IPEK 17, 1943–48, 47–51.

O. Paret, Das reiche späthallstattzeitliche Grab von Schöckingen (Kr. Leonberg). Fundber. aus Schwaben N.F. 12, 1951, 37–40.

O. Paret, Württemberg in vor- und frühgeschichtlicher Zeit. Veröffentl. Komm. f. geschichtl. Landeskde. Baden-Württ., Reihe B, 17 (Stuttgart 1961).

R. Paribeni, Necropoli del territorio capenate. Mon. Ant. 16, 1906, 277–490.

P. Patay, Die hochkupferzeitliche Bodrogkeresztúr-Kultur. 55. Ber. RGK. 1974, 1–71.

L. Pauli, Studien zur Golasecca-Kultur. Röm. Mitt., Ergänzungsh. 19 (Heidelberg 1971 [a]).

L. Pauli, Die Golasecca-Kultur und Mitteleuropa. Ein Beitrag zur Geschichte des Handels über die Alpen. Hamburger Beitr. z. Arch. 1, 1971 [b], 1–83.

L. Pauli, Untersuchungen zur Späthallstattkultur in Nordwürttemberg. Analyse eines Kleinraumes im Grenzbereich zweier Kulturen. Hamburger Beitr. z. Arch. 2, 1972, 1–166.

L. Pauli, Der Goldene Steig. Wirtschaftsgeographisch-archäologische Untersuchungen im östlichen Mitteleuropa, in: Studien zur vor- und frühgeschichtlichen Archäologie (Festschr. J. Werner). Münchner Beitr. z. Vor- u. Frühgesch., Ergänzungsbd. 1 (München 1974) 115–139.

L. Pauli, Die Gräber vom Salzberg zu Hallstatt. Erforschung – Überlieferung – Auswertbarkeit (Mainz 1975).

P. Paulsen, Axt und Kreuz bei den Nordgermanen. Deutsches Ahnenerbe, Reihe B, 1 (Berlin 1939).

E. Penninger, Der Dürrnberg bei Hallein 1. Katalog der Grabfunde aus der Hallstatt- und Latènezeit. Erster Teil. Münchner Beitr. z. Vor- u. Frühgesch. 16 (München 1972).

Chr. Pescheck, Die Kelten in Unterfranken im Spiegel der Bodenfunde. Mainfränk. Jahrb. f. Gesch. u. Kunst 11, 1959, 1–17.

R. Pittioni, La Tène in Niederösterreich. Mat. z. Urgesch. Österreichs 5 (Wien 1930).

R. Pittioni, „Keltische" Bronzefiguren. Wiener Prähist. Zeitschr. 18, 1931, 54–58.

R. Pittioni, Urgeschichte des österreichischen Raumes (Wien 1954).

R. Pittioni, Zum Herkunftsgebiet der Kelten. Österr. Akad. d. Wiss., phil.-hist. Kl., Sitz. Ber. 233,3 (Wien 1959).

D. Planck, Bestattungen in einem späthallstattzeitlichen Grabhügel bei Hegnach, Rems-Murr-Kreis, in: Archäologische Ausgrabungen 1974. Bodendenkmalpflege in den Reg.-Bez. Stuttgart und Tübingen (Stuttgart 1975) 18–21.

H. Ploß – B. Renz, Das Kind in Brauch und Sitte der Völker 1–2 (3. Aufl. Leipzig 1911/1912).

H. Polenz, Mittel- und spätlatènezeitliche Brandgräber aus Dietzenbach, Landkreis Offenbach am Main. Studien u. Forsch. N.F. 4 (Langen 1971).

H. Polenz, Neue Grabfunde der Spätlatènezeit aus Starkenburg. Studien u. Forsch. N.F. 5 (Langen 1972).

H. Polenz, Zu den Grabfunden der Späthallstattzeit im Rhein-Main-Gebiet. 54. Ber. RGK. 1973, 107–202.

J. Poulík, Das keltische Gräberfeld von Brünn-Malmeritz. Zeitschr. d. Mähr. Landesmus. N.F. 2, 1942, 49–86.

T. G. E. Powell, Die Kelten. Alte Kulturen und Völker (Köln 1959).

T. G. E. Powell, The Winged Beasts from Stupava. Sborník Narodn. Muz. v Praze 20, 1966, 133–136.

H. Preidel, Leichenzerstückelung und Seuchenfriedhöfe bei den Germanen der Völkerwanderungszeit. Stifter-Jahrb. 3, 1953, 203–211.

M. Primas, Latènezeitliche Frauengräber nichtkeltischer Art aus der Südschweiz. Zeitschr. f. Schweiz. Arch. u. Kunstgesch. 24, 1965–66, 193–210.

M. Primas, Die südschweizerischen Grabfunde der älteren Eisenzeit und ihre Chronologie. Monogr. z. Ur- u. Frühgesch. d. Schweiz 16 (Basel 1970).

M. Primas, Ein Schnabelkannenfragment aus Valeria di Borgovico (Como). Rivista Arch. Como 152–155, 1970–73, 77–86.

A. Procházka, Gallská kultura na Vyškovsku (La Tène středomoravský) (Slavkov u Brna 1937).

W. Radig, Die Eimer aus dem Fuchshügel I von Wernburg, Kr. Pößneck. Alt-Thüringen 6, 1962–63, 455–466.

W. Radimský, Die Nekropole von Jezerine in Pritoka bei Bihać. Wiss. Mitt. aus Bosnien u. Herzegowina 3, 1895, 39–128.

K. Radunz, Vor- und Frühgeschichte im Landkreis Lichtenfels. Kat. Prähist. Staatsslg. München 12 (Kallmünz 1969).

M. Rech – P. Prüssing, Ein hallstatt-/latènezeitliches Gräberfeld bei Bürstadt, Kreis Bergstraße. Fundber. aus Hessen 13, 1973, 97–125.

P. Reinecke, Vor- und frühgeschichtliche Flachgräber in Süddeutschland. Bayer. Vorgeschichtsfr. 7, 1927–28, 1–8.

H. Reinerth, Das Federseemoor als Siedlungsland des Vorzeitmenschen. Führer z. Urgesch. 9 (4. Aufl. Augsburg 1929).

D. Renner, Die durchbrochenen Zierscheiben der Merowingerzeit. Kat. vor- u. frühgesch. Altertümer 18 (Mainz 1970).

G. Riek – H.-J. Hundt, Der Hohmichele. Ein Fürstengrabhügel der späten Hallstattzeit bei der Heuneburg. Heuneburgstudien 1. Röm.-Germ. Forsch. 25 (Berlin 1962).

A. Rieth, Vorgeschichte der Schwäbischen Alb. Mannus-Bücherei 61 (Leipzig 1938).

A. Rieth, (Fundbericht über Mörsingen, Kr. Saulgau) in: Fundber. aus Schwaben N.F. 11/1, 1938–50, 78–79.

R. Roeren, Ein frühalamannischer Grabfund von Gundelsheim (Kr. Heilbronn). Fundber. aus Schwaben N.F. 15, 1959, 83–93.

H. J. Rose, Nocturnal Funerals in Rome. Class. Quarterly 17, 1923, 191–194.

J.-G. Rozoy, Les tombes sans crânes à La Tène I au Mont-Troté. Bull. Soc. Préhist. Franç. 62, 1965, 253–261.

J.-G. Rozoy u. a., Le cimetière du Mont-Troté. Bull. Groupe d'Études Arch. Champagne-Ardennes 7 (Reims 1970).

V. Šaldová, Západní Čechy v pozdní době bronzové – pohřebiště Nynice I (Westböhmen in der späten Bronzezeit. Das Gräberfeld Nynice I). Památky Arch. 56, 1965, 1–96.

V. Šaldová, Halštatská mohylová kultura v západních Čechách – pohřebiště Nynice (Die hallstattzeitliche Hügelgräberkultur in Westböhmen – Das Gräberfeld von Nynice). Památky Arch. 59, 1968, 297–399.

V. Šaldová, Pozdně halštatské ploche hroby v západních Čechách a jejich vztah k současným mohylám – Pohřebiště Nynice a Zákava-Svárec (Die westböhmischen späthallstattzeitlichen Flachgräber und ihre Beziehung zu den zeitgleichen westböhmischen Hügelgräbern – Das Gräberfeld von Nynice und Zákava-Svárec). Památky Arch. 62, 1971, 1–134.

E. Sangmeister, Die Kelten in Spanien. Madrider Mitt. 1, 1960, 75–100.

F. Sarasin, Die Anschauungen der Völker über Ehe und Junggesellentum. Schweiz. Archiv. f. Volkskde. 33, 1934, 99–151.

F. Sautter, Weitere Fundberichte über Ausgrabungen von Grabhügeln bei Hundersingen, Geisingen und Bremelau. Prähist. Bl. 16, 1904, 49–55.

L. Savignoni – R. Mengarelli, La necropoli arcaica di Caracupa tra Norba e Sermoneta. Not. Scavi 1903, 289–344.

U. Schaaff, Zur Belegung latènezeitlicher Friedhöfe der Schweiz. Jahrb. RGZM. 13, 1966, 49–59.

U. Schaaff, Ein keltisches Fürstengrab von Worms-Herrnsheim. Jahrb. RGZM. 18, 1971, 51–113.

U. Schaaff, Zur Tragweise keltischer Hohlbuckelringe. Arch. Korrespondenzbl. 2, 1972, 155–158.

U. Schaaff, Frühlatènezeitliche Grabfunde mit Helmen vom Typ Berru. Jahrb. RGZM. 20, 1973, 81–106.

U. Schaaff, Frühlatènezeitliche Scheibenhalsringe vom südlichen Mittelrhein. Arch. Korrespondenzbl. 4, 1974, 151–156.

F. A. Schaeffer, Les tertres funéraires préhistoriques dans la Forêt de Haguenau 2 (Haguenau 1930).

K. Schefold, Die Stilgeschichte der frühen keltischen Kunst. Prähist. Zeitschr. 34–35, 2. Hälfte, 1949–50, 11–17.

J. Scherer – C. et D. Mordant, La nécropole I de La Tène de Gravon (Seine-et-Marne). Revue Arch. de l'Est et du Centre-Est 23, 1972, 357–378.

H. Schermer, Frühlatène-Gräber von Niederwalluf/Rheingaukreis. Nass. Heimatbl. 43/1, 1953, 1–7.

S. Schiek, (Fundbericht über Birkenfeld, Kr. Calw) in: Fundber. aus Schwaben N.F. 14, 1957, 191–192.

F. A. Schilder, Die ethnologische Bedeutung der Porzellanschnecken. Zeitschr. f. Ethn. 58, 1926, 313 bis 327.

R. Schindler, Studien zum vorgeschichtlichen Siedlungs- und Befestigungswesen des Saarlandes (Trier 1968).

K. Schlabow, Der Moorleichenfund von Peiting. Veröff. d. Fördervereins Textilmuseum Neumünster 2 (Neumünster 1961) .

U. Schlenther, Brandbestattung und Seelenglauben. Verbreitung und Ursachen der Leichenverbrennung bei außereuropäischen Völkern (Berlin 1960).

A. Schliz, Die gallischen Bauernhöfe der Früh-La-Tène-Zeit im Neckargau und ihr Hausinventar. Fundber. aus Schwaben 13, 1905, 32–57.

L. Schmidt, Die Bedeutung der modernen Volksglaubensforschung für die Urgeschichte. Arch. Austriaca 4, 1949, 140–167.

L. Schmidt, Die Schneckenmaskierung. Rhein. Jahrb. f. Volkskde. 2, 1951, 118–163.

L. Schmidt, Heiliges Blei in Amuletten, Votiven und anderen Gegenständen des Volksglaubens in Europa und im Orient. Leobener Grüne Hefte 32 (Wien 1958).

E. Schmit, Un vase ornithomorphe de facture italo-grecque receuilli dans une sépulture du Marnien I. Mém. Soc. Agr., Comm., Sc. et Arts de la Marne 2. Ser. 19, 1920–22, 299–302.

E. Schmit, Le cimetière du Mont de Vraux à la limite des territoires de Juvigny et de Vraux. Bull. Soc. Arch. Champenoise 18, 1924, 15–20.

E. Schmit, Découverte d'un pessaire dans une sépulture d'un cimetière à facies hallstattien champenoise à La Veuve. Bull. Soc. Arch. Champenoise 20, 1926, 56–58.

E. Schneeweis, „Schnecke", in: Handwörterbuch des dt. Aberglaubens VII (Berlin/Leipzig 1935–36) 1266–1273.

M. Schönberger, Die Bevölkerungsstatistik eines Salzburger Gebirgstales. 1621–1920. Mitt. Anthr. Ges. Wien 56, 1926, 271–281.

W. Schönweiß, Das Gräberfeld von Mirsdorf. Katalog der vor- und frühgeschichtlichen Sammlung Coburg 1. Jahrb. d. Coburger Landesstiftung 1972, 277–295.

W. Schönweiß, Katalog der vor- und frühgeschichtlichen Sammlung Coburg 2. Jahrb. d. Coburger Landesstiftung 1973, 117–154.

H. Schoppa, Fundbericht des Landesamtes für kulturgeschichtliche Bodenaltertümer für die Zeit vom 1. 1. 1953 bis 31. 12. 1953. Nass. Heimatbl. 44/1, 1954, 40–56.

H. Schoppa, Fundchronik des Landesamtes für kulturgeschichtliche Bodenaltertümer, Wiesbaden, für die Zeit vom 1. 1.–31. 12. 1962. Fundber. aus Hessen 3, 1963, 167–171.

A. Schumacher, Die Hallstattzeit im südlichen Hessen 1 (Text und Tafeln) und 2 (Katalog). Bonner Hefte z. Vorgesch. 5–6 (Bonn 1972 und 1974).

K. Schumacher, Gräberfunde verschiedener Perioden aus Nierstein, Rheinhessen, in: Altertümer unserer heidnischen Vorzeit 5 (Mainz 1911) 169–175.

F. Schwappach, Schnabelschuhe im östlichen Frühlatènebereich. Památky Arch. 58, 1967, 320–324.

F. Schwappach, Ein Siebheber der Latènezeit im Hessischen Landesmuseum Darmstadt. Fundber. aus Hessen 11, 1971, 38–67.

I. Schwidetzky, Sonderbestattungen und ihre paläodemographische Bedeutung. Homo 16, 1965, 230–247.

H. J. Sell, Der schlimme Tod bei den Völkern Indonesiens. ('s-Gravenhage 1955).

K. Simon, Die Hallstattzeit in Ostthüringen 1: Quellen. Forsch. z. Vor- u. Frühgesch. 8 (Berlin 1972).

L. Simonnet, La groupe des tombes hallstattiennes de La Motelle à Hauviné. Bull. Soc. Arch. Champenoise 32, 1938, 71–75.

E. Soudská, Hrob s maskovitou sponou z Manětína-Hrádku (Das Grab mit Maskenfibel in Manětín-Hrádek). Arch. Rozhledy 20, 1968, 451–469. 567–570.

E. Soudská, Pozdně halštatské a starolaténské pohřebiště v Manětíně-Hrádku (Das späthallstatt- und frühlatènezeitliche Gräberfeld von Manětín-Hrádek). Arch. Rozhledy 24, 1972, 295–304.

J. Špaček, Slovanské pohřebiště s projevy vampyrismu z Čelákovic (Die slawische Grabstätte von Čelákovice mit Spuren des Vampirismus). Časopis Národního Muz. (Brno) 140, 1971, 190–217.

K. Spindler, Magdalenenberg. Der hallstattzeitliche Fürstengrabhügel bei Villingen im Schwarzwald 1–3 (Villingen 1971, 1972, 1973).

E. Sprockhoff, Armringe mit kreisförmiger Erweiterung, in: Beiträge zur älteren europäischen Kulturgeschichte (Festschr. R. Egger) 2 (Klagenfurt 1953) 11–28.

E. Sprockhoff, Nordische Bronzezeit und frühes Griechentum. Jahrb. RGZM. 1, 1954, 28–110.

F. Starè, Trije prazgodovinski grobovi iz Zasavja (Drei vorgeschichtliche Gräber aus dem Save-Anraingebiet). Arh. Vestnik 4, 1953, 264–281.

F. Starè, Vače. Arh. Kat. Slov. 1 (Ljubljana 1955).

F. Starè, Kipec ilirskega bojevnika z Vač (Statuette eines illyrischen Kriegers aus Vače). Arh. Vestnik 13–14, 1962–63, 383–434.

V. Starè, Prazgodovinski Malence (The Prehistoric Malence). Arh. Vestnik 11–12, 1960–61, 50–87.

F. Stein, Kleinfunde des 7. und 8. Jahrhunderts aus der Kirchengrabung Esslingen–St. Dionysius. Germania 44, 1966, 374–385.

F. Stein, Beobachtungen zu Tracht- und Bestattungssitten der frühbronzezeitlichen Bevölkerung von Gemeinlebarn. 49. Ber. RGK. 1968, 1–40.

E. Stemplinger, Antiker Volksglaube (Stuttgart 1948).

A. Stieber, Une sépulture à squelette replié de La Tène à Dachstein. Cahiers Alsaciens d'Arch., d'Art et d'Hist. 6, 1962, 47–53.

A. Stifft-Gottlieb, Mittel-latènezeitliche Gräber aus Klein-Reinprechtsdorf bei Eggenburg, pol. Bez. Horn, N.-Oe. Mitt. Anthr. Ges. Wien 65, 1935, 169–181.

F. Stöcker, Die Schädelfunde aus der Dietersberghöhle. Abhandl. Naturhist. Ges. Nürnberg 26, H. 4 (Nürnberg 1939).

C. Streit, Saazer Latènefunde. Bausteine z. Vorgesch. d. Tschechoslowakei 1 (Prag 1938).

A. Stroh, Neues über die vorgeschichtlichen Gräber bei Schirndorf. Die Oberpfalz 52, 1964, 220–224.

A. Stroh, Schirndorf 1964. Die Oberpfalz 53, 1965, 97–102.

A. Stroh, Schirndorf 1965. Die Oberpfalz 54, 1966, 60–66.

A. Stroh, Das Gräberfeld von Fischbach-Schirndorf. Zum Stand der Grabung Fischbach. Die Oberpfalz 54, 1966, 193–195.

A. Stroh, Fischbach. Ein Beitrag zur schriftlosen Geschichte der Oberpfalz. Verhandl. Hist. Ver. Oberpfalz u. Regensburg 110, 1970 [a], 181–196.

A. Stroh, Bemerkungen zum hallstattzeitlichen Totenkult in der Oberpfalz. Germania 48, 1970 [b], 123–125.

A. Stroh, Zur Anlage und dem Bau der vorgeschichtlichen Gräber von Fischbach-Schirndorf. Die Oberpfalz 58, 1970 [c], 101–105.

A. Stroh, Fischbach Hügelgrab 1. Die Oberpfalz 58, 1970 [d], 272–275.

A. Stroh, Fischbach Hügelgrab 5. Die Oberpfalz 59, 1971 [a], 35–38.

A. Stroh, Fischbach – Hügelgrab 11. Die Oberpfalz 59, 1971 [b], 121–124.

A. Stroh, Zur Mehrschichtigkeit hallstattzeitlicher Grabanlagen in der Oberpfalz. Arch. Korrespondenzbl. 2, 1972, 129–132.

A. Stroh, Grabraub? Die Oberpfalz 61, 1973, 163–168.

A. Stroh, Zum Stand der Untersuchung des hallstattzeitlichen Gräberfeldes Schirndorf, in: Ausgrabungen in Deutschland, gefördert von der Deutschen Forschungsgemeinschaft 1950–1975, Teil 1. RGZM. Monogr. 1,1 (Mainz 1975) 243–252.

B. Stümpel, Bericht der Bodendenkmalpflege in Rheinhessen und dem Kreis Kreuznach für die Zeit vom 1. April 1954 bis 31. März 1956. Mainzer Zeitschr. 52, 1957, 103–119.

B. Stümpel, Bericht des Staatlichen Amtes für Vor- und Frühgeschichte im Reg.-Bezirk Rheinhessen und im Kreis Kreuznach für die Zeit vom 1. Januar bis 31. Dezember 1965. Mainzer Zeitschr. 62, 1967, 176–196.

B. Stümpel, Neues aus den urgeschichtlichen Siedlungen von Wallertheim, Kr. Alzey. Mainzer Zeitschr. 65, 1970, 139–151.

A. Stuhlfauth, Ein Grabhügel der Frühlatènezeit bei Höfen, BA. Pegnitz, Oberfranken. Germania 20, 1936, 170–172.

A. Stuhlfauth, Vorgeschichtliche Forschungen in der bayerischen Ostmark. Bayer. Vorgeschichtsbl. 14, 1937, 53–65.

E. Suter, (Fundbericht über die Grabungen in Wohlen/Aargau) in: Jahresber. Schweiz. Ges. f. Urgesch. 17, 1925, 64–65; 18, 1926, 66–70; 19, 1927, 72–73; 20, 1928, 45. 48. 49; 22, 1930, 52–54.

J. Szombathy, Prähistorische Flachgräber bei Gemeinlebarn in Niederösterreich. Röm.-Germ. Forsch. 3 (Berlin/Leipzig 1929).

K. Tackenberg, Zum Problem der Teilbestattungen und der Totenfurcht in prähistorischer Zeit, in: Von fremden Völkern und Kulturen. Beiträge zur Völkerkunde (Festschr. H. Plischke) (Düsseldorf 1955) 97–103.

K. Tackenberg, (Besprechung von F. Laux 1971) in: Prähist. Zeitschr. 47, 1972, 229–234.

E. Tatarinoff, Jahresbericht der Schweizerischen Gesellschaft für Urgeschichte 12, 1919–20.

J. Ter Vrugt-Lentz, Mors immatura (Groningen 1960).

A. Thenot, Les objets de fer dans les tombes d'enfant à la Tène I. Ant. Nationales 3, 1971, 47–52.

K. Tihelka, Velatice Culture Burials at Blučina. Fontes Arch. Pragenses 13 (Praha 1969).

W. Till, Schuh- und fußförmige Anhänger und Amulette. Volkskundliche Untersuchungen zur Wirkung und Bedeutung der Symbolgestalt Fuß und Schuh in der materiellen und geistigen Überlieferung Europas (Diss. München 1971).

Gy. Török, Halottcsonkítás egy dunavarsányi avar sírban (Leichenverstümmelung in einem Awarengrab von Dunavarsány). Folia Arch. 23, 1972, 183–194.

W. Torbrügge, Die Bronzezeit in der Oberpfalz. Materialh. z. Bayer. Vorgesch. 13 (Kallmünz 1959).

W. Torbrügge, Die Hallstattzeit in der Oberpfalz 2. Die Funde und Fundplätze in der Gemeinde Beilngries. Materialh. z. Bayer. Vorgesch. 20 (Kallmünz 1965).

W. Torbrügge, Bronze- und Urnenfelderzeit, in: Vor- und frühgeschichtliche Archäologie in Bayern (München 1972) 67–84.

W. Torbrügge – H. P. Uenze, Bilder zur Vorgeschichte Bayerns (Konstanz 1968).

J. v. Trauwitz-Hellwig, Totenverehrung, Totenabwehr und Vorgeschichte (München 1935).

O. Tschumi, Das Reihengräberfeld von Bümpliz – Bern, 1913–16. Jahrb. Hist. Mus. Bern 19, 1940, 99–168.

O. Tschumi, Beiträge zur Siedlungsgeschichte des Kantons Bern, Nr. 18. Jahrb. Hist. Mus. Bern 20, 1941, 43–52.

P. J. Ucko, Ethnography and Archaeological Interpretation of Funerary Remains. World Arch. 1, 1969, 262–280.

H. P. Uenze, Zur Frühlatènezeit in der Oberpfalz. Bayer. Vorgeschichtsbl. 29, 1964, 77–118.

R. Ulrich, Catalog der Sammlungen der Antiquarischen Gesellschaft in Zürich 1. Vorrömische Abtheilung (Zürich 1890).

S. Unser – W. Kimmig, (Fundbericht über Mahlberg, Kr. Lahr) in: Badische Fundber. 17, 1941–47, 313.

A. Uzsoki, Előzetes jelentés a ménfőcsanaki kelta temetö ásatásáról (Vorbericht über die Ausgrabungen des keltischen Gräberfeldes von Ménfőcsanak). Arrabona 12, 1970, 17–57.

J. Vacek, Latènské pohřebiště v Letkách. Památky Arch. 34, 1924–25, 319–325.

E. B. Vágó, Kelten- und Eraviskengräber von Nagyvenyim und Sárkeszi. Alba Regia 1, 1960, 43–62.

D. Viollier, Le cimetière gallo-helvète d'Andelfingen (Zürich). Anz. f. Schweiz. Altkde. N.F. 14, 1912, 16–56.

D. Viollier, Le cimetière gaulois de Saint-Sulpice (Vaud). Deuxième partie. Anz. f. Schweiz. Altkde. N.F. 17, 1915, 1–18.

D. Viollier, Les sépultures du second âge du fer sur le plateau suisse (Genève 1916).

R. Virchow, Schädel aus der älteren Hallstatt-Zeit von Mühlhart. Zeitschr. f. Ethn. 28, 1896, Verh. 243–246.

Th. Voigt, Große Porzellanschnecken in vorgeschichtlichen Gräbern. Jahresschr. Halle 36, 1952, 171–183.

J. de Vries, Keltische Religion. Die Religionen der Menschheit 18 (Stuttgart 1961).

E. Wagner, Hügelgräber und Urnen-Friedhöfe in Baden (Karlsruhe 1885).

E. Wagner, Grabhügelgruppe bei Salem (A. Überlingen). Veröffentl. Slg. Karlsruhe 2, 1899, 55–74.

E. Wagner, Fundstätten und Funde im Großherzogtum Baden 1–2 (Tübingen 1908 und 1911).

E. Wahle, Deutsche Vorzeit (2. Aufl. Tübingen 1952).

G. Wamser, Ein hallstattzeitliches Gräberfeld von Tauberbischofsheim-Impfingen, Tauberkreis. Denkmalpfl. in Baden-Württemberg 3, H. 2, 1974 [a], 19–24.

G. Wamser, Bronzeschmuck aus hallstattzeitlichen Gräbern des Taubergebietes. Arch. Nachr. aus Baden 13, 1974 [b], 3–9.

O. Waser, Über die äußere Erscheinung der Seele in den Vorstellungen der Völker, zumal der alten Griechen. Arch. f. Religionswiss. 16, 1913, 336–388.

F. Weber, Die Hügelgräber auf dem bayerischen Lechfeld. Beitr. z. Anthr. u. Urgesch. Bayerns 12, 1898, 37–46.

F. Weber, Der Ringwall und das La Tènezeitliche Gräberfeld am Steinbichl bei Manching. Beitr. z. Anthr. u. Urgesch. Bayerns 16, 1907, 19–54.

R. v. Weinzierl, Das La Tène-Gräberfeld von Langugest bei Bilin in Böhmen (Braunschweig 1899).

R. v. Weinzierl, Bericht über die Durchforschungserfolge auf dem La Tène-Grabfelde von Langugest im Jahre 1900. Mitt. Ges. z. Förd. dt. Wiss., Kunst u. Lit. in Böhmen 13, 1901, 3–9.

J. Werner, Das alamannische Gräberfeld von Bülach. Monogr. z. Ur- u. Frühgesch. d. Schweiz 9 (Basel 1953).

J. Werner, Die Langobarden in Pannonien. Abhandl. Bayer. Akad. d. Wiss., phil.-hist. Kl., N.F. 55 (München 1962).

J. Werner, Herkuleskeule und Donar-Amulett. Jahrb. RGZM. 11, 1964, 176–189.

J. Werner, Zwei prismatische Knochenanhänger („Donar-Amulette") von Zlechov. Časopis Moravského Mus. (Brno) 57, 1972, 133–140.

J. Werner, Nomadische Gürtel bei Persern, Byzantinern und Langobarden, in: Atti del Convegno intern. sul tema: La civiltà dei Longobardi in Europa, Roma/Cividale 1971. Accad. Naz. dei Lincei, Quaderno 189, 1974, 109–139.

J. Wiesner, Zur orientalisierenden Periode der Mittelmeerkulturen. Arch. Anz. 1942, 391–460.

M. de Wilde, Zirkelornamentik in der Kunst der Latènezeit (Ungedr. Diss. München 1975).

G. Wilke, Die Bestattung in Bauchlage. Mannus 23, 1931, 202–206.

G. Wilke, Die Bestattung in Bauchlage und verwandte Bräuche, in: Homenagem a Martins Sarmento (Guimarães 1933) 449–460.

E. Will, Circonscription de Lille. Gallia 23, 1965, 285–300.

K. Willvonseder, Das Latène-Gräberfeld von Brunn an der Schneebergbahn in Niederdonau. Prähist. Zeitschr. 28–29, 1937–38, 233–265.

K. Willvonseder, Funde des Kreises Vučedol – Laibach aus Niederdonau und Ungarn. Wiener Prähist. Zeitschr. 26, 1939, 135–147.

F. Wimmer, Vier neuentdeckte La-Tène-Gräber in Guntramsdorf, in: R. Pittioni 1930, 127–136.

W. Wrede, (Fundbericht über Nagold, Kr. Calw, Grab am Schloßberg) in: Fundber. aus Schwaben N.F. 18/2, 1967, 73.

R. Wyss, Technik, Wirtschaft, Handel und Kriegswesen der Eisenzeit, in: Ur- und frühgeschichtliche Archäologie der Schweiz 4 (Basel 1974) 105–138.

A. Zannoni, Gli scavi della Certosa di Bologna (Bologna 1876).

G. Zeller, Zum Wandel der Frauentracht vom 6. zum 7. Jahrhundert in Austrasien, in: Studien zur vor- und frühgeschichtlichen Archäologie (Festschr. J. Werner). Münchner Beitr. z. Vor- u. Frühgesch., Ergänzungsbd. 1 (München 1974) 381–385.

F. Ziegler, Bericht über einen im Jahre 1889 geöffneten Grabhügel in der Nähe von Thalmässing. Prähist. Bl. 3, 1891, 17–19.

L. F. Zotz, Totenfurcht und Aberglaube bei den Germanen der Völkerwanderungszeit. Volk und Rasse 7, 1932, 185–193.

L. F. Zotz, Die spätgermanische Kultur Schlesiens im Gräberfeld von Groß-Sürding. Quellenschr. z. ostdt. Vor- u. Frühgesch. 2 (Leipzig 1935).

H. Zürn, Die vor- und frühgeschichtlichen Geländedenkmäler und die mittelalterlichen Burgstellen des Stadtkreises Stuttgart und der Kreise Böblingen, Esslingen und Nürtingen. Veröffentl. Staatl. Amt f. Denkmalpfl. Stuttgart, Reihe A, 1 (Stuttgart 1956).

H. Zürn, Katalog Heidenheim. Die vor- und frühgeschichtlichen Funde im Heimatmuseum. Veröffentl. Staatl. Amt f. Denkmalpfl. Stuttgart, Reihe A, 3 (Stuttgart 1957 [a]).

H. Zürn, Ein späthallstattzeitlicher Grabfund von Lorenzenzimmern (Kr. Schwäbisch Hall). Württ. Franken 41, 1957 [b], 184–187.

H. Zürn, Eine hallstattzeitliche Stele von Hirschlanden, Kr. Leonberg (Württbg.) Germania 42, 1964, 27–36.

H. Zürn, Katalog Schwäbisch Hall. Die vor- und frühgeschichtlichen Funde im Keckenburgmuseum. Veröffentl. Staatl. Amt f. Denkmalpfl. Stuttgart, Reihe A, 9 (Stuttgart 1965 [a]).

H. Zürn, Grabungen beim und am Kleinaspergle auf Markung Asperg (Kr. Ludwigsburg). Fundber. aus Schwaben N.F. 17, 1965 [b], 194–196.

H. Zürn, Die hallstattzeitliche steinerne Kriegerstele von Hirschlanden, Württemberg. IPEK 22, 1966–69, 62–66.

H. Zürn, Hallstattforschungen in Nordwürttemberg. Die Grabhügel von Asperg (Kr. Ludwigsburg), Hirschlanden (Kr. Leonberg) und Mühlacker (Kr. Vaihingen). Veröffentl. Staatl. Amt f. Denkmalpfl. Stuttgart, Reihe A, 16 (Stuttgart 1970).

H. Zürn, Ein hallstattzeitlicher Begräbnisplatz bei Hegnach, Kreis Waiblingen. Fundber. aus Baden-Württemberg 1, 1974, 326–336.

H. Zürn – S. Schiek, Die Sammlung Edelmann im Britischen Museum zu London. Urkunden z. Vor- u. Frühgesch. aus Südwürtt. u. Hohenz. 3 (Stuttgart 1969).

H. Zulliger, Beiträge zur Psychologie der Trauer- und Bestattungsgebräuche. Imago 10, 1924, 178–227

ORTSREGISTER